여러분의 합격을 응원

해커스공무원의

FREE 공무원 영어[문법/독해/어휘] 특강

해커스공무원(gosi.Hackers.com) 접속 후 로그인 ▶
상단의 [무료강좌] 클릭 ▶
[교재 무료특강] 클릭하여 이용

공무원 보카 어플

GOSIVOCAENGBASIC

구글 플레이스토어/애플 앱스토어에서
[해커스공무원 기출보카] 검색 ▶ 어플 설치 후 실행 ▶
'인증코드 입력하기' 클릭 ▶ 위 인증코드 입력

* 쿠폰 등록 후 30일간 사용 가능
* 해당 자료는 [해커스공무원 기출 보카 4000+] 교재 내용으로 제공되는 자료로,
공무원 시험 대비에 도움이 되는 유용한 자료입니다.

· 핵심 단어암기장(PDF) & 단어암기 MP3 · 직무 관련 핵심 어휘(PDF)

해커스공무원(gosi.Hackers.com) 접속 후 로그인 ▶
상단의 [교재·서점 → 무료 학습 자료] 클릭 ▶
본 교재의 [자료받기] 클릭

단어시험지 자동제작 프로그램

해커스공무원(gosi.Hackers.com) 접속 후 로그인 ▶
상단의 [수험 정보] 클릭 ▶
좌측의 [단어시험지 생성기-해커스공무원 영어어휘] 클릭

해커스공무원 온라인 단과강의 20% 할인쿠폰

7AA6C3585D8A6F46

해커스공무원(gosi.Hackers.com) 접속 후 로그인 ▶
상단의 [나의 강의실] 클릭 ▶ 좌측의 [쿠폰등록] 클릭 ▶
위 쿠폰번호 입력 후 이용

* 쿠폰 등록 후 7일간 사용 가능(ID당 1회에 한해 등록 가능)

해커스 회독증강 콘텐츠 5만원 할인쿠폰

6EA3B229A439FC4A

해커스공무원(gosi.Hackers.com) 접속 후 로그인 ▶
상단의 [나의 강의실] 클릭 ▶ 좌측의 [쿠폰등록] 클릭 ▶
위 쿠폰번호 입력 후 이용

* 쿠폰 등록 후 7일간 사용 가능(ID 당 1회에 한해 등록 가능)
* 특별 할인상품 적용 불가
* 월간 학습지 회독증강 행정학/행정법총론 개별상품은 할인쿠폰 할인대상에서 제외

쿠폰 이용 관련 문의 **1588-4055**

단기 합격을 위한
해커스 커리큘럼

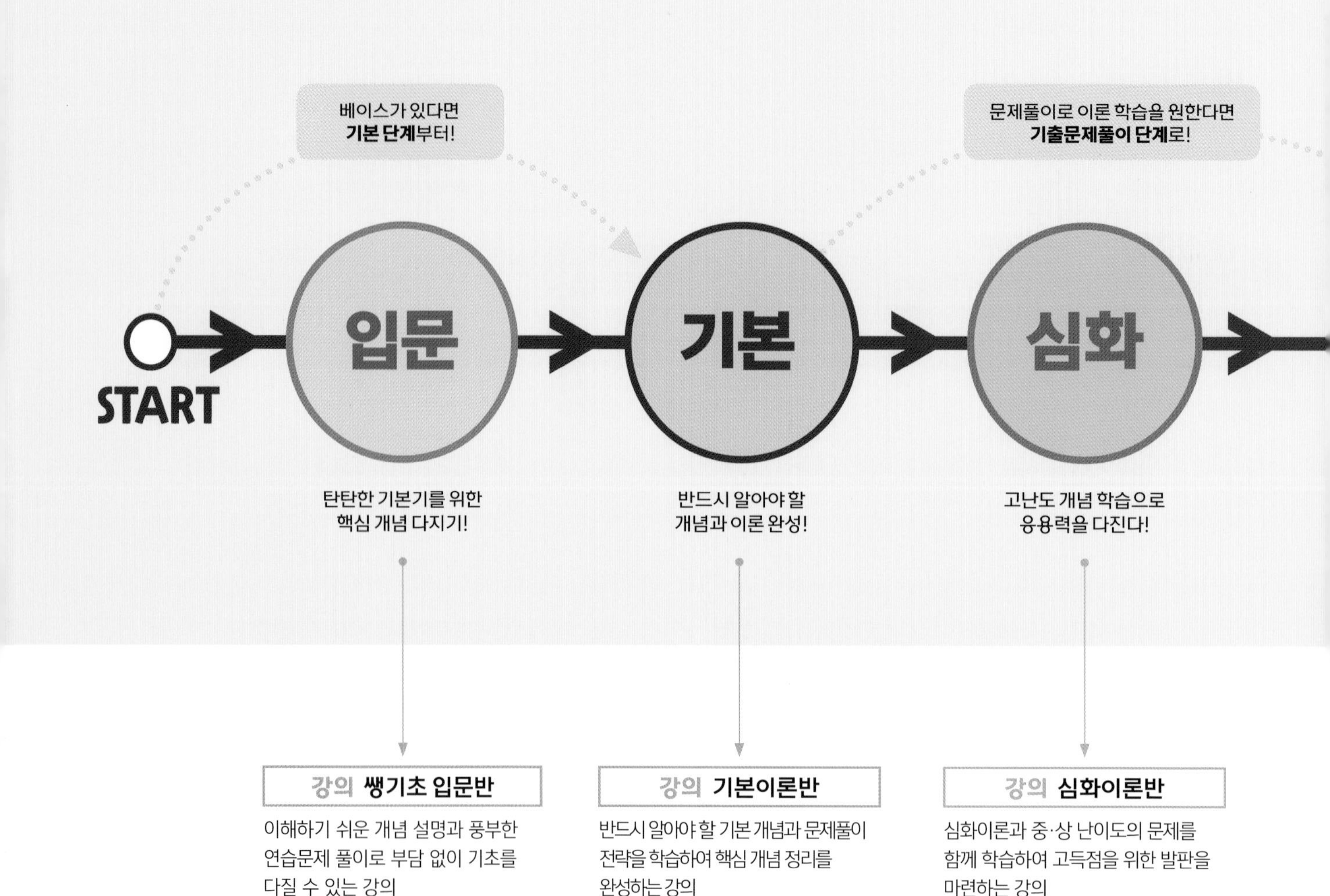

강의 쌩기초 입문반

이해하기 쉬운 개념 설명과 풍부한 연습문제 풀이로 부담 없이 기초를 다질 수 있는 강의

강의 기본이론반

반드시 알아야 할 기본 개념과 문제풀이 전략을 학습하여 핵심 개념 정리를 완성하는 강의

강의 심화이론반

심화이론과 중·상 난이도의 문제를 함께 학습하여 고득점을 위한 발판을 마련하는 강의

단계별 교재 확인 및
수강신청은 여기서!

gosi.Hackers.com

* 커리큘럼은 과목별·선생님별로 상이할 수 있으며, 자세한 내용은 해커스공무원 사이트에서 확인하세요.

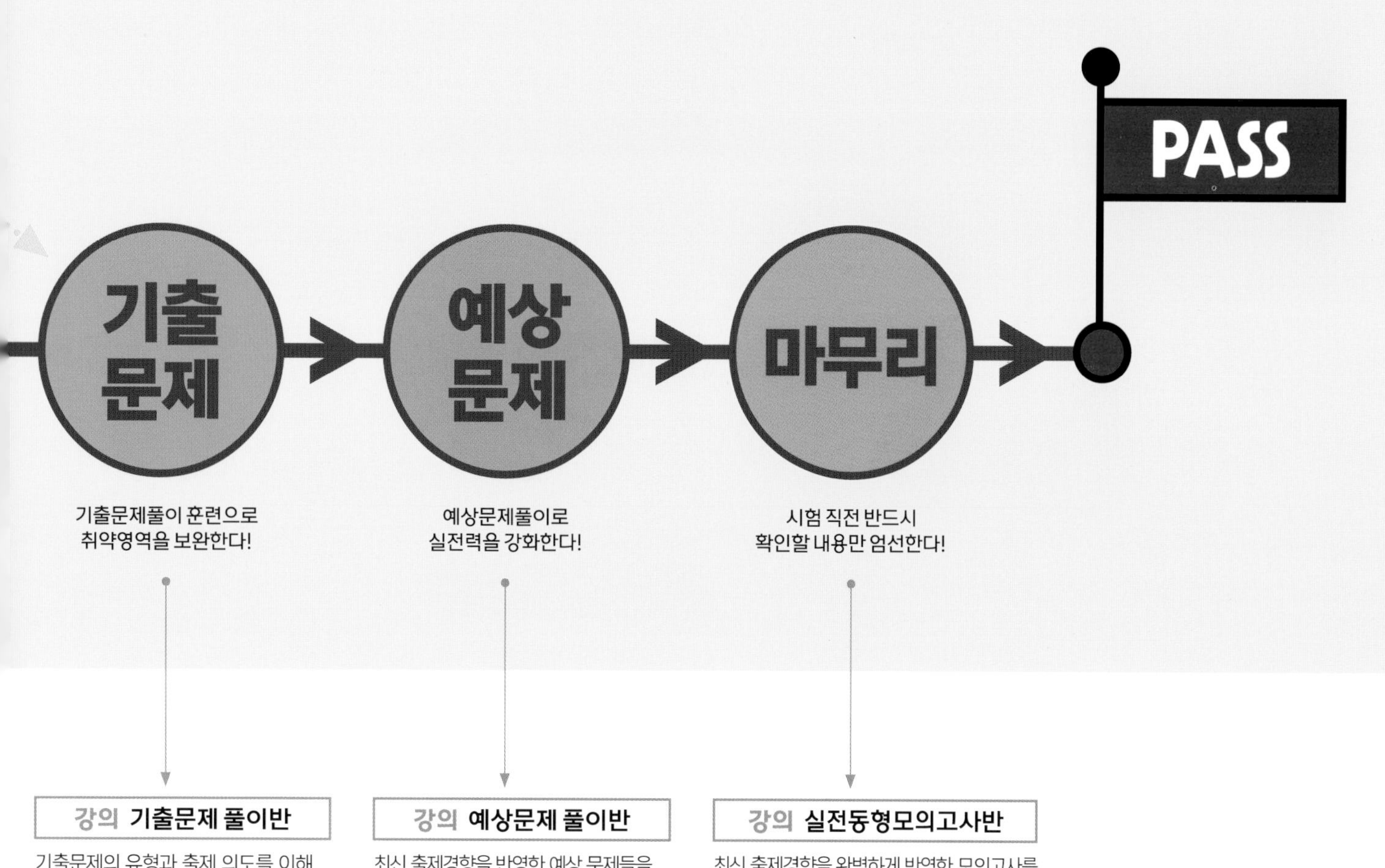
PASS
기출
문제
예상
문제
마무리
기출문제풀이 훈련으로
취약영역을 보완한다!
예상문제풀이로
실전력을 강화한다!
시험 직전 반드시
확인할 내용만 엄선한다!

강의 기출문제 풀이반

기출문제의 유형과 출제 의도를 이해하고, 본인의 취약영역을 파악 및 보완하는 강의

강의 예상문제 풀이반

최신 출제경향을 반영한 예상 문제들을 풀어보며 실전력을 강화하는 강의

강의 실전동형모의고사반

최신 출제경향을 완벽하게 반영한 모의고사를 풀어보며 실전 감각을 극대화하는 강의

강의 봉투모의고사반

시험 직전에 실제 시험과 동일한 형태의 모의고사를 풀어보며 실전력을 완성하는 강의

2025 공무원 영어

합격 가이드

매년 치열해지는 공무원 시험 경쟁에서 영어가 합격의 당락을 좌우하고 있습니다. <해커스공무원 영어>는 공무원 영어 시험의 길잡이가 되어줄 수 있도록 공무원 시험 최신 출제 경향과 2025년 출제 기조 전환 내용을 분석하여 문법·독해·어휘의 방대한 내용을 체계적으로 정리하여 제공하며, 가장 효율적으로 학습하여 빠르게 합격할 수 있는 전략과 학습 플랜을 제공합니다.

1. 공무원 영어 시험 구성 및 최신 출제경향

2. 공무원 영어 영역별 출제 유형

3. 해커스 단기 합격 기본서 학습 플랜

공무원 영어 **시험 구성** 및 **최신 출제경향**

1. 시험 구성

공무원 영어 시험은 총 20~25문항으로 구성되며 크게 3개의 영역으로 나눌 수 있습니다. 공무원 영어 시험의 약 50%를 차지하는 독해 영역과, 나머지 50%를 차지하는 문법 영역, 어휘 영역으로 구분되는데, 어휘 영역의 경우, 세부적으로 어휘, 표현, 생활영어로 구분할 수 있습니다.
(법원직의 경우 독해 약 80%, 문법 및 어휘 약 20%)

시험 구분	총 문항 수	영역별 출제 문항 수		
		문법	독해	어휘
국가직 9급	총 20 문항	3~4 문항	10~12 문항	5~6 문항
지방직 9급	총 20 문항	3~7 문항	8~12 문항	5~6 문항
서울시 9급*	총 20 문항	3~6 문항	8~12 문항	4~8 문항
법원직 9급	총 25 문항	1~4 문항	21~24 문항	0~1 문항
국회직 9급	총 20 문항	5 문항	7~10 문항	5~8 문항

* 서울시 9급 영어과목 시험은 2020년부터 지방직과 동일하게 인사혁신처에서 출제했습니다.

2. 최신 출제 경향 및 2025년 출제 기조 변화 대비 전략

문법 　문장 안에서 주요 문법 개념이 어떻게 활용되는지 파악해야 합니다.

문법 영역에서는 **동사구, 준동사구, 어순과 특수구문**을 묻는 문제가 자주 출제되며, 세부 빈출 포인트로는 **수 일치, 분사, 병치·도치·강조 구문**이 있습니다. 최근에는 한 문제의 모든 보기가 하나의 문법 포인트로 구성되거나 문단 내 모든 문장에 밑줄이 그어져 있는 등 다양한 형태의 문법 문제가 등장하고 있습니다.

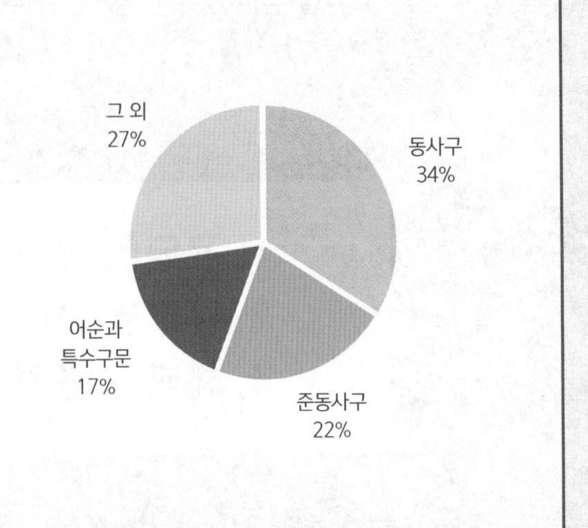

2025 대비전략

2025년 시험에는 변화된 출제 기조에 따라 기존에 자주 출제되던 단문 유형보다는 문단 안에서 문법 포인트에 밑줄을 그은 유형과 같이 활용성이 높고 명확한 유형의 문제가 출제될 것으로 예상됩니다. 주요 문법 개념을 체계적으로 정리한 후 예시 문장을 통해 문법 포인트가 어떻게 활용되는지 학습하고, 문제 풀이를 통해 부족한 부분을 보완하며 학습하는 것이 좋습니다.

독해 **구문을 정확하게 해석하고 유형별 풀이 전략을 적용하는 연습을 해야 합니다.**

독해 영역에서는 **빈칸 완성(단어, 구, 절), 주제·제목·요지·목적 파악, 내용 일치·불일치 파악** 유형의 출제 비중이 순서대로 높은 편입니다. 최근에는 전체 내용 파악과 논리적 흐름 파악 유형의 출제가 증가하고 있습니다.

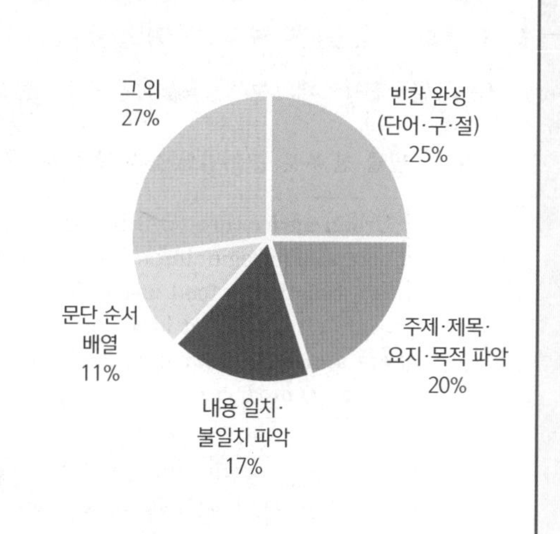

2025 대비전략

2025년 시험에는 변화된 출제 기조에 따라 직무와 관련이 있는 소재가 이메일, 안내문 등과 같이 업무 현장에서 접할 수 있는 형식으로 출제될 수 있습니다. 문제 유형에는 변화가 거의 없으나 한 지문에서 두 문항이 출제되는 다문항이나 웹페이지 형식으로 제시되는 지문과 같은 새로운 형식에 익숙해질 필요가 있으므로, 빈출 유형의 풀이 전략을 익히고, 각 전략을 실제 문제 풀이에 적용하는 연습을 하는 것이 중요합니다.

어휘 **단어, 표현, 생활영어까지 모든 유형을 대비하기 위해 폭넓게 학습해야 합니다.**

어휘 문제에서는 유의어 찾기 유형의 비중이 가장 높으며, 최근에는 문맥 속에서 적절한 단어를 추론하여 푸는 문제가 증가하고 있습니다. 생활영어 문제는 실생활과 밀접한 주제의 대화가 주로 출제되나, 직무 관련 대화도 출제됩니다.

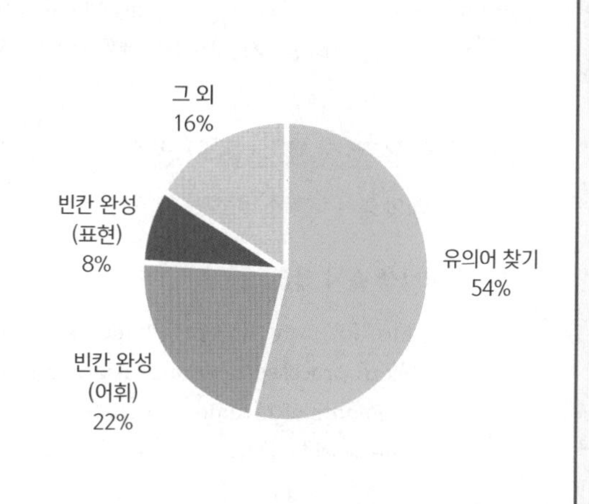

2025 대비전략

2025년 시험에는 변화된 출제 기조에 따라 문맥 속에서 어휘를 추론하는 문제, 비대면 의사소통 상황이나 직무 관련 소재를 활용한 문제 등 활용성이 높은 문제가 출제될 예정입니다. 따라서 유의어나 다의어를 통한 폭넓은 어휘 학습이 필요하며, 혼동하기 쉬운 표현들도 암기해 두는 것이 중요합니다. 생활영어 문제에 대비하기 위해서는 직무 관련 어휘나 상황별·주제별로 자주 쓰이는 표현을 알아 두는 것이 좋습니다.

공무원 영어 **영역별 출제 유형**

문법

1. 지문에서 밑줄 친 부분 중 어법상 틀린 것 또는 옳은 것 고르기

지문의 밑줄 친 4~5개의 보기 중 어법상 틀린 것 또는 옳은 것을 고르는 문제입니다.

문 8. 밑줄 친 부분 중 어법상 옳지 않은 것은? [2021년 국가직 9급]

> Urban agriculture (UA) has long been dismissed as a fringe activity that has no place in cities; however, its potential is beginning to ① be realized. In fact, UA is about food self-reliance: it involves ② creating work and is a reaction to food insecurity, particularly for the poor. Contrary to ③ which many believe, UA is found in every city, where it is sometimes hidden, sometimes obvious. If one looks carefully, few spaces in a major city are unused. Valuable vacant land rarely sits idle and is often taken over—either formally, or informally—and made ④ productive.

해설 의문사 which는 '무엇(어느 것)'이라는 의미로 선택의 대상이 있을 때 쓰일 수 있는데, 문맥상 '많은 사람들이 믿는 것'이라는 의미로 막연한 '무엇'을 의미하고 있으므로, 의문사 which를 불완전한 절(many believe)을 이끌면서 전치사(to) 뒤에 올 수 있는 명사절 접속사 what으로 고쳐야 합니다. 따라서 ③번이 정답입니다.

2. 어법상 빈칸에 적절한 것 고르기

빈칸에 들어갈 어법상 가장 적절한 보기를 고르는 문제입니다. 빈칸이 하나인 문제가 출제되며, 빈칸이 2~4개인 문제가 출제되기도 합니다.

문 3. 밑줄 친 부분에 들어갈 말로 가장 적절한 것을 고르시오. [2025년 출제 기조 전환 예시 문제]

> By the time she ____________ her degree, she will have acquired valuable knowledge on her field of study.

① will have finished
② is finishing
③ will finish
④ finishes

해설 빈칸은 시간을 나타내는 부사절 접속사 By the time(~할 때쯤에)이 이끄는 부사절의 동사 자리인데, 주절에 미래완료 시제 will have acquired가 쓰였고 시간을 나타내는 부사절에서는 미래를 나타내기 위해 현재 시제가 사용되므로, 빈칸에는 현재 시제인 ④ finishes가 들어가는 것이 적절합니다.

3. 어법상 옳은 문장 또는 옳지 않은 문장 고르기

주어진 4~5개의 영어 문장 중 문법적으로 옳은 문장 또는 옳지 않은 문장을 고르는 문제입니다.

문 15. 어법상 옳지 않은 것은? [2021년 지방직 9급]

① Fire following an earthquake is of special interest to the insurance industry.
② Word processors were considered to be the ultimate tool for a typist in the past.
③ Elements of income in a cash forecast will be vary according to the company's circumstances.
④ The world's first digital camera was created by Steve Sasson at Eastman Kodak in 1975.

해설 동사 자리에는 조동사(will) + 동사원형이 올 수 있는데, 동사원형 자리에 동사가 두 개(be, vary) 왔으므로 ③번의 will be vary를 '달라지다'라는 의미의 자동사 vary만 남긴 will vary로 고쳐야 합니다.

4. 우리말을 영어로 잘 옮긴 것 또는 잘못 옮긴 것 고르기

주어진 우리말을 영어로 잘 옮긴 것 또는 잘못 옮긴 것을 고르는 문제입니다. 우리말 문장 4~5개 각각을 영작한 영어 문장 4~5개가 주어지는 문제와 우리말 한 문장을 영작한 영어 문장 4~5개가 주어지는 문제가 있습니다.

문 7. 우리말을 영어로 잘못 옮긴 것은? [2023년 국가직 9급]

① 내 고양이 나이는 그의 고양이 나이의 세 배이다.
→ My cat is three times as old as his.

② 우리는 그 일을 이번 달 말까지 끝내야 한다.
→ We have to finish the work until the end of this month.

③ 그녀는 이틀에 한 번 머리를 감는다.
→ She washes her hair every other day.

④ 너는 비가 올 경우에 대비하여 우산을 갖고 가는 게 낫겠다.
→ You had better take an umbrella in case it rains.

해설 보기를 읽고 어법상 옳지 않은 부분이 있는지 확인합니다. '이번 달 말까지 끝내야 한다'는 정해진 시점(이번 달 말)까지 완료되는 상황을 나타내고 있으므로, '특정 시점까지 어떤 행동이나 상황이 계속되는 것'을 의미하는 전치사 until을 '정해진 시점까지 어떤 행동이나 상황이 완료되는 것'을 의미하는 전치사 by(~까지)로 고쳐야 합니다. 따라서 ②번이 정답입니다.

문 16. 우리말을 영어로 가장 잘 옮긴 것은? [2019년 지방직 7급]

문화를 연결해 주는 교차로 중 하나인 하와이에서는 그 어느 곳보다 퓨전 요리가 더욱 눈에 띈다.

① Nowhere are fusion dishes more apparent than in Hawaii which is one of the crossroad places that bridge cultures.

② Nowhere are fusion dishes more apparent than in Hawaii where is one of the crossroad places that bridges cultures.

③ Nowhere fusion dishes are more apparent than in Hawaii where is one of the crossroad places that bridge cultures.

④ Nowhere fusion dishes are more apparent than in Hawaii which is one of the crossroad places that bridges cultures.

해설 보기를 읽고 어법상 옳지 않은 부분이 있는지 확인합니다. 부정을 나타내는 부사(Nowhere)가 강조되어 문장 맨 앞에 나오면 주어와 동사가 도치되어 '부사(Nowhere) + 동사(are) + 주어(fusion dishes)'의 어순으로 나타낼 수 있으므로 Nowhere are fusion dishes로 나타낸 ①, ②번이 정답의 후보입니다. 선행사 Hawaii가 사물이고 관계절 내에서 동사 is의 주어 역할을 하므로 사물을 가리키는 주격 관계대명사 which를 사용하여 바르게 나타낸 ①번이 정답입니다.

공무원 영어 **영역별 출제 유형**

독해

1. 전체내용 파악하기: 주제·제목·요지·목적 파악, 문단 요약, 글의 감상

지문의 중심 내용을 파악하여 지문의 주제, 제목, 요지, 목적 등을 고르거나, 지문을 요약한 문장을 완성하는 유형과 전체적인 글의 흐름을 파악하여 글의 분위기나 전개 방식, 필자나 등장인물의 어조나 태도 등을 고르는 유형입니다. 지문 처음 또는 마지막에 중심 내용이 나오는 경우가 많으므로 지문의 처음과 마지막을 주의 깊게 살펴야 합니다.

문 15. 다음 글의 제목으로 적절한 것은? [2024년 국가직 9급]

Currency debasement of a good money by a bad money version occurred via coins of a high percentage of precious metal, reissued at lower percentages of gold or silver diluted with a lower value metal. This adulteration drove out the good coin for the bad coin. No one spent the good coin, they kept it, hence the good coin was driven out of circulation and into a hoard. Meanwhile the issuer, normally a king who had lost his treasure on interminable warfare and other such dissolute living, was behind the move. They collected all the good old coins they could, melted them down and reissued them at lower purity and pocketed the balance. It was often illegal to keep the old stuff back but people did, while the king replenished his treasury, at least for a time.

① How Bad Money Replaces Good
② Elements of Good Coins
③ Why Not Melt Coins?
④ What Is Bad Money?

해설 지문의 제목을 묻는 문제입니다. 지문 처음에서 나쁜 화폐로 인한 좋은 화폐의 통화 가치 훼손에 대해 언급하고, 지문 마지막에서 좋은 오래된 동전을 모두 모아서 녹이고, 더 낮은 순도로 재발행하는 방법을 설명하고 있으므로, 이 글의 제목을 '나쁜 화폐가 좋은 화폐를 대체하는 방법'이라고 표현한 ①번이 정답입니다.

2. 세부 내용 파악하기: 내용 일치·불일치 파악, 지칭 대상 파악

지문의 세부 내용을 파악하여 지문의 내용과 일치·불일치하는 보기를 고르거나 질문에서 묻는 특정한 정보를 찾는 유형입니다. 지문에 나온 단어나 어구를 그대로 언급하거나 바꾸어 표현한 보기가 나오므로 지문과 보기의 내용을 꼼꼼하게 비교하며 읽어야 합니다.

문 7. 다음 글의 내용과 일치하지 않는 것은? [2022년 국가직 9급]

Umberto Eco was an Italian novelist, cultural critic and philosopher. He is widely known for his 1980 novel *The Name of the Rose*, a historical mystery combining semiotics in fiction with biblical analysis, medieval studies and literary theory. He later wrote other novels, including *Foucault's Pendulum* and *The Island of the Day Before*. Eco was also a translator: he translated Raymond Queneau's book *Exercices de style* into Italian. He was the founder of the Department of Media Studies at the University of the Republic of San Marino. He died at his Milanese home of pancreatic cancer, from which he had been suffering for two years, on the night of February 19, 2016.

① *The Name of the Rose* is a historical novel.
② Eco translated a book into Italian.
③ Eco founded a university department.
④ Eco died in a hospital of cancer.

해설 지문의 내용과 일치하지 않는 것을 묻는 문제입니다. 지문 마지막에서 그는 밀라노의 집에서 사망했다고 했으므로, Eco가 암으로 병원에서 사망했다는 것은 지문의 내용과 일치하지 않습니다. 따라서 ④번이 정답입니다.

문 12. Northeastern Wildlife Exposition에 관한 다음 글의 내용과 일치하는 것은? [2024년 국가직 9급]

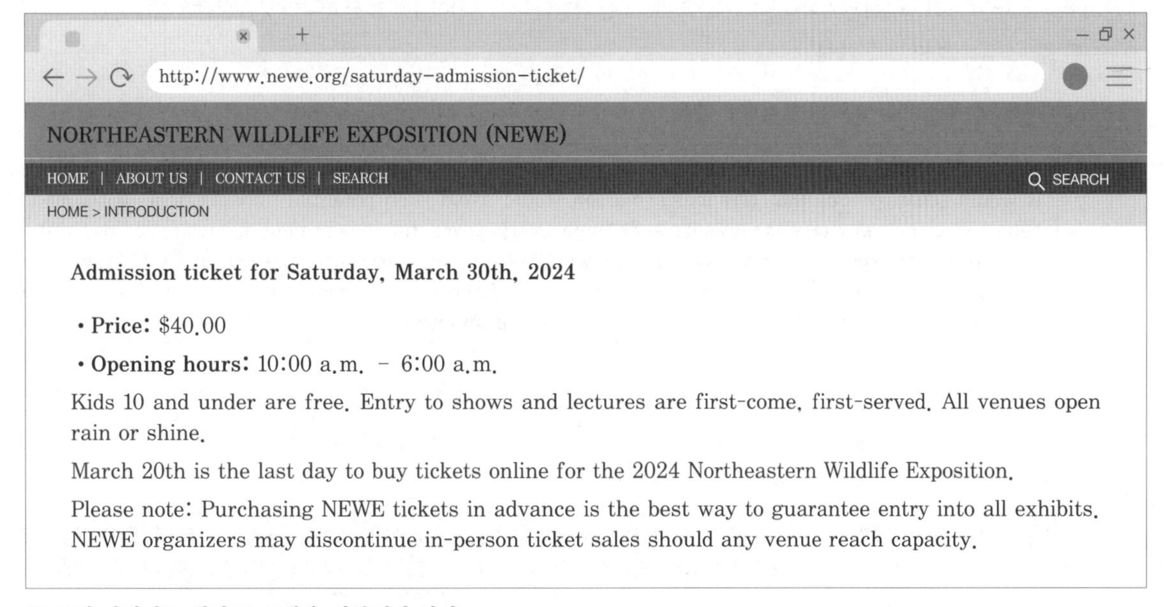
http://www.newe.org/saturday-admission-ticket/

NORTHEASTERN WILDLIFE EXPOSITION (NEWE)

HOME | ABOUT US | CONTACT US | SEARCH SEARCH

HOME > INTRODUCTION

Admission ticket for Saturday, March 30th, 2024

- **Price:** $40.00
- **Opening hours:** 10:00 a.m. – 6:00 a.m.

Kids 10 and under are free. Entry to shows and lectures are first-come, first-served. All venues open rain or shine.

March 20th is the last day to buy tickets online for the 2024 Northeastern Wildlife Exposition.

Please note: Purchasing NEWE tickets in advance is the best way to guarantee entry into all exhibits. NEWE organizers may discontinue in-person ticket sales should any venue reach capacity.

① 10세 어린이는 입장료 40불을 지불해야 한다.
② 공연과 강연의 입장은 선착순이다.
③ 비가 올 경우에는 행사장을 닫는다.
④ 입장권은 온라인으로만 구매할 수 있다.

해설 지문의 내용과 일치하는 것을 묻는 문제입니다. 지문 처음에서 공연 및 강연 입장은 선착순이라고 했으므로, 공연과 강연의 입장은 선착순이라는 것은 지문의 내용과 일치합니다. 따라서 ②번이 정답입니다.

3. 추론하기: 빈칸 완성① 단어·구·절, 빈칸 완성② 연결어

지문의 흐름을 자연스럽게 연결하는 보기를 골라 빈칸을 완성하는 유형입니다. 빈칸이나 밑줄 친 어구의 앞뒤 문장에 정답의 단서가 제시되는 경우가 많으므로 해당 부분을 꼼꼼히 읽어야 합니다.

문 16. 다음 빈칸에 들어갈 말로 가장 적절한 것은? [2020년 법원직 9급]

> Much is now known about natural hazards and the negative impacts they have on people and their property. It would seem obvious that any logical person would avoid such potential impacts or at least modify their behavior or their property to minimize such impacts. However, humans are not always rational. Until someone has a personal experience or knows someone who has such an experience, most people subconsciously believe "It won't happen here" or "It won't happen to me." Even knowledgeable scientists who are aware of the hazards, the odds of their occurrence, and the costs of an event ______________________.

① refuse to remain silent
② do not always act appropriately
③ put the genetic factor at the top end
④ have difficulty in defining natural hazards

해설 지문의 빈칸을 채우는 문제입니다. 빈칸이 있는 문장을 통해 빈칸에 총명한 과학자들이 어떻게 하는지에 대한 내용이 나와야 적절하다는 것을 알 수 있습니다. 지문 앞부분에서 논리적인 사람이라면 부정적인 영향을 피하려고 할 것이 분명한 듯하다고 하지만, 인간이 언제나 합리적이지는 않다고 했으므로, 심지어 총명한 과학자들도 '항상 적절하게 행동하는 것은 아니다'라고 한 ②번이 정답입니다.

4. 논리적 흐름 파악하기: 문단 순서 배열, 문장 삽입, 무관한 문장 삭제

지문의 논리적 흐름에 따라 문단 순서 배열, 문장 삽입, 지문의 흐름과 무관한 문장을 삭제하는 유형입니다. 연결어나 지시대명사가 지문의 논리적인 흐름을 파악하는 데 단서가 되는 경우가 많으므로 이를 중심으로 지문을 읽어야 합니다.

문 14. 다음 글의 흐름상 적절하지 않은 문장은? [2021년 지방직 9급]

> There was no divide between science, philosophy, and magic in the 15th century. All three came under the general heading of 'natural philosophy'. ① Central to the development of natural philosophy was the recovery of classical authors, most importantly the work of Aristotle. ② Humanists quickly realized the power of the printing press for spreading their knowledge. ③ At the beginning of the 15th century Aristotle remained the basis for all scholastic speculation on philosophy and science. ④ Kept alive in the Arabic translations and commentaries of Averroes and Avicenna, Aristotle provided a systematic perspective on mankind's relationship with the natural world. Surviving texts like his *Physics, Metaphysics, and Meteorology* provided scholars with the logical tools to understand the forces that created the natural world.

해설 지문의 흐름과 무관한 문장을 고르는 문제입니다. 지문 처음에서 15세기에 과학, 철학, 그리고 마법은 차이점이 없이 모두 '자연철학'의 일반적인 주제에 포함되었다고 설명한 뒤, ①번에서 아리스토텔레스의 작품이 자연철학 발달에 중심이 되었다고 언급하고, ③, ④번에서 아리스토텔레스가 학문 분야에 미친 영향에 대해 설명했습니다. 그러나 ②번은 인문주의자들이 인쇄기의 힘을 깨달았다는 내용으로, 지문 전반의 내용과 관련이 없습니다. 따라서 ②번이 정답입니다.

5. 다문항: 주제·제목·요지·목적 파악, 내용 일치·불일치 파악, 비슷한 뜻을 가진 어휘/표현 고르기

하나의 긴 지문을 읽고 2개의 문제를 푸는 유형입니다. 각 문제를 해결하기 위해 필요한 정보가 무엇인지 파악한 후, 파악해야 할 내용과 관련된 곳은 주의 깊게 읽고 나머지 부분은 빠르게 읽어 각 문제 유형별 전략을 바탕으로 문제를 해결해야 합니다.

[08~09] 다음 글을 읽고 물음에 답하시오. [2025년 출제 기조 전환 예시 문제]

To	Clifton District Office
From	Rachael Beasley
Date	June 7
Subject	Excessive Noise in the Neighborhood

To whom it may concern,

I hope this email finds you well. I am writing to express my concern and frustration regarding the excessive noise levels in our neighborhood, specifically coming from the new sports field.

As a resident of Clifton district, I have always appreciated the peace of our community. However, the ongoing noise disturbances have significantly impacted my family's well-being and our overall quality of life. The sources of the noise include crowds cheering, players shouting, whistles, and ball impacts.

I kindly request that you look into this matter and take appropriate steps to address the noise disturbances. Thank you for your attention to this matter, and I appreciate your prompt response to help restore the tranquility in our neighborhood.

Sincerely,
Rachael Beasley

문 8. 윗글의 목적으로 가장 적절한 것은?

① 체육대회 소음에 대해 주민들의 양해를 구하려고
② 새로 이사 온 이웃 주민의 소음에 대해 항의하려고
③ 인근 스포츠 시설의 소음에 대한 조치를 요청하려고
④ 밤시간 악기 연주와 같은 소음의 차단을 부탁하려고

문 9. 밑줄 친 "steps"의 의미와 가장 가까운 것은?

① movements
② actions
③ levels
④ stairs

해설 문 8. 지문 처음에서 동네의 새로운 스포츠 경기장에서 나오는 과도한 소음 수준에 대한 우려와 불만을 표현하기 위해 이메일을 쓴다고 했고, 지문 마지막에서 소음 방해를 해결하기 위한 적절한 조치를 취해주기를 요청한다고 했습니다. 따라서 이 글의 목적을 '인근 스포츠 시설의 소음에 대한 조치를 요청하려고'라고 표현한 ③번이 정답입니다.

문 9. steps(조치)가 포함된 문장(I kindly ~ the noise disturbances)에서 이 문제를 조사하여 소음 방해를 해결하기 위한 적절한 조치를 취해주기를 요청한다고 했으므로 steps는 '조치'라는 뜻으로 사용되었습니다. 따라서 '조치'라는 뜻을 가진 action의 복수형인 '② actions'가 정답입니다.

어휘

1. 비슷한 뜻을 가진 어휘 / 표현 고르기

밑줄 친 부분의 어휘 또는 표현과 비슷한 의미를 가진 것을 고르는 유형입니다. 이 유형의 경우, 지문에 사용된 어휘와 문장 구조는 어렵지 않지만, 밑줄 친 부분과 보기에 쓰인 어휘나 표현이 어려운 편입니다. 특히 밑줄 친 부분의 의미를 문맥을 통해 파악했더라도 보기의 어휘를 알지 못한다면 답을 고를 수 없는 경우가 많으므로, 충분한 양의 어휘와 그에 대한 유의어 암기가 필요합니다.

문 1. 밑줄 친 부분의 의미와 가장 가까운 것을 고르시오. [2023년 지방직 9급]

> Further explanations on our project will be given in <u>subsequent</u> presentations.

① required ② following ③ advanced ④ supplementary

해설 subsequent(다음의)와 비슷한 의미를 가진 어휘를 묻고 있습니다. ①번 required는 '필요한', ②번 following은 '다음의', ③번 advanced는 '진보한', ④번 supplementary는 '보충의'라는 의미입니다. 따라서 ②번이 정답입니다.

2. 빈칸에 들어갈 어휘 / 표현 고르기

문장 또는 지문의 빈칸에 들어갈 적절한 어휘 또는 표현을 고르는 유형입니다. 이 유형은 보기에 주어진 어휘나 표현의 의미를 파악한 후 전체적인 문맥을 통해 빈칸에 들어갈 적절한 것을 유추하면 쉽게 풀 수 있으므로, 충분한 양의 어휘 암기와 추론 능력이 필요합니다.

문 1. 밑줄 친 부분에 들어갈 말로 적절한 것은? [2024년 국가직 9급]

> Obviously, no aspect of the language arts stands alone either in learning or in teaching. Listening, speaking, reading, writing, viewing, and visually representing are ______________________.

① distinct ② distorted ③ interrelated ④ independent

해설 밑줄 친 부분에 들어갈 어휘를 묻고 있습니다. ①번 'distinct'는 '뚜렷이 다른', ②번 'distorted'는 '왜곡된', ③번 'interrelated'는 '서로 관계 있는', ④번 'independent'는 '독립된'이라는 의미입니다. 주어진 문장에서 언어의 어떤 측면도 학습이나 교육에 있어 독립적이지 않다고 했으므로, '듣기, 말하기, 읽기, 쓰기, 보기, 시각적 표현은 ______'라는 문맥에서 Listening, speaking, reading, writing, viewing, and visually representing are ______의 빈칸에는 '서로 관계 있는'이라는 의미가 들어가야 자연스럽습니다. 따라서 ③번이 정답입니다.

3. 밑줄 친 부분에 공통으로 들어갈 어휘 / 표현 고르기

밑줄 친 부분에 공통으로 들어갈 어휘 또는 표현을 고르는 유형입니다. 문맥에 따라 다양한 의미로 쓰일 수 있는 표현, 같은 어휘를 포함하는 표현, 다의어 등을 묻는 유형이므로, 하나의 어휘 및 표현이 가지는 다양한 쓰임과 의미를 알아두는 것이 중요합니다.

문 11. 밑줄 친 부분에 공통으로 들어갈 말로 가장 적절한 것은? [2016년 지방직 9급]

> · The psychologist used a new test to __________ overall personality development of students.
> · Snacks ____________ 25% to 30% of daily energy intake among adolescents.

① carry on ② figure out ③ account for ④ depend upon

해설 밑줄 친 부분에 공통으로 들어갈 표현을 묻고 있습니다. ①번 carry on은 '계속하다, 투덜대다', ②번 figure out은 '이해하다, 포함하다', ④번 depend upon은 '~에 달려있다'라는 의미입니다. '~을 설명하다'라는 의미와 '~을 차지하다'의 의미를 모두 갖는 표현은 account for이므로 ③번이 정답입니다.

4. 대화의 빈칸에 들어갈 생활영어 문장 고르기

대화의 빈칸에 들어갈 알맞은 말을 고르는 유형입니다. 대화의 전체적인 흐름을 파악한 후 빈칸 앞, 뒤 문맥을 파악해야 합니다. 지문과 보기에는 관용적으로 사용되는 생활영어 표현이 자주 등장하므로, 상황별로 쓰이는 다양한 문장들을 외워두는 것이 좋습니다.

문 10. 밑줄 친 부분에 들어갈 말로 알맞은 것을 고르시오. [2023년 국가직 9급]

A: I got this new skin cream from a drugstore yesterday. It is supposed to remove all wrinkles and make your skin look much younger.
B: ____________________
A: Why don't you believe it? I've read in a few blogs that the cream really works.
B: I assume that the cream is good for your skin, but I don't think that it is possible to get rid of wrinkles or magically look younger by using a cream.
A: You are so pessimistic.
B: No, I'm just being realistic. I think you are being gullible.

① I don't buy it.
② It's too pricey.
③ I can't help you out.
④ Believe it or not, it's true.

해설 대화 속의 빈칸을 채우는 유형입니다. 빈칸 뒤 B의 '왜 안 믿어요?'라는 말을 통해 빈칸에는 '저는 그걸 믿지 않아요'라는 의미의 I don't buy it이 와야 함을 알 수 있습니다. 따라서 ①번이 정답입니다.

5. 어색한 / 자연스러운 대화 고르기

두 사람의 대화로 이루어진 대화 중 어색한 대화 또는 자연스러운 대화를 고르는 유형입니다. 첫 번째 화자의 말에서 대화가 일어나는 상황을 파악한 후, 두 번째 화자의 답변에서 앞의 상황과 어울리지 않는 대화가 있는지 확인합니다. 이 유형은 일상생활에서 흔히 사용되는 영어 표현이 자주 등장하므로, 상황별로 쓰이는 다양한 문장들을 알아두는 것이 좋습니다.

문 12. 두 사람의 대화 중 가장 어색한 것은? [2021년 지방직 9급]

① A: I'm so nervous about this speech that I must give today.
B: The most important thing is to stay cool.
② A: You know what? Minsu and Yujin are tying the knot!
B: Good for them! When are they getting married?
③ A: A two-month vacation just passed like one week. A new semester is around the corner.
B: That's the word. Vacation has dragged on for weeks.
④ A: How do you say 'water' in French?
B: It is right on the tip of my tongue, but I can't remember it.

해설 두 사람의 대화의 흐름이 어색한 것을 묻고 있습니다. 두 달의 휴가가 한 주처럼 빠르게 지나갔다는 A의 말에 '내 말이 그 말이야. 휴가가 몇 주 동안 느릿느릿 지나갔어'라는 대답은 어울리지 않습니다. 따라서 ③번이 정답입니다.

해커스 단기 합격 기본서 **학습 플랜**

[1회독] 개념 정리 단계
- 아래 진도표에 따라 매일 학습
- 학습 기간: 60일

[2회독] 집중학습 단계
- 아래 진도표의 이틀 분량을 하루에 학습
- 학습 기간: 30일

[3회독] 실력완성 단계
- 아래 진도표의 사흘 분량을 하루에 학습
- 학습 기간: 20일

	1일	2일	3일	4일	5일	6일	7일	8일	9일	10일
문법	기초 문법	Ch01	Section 1 ST	Section 1 복습	Ch02	Ch02	Ch02	Ch03	Ch03	Ch04
독해	필수구문 Ch01	Ch01	Ch01	Ch01	Ch01 복습	Ch02	Ch02	Ch02	Ch02	Ch02 복습
어휘	DAY01	DAY02	DAY03	DAY04	DAY05	DAY01~05 복습	DAY06	DAY07	DAY08	DAY09
	11일	**12일**	**13일**	**14일**	**15일**	**16일**	**17일**	**18일**	**19일**	**20일**
문법	Ch04	Ch05	Ch05	Ch06	Ch06	Ch07	Ch07	Section 2 ST	Section 2 복습	Ch08
독해	Ch03	Ch03	Ch03	Ch03	Ch03 복습	Ch04	Ch04	Ch04	Ch04	Ch04 복습
어휘	DAY10	DAY06~10 복습	DAY11	DAY12	DAY13	DAY14	DAY15	DAY11~15 복습	DAY16	DAY17
	21일	**22일**	**23일**	**24일**	**25일**	**26일**	**27일**	**28일**	**29일**	**30일**
문법	Ch08	Ch09	Ch09	Ch10	Ch10	Section 3 ST	Section 3 복습	Ch11	Ch11	Ch12
독해	Ch05	Ch05	Ch05	Ch05	Ch05 복습	Ch06	Ch06	Ch06	Ch06	Ch06 복습
어휘	DAY18	DAY19	DAY20	DAY16~20 복습	DAY21	DAY22	DAY23	DAY24	DAY25	DAY21~25 복습
	31일	**32일**	**33일**	**34일**	**35일**	**36일**	**37일**	**38일**	**39일**	**40일**
문법	Ch12	Ch13	Ch13	Ch14	Ch14	Section 4 ST	Section 4 복습	Ch15	Ch15	Ch16
독해	Ch07	Ch07	Ch07	Ch07	Ch07 복습	Ch08	Ch08	Ch08	Ch08	Ch08 복습
어휘	DAY26	DAY27	DAY28	DAY29	DAY30	DAY26~30 복습	DAY31	DAY32	DAY33	DAY34
	41일	**42일**	**43일**	**44일**	**45일**	**46일**	**47일**	**48일**	**49일**	**50일**
문법	Ch16	Ch16	Ch17	Ch17	Ch17	Ch18	Ch18	Ch18	Section 5 ST	Section 5 복습
독해	Ch09	Ch09	Ch09	Ch09	Ch09 복습	Ch10	Ch10	Ch10	Ch10	Ch10 복습
어휘	DAY35	DAY31~35 복습	DAY36	DAY37	DAY38	DAY39	DAY40	DAY36~40 복습	DAY41	DAY42
	51일	**52일**	**53일**	**54일**	**55일**	**56일**	**57일**	**58일**	**59일**	**60일**
문법	Ch19	Ch19	Ch20	Ch20	Ch21	Ch21	Section 6 ST	Section 6 복습	FT	FT 복습 및 총정리
독해	Ch11	Ch11	Ch11	Ch11	Ch11 복습	FT	FT	FT	FT	FT 복습 및 총정리
어휘	DAY43	DAY44	DAY45	DAY41~45 복습	DAY46	DAY47	DAY48	DAY49	DAY50	DAY46~50 복습

- ST: Section Test, FT: Final Test

회독별 교재 활용법

1회독
개념 정리 단계

학습 기간: 총 60일

학습 목표: 책에 실린 모든 이론 및 문제 풀이 전략의 중심 개념을 이해하기

교재 활용법

- 문법: 이론 중 '고득점 포인트'는 제외하고 기본적인 내용 위주로 학습하며, 교재에 수록된 연습문제(Hackers Practice)를 풀어보며 학습한 내용을 적용합니다.
- 독해: 유형별 문제 풀이 전략 및 다양한 구문을 해석하는 방법을 익힙니다. 문제 풀이 방법을 학습하고 전반적인 독해 유형을 익힌다는 생각으로 문제를 풉니다.
- 어휘: 각 DAY의 표제어 위주로 암기하고 '1초 Quiz'로 그날 암기한 내용을 바로 확인합니다.

√ 1회독은 개념 정리를 먼저 하는 단계이므로, 기본서에 집중하여 학습하는 것을 권장합니다.

2회독
집중 학습 단계

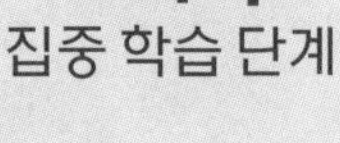

학습 기간: 총 30일

학습 목표: 책에 실린 모든 내용을 놓치지 않고 꼼꼼하게 학습하기

교재 활용법

- 문법: '고득점 포인트' 내용을 정독하며 문법 포인트를 학습합니다. 이해도가 높은 부분은 1회독 때보다 학습 시간을 단축하는 것이 좋습니다.
- 독해: 책에 실린 다양한 기출문제 및 예상문제를 풀며 모든 유형의 문제를 연습하고, '지문 구조 한눈에 보기'를 통해 지문의 내용을 완벽히 이해하도록 학습합니다.
- 어휘: 각 DAY의 표제어 뜻을 완벽하게 암기했는지 예문과 함께 점검합니다. 1회독 때 체크해 두었던 잘 외워지지 않는 어휘 위주로 암기합니다.

√ 2회독 시에는 기본서뿐만 아니라 [해커스공무원 유형별 기출문제집] 또는 [해커스공무원 매일 하프모의고사]의 문제를 풀어보며 이론과 문제풀이를 병행하여 학습하는 것을 권장합니다.

3회독
실력 완성 단계

학습 기간: 총 20일

학습 목표: 틀린 문제를 중심으로 완벽히 복습하여 실력 완성하기

교재 활용법

- 문법: 1,2회독 시 틀렸거나 헷갈리기 쉬운 문제 위주로 다시 풀고, 해당 문법 이론을 찾아가며 철저히 복습하여 동일한 포인트의 문제를 틀리지 않도록 합니다.
- 독해: 틀린 문제를 중심으로 풀되, 끊어 읽기와 '공무원 필수 구문'을 포함하여 지문의 모든 부분을 꼼꼼하게 복습합니다.
- 어휘: 잘 외워지지 않거나 헷갈려 체크해 둔 어휘 위주로 완벽하게 암기합니다.

√ 3회독 시에는 1,2회독 때 틀린 문제를 중심으로 기본서로 완벽히 복습하고, [해커스공무원 실전동형모의고사]를 실제 시험처럼 풀며 합격을 위한 실력을 완성하는 것을 권장합니다.

해커스공무원에서 제공하는 합격 가능성을 높이는 프리미엄 콘텐츠!

01

핵심 단어암기장 제공 (gosi.Hackers.com)

핵심 단어암기장을 통해 문법·독해·어휘 영역에 수록된 핵심 어휘를 챕터별/DAY별로 다시 한번 복습할 수 있습니다.

02

직무 관련 핵심 어휘 제공 (gosi.Hackers.com)

직무 관련 핵심 어휘를 통해 2025년 출제 기조 변화에 따른 실무 관련 문제 유형에 효과적으로 대비할 수 있습니다.

03

단어시험지 자동제작 프로그램

해커스공무원 영어 어휘 단어시험지 자동생성기를 통해 맞춤형 시험지로 암기한 단어를 복습할 수 있습니다.

04

단어암기 MP3 (gosi.Hackers.com)

어휘 교재에 수록된 어휘, 표현 및 생활영어 문장을 뜻과 함께 들으면서 학습의 효과를 더욱 높일 수 있습니다.

05

문법·독해·어휘 동영상 강의 (gosi.Hackers.com)

공무원 영어 학습자들이 꼭 알아야 할 개념을 혼자서도 완벽하게 정복할 수 있도록 동영상강의를 제공합니다.

06

공무원 학원 및 시험 정보·동영상강의 (gosi.Hackers.com)

공무원 학원 및 시험에 관한 각종 정보 및 다양한 무료 자료, 교재별 핵심정리 동영상강의 및 실전 문제풀이 동영상 강의 등을 제공합니다.

해커스공무원 영어 기본서

1권 | 문법

해커스공무원

해커스공무원 영어 **문법** Grammar

CONTENTS

기초문법 011

Section 1
문장 성분

Chapter 01 주어·동사/목적어·보어/수식어
기출포인트 01 주어 자리 024
기출포인트 02 동사 자리 025
기출포인트 03 목적어 자리 026
기출포인트 04 보어 자리 027
기출포인트 05 수식어 거품 자리 028
기출포인트 06 가짜 주어 구문 029

Section 2
동사구

Chapter 02 동사의 종류
기출포인트 01 자동사 050
기출포인트 02 타동사 051
기출포인트 03 혼동하기 쉬운 자동사와 타동사 052
기출포인트 04 4형식 동사 053
기출포인트 05 5형식 동사 054
기출포인트 06 목적어 뒤에 as나 to be를 취하는 동사 055

Chapter 03 수 일치
기출포인트 01 주어와 동사의 수 일치 068
기출포인트 02 수량·부분·전체 표현의 수 일치 069
기출포인트 03 접속사로 연결된 주어의 수 일치 070
기출포인트 04 주격 관계절의 수 일치 071

Chapter 04 시제
기출포인트 01 현재/과거/미래 시제 084
기출포인트 02 현재진행/과거진행/미래진행 시제 085
기출포인트 03 현재완료/과거완료/미래완료 시제 086
기출포인트 04 시제 일치 087

Chapter 05 능동태·수동태
기출포인트 01 능동태·수동태 구별 100
기출포인트 02 3형식 동사의 수동태 101
기출포인트 03 4형식 동사의 수동태 102
기출포인트 04 5형식 동사의 수동태 103
기출포인트 05 동사구의 수동태 104
기출포인트 06 수동태로 쓸 수 없는 동사 105

Chapter 06 조동사
기출포인트 01 조동사 can·will·may·must·should 118
기출포인트 02 조동사 do 119
기출포인트 03 조동사 should의 생략 120
기출포인트 04 조동사 관련 표현 121

Chapter 07 가정법
기출포인트 01 가정법 과거·과거완료 134
기출포인트 02 가정법 미래·혼합 가정법 135
기출포인트 03 가정법 도치 136
기출포인트 04 기타 가정법 137

CONTENTS

Section 3
준동사구

Chapter 08 to 부정사
기출포인트 01 to 부정사의 역할 160
기출포인트 02 to 부정사의 의미상 주어 161
기출포인트 03 to 부정사를 취하는 동사/to 부정사 관련 표현 162
기출포인트 04 원형 부정사를 목적격 보어로 취하는 동사 163

Chapter 09 동명사
기출포인트 01 동명사의 역할과 의미상 주어 176
기출포인트 02 동명사를 목적어로 취하는 동사 177
기출포인트 03 동명사와 to 부정사 둘 다 목적어로 취하는 동사 178
기출포인트 04 동명사 관련 표현 179

Chapter 10 분사
기출포인트 01 분사의 역할 192
기출포인트 02 현재분사 vs. 과거분사 193
기출포인트 03 분사구문의 형태와 의미상 주어 194
기출포인트 04 분사구문의 역할과 관용표현 195

Section 4
품사

Chapter 11 명사와 관사
기출포인트 01 명사 자리 216
기출포인트 02 가산 명사·불가산 명사 217
기출포인트 03 부정관사 a(n) 218
기출포인트 04 정관사 the 219

Chapter 12 대명사
기출포인트 01 인칭대명사/재귀대명사 232
기출포인트 02 지시대명사 233
기출포인트 03 부정대명사: one·another·other 234
기출포인트 04 부정대명사: some·any·all·each·every·both·either·neither 235

Chapter 13 형용사와 부사
기출포인트 01 형용사 자리 248
기출포인트 02 수량 표현 249
기출포인트 03 부사 자리 250
기출포인트 04 강조 부사 251
기출포인트 05 빈도 부사 252
기출포인트 06 혼동하기 쉬운 형용사와 부사 253

Chapter 14 전치사
기출포인트 01 전치사 자리 266
기출포인트 02 전치사 1: 시간과 장소 in/at/on 267
기출포인트 03 전치사 2: 시점·기간 268
기출포인트 04 전치사 3: 위치·방향 269
기출포인트 05 전치사 4: 이유·양보·목적, of, ~에 관하여 270
기출포인트 06 기타 전치사 271

Section 5
접속사와 절

Chapter 15 등위접속사와 상관접속사

기출포인트 01 등위접속사 292
기출포인트 02 상관접속사 293

Chapter 16 명사절

기출포인트 01 명사절 자리와 쓰임 306
기출포인트 02 명사절 접속사 1: that 307
기출포인트 03 명사절 접속사 2: if와 whether 308
기출포인트 04 명사절 접속사 3: 의문사 309
기출포인트 05 명사절 접속사 4: 복합관계대명사 310
기출포인트 06 what vs. that 311

Chapter 17 부사절

기출포인트 01 부사절 자리와 쓰임 324
기출포인트 02 부사절 접속사 1: 시간·조건 325
기출포인트 03 부사절 접속사 2: 양보·이유·기타 326
기출포인트 04 부사절 접속사 3: 복합관계부사와 복합관계대명사 327

Chapter 18 관계절

기출포인트 01 관계절 자리와 쓰임 340
기출포인트 02 관계대명사 341
기출포인트 03 관계대명사 that 342
기출포인트 04 전치사 + 관계대명사/수량 표현+관계대명사 343
기출포인트 05 관계부사 344
기출포인트 06 관계부사와 관계대명사 비교 345

Section 6
어순과 특수구문

Chapter 19 어순

기출포인트 01 명사를 수식하는 여러 요소들의 어순 368
기출포인트 02 혼동하기 쉬운 어순 369

Chapter 20 비교 구문

기출포인트 01 원급 382
기출포인트 02 비교급 383
기출포인트 03 최상급 384
기출포인트 04 원급·비교급 형태로 최상급 의미를 만드는 표현 385
기출포인트 05 원급·비교급·최상급 관련 표현 386
기출포인트 06 비교급·최상급 강조 표현 387

Chapter 21 병치·도치·강조 구문

기출포인트 01 병치 구문 400
기출포인트 02 도치 구문: 부사구 도치 1 401
기출포인트 03 도치 구문: 부사구 도치 2 402
기출포인트 04 도치 구문: 기타 도치 403
기출포인트 05 강조 구문 404
기출포인트 06 It – that 강조 구문 405

공무원 실전 문제 해설·해석 424
Final Test 455

이 책의 구성

문법

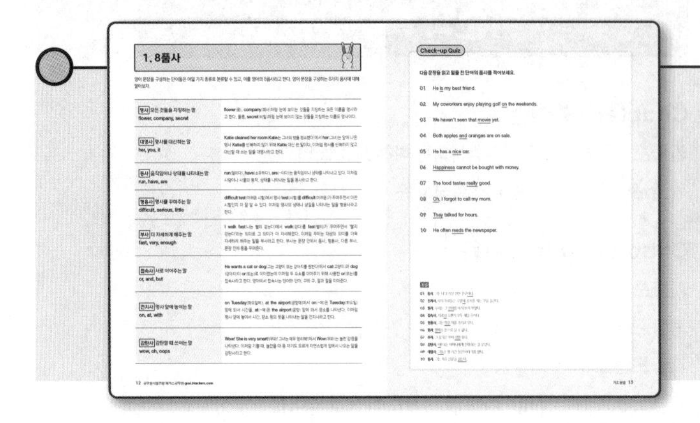

기초문법

영어의 품사, 문장의 형식, 구·절과 같은 기초 영문법 개념에 대한 설명을 Check-up Quiz와 함께 제공하여, 영어 문법의 기본 개념과 문장의 기본 구조를 확실하게 이해하고 기초를 다질 수 있습니다.

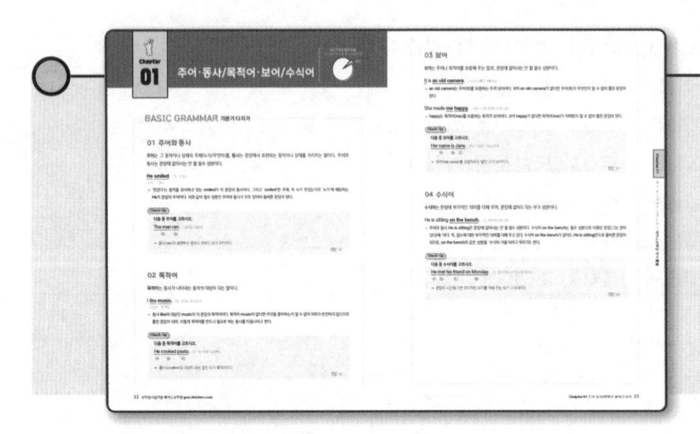

BASIC GRAMMAR

매 챕터마다 BASIC GRAMMAR를 제공하여, 핵심적인 기본 개념을 정리하고 기초를 다진 후 본격적으로 공무원 영어 시험의 기출 문법을 학습할 수 있습니다.

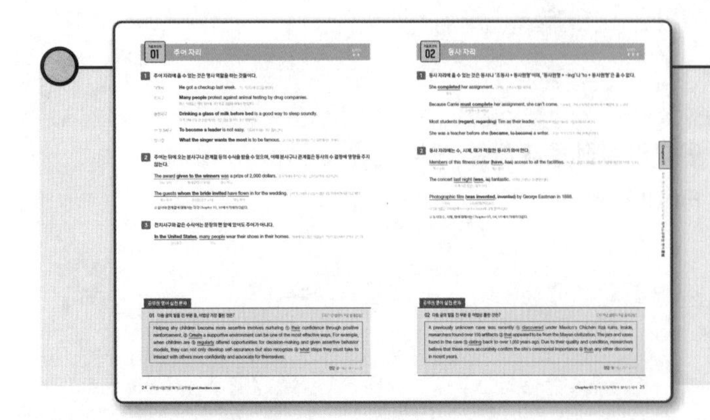

기출포인트별 문법 정리

공무원 영어 시험에 출제되는 문법을 포인트별로 제시하고, 각 포인트 상단에 빈출도를 표시하여 중요도를 확인하며 체계적으로 학습할 수 있습니다. 또한 각 기출포인트마다 공무원 영어 실전 문제를 제공하여, 포인트가 적용된 실제 기출 문제를 풀어보며 학습한 내용을 바로 확인할 수 있습니다.

독해

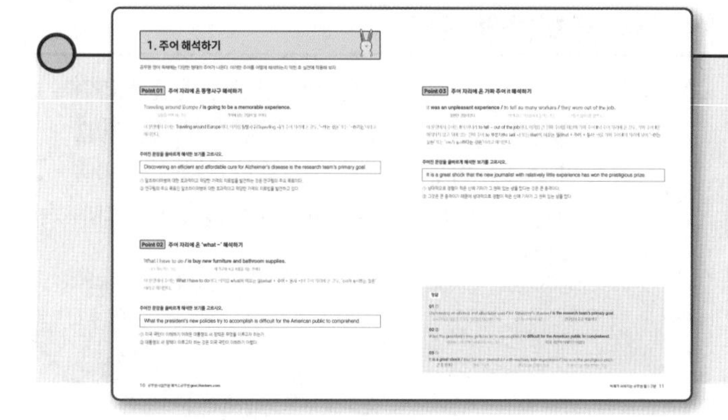

1. 주어 해석하기

독해가 쉬워지는 공무원 필수구문

문제 풀이 전략을 학습하기에 앞서 공무원 시험에 자주 등장하는 필수구문을 한 번에 모아 학습할 수 있습니다. 또한, 모든 지문에 앞서 학습한 필수구문이 등장한 부분을 표시하여, 복잡한 구문을 해석하는 방법을 실제 지문에 적용하여 연습해 볼 수 있습니다.

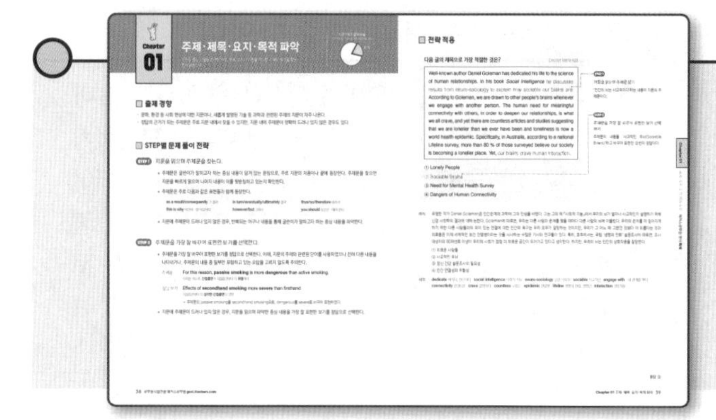

Chapter 01 주제·제목·요지·목적 파악

STEP별 문제 풀이 전략 및 전략 적용

독해 문제 유형에 대한 문제 풀이 전략을 STEP별로 제시하고, 전략 적용 방법을 시험 출제 경향이 반영된 기출 예제를 통해 확인함으로써 전략적인 문제 풀이 방법을 익힐 수 있습니다.

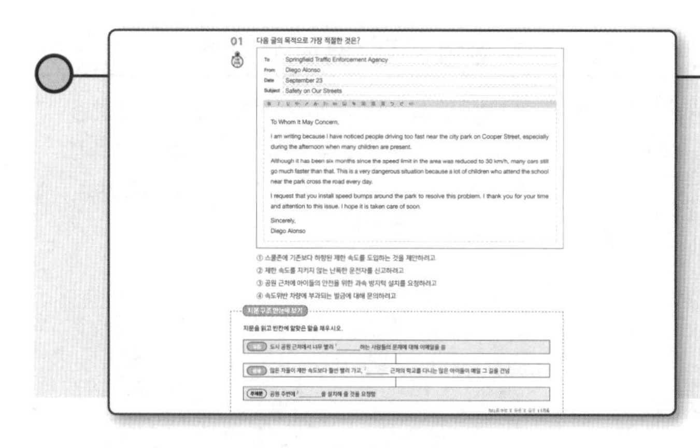

01 다음 글의 목적으로 가장 적절한 것은?

To: Springfield Traffic Enforcement Agency
From: Diego Alonso
Date: September 23
Subject: Safety on Our Streets

To Whom It May Concern,

I am writing because I have noticed people driving too fast near the city park on Cooper Street, especially during the afternoon when many children are present.

Although it has been six months since the speed limit in the area was reduced to 30 km/h, many cars still go much faster than that. This is a very dangerous situation because a lot of children who attend the school near the park cross the road every day.

I request that you install speed bumps around the park to resolve this problem. I thank you for your time and attention to this issue. I hope it is taken care of soon.

Sincerely,
Diego Alonso

① 스쿨존에 기존보다 하향된 제한 속도를 도입하는 것을 제안하려고
② 제한 속도를 지키지 않는 난폭한 운전자를 신고하려고
③ 공원 근처에 아이들의 안전을 위한 과속 방지턱 설치를 요청하려고
④ 속도위반 차량에 부과되는 벌금에 대해 문의하려고

지문 구조 한눈에 보기

지문을 읽고 빈칸에 알맞은 말을 채우시오.

도시 공원 근처에서 너무 빨리 [1] ______ 하는 사람들의 문제에 대해 이메일을 씀

많은 차들이 제한 속도보다 훨씬 빨리 가고, [2] ______ 근처의 학교를 다니는 많은 아이들이 매일 그 길을 건넘

주제문 공원 주변에 [3] ______ 을 설치해 줄 것을 요청함

지문 구조 한눈에 보기

지문의 구조를 한눈에 파악할 수 있는 구조 분석을 제공하여, 지문의 내용을 체계적으로 이해하고 지문을 정확하게 파악하는 방법을 학습할 수 있습니다.

이 책의 구성

어휘

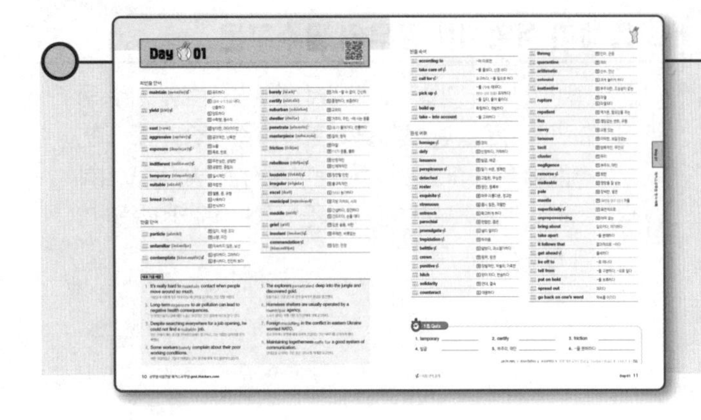

공무원 최빈출 어휘

공무원 영어 시험에 출제되었던 어휘와 표현을 엄선하여 제공하였습니다. 각 어휘는 출제 빈도에 따라 '최빈출 단어', '빈출 단어'로 나누어져 있으며, 자주 출제된 숙어는 '빈출 숙어'로, 출제 횟수가 적은 고난도 어휘는 '완성 어휘'로 나누어져 있습니다.

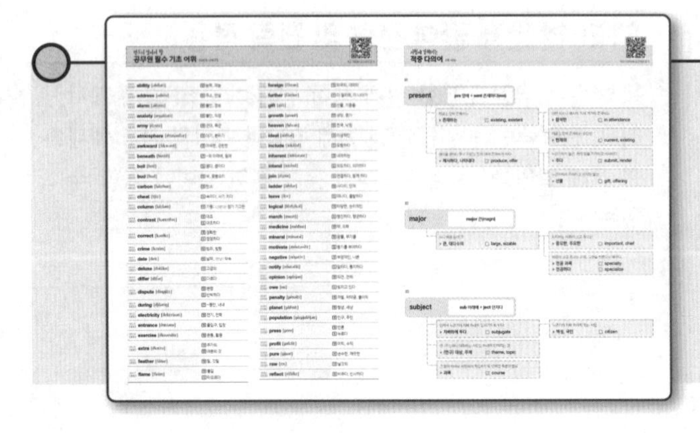

공무원 필수 기초 어휘·적중 다의어

기출 어휘로 구성된 반드시 알아야 할 '공무원 필수 기초 어휘 1500'을 제공하여, 본격적으로 공무원 어휘를 학습하기 전 기본 어휘 실력을 탄탄히 다질 수 있습니다. 또한, 다의어의 여러가지 뜻을 어원을 통해 정리한 '시험에 강해지는 적중 다의어'를 제공하여, 문맥에서 쓰인 다의어의 의미를 찾는 문제 유형에 효과적으로 대비할 수 있습니다.

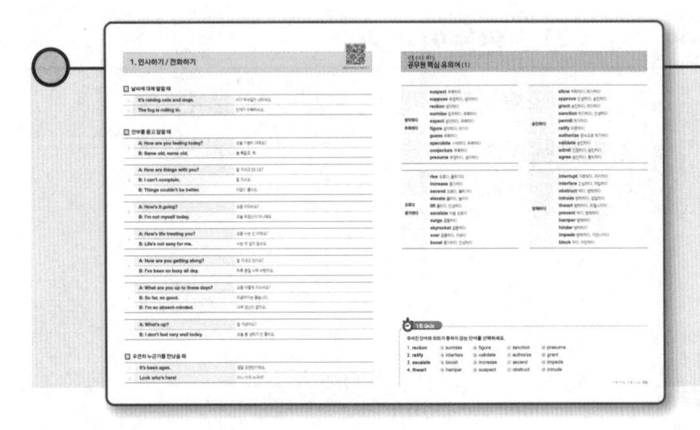

최빈출 생활영어 표현·핵심 유의어

'시험에 꼭 나오는 최빈출 생활영어 표현'을 제공하여 생활영어에서 자주 출제되는 표현들도 놓치지 않도록 하였습니다. 또한, '빈출 순으로 외우는 공무원 핵심 유의어'를 제공하여, 유의어 찾기 문제 유형에도 대비할 수 있습니다.

공통

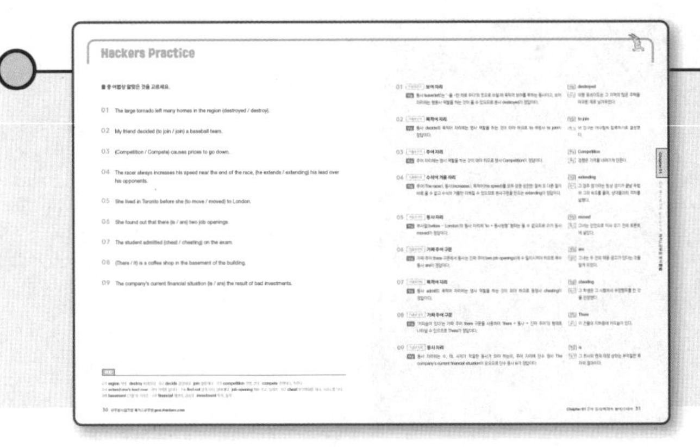

Hackers Practice

1권 문법에 수록된 Hackers Practice의 연습 문제를 통해 각 챕터에서 공부한 공무원 기출 문법 개념을 문제 풀이에 적용해 볼 수 있습니다. 연습 문제에 대한 해설과 해석을 문제 옆에 제공하여, 각 문제의 정답과 오답에 해당하는 문법 포인트를 바로 확인하고 복습할 수 있습니다.

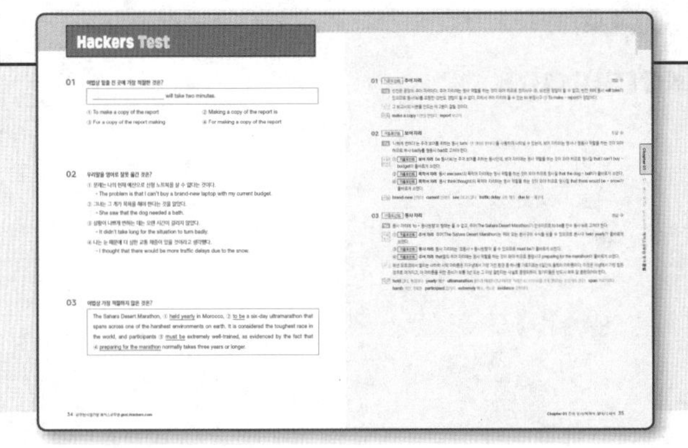

Hackers Test

1권 문법과 2권 독해에 수록된 Hackers Test의 예상문제와 기출문제를 풀어보며 문제 유형을 익히고 공무원 영어 시험에 효율적으로 대비할 수 있습니다. 각 문제에 대한 정답 및 정확한 해석과 오답 분석을 포함한 상세한 해설을 문제 옆에 제공하여, 편리하고 효율적으로 학습할 수 있습니다.

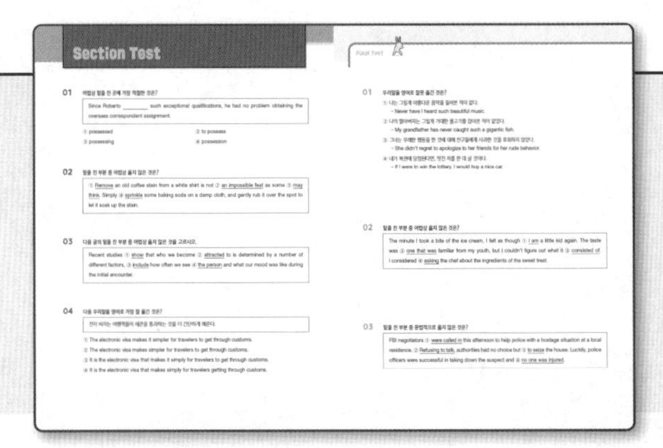

Section Test · Final Test

1권 문법의 매 섹션마다 Section Test를 제공하여, 각 섹션에서 배운 문법 포인트를 복습하고 넘어갈 수 있습니다. 또한, 1권 문법과 2권 독해 마지막에 수록된 Final Test를 통해 공무원 영어 시험에 나오는 모든 유형의 문제를 실제 시험과 유사한 난이도로 풀어보며 학습을 효과적으로 마무리하고 실전에 대비할 수 있습니다.

기초 문법

1. 8품사
2. 문장 성분
3. 문장의 5형식
4. 구와 절

1. 8품사

영어 문장을 구성하는 단어들은 여덟 가지 종류로 분류할 수 있고, 이를 영어의 8품사라고 한다. 영어 문장을 구성하는 8가지 품사에 대해 알아보자.

명사 모든 것들을 지칭하는 말 flower, company, secret	flower(꽃), company(회사)처럼 눈에 보이는 것들을 지칭하는 모든 이름을 명사라고 한다. 물론, secret(비밀)처럼 눈에 보이지 않는 것들을 지칭하는 이름도 명사이다.
대명사 명사를 대신하는 말 her, you, it	Katie cleaned her room(Katie는 그녀의 방을 청소했다)에서 her(그녀)는 앞에 나온 명사 Katie를 반복하지 않기 위해 Katie 대신 쓴 말이다. 이처럼 명사를 반복하지 않고 대신할 때 쓰는 말을 대명사라고 한다.
동사 움직임이나 상태를 나타내는 말 run, have, are	run(달리다), have(소유하다), are(~이다)는 움직임이나 상태를 나타내고 있다. 이처럼 사람이나 사물의 동작, 상태를 나타내는 말을 동사라고 한다.
형용사 명사를 꾸며주는 말 difficult, serious, little	difficult test(어려운 시험)에서 명사 test(시험)를 difficult(어려운)가 꾸며주면서 어떤 시험인지 더 잘 알 수 있다. 이처럼 명사의 상태나 성질을 나타내는 말을 형용사라고 한다.
부사 더 자세하게 해주는 말 fast, very, enough	I walk fast(나는 빨리 걷는다)에서 walk(걷다)를 fast(빨리)가 꾸며주면서 '빨리 걷는다'라는 의미로 그 의미가 더 자세해졌다. 이처럼 꾸미는 대상의 의미를 더욱 자세하게 해주는 말을 부사라고 한다. 부사는 문장 안에서 동사, 형용사, 다른 부사, 문장 전체 등을 꾸며준다.
접속사 서로 이어주는 말 or, and, but	He wants a cat or dog(그는 고양이 또는 강아지를 원한다)에서 cat(고양이)과 dog(강아지)이 or(또는)로 이어졌는데 이처럼 두 요소를 이어주기 위해 사용한 or(또는)를 접속사라고 한다. 영어에서 접속사는 단어와 단어, 구와 구, 절과 절을 이어준다.
전치사 명사 앞에 놓이는 말 on, at, with	on Tuesday(화요일에), at the airport(공항에)에서 on(~에)은 Tuesday(화요일) 앞에 와서 시간을, at(~에)은 the airport(공항) 앞에 와서 장소를 나타낸다. 이처럼 명사 앞에 놓여서 시간, 장소 등의 뜻을 나타내는 말을 전치사라고 한다.
감탄사 감탄할 때 쓰이는 말 wow, oh, oops	Wow! She is very smart!(우와! 그녀는 매우 영리해!)에서 Wow(우와)는 놀란 감정을 나타낸다. 이처럼 기쁠 때, 놀랐을 때 등 자기도 모르게 자연스럽게 입에서 나오는 말을 감탄사라고 한다.

Check-up Quiz

다음 문장을 읽고 밑줄 친 단어의 품사를 적어보세요.

01 He is my best friend.

02 My coworkers enjoy playing golf on the weekends.

03 We haven't seen that movie yet.

04 Both apples and oranges are on sale.

05 He has a nice car.

06 Happiness cannot be bought with money.

07 The food tastes really good.

08 Oh, I forgot to call my mom.

09 They talked for hours.

10 He often reads the newspaper.

정답

01 **동사**, 그는 나의 가장 친한 친구이다.
02 **전치사**, 나의 동료들은 주말에 골프를 치는 것을 즐긴다.
03 **명사**, 우리는 그 영화를 아직 보지 못했다.
04 **접속사**, 사과와 오렌지 모두 세일 중이다.
05 **형용사**, 그는 멋진 차를 가지고 있다.
06 **명사**, 행복은 돈으로 살 수 없다.
07 **부사**, 그 음식은 맛이 정말 좋다.
08 **감탄사**, 아! 나는 어머니에게 전화하는 걸 잊었다.
09 **대명사**, 그들은 몇 시간 동안 이야기를 했다.
10 **동사**, 그는 자주 신문을 읽는다.

2. 문장 성분

문장의 필수 성분인 주어, 동사, 목적어, 보어와 부가 성분인 수식어에 대해 알아보자.

주어와 동사

The sun rises.
주어 / 동사
해가 뜬다.

The sun rises에서처럼 영어 문장을 만들기 위해서는 주어와 동사가 필요하다. 주어는 우리말의 '누가/무엇이'에 해당하는 말이고, 동사는 우리말의 '~하다/~이다'에 해당하는 말이므로 The sun rises에서는 The sun(해)이 주어이고, rises(뜨다)가 동사이다.

목적어

He wants a job.
목적어
그는 일자리를 원한다.

The sun rises는 주어와 동사만으로도 완전한 문장이 되지만 He wants(그는 원한다)는 주어와 동사를 모두 썼는데도 뭔가 빠진 것 같은데, 바로 '무엇을'에 해당하는 목적어가 없기 때문이다. 여기에 '~을/를'에 해당하는 말인 a job(일자리)을 넣으면 완벽한 문장이 된다.

보어

He is happy.
보어(주격)
그는 행복하다.

He makes us happy.
목적어 보어(목적격)
그는 우리를 행복하게 만든다.

He is happy에서 happy(행복한)는 주어인 He의 상태를 설명하고 있고, He makes us happy에서 happy는 목적어인 us(우리)의 상태를 설명하고 있다. 이처럼 주어나 목적어의 성질이나 상태 등을 보충 설명해주는 말을 보어라고 하는데, 주어를 보충 설명해주는 말을 주격 보어, 목적어를 보충 설명해주는 말을 목적격 보어라고 한다.

수식어

They walk slowly.
수식어
그들은 천천히 걷는다.

They walk slowly에서 slowly(천천히)는 그들이 어떻게 걷는지 더 자세하게 설명해주고 있다. 이처럼 문장의 필수 성분(주어, 동사, 목적어, 보어)을 수식하는 말을 수식어라고 하는데, 수식어는 문장에 부가적인 의미를 더해 주며, 문장에 없어도 되는 부가 성분이다.

Check-up Quiz

다음 문장을 읽고 밑줄 친 단어의 문장 성분을 적어보세요.

01 They prepared a large meal.

02 Painting classes are fun.

03 I saw the door unlocked.

04 My aunt visited me yesterday.

05 He is a high school student.

06 The baby is sleeping in her crib.

07 She sang beautifully at the concert.

08 The streets are empty today.

09 The girl found her keys.

10 The travel guide gave her a scarf as a present.

정답

01 **목적어**, 그들은 많은 음식을 준비했다.
02 **주어**, 미술 수업은 재미있다.
03 **목적격 보어**, 나는 문이 열려있는 것을 보았다.
04 **수식어**, 나의 이모는 어제 나를 방문했다.
05 **주격 보어**, 그는 고등학생이다.
06 **주어**, 그 아기는 그녀의 요람 안에서 자고 있다.
07 **수식어**, 그녀는 콘서트에서 아름답게 노래했다.
08 **동사**, 그 거리들은 오늘 텅 비었다.
09 **목적어**, 그 소녀는 그녀의 열쇠를 찾았다.
10 **동사**, 그 여행 안내원은 선물로 그녀에게 스카프를 주었다.

3. 문장의 5형식

영어 문장은 어떤 필수 성분이 쓰였는지에 따라 다섯 가지 형식으로 나뉘는데, 이를 문장의 5형식이라고 한다. 각각의 형식이 어떻게 구성되는지 자세히 알아보자.

1형식 주어 + 동사

She slept.
주어 동사
그녀는 잠을 잤다.

1형식은 주어와 동사만으로도 완전한 의미를 갖는 문장이다. sleep(자다), laugh(웃다), go(가다)와 같은 동사들이 주로 1형식 문장을 만든다.

2형식 주어 + 동사 + 주격 보어

He became rich.
주어 동사 주격 보어
그는 부유해졌다.

2형식은 주어와 동사 뒤에 주격 보어가 와야 완전해지는 문장이다. become(~이 되다), look(~처럼 보이다), is(~이다)와 같은 동사들이 주로 2형식 문장을 만든다.

3형식 주어 + 동사 + 목적어

He found his wallet.
주어 동사 목적어
그는 그의 지갑을 찾았다.

3형식은 주어와 동사 뒤에 목적어가 와야 완전해지는 문장이다. find(~을 찾다), like(~을 좋아하다), meet(~을 만나다)과 같은 동사들이 3형식 문장을 만든다.

4형식 주어 + 동사 + 간접 목적어 + 직접 목적어

He gave her the book.
주어 동사 간접 목적어 직접 목적어
그는 그녀에게 그 책을 주었다.

4형식은 주어와 동사 뒤에 간접 목적어와 직접 목적어가 와야 완전해지는 문장인데, 간접 목적어는 우리말의 '~에게'에 해당하는 말이고 직접 목적어는 '~을/를'에 해당하는 말이다. give(~에게 -을 주다), send(~에게 -을 보내다)와 같은 동사들이 4형식 문장을 만든다.

5형식 주어 + 동사 + 목적어 + 목적격 보어

His speech made me cry.
주어 동사 목적어 목적격 보어
그의 연설은 나를 울게 만들었다.

5형식은 주어와 동사 뒤에 목적어와 목적격 보어가 와야 완전한 의미를 갖는 문장이다. make(~을 -하게 하다), call(~을 -라고 부르다)과 같은 동사들이 5형식 문장을 만든다.

Check-up Quiz

다음 문장을 읽고 문장의 형식과 밑줄 친 부분 각각의 문장 성분을 적어보세요.

01 I served some tea for the guests.

02 My parents relaxed in the park.

03 The test seems easy.

04 The boy made people laugh.

05 She told them an interesting story.

06 My sister slept for 10 hours.

07 He sent her many flowers.

08 She bought a new bag last week.

09 The chair's leg looks broken.

10 They called him Jacky.

정답

01 3형식, I served some tea for the guests. 나는 손님들을 위해 약간의 차를 제공했다.
(I: 주어 / served: 동사 / some tea: 목적어 / for the guests: 수식어)

02 1형식, My parents relaxed in the park. 나의 부모님은 공원에서 휴식을 취했다.
(My parents: 주어 / relaxed: 동사 / in the park: 수식어)

03 2형식, The test seems easy. 그 시험은 쉬워 보인다.
(The test: 주어 / seems: 동사 / easy: 주격 보어)

04 5형식, The boy made people laugh. 그 소년은 사람들을 웃게 했다.
(The boy: 주어 / made: 동사 / people: 목적어 / laugh: 목적격 보어)

05 4형식, She told them an interesting story. 그녀는 그들에게 흥미로운 이야기를 말했다.
(She: 주어 / told: 동사 / them: 간접 목적어 / an interesting story: 직접 목적어)

06 1형식, My sister slept for 10 hours. 나의 여동생은 10시간 동안 잠을 잤다.
(My sister: 주어 / slept: 동사 / for 10 hours: 수식어)

07 4형식, He sent her many flowers. 그는 그녀에게 많은 꽃을 보냈다.
(He: 주어 / sent: 동사 / her: 간접 목적어 / many flowers: 직접 목적어)

08 3형식, She bought a new bag last week. 그녀는 지난 주에 새 가방을 샀다.
(She: 주어 / bought: 동사 / a new bag: 목적어 / last week: 수식어)

09 2형식, The chair's leg looks broken. 그 의자의 다리가 부러진 것으로 보인다.
(The chair's leg: 주어 / looks: 동사 / broken: 주격 보어)

10 5형식, They called him Jacky. 그들은 그를 Jacky라고 불렀다.
(They: 주어 / called: 동사 / him: 목적어 / Jacky: 목적격 보어)

4. 구와 절

구와 절이란, 둘 이상의 단어가 모여서 하나의 의미 단위를 이룬 것으로서 명사, 형용사, 부사의 역할을 한다. 단, 절은 반드시 주어와 동사를 포함하지만, 구는 주어와 동사를 포함하지 않는다.

going to school (주어와 동사가 없다) → 구
that we go to school (주어는 we, 동사는 go) → 절

명사구 / 명사절

명사구와 명사절은 명사처럼 문장 안에서 주어, 목적어, 보어로 쓰인다. 이때, 명사절은 주로 '~(하는) 것, ~(하는)지' 등으로 해석된다.

명사구 **To play a game** is entertaining. 게임을 하는 것은 재미있다.
(To play a game: 주어)

She is **a talented dancer.** 그녀는 재능 있는 댄서이다.
(a talented dancer: 보어)

명사절 I know **that you have a bicycle.** 나는 네가 자전거를 가지고 있다는 것을 안다.
(that you have a bicycle: 목적어)

형용사구 / 형용사절

형용사구와 형용사절은 형용사처럼 명사를 수식한다. 이때, 형용사절은 관계절이라고도 한다.

형용사구 He knows **the actor on the stage.** 그는 무대 위에 있는 배우를 안다.
(on the stage → the actor: 명사 수식)

형용사절 This is **the hat that she wore.** 이것은 그녀가 썼던 모자이다.
(that she wore → the hat: 명사 수식)

부사구 / 부사절

부사구와 부사절은 부사처럼 동사, 형용사 또 다른 부사, 문장 전체를 수식한다.

부사구 She **jogged with her neighbors.** 그녀는 그녀의 이웃들과 함께 조깅했다.
(with her neighbors → jogged: 동사 수식)

The puppy is **energetic in the morning.** 그 강아지는 아침에 활동적이다.
(in the morning → energetic: 형용사 수식)

부사절 She spoke **loudly so that her sister could hear.** 그녀는 크게 말해서 그녀의 여동생이 들을 수 있었다.
(so that her sister could hear → loudly: 부사 수식)

Because he hurt his foot, he went to see a doctor. 그는 자신의 발을 다쳤기 때문에, 병원에 갔다.
(Because he hurt his foot → he went to see a doctor: 문장 전체 수식)

Check-up Quiz

문장을 읽고 밑줄 친 부분이 명사구/명사절, 형용사구/형용사절, 부사구/부사절 중 어느 것인지 적어보세요.

01 Meeting the celebrity is a big deal.

02 The child wanted the toy in the window.

03 Tom and I waited in the office for 15 minutes.

04 The receptionists didn't know whether the flight would be canceled.

05 Since they had no food at home, they went out to eat.

06 What we want is a laptop.

07 The performers arrived when the show started.

08 After the movie ended, I turned off the TV.

09 She tried the advice that her trainer gave her.

10 He heard that the takeoff was delayed.

정답

01 **명사구**, 유명인사를 만나는 것은 대단한 일이다.
02 **형용사구**, 아이는 진열장 안에 있는 장난감을 원했다.
03 **부사구**, Tom과 나는 사무실에서 15분 동안 기다렸다.
04 **명사절**, 안내원들은 비행기가 취소될지를 알지 못했다.
05 **부사절**, 집에 음식이 없었기 때문에, 그들은 식사하기 위해 밖으로 나갔다.
06 **명사절**, 우리가 원하는 것은 노트북 컴퓨터이다.
07 **부사절**, 연주자들은 공연이 시작되었을 때 도착했다.
08 **부사절**, 영화가 끝난 후에, 나는 TV를 껐다.
09 **형용사절**, 그녀는 그녀의 트레이너가 그녀에게 준 조언을 시도해보았다.
10 **명사절**, 그는 이륙이 지연되었다는 것을 들었다.

gosi.Hackers.com

지금 공부를 하고 계시는 예비 공무원분들,
공부하다가 정신적으로든 체력적으로든 지칠 때가 오더라도
결국 포기하지 않으면 끝은 있고,
또 좋은 결과물이 만들어질 수 있다고 말씀드리고 싶어요.
누구보다 자신을 믿어주고 끝까지 힘내셨으면 좋겠습니다.
진심으로 응원합니다.

- 지방직 9급 합격자 이*잎

Section 1 문장 성분

Chapter 01 | 주어·동사/목적어·보어/수식어

Chapter 01

주어·동사/목적어·보어/수식어

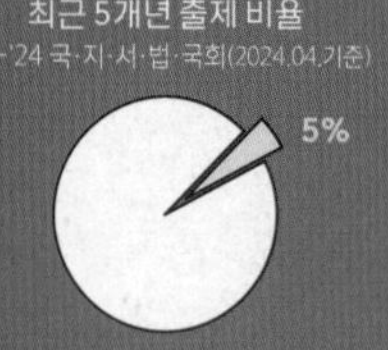

BASIC GRAMMAR 기본기 다지기

01 주어와 동사

주어는 그 동작이나 상태의 주체(누가/무엇이)를, **동사**는 문장에서 표현하는 동작이나 상태를 가리키는 말이다. 주어와 동사는 문장에 없어서는 안 될 필수 성분이다.

He smiled. 그는 웃었다.
주어 동사

→ '웃었다'는 동작을 묘사하고 있는 smiled가 이 문장의 동사이다. 그리고 'smiled'한 주체, 즉 누가 웃었는지의 '누가'에 해당하는 He가 문장의 주어이다. 이와 같이 필수 성분인 주어와 동사가 모두 있어야 올바른 문장이 된다.

Check-Up

다음 중 주어를 고르시오.

The man ran. 그 남자는 달렸다.
ⓐ ⓑ

→ 동사(ran)가 표현하는 동작의 주체인 ⓐ가 주어이다.

정답: ⓐ

02 목적어

목적어는 동사가 나타내는 동작의 대상이 되는 말이다.

I **like** **music.** 나는 음악을 좋아한다.
타동사 목적어

→ 동사 like의 대상인 music이 이 문장의 목적어이다. 목적어 music이 없다면 무엇을 좋아하는지 알 수 없어 의미가 완전하지 않으므로 틀린 문장이 되며, 이렇게 목적어를 반드시 필요로 하는 동사를 타동사라고 한다.

Check-Up

다음 중 목적어를 고르시오.

He cooked pasta. 그는 파스타를 요리했다.
ⓐ ⓑ ⓒ

→ 동사(cooked)의 대상이 되는 말인 ⓒ가 목적어이다.

정답: ⓒ

03 보어

보어는 주어나 목적어를 보충해 주는 말로, 문장에 없어서는 안 될 필수 성분이다.

It is **an old camera**. 그것은 오래된 카메라다.

→ an old camera는 주어(It)를 보충하는 주격 보어이다. 보어 an old camera가 없다면 주어(It)가 무엇인지 알 수 없어 틀린 문장이 된다.

She made **me happy**. 그녀는 나를 행복하게 해주었다.

→ happy는 목적어(me)를 보충하는 목적격 보어이다. 보어 happy가 없다면 목적어(me)가 어떠한지 알 수 없어 틀린 문장이 된다.

Check-Up

다음 중 보어를 고르시오.

Her name is Jane. 그녀의 이름은 Jane이다.
ⓐ ⓑ ⓒ

→ 주어(Her name)를 보충해주는 말인 ⓒ가 보어이다.

정답: ⓒ

04 수식어

수식어는 문장에 부가적인 의미를 더해 주며, 문장에 없어도 되는 부가 성분이다.

He is sitting **on the bench**. 그는 벤치에 앉아 있다.

→ 주어와 동사 He is sitting은 문장에 없어서는 안 될 필수 성분이다. 수식어 on the bench는 필수 성분으로 이뤄진 문장(그는 앉아 있다)에 '어디' 즉, 장소에 대한 부가적인 의미를 더해 주고 있다. 수식어 on the bench가 없어도 He is sitting만으로 올바른 문장이 되므로, on the bench와 같은 성분을 '수식어 거품'이라고 부르기도 한다.

Check-Up

다음 중 수식어를 고르시오.

He met his friend on Monday. 그는 월요일에 그의 친구를 만났다.
ⓐ ⓑ ⓒ ⓓ

→ 문장에 시간에 대한 부가적인 의미를 더해 주는 ⓓ가 수식어이다.

정답: ⓓ

기출포인트 01

주어 자리

출제빈도 ★★

1 주어 자리에 올 수 있는 것은 명사 역할을 하는 것들이다.

대명사 **He** got a checkup last week. 그는 지난주에 검진을 받았다.

명사구 **Many people** protest against animal testing by drug companies.
많은 사람들은 제약 회사에 의한 동물 실험에 대해서 항의한다.

동명사구 **Drinking a glass of milk before bed** is a good way to sleep soundly.
자기 전에 우유 한 잔을 마시는 것은 잠을 잘 자는 좋은 방법이다.

to 부정사구 **To become a leader** is not easy. 지도자가 되는 것은 쉽지 않다.

명사절 **What the singer wants the most** is to be famous. 그 가수가 가장 원하는 것은 유명해지는 것이다.

2 주어는 뒤에 오는 분사구나 관계절 등의 수식을 받을 수 있으며, 이때 분사구나 관계절은 동사의 수 결정에 영향을 주지 않는다.

The award (단수 주어) **given to the winners** (분사구(주어 수식)) was (단수 동사) a prize of 2,000 dollars. 우승자에게 주어진 상은 2,000달러의 상금이었다.

The guests (복수 주어) **whom the bride invited** (관계절(주어 수식)) have flown (복수 동사) in for the wedding. 신부가 초대한 손님들이 결혼식을 위해 비행기를 타고 왔다.

※ 분사와 관계절에 대해서는 각각 Chapter 10, 18에서 자세히 다룬다.

3 전치사구와 같은 수식어는 문장의 맨 앞에 있어도 주어가 아니다.

In the United States (전치사구), many people (주어) wear their shoes in their homes. 미국에서는, 많은 사람들이 그들의 집 안에서 신발을 신는다.

공무원 영어 실전 문제

01 다음 글의 밑줄 친 부분 중, 어법상 가장 틀린 것은? [2021년 법원직 9급 출제경향]

Helping shy children become more assertive involves nurturing ① their confidence through positive reinforcement. ② Create a supportive environment can be one of the most effective ways. For example, when children are ③ regularly offered opportunities for decision-making and given assertive behavior models, they can not only develop self-assurance but also recognize ④ what steps they must take to interact with others more confidently and advocate for themselves.

정답 ② 해설·해석 p.425

기출포인트 02

동사 자리

출제빈도 ★★★

1 동사 자리에 올 수 있는 것은 동사나 '조동사 + 동사원형'이며, '동사원형 + -ing'나 'to + 동사원형'은 올 수 없다.

She **completed** her assignment. 그녀는 그녀의 숙제를 마쳤다.
동사

Because Carrie **must complete** her assignment, she can't come. Carrie는 그녀의 숙제를 마쳐야 하기 때문에, 올 수 없다.
조동사 + 동사원형

Most students (**regard**, ~~regarding~~) Tim as their leader. 대부분의 학생들은 Tim을 그들의 리더로 여긴다.

She was a teacher before she (**became**, ~~to become~~) a writer. 그녀는 작가가 되기 전에 선생님이었다.

2 동사 자리에는 수, 시제, 태가 적절한 동사가 와야 한다.

Members of this fitness center (**have**, ~~has~~) access to all the facilities. 이 헬스 클럽의 회원들은 모든 시설에 대한 접근권을 가진다.
복수 주어 복수 동사

The concert last night (**was**, ~~is~~) fantastic. 어젯밤 콘서트는 환상적이었다.
과거 시간 표현 과거 시제

Photographic film (**was invented**, ~~invented~~) by George Eastman in 1888.
주어 수동태(발명되었다)
사진용 필름은 1888년에 George Eastman에 의해 발명되었다.

※ 동사의 수, 시제, 태에 대해서는 Chapter 03, 04, 05에서 자세히 다룬다.

공무원 영어 실전 문제

02 다음 글의 밑줄 친 부분 중 어법상 틀린 것은? [2019년 법원직 9급 출제경향]

A previously unknown cave was recently ① discovered under Mexico's Chichén Itzá ruins. Inside, researchers found over 150 artifacts ② that appeared to be from the Mayan civilization. The jars and vases found in the cave ③ dating back to over 1,000 years ago. Due to their quality and condition, researchers believe that these more accurately confirm the site's ceremonial importance ④ than any other discovery in recent years.

정답 ③ 해설·해석 p.425

기출포인트 **03**

목적어 자리

출제빈도 

1 목적어 자리에 올 수 있는 것은 명사 역할을 하는 것들이다.

명사구 Some Indian tribes use **local plants** for dyeing cloth. 몇몇 인디언 부족들은 천을 염색하기 위해 토착 식물을 이용한다.

대명사 She invited **us** to her new office. 그녀는 우리를 그녀의 새 사무실로 초대했다.

동명사(구) He loves **cooking** for his family. 그는 가족을 위해 요리하는 것을 좋아한다.

to 부정사구 The baby suddenly started **to cry**. 아기가 갑자기 울기 시작했다.

명사절 I heard **that he retired last year**. 나는 그가 작년에 은퇴했다고 들었다.

2 to 부정사구 목적어나 that절 목적어가 목적격 보어와 함께 오면, 진짜 목적어를 목적격 보어 뒤로 보내고, 목적어가 있던 자리에 가짜 목적어 it을 써야 한다.

Laptops make **to work almost anywhere** (목적어(to 부정사구)) possible (목적격 보어). [×]

Laptops make **it** (가짜 목적어) possible (목적격 보어) **to work almost anywhere** (진짜 목적어). [O] 노트북은 거의 어느 곳에서든 일하는 것을 가능하게 한다.

I thought **that she didn't go to the graduation** (목적어(that절)) weird (목적격 보어). [×]

I thought **it** (가짜 목적어) weird (목적격보어) **that she didn't go to the graduation** (진짜 목적어). [O] 나는 그녀가 졸업식에 가지 않은 것을 이상하다고 생각했다.

공무원 영어 실전 문제

03 밑줄 친 부분 중 어법상 옳지 않은 것은? [2023년 국가직 9급 출제경향]

Although advances in biomedical research have made ① them possible to develop vaccines in record time, it is also true ② that these vaccines, which have the potential to save millions of people from preventable diseases, ③ frighten some individuals who worry they have been rushed. They, therefore, demand that manufacturers more ④ thoroughly test the vaccines before they feel comfortable receiving them.

정답 ① 해설·해석 p.425

기출포인트 04 보어 자리

출제빈도 ★★

1 보어 자리에 올 수 있는 것은 명사 또는 형용사 역할을 하는 것들이다.

• 명사 역할을 하는 것

명사구 Doll Biz quickly became **the world's largest toy company.** Doll Biz는 빠르게 세계 최대 규모의 장난감 회사가 되었다.

동명사구 His hobby is **listening to opera music** at home. 그의 취미는 집에서 오페라 음악을 듣는 것이다.

to부정사구 What I need is **to take a long break.** 내가 필요한 것은 긴 휴식을 취하는 것이다.

명사절 The important thing is **that you did your best.** 중요한 것은 네가 최선을 다했다는 것이다.

• 형용사 역할을 하는 것

형용사 Tim was **upset** about losing money in the stock market. Tim은 주식 시장에서 돈을 잃은 것에 대해 속이 상했다.

분사 Daisy's younger brother always makes her **worried.** Daisy의 남동생은 항상 그녀를 걱정하게 만든다.

2 보어 자리에 부사나 동사는 올 수 없다.

Ted made his teacher (**angry**, ~~angrily~~). Ted는 선생님을 화나게 했다.

The most important thing when travelling is (**staying, to stay**, ~~stay~~) safe. 여행할 때 가장 중요한 것은 안전하게 있는 것이다.

3 주격 보어를 갖는 동사, 목적격 보어를 갖는 동사

주격 보어를 갖는 동사	be ~이다, ~이 되다 smell ~한 냄새가 나다 look / seem / appear ~처럼 보이다	go ~해지다, ~하러 가다 sound ~하게 들리다	keep 계속해서 ~하다 taste ~한 맛이 나다 become / get / grow / turn ~이 되다, ~해지다	remain 여전히 ~이다, 계속 ~이다 feel ~처럼 느끼다
목적격 보어를 갖는 동사	make ~을 -으로 만들다	find ~이 -임을 알게 되다	leave ~을 -한 채로 남겨두다	keep ~을 계속 -하게 하다

He looks **handsome.** 그는 잘생겨 보인다.
(He: 주어, looks: 동사, handsome: 주격 보어)

The comedian kept the audience **laughing** throughout the performance. 그 코미디언은 공연 내내 관객을 계속 웃게 했다.
(kept: 동사, the audience: 목적어, laughing: 목적격 보어)

공무원 영어 실전 문제

04 다음 글의 밑줄 친 부분 중 어법상 가장 옳지 않은 것은? [2018년 서울시 7급 출제경향]

Officials say the end may be ① nearly for the local tuna industry if overfishing continues. Therefore, starting next year, new regulations ② will allow fishermen to catch only five fish daily. The new rules will also prevent fishermen ③ from keeping tuna shorter than 75 inches. Though the rules are intended to protect the future supply of tuna, some fishermen say they cannot afford ④ to work with new limits.

정답 ① 해설·해석 p.426

기출포인트 05

수식어 거품 자리

출제빈도 ★

1 수식어 거품 자리에 올 수 있는 것들

전치사구 **At the library**, he found the book. 도서관에서, 그는 그 책을 찾았다.

to 부정사구 We turned away **to protect our eyes**. 우리는 눈을 보호하기 위해 고개를 돌렸다.

분사구(문) The food **delivered from the deli** was very expensive. 그 식품 판매점에서 배달된 음식은 매우 비쌌다.

관계절 I remember one professor **who was rather strict**. 나는 꽤 엄격했던 한 교수님을 기억한다.

부사절 **Before I left for work**, I went out for a jog. 나는 일하러 가기 전에, 조깅을 하러 나갔다.

2 필수 성분을 모두 갖춘 완전한 절의 앞뒤에는 접속사로 연결된 절이나 수식어 거품만 더해질 수 있다.

The teenager stands more than six feet tall, (and **he surpasses**, **surpassing**, ~~he surpasses~~) his father in height.

(and: 접속사 / he surpasses: 절 / surpassing: 수식어 거품)

그 십대는 키가 6피트가 넘고, 키에 있어서 그의 아버지를 넘어선다.

3 수식어 거품이 오는 위치

● + 주어 + 동사 **Despite the bad weather**, the game was not cancelled. 나쁜 날씨에도 불구하고, 경기는 취소되지 않았다.

(Despite the bad weather: 수식어 거품(전치사구) / the game: 주어 / was not cancelled: 동사)

주어 + ● + 동사 The curtains **lining the windows** should be cleaned yearly. 창에 다는 커튼은 해마다 세탁되어야 한다.

(The curtains: 주어 / lining the windows: 수식어 거품(분사구) / should be cleaned: 동사)

주어 + 동사 + ● He bought a new coat **although it was expensive**. 그는 비록 비쌌지만 새 코트를 샀다.

(He: 주어 / bought: 동사 / a new coat: 목적어 / although it was expensive: 수식어 거품(부사절))

공무원 영어 실전 문제

05 밑줄 친 부분 중 어법상 옳지 않은 것은? [2013년 국가직 9급 출제경향]

He ① has won 12 awards ② during his career, ③ he will be presented with the Lifetime Achievement Award later this year in recognition of his ④ significant contribution to the film industry.

정답 ③ 해설·해석 p.426

기출포인트 06

가짜 주어 구문

출제빈도 ★

1 가짜 주어 there 구문

• 가짜 주어 there 구문은 '~이 있다'를 뜻하며 'there + 동사(be, remain, exist) + 진짜 주어(명사)' 형태를 이룬다.

There has been(동사) controversy(진짜 주어(명사)) over smoking bans for years. 흡연 금지에 대한 논쟁이 수년간 있어 왔다.

There remains(동사) enough space(진짜 주어(명사구)) for the sofa in my room. 내 방에는 그 소파를 위한 충분한 공간이 남아 있다.

• 가짜 주어 there 구문에서 동사는 진짜 주어에 수 일치시킨다.

There is(단수 동사) a tree(단수 주어) that has stood for over 100 years. 100년 넘게 서 있는 나무가 한 그루 있다.

He noticed that **there** were(복수 동사) differences(복수 주어). 그는 차이점들이 있었다는 것을 알아차렸다.

2 가(짜)주어 it 구문

it은 to 부정사구나 that절 같은 긴 주어를 대신해서 주어 자리에 쓰이고, 긴 주어는 문장 맨 뒤로 보낸다. 이때, it을 '가(짜)주어', 긴 주어를 '진(짜)주어'라고 한다.

It(가주어) is important **to get along with your classmates**(진주어(to 부정사구)). 반 친구들과 잘 지내는 것은 중요하다.
(= To get along with your classmates(진주어) is important.)

It(가주어) is widely believed **that elephants have exceptional memories**(진주어(that절)). 코끼리는 뛰어난 기억력을 가진다고 널리 믿어진다.
(= That elephants have exceptional memories(진주어) is widely believed.)

※ 가짜 주어 it은 사람·사물·시간·장소 등을 강조할 때 that과 함께 쓰여 'It – that' 강조 구문을 만들 수 있다. 'It – that' 강조 구문에 대해서는 Chapter 21에서 자세히 다룬다.

공무원 영어 실전 문제

06 다음 중 문법상 옳지 않은 것은? [2015년 국회직 9급 출제경향]

① Given the poor sales, we had no choice but to stop selling the product.
② There was more than 4,000 people in the auditorium.
③ Without the proper equipment, the fire could not be stopped from spreading.
④ The number of registered voters has been rising steadily in recent elections.
⑤ Whether it rains or it shines, the mail still has to arrive on time.

정답 ② 해설·해석 p.426

Hackers Practice

둘 중 어법상 알맞은 것을 고르세요.

01 The large tornado left many homes in the region (destroyed / destroy).

02 My friend decided (to join / join) a baseball team.

03 (Competition / Compete) causes prices to go down.

04 The racer always increases his speed near the end of the race, (he extends / extending) his lead over his opponents.

05 She lived in Toronto before she (to move / moved) to London.

06 She found out that there (is / are) two job openings.

07 The student admitted (cheat / cheating) on the exam.

08 (There / It) is a coffee shop in the basement of the building.

09 The company's current financial situation (is / are) the result of bad investments.

어휘

01 region 지역 destroy 파괴하다 02 decide 결정하다 join 합류하다 03 competition 경쟁, 경기 compete 경쟁하다, 겨루다
04 extend one's lead over ~과의 격차를 넓히다 06 find out 알게 되다, 알아내다 job opening 채용 공고, 일자리 07 cheat 부정행위를 하다, 속임수를 쓰다
08 basement (건물의) 지하층 09 financial 재정의, 금융의 investment 투자, 출자

01 기출포인트 **보어 자리**

해설 동사 leave(left)는 '~을 -한 채로 두다'의 뜻으로 쓰일 때 목적격 보어를 취하는 동사이고, 보어 자리에는 형용사 역할을 하는 것이 올 수 있으므로 분사 destroyed가 정답이다.

정답 destroyed

해석 대형 토네이도는 그 지역의 많은 주택을 파괴된 채로 남겨두었다.

02 기출포인트 **목적어 자리**

해설 동사 decide의 목적어 자리에는 명사 역할을 하는 것이 와야 하므로 to 부정사 to join이 정답이다.

정답 to join

해석 내 친구는 야구팀에 합류하기로 결정했다.

03 기출포인트 **주어 자리**

해설 주어 자리에는 명사 역할을 하는 것이 와야 하므로 명사 Competition이 정답이다.

정답 Competition

해석 경쟁은 가격을 내려가게 만든다.

04 기출포인트 **수식어 거품 자리**

해설 주어(The racer), 동사(increases), 목적어(his speed)를 모두 갖춘 완전한 절에 또 다른 절이 바로 올 수 없고 수식어 거품만 더해질 수 있으므로 분사구문을 만드는 extending이 정답이다.

정답 extending

해석 그 경주 참가자는 항상 경기가 끝날 무렵에 그의 속도를 올려, 상대들과의 격차를 넓혔다.

05 기출포인트 **동사 자리**

해설 부사절(before ~ London)의 동사 자리에 'to + 동사원형' 형태는 올 수 없으므로 과거 동사 moved가 정답이다.

정답 moved

해석 그녀는 런던으로 이사 오기 전에 토론토에 살았다.

06 기출포인트 **가짜 주어 구문**

해설 가짜 주어 there 구문에서 동사는 진짜 주어(two job openings)에 수 일치시켜야 하므로 복수 동사 are이 정답이다.

정답 are

해석 그녀는 두 건의 채용 공고가 있다는 것을 알게 되었다.

07 기출포인트 **목적어 자리**

해설 동사 admit의 목적어 자리에는 명사 역할을 하는 것이 와야 하므로 동명사 cheating이 정답이다.

정답 cheating

해석 그 학생은 그 시험에서 부정행위를 한 것을 인정했다.

08 기출포인트 **가짜 주어 구문**

해설 '커피숍이 있다'는 가짜 주어 there 구문을 사용하여 'there + 동사 + 진짜 주어'의 형태로 나타낼 수 있으므로 There가 정답이다.

정답 There

해석 이 건물의 지하층에 커피숍이 있다.

09 기출포인트 **동사 자리**

해설 동사 자리에는 수, 태, 시제가 적절한 동사가 와야 하는데, 주어 자리에 단수 명사 The company's current financial situation이 왔으므로 단수 동사 is가 정답이다.

정답 is

해석 그 회사의 현재 재정 상태는 부적절한 투자의 결과이다.

어법상 옳은 것에는 O, 틀린 것에는 X를 표시하고 틀린 부분을 바르게 고치세요.

10 His excitement about getting the job is understandable. [ ]

11 The doctor said there was no complicate with the surgery. [ ]

12 When swimming, it is important to follow the safety guidelines. [ ]

13 She told me that the experiment she did yesterday is a great success. [ ]

14 The storm kept the family worry throughout the night. [ ]

15 What most parents desire is to raise happy, healthy children. [ ]

16 Some teachers find it difficult to teach students with various capabilities in the same classroom. [ ]

17 The car rental service guarantees that a vehicle will available with 10 minutes notice. [ ]

18 The products made in the factory was very high quality. [ ]

어휘

10 excitement 흥분 understandable 이해할 만한 11 complicate 복잡하게 하다 surgery 수술 12 safety 안전 guideline 지침
13 experiment 실험 14 worry 걱정하다 15 desire 바라다, 원하다 raise 키우다, 기르다 16 capability 능력, 역량, 특성
17 guarantee 보증하다, 장담하다 vehicle 차량, 탈것 notice 통지, 알림

10 기출포인트 **보어 자리**

해설 be 동사(is)는 주격 보어를 취하는 동사이므로, 보어 자리에 형용사 understandable이 올바르게 쓰였다.

정답 O

해석 취직한 것에 대한 그의 흥분은 이해할 만하다.

11 기출포인트 **가짜 주어 구문**

해설 가짜 주어 there 구문에서 진짜 주어 자리에는 명사 역할을 하는 것이 와야 하므로 동사 complicate를 명사 complication으로 고쳐야 한다.

정답 X, complicate → complication

해석 그 의사는 그 수술에 합병증이 없다고 말했다.

12 기출포인트 **가짜 주어 구문**

해설 to 부정사구(to follow ~ guidelines)와 같이 긴 주어가 오면 진주어인 to 부정사구를 문장 맨 뒤로 보내고 가주어 it이 주어 자리에 대신해서 쓰이므로 it is ~ to follow ~ guidelines가 올바르게 쓰였다.

정답 O

해석 수영할 때, 안전 지침을 따르는 것은 중요하다.

13 기출포인트 **동사 자리**

해설 동사 자리에는 수, 태, 시제가 적절한 동사가 와야 하는데, 주절의 시제가 과거(told)이며 과거를 나타내는 시간 표현(yesterday)이 왔으므로 현재 시제 is를 과거 시제 was로 고쳐야 한다.

정답 X, is → was

해석 그녀는 그녀가 어제 한 실험이 대성공을 거두었다고 말했다.

14 기출포인트 **보어 자리**

해설 동사 keep(kept)은 '~을 계속 -하게 하다'의 뜻으로 쓰일 때 목적격 보어를 취하는 동사이고, 보어 자리에는 형용사 역할을 하는 것이 와야 하므로 동사 worry를 형용사 worried로 고쳐야 한다.

정답 X, worry → worried

해석 태풍은 그 가족을 밤새도록 계속 걱정하게 했다.

15 기출포인트 **주어 자리**

해설 주어 자리에는 명사 역할을 하는 것이 와야 하므로 명사절 What most parents desire가 올바르게 쓰였다.

정답 O

해석 대부분의 부모들이 바라는 것은 행복하고 건강한 아이들을 키우는 것이다.

16 기출포인트 **목적어 자리**

해설 to 부정사구 목적어(to teach ~ classroom)가 목적격 보어(difficult)와 함께 오면, '가짜 목적어 it + 목적격 보어 + 진짜 목적어'의 형태가 되어야 하므로 find it difficult to teach ~ classroom이 올바르게 쓰였다.

정답 O

해석 일부 교사들은 다양한 능력을 가진 학생들을 같은 교실에서 가르치는 것을 어렵다고 생각한다.

17 기출포인트 **동사 자리**

해설 동사 자리에는 '조동사 + 동사원형'이 올 수 있으므로 조동사 will과 형용사 available 사이에 동사원형 be를 넣어 will available을 will be available로 고쳐야 한다.

정답 X, will available → will be available

해석 그 자동차 대여 서비스는 10분 전에 통지한다면 차량을 이용할 수 있음을 보증한다.

18 기출포인트 **동사 자리**

해설 주어 자리에 복수 명사 The products가 왔으므로 단수 동사 was를 복수 동사 were로 고쳐야 한다. 참고로, 수식어 거품(made in the factory)은 동사의 수 결정에 영향을 주지 않는다.

정답 X, was → were

해석 그 공장에서 만들어진 상품들은 매우 품질이 높았다.

Hackers Test

01 어법상 밑줄 친 곳에 가장 적절한 것은?

_______________ will take two minutes.

① To make a copy of the report
② Making a copy of the report is
③ For a copy of the report making
④ For making a copy of the report

02 우리말을 영어로 잘못 옮긴 것은?

① 문제는 나의 현재 예산으로 신형 노트북을 살 수 없다는 것이다.
→ The problem is that I can't buy a brand-new laptop with my current budget.

② 그녀는 그 개가 목욕을 해야 한다는 것을 알았다.
→ She saw that the dog needed a bath.

③ 상황이 나쁘게 변하는 데는 오랜 시간이 걸리지 않았다.
→ It didn't take long for the situation to turn badly.

④ 나는 눈 때문에 더 심한 교통 체증이 있을 것이라고 생각했다.
→ I thought that there would be more traffic delays due to the snow.

03 어법상 가장 적절하지 않은 것은?

The Sahara Desert Marathon, ① held yearly in Morocco, ② to be a six-day ultramarathon that spans across one of the harshest environments on earth. It is considered the toughest race in the world, and participants ③ must be extremely well-trained, as evidenced by the fact that ④ preparing for the marathon normally takes three years or longer.

01 기출포인트 주어 자리

정답 ①

해설 빈칸은 문장의 주어 자리이다. 주어 자리에는 명사 역할을 하는 것이 와야 하므로 전치사구 ③, ④번은 정답이 될 수 없고, 빈칸 뒤에 동사 will take가 있으므로 동사(is)를 포함한 ②번도 정답이 될 수 없다. 따라서 주어 자리에 올 수 있는 to 부정사구 ① To make ~ report가 정답이다.

해석 그 보고서의 사본을 만드는 데 2분이 걸릴 것이다.

어휘 **make a copy** 사본을 만들다 **report** 보고서

02 기출포인트 보어 자리

정답 ③

해설 '나쁘게 변하다'는 주격 보어를 취하는 동사 turn(~한 상태로 변하다)을 사용하여 나타낼 수 있는데, 보어 자리에는 명사나 형용사 역할을 하는 것이 와야 하므로 부사 badly를 형용사 bad로 고쳐야 한다.

오답 분석
① 기출포인트 **보어 자리** be 동사(is)는 주격 보어를 취하는 동사인데, 보어 자리에는 명사 역할을 하는 것이 와야 하므로 명사절 that I can't buy ~ budget이 올바르게 쓰였다.
② 기출포인트 **목적어 자리** 동사 see(saw)의 목적어 자리에는 명사 역할을 하는 것이 와야 하므로 명사절 that the dog ~ bath가 올바르게 쓰였다.
④ 기출포인트 **목적어 자리** 동사 think(thought)의 목적어 자리에는 명사 역할을 하는 것이 와야 하므로 명사절 that there would be ~ snow가 올바르게 쓰였다.

어휘 **brand-new** 신형의 **current** 현재의 **see** (보고) 알다 **traffic delay** 교통 체증 **due to** ~ 때문에

03 기출포인트 동사 자리

정답 ②

해설 동사 자리에 'to + 동사원형'의 형태는 올 수 없고, 주어(The Sahara Desert Marathon)가 단수이므로 to be를 단수 동사 is로 고쳐야 한다.

오답 분석
① 기출포인트 **주어 자리** 주어(The Sahara Desert Marathon)는 뒤에 오는 분사구의 수식을 받을 수 있으므로 분사구 held yearly가 올바르게 쓰였다.
③ 기출포인트 **동사 자리** 동사 자리에는 '조동사 + 동사원형'이 올 수 있으므로 must be가 올바르게 쓰였다.
④ 기출포인트 **주어 자리** that절의 주어 자리에는 명사 역할을 하는 것이 와야 하므로 동명사구 preparing for the marathon이 올바르게 쓰였다.

해석 매년 모로코에서 열리는 사하라 사막 마라톤은 지구상에서 가장 거친 환경 중 하나를 가로지르는 6일간의 울트라 마라톤이다. 이것은 세상에서 가장 힘든 경주로 여겨지고, 이 마라톤을 위한 준비가 보통 3년 또는 그 이상 걸린다는 사실로 증명되듯이, 참가자들은 반드시 매우 잘 훈련되어야 한다.

어휘 **hold** 열다, 개최하다 **yearly** 매년 **ultramarathon** 울트라 마라톤(정규 마라톤 거리인 42.195km를 크게 상회하는 초장거리 경주) **span** 가로지르다 **harsh** 거친, 가혹한 **participant** 참가자 **extremely** 매우, 극도로 **evidence** 증명하다

04 밑줄 친 부분 중 어법상 옳지 않은 것은?

In 1969, China's ruler ① felt necessary to have a place to escape to in case of war. To that end, an underground city was built ② to be used as an emergency shelter. The city ③ took more than a decade to build. Though never used for its initial purpose, the city is now ④ a tourist attraction.

05 밑줄 친 부분이 어법상 옳은 것은?

① Tourists visiting tropical destinations often take part in water sports.
② Register for this event, you need a photo ID and a $20 deposit.
③ The parents of the boy to talk with his teacher yesterday.
④ It was in Central Park who I met my best friend for the first time.

06 밑줄 친 부분 중 어법상 옳지 않은 것은?

① Commuters ② driving in from the outskirts of the city found ③ it ④ difficultly to get to work this morning due to a four-car accident on the freeway.

04 기출포인트 목적어 자리

정답 ①

해설 to 부정사구 목적어(to have ~ in case of war)가 목적격 보어(necessary)와 함께 오면, '가짜 목적어 it + 목적격 보어 + 진짜 목적어'의 형태가 되어야 하므로 felt necessary를 felt it necessary로 고쳐야 한다.

오답분석 ② 기출포인트 **수식어 거품 자리** 주어(an underground city)와 동사(was built)를 모두 갖춘 완전한 절(an ~ built) 뒤에는 수식어 거품만 더해질 수 있으므로 to 부정사구 to be ~ shelter가 올바르게 쓰였다.

③ 기출포인트 **과거 시제** '그 도시는 완공되는 데 10년이 넘게 걸렸다'는 역사적 사실을 표현하고 있으므로 동사 take의 과거 시제 took이 올바르게 쓰였다.

④ 기출포인트 **보어 자리** be 동사(is)는 주격 보어를 취하는 동사이므로, 보어 자리에 명사 a tourist attraction이 올바르게 쓰였다.

해석 1969년에, 중국의 통치자는 전쟁이 일어날 경우 달아날 장소가 필요하다고 느꼈다. 그 목적을 달성하기 위해서, 비상 피난처로 사용하기 위한 지하 도시가 건설되었다. 그 도시는 완공되는 데 10년이 넘게 걸렸다. 비록 처음의 목적을 위해 사용된 적은 없지만, 그 도시는 현재 관광 명소이다.

어휘 in case of ~인 경우 to that end 그 목적을 달성하기 위해 shelter 피난처 initial 처음의 tourist attraction 관광 명소

05 기출포인트 수식어 거품 자리

정답 ①

해설 주어(Tourists)와 동사(take part in)를 모두 갖춘 완전한 절에는 수식어 거품만 더해질 수 있으므로 명사 Tourists를 수식하는 분사구 visiting tropical destinations가 올바르게 쓰였다.

오답분석 ② 기출포인트 **주어 자리** 주어 자리에는 명사 역할을 하는 것이 와야 하므로 동사원형 Register를 to 부정사구를 이끄는 To register 또는 동명사구를 이끄는 Registering으로 고쳐야 한다.

③ 기출포인트 **동사 자리** 동사 자리에 'to + 동사원형'의 형태는 올 수 없고, 과거를 나타내는 시간 표현 yesterday(어제)가 왔으므로 to talk를 과거 동사 talked로 고쳐야 한다.

④ 기출포인트 **It - that 강조 구문** '~ 만난 곳은 바로 센트럴 파크에서였다'는 It-that 강조 구문(-한 것은 바로 ~이다)를 써서 나타낼 수 있는데, 강조되는 내용이 장소(in Central Park)이므로 who를 that 또는 where로 고쳐야 한다.

해석 ① 열대 여행지를 방문하는 관광객들은 흔히 수상 스포츠에 참여한다.
② 이 행사에 등록하려면, 당신은 사진이 부착된 신분증과 20달러의 보증금이 필요합니다.
③ 그 소년의 부모는 어제 그의 선생님과 대화를 나눴다.
④ 내가 나의 가장 친한 친구를 처음으로 만난 곳은 바로 센트럴 파크에서였다.

어휘 tropical 열대의 register 등록하다 deposit 보증금

06 기출포인트 보어 자리

정답 ④

해설 동사 find(found)의 목적어(it) 뒤에 오는 목적격 보어 자리에는 명사나 형용사 역할을 하는 것이 와야 하므로 부사 difficultly를 형용사 difficult로 고쳐야 한다.

오답분석 ① 기출포인트 **주어 자리** 주어 자리에는 명사 역할을 하는 것이 와야 하므로 명사 Commuters가 올바르게 쓰였다.

② 기출포인트 **주어 자리 | 현재분사 vs. 과거분사** 주어(Commuters)는 뒤에 오는 분사구의 수식을 받을 수 있고, 주어와 분사가 '통근자들이 운전하다'라는 의미의 능동 관계이므로 분사구(driving ~ the city)를 이끄는 현재분사 driving이 올바르게 쓰였다.

③ 기출포인트 **목적어 자리** to 부정사구 목적어(to get ~ morning)가 목적격 보어(difficult)와 함께 오면, '가짜 목적어 it + 목적격 보어 + 진짜 목적어'의 형태가 되어야 하므로 가짜 목적어 it이 올바르게 쓰였다.

해석 시외에서 운전해서 오는 통근자들은 고속도로에서 난 4중 추돌 사고로 인해 오늘 아침에 출근하기가 힘들다는 것을 알게 되었다.

어휘 commuter 통근자 outskirt 시외, 변두리 accident 사고 freeway 고속도로

07 어법상 가장 적절하지 않은 것은?

① Ankle and heel pain are the most common ailments seen by foot doctors, especially among those who play sports, such as basketball or tennis. While some injuries are serious and require a trip to the doctor's office, most minor sprains ② can be treated at home. Sports physicians recommend ③ icing the bruised area, gently stretching and massaging the foot, and taking anti-inflammatory drugs. They also suggest keeping the foot elevated and wearing shoes with plenty of support. Above all, it is most important ④ rest until the injury fully heals.

08 어법상 옳지 않은 것은? [2021년 지방직 9급]

① Fire following an earthquake is of special interest to the insurance industry.

② Word processors were considered to be the ultimate tool for a typist in the past.

③ Elements of income in a cash forecast will be vary according to the company's circumstances.

④ The world's first digital camera was created by Steve Sasson at Eastman Kodak in 1975.

07 기출포인트 가짜 주어 구문

정답 ④

해설 가주어 it은 to 부정사구와 같이 긴 주어를 대신해서 쓰이므로 진주어 자리에 쓰인 rest를 to 부정사 to rest로 고쳐야 한다.

오답 분석
① **기출포인트 주어 자리** 주어 자리에는 명사 역할을 하는 것이 와야 하므로 명사구 Ankle and heel pain이 올바르게 쓰였다.
② **기출포인트 동사 자리** 동사 자리에는 '조동사 + 동사원형'이 올 수 있으므로 can be가 올바르게 쓰였다.
③ **기출포인트 목적어 자리** 동사 recommend의 목적어 자리에는 명사 역할을 하는 것이 와야 하므로 동명사 icing이 올바르게 쓰였다.

해석 발목과 발뒤꿈치의 통증은 특히 농구나 테니스와 같은 운동을 하는 사람들 사이에서 발 전문의들에 의해 발견되는 가장 흔한 질병이다. 몇몇 부상들은 심각해서 병원에 갈 필요가 있지만, 대부분의 가벼운 접질림은 집에서 치료될 수 있다. 스포츠 전문의들은 멍이 든 부분을 얼음찜질하고, 발을 부드럽게 스트레칭과 마사지하고, 소염제를 복용할 것을 추천한다. 그들은 또한 발을 높이 두고 충분히 지탱이 되는 운동화를 신을 것을 권한다. 무엇보다도, 부상이 완전히 나을 때까지는 휴식을 취하는 것이 가장 중요하다.

어휘 ankle 발목 heel 발뒤꿈치 ailment 질병 injury 부상 sprain 접질림 treat 치료하다 physician 전문의 bruised 멍이 든 anti-inflammatory drug 소염제 elevate 높이다

08 기출포인트 동사 자리

정답 ③

해설 동사 자리에는 조동사(will) + 동사원형이 올 수 있는데, 동사원형 자리에 동사가 두 개(be, vary) 왔으므로 will be vary를 자동사 vary(달라지다)만 남긴 will vary로 고쳐야 한다.

오답 분석
① **기출포인트 형용사 자리** be 동사(is)는 주격 보어를 취하는 동사인데, 보어 자리에는 명사나 형용사 역할을 하는 것이 올 수 있으므로 형용사 역할을 하는 'of + 추상명사'(of special interest)가 올바르게 쓰였다.
② **기출포인트 5형식 동사의 수동태** 동사 consider는 목적어 뒤에 '(to be) + 명사/형용사'를 취하는 5형식 동사인데, consider가 수동태가 되면 '(to be) + 명사'(to be ~ tool)는 수동태 동사 뒤에 그대로 남아야 하므로 were considered to be ~ tool이 올바르게 쓰였다.
④ **기출포인트 능동태·수동태 구별** 동사 create 뒤에 목적어가 없고, 주어(The world's first digital camera)와 동사가 '세계 최초의 디지털카메라가 만들어졌다'라는 의미의 수동 관계이므로 수동태 was created가 올바르게 쓰였다.

해석
① 지진 후에 뒤따르는 화재는 보험 업계에 특히 흥미가 있는 부분이다.
② 워드 프로세서는 과거에 타자수에게 최고의 도구로 여겨졌다.
③ 현금 예측에서의 소득 요소들은 그 회사의 상황에 따라 달라질 것이다.
④ 세계 최초의 디지털카메라는 이스트먼 코닥에서 Steve Sasson에 의해 1975년에 만들어졌다.

어휘 following ~후에, ~에 이어 insurance 보험 ultimate 최고의, 궁극적인 element 요소 income 소득, 수익 vary 달라지다 circumstance 상황

Section Test

01 어법상 밑줄 친 곳에 가장 적절한 것은?

Since Roberto ________ such exceptional qualifications, he had no problem obtaining the overseas correspondent assignment.

① possessed　　② to possess
③ possessing　　④ possession

02 밑줄 친 부분 중 어법상 옳지 않은 것은?

① Remove an old coffee stain from a white shirt is not ② an impossible feat as some ③ may think. Simply ④ sprinkle some baking soda on a damp cloth, and gently rub it over the spot to let it soak up the stain.

03 다음 글의 밑줄 친 부분 중 어법상 옳지 않은 것을 고르시오.

Recent studies ① show that who we become ② attracted to is determined by a number of different factors, ③ include how often we see ④ the person and what our mood was like during the initial encounter.

04 다음 우리말을 영어로 가장 잘 옮긴 것은?

전자 비자는 여행객들이 세관을 통과하는 것을 더 간단하게 해준다.

① The electronic visa makes it simpler for travelers to get through customs.
② The electronic visa makes simpler for travelers to get through customs.
③ It is the electronic visa that makes it simply for travelers to get through customs.
④ It is the electronic visa that makes simply for travelers getting through customs.

01 기출포인트 동사 자리

정답 ①

해설 빈칸은 주어 Roberto 다음에 오는 동사 자리이다. 동사 자리에 'to + 동사원형'이나 '동사원형 + -ing' 형태 또는 명사는 올 수 없으므로 동사 ① possessed가 정답이다.

해석 Roberto는 대단히 뛰어난 자질을 가지고 있었기 때문에, 해외 특파원 배정을 받는 데 문제가 없었다.

어휘 exceptional 뛰어난, 특별한 qualification 자질 obtain 받다, 얻다 overseas 해외의 correspondent 특파원 assignment 배정

02 기출포인트 주어 자리

정답 ①

해설 주어 자리에는 명사 역할을 하는 것이 와야 하므로 동사 Remove를 동명사 Removing 또는 to 부정사 To remove로 고쳐야 한다.

오답분석 ② 기출포인트 **보어 자리** be 동사(is)는 주격 보어를 취하는 동사이므로, 보어 자리에 명사 역할을 하는 명사구 an impossible feat이 올바르게 쓰였다.

③ 기출포인트 **동사 자리** 동사 자리에는 '조동사 + 동사원형'이 올 수 있으므로 may think가 올바르게 쓰였다.

④ **Chapter 19 어순 BASIC GRAMMAR** 명령문은 주어를 생략하고 동사원형으로 문장을 시작하므로 동사원형 sprinkle이 올바르게 쓰였다.

해석 흰 셔츠에 묻은 오래된 커피 얼룩을 지우는 것은 몇몇 사람들이 생각하는 것처럼 아주 불가능한 일도 아니다. 단지 젖은 천 위에 약간의 베이킹소다를 뿌리고, 그것이 얼룩을 빨아들이도록 그 자리에 부드럽게 문질러주면 된다.

어휘 stain 얼룩 sprinkle 뿌리다 damp 젖은, 축축한 cloth 천, 옷감 rub 문지르다 soak up 빨아들이다, 흡수하다

03 기출포인트 수식어 거품 자리

정답 ③

해설 주어 (Recent studies)와 동사(show)를 모두 갖춘 완전한 절(Recent studies ~ factors) 뒤에 오는 수식어 거품 자리에는 동사가 올 수 없으므로 동사 include를 분사구를 이끄는 분사 including으로 고쳐야 한다.

오답분석 ① 기출포인트 **동사 자리** 주어 Recent studies가 복수 명사이므로 복수 동사 show가 올바르게 쓰였다.

② 기출포인트 **보어 자리** 동사 become은 주격 보어를 취하는 동사이므로, 보어 자리에 형용사 역할을 하는 분사 attracted가 올바르게 쓰였다.

④ 기출포인트 **목적어 자리** 동사 see의 목적어 자리에는 명사 역할을 하는 것이 와야 하므로 명사 the person이 올바르게 쓰였다.

해석 최근의 연구는 우리가 어떤 사람에게 마음이 끌리는가는 우리가 그 사람을 얼마나 자주 보는지, 첫 만남에서 우리의 기분이 어땠는지와 같은 요소들을 포함한 많은 요인들에 의해 결정된다는 것을 보여준다.

어휘 recent 최근의 attract 마음을 끌다 determine 결정하다 factor 요소 include 포함하다 mood 기분, 감정 initial 처음의 encounter 만남

04 기출포인트 목적어 자리

정답 ①

해설 제시된 문장의 '세관을 통과하는 것'은 목적어로, 명사 역할을 하는 to 부정사구(to get through customs)를 사용하여 나타낼 수 있다. to 부정사구 목적어(to get through customs)가 목적격 보어(simpler)와 함께 오면 '가짜 목적어 it + 목적격 보어 + 진짜 목적어'의 형태가 되어야 하므로, makes it simpler ~ to get through ~로 나타낸 ①번이 정답이다.

어휘 electronic 전자의 get through 통과하다 custom 세관

05 다음 글을 읽고 어법상 옳지 않은 것을 고르시오.

Yesterday, I felt a sudden ① urge to see the ocean, so I ② take a train to go to the beach. I sat on the sand and looked out over the water, and when it grew ③ dark I knew the trip had been ④ worthwhile.

06 밑줄 친 부분 중 어법상 옳지 않은 것은?

Wallace Clement Sabine was the first person to accurately calculate ① the reverberations caused by room architecture. He first experimented on a lecture hall at Harvard University in 1895, ② move furniture around to test the acoustics. He even asked students ③ to sit in specific seats in different patterns and arrangements, and calculated how much sound a person absorbed. The result of his experiments was the invention of a formula for reverberations, which ④ architects still use to this day.

07 우리말을 영어로 잘못 옮긴 것을 고르시오.

① 그 사고를 유발한 사람은 버스 운전기사였다.
→ It was the bus driver who caused the accident.

② 이 프로그램은 타자를 치는 법을 즐겁게 배울 수 있게 한다.
→ This program makes it fun to learn how to type.

③ 그의 목이 아파서, 그가 말을 하려고 할 때 그의 목소리가 거칠게 들렸다.
→ His throat was sore, so when he tried to speak, his voice sounded rough.

④ 청구서에 추가된 세금은 별도 요금 10퍼센트이다.
→ The tax adds to the bill is an extra 10 percent.

05 기출포인트 동사 자리

정답 ②

해설 동사 자리에는 수, 시제, 태가 적절한 동사가 와야 하는데 과거를 나타내는 시간 표현 Yesterday(어제)가 왔으므로 현재 시제 동사 take를 과거 동사 took으로 고쳐야 한다.

오답 분석
① 기출포인트 **보어 자리** 동사 feel(felt)은 주격 보어를 취하는 동사이므로, 보어 자리에 명사 urge가 올바르게 쓰였다.
③ 기출포인트 **보어 자리** 동사 grow(grew)는 '~하게 되다'라는 의미를 나타낼 때 주격 보어를 취하는 동사이므로, 보어 자리에 형용사 dark가 올바르게 쓰였다.
④ 기출포인트 **보어 자리** be 동사(had been)는 주격 보어를 취하는 동사이므로, 보어 자리에 형용사 worthwhile이 올바르게 쓰였다.

해석 어제, 나는 바다가 보고 싶다는 갑작스러운 충동을 느꼈고, 그래서 바다로 가기 위해 기차를 탔다. 나는 모래사장에 앉아서 바다 저편을 바라보았고, 어두워질 무렵 이 여행이 가치가 있었다는 것을 알았다.

어휘 sudden 갑작스러운 urge 충동, 욕구 worthwhile 가치 있는

06 기출포인트 수식어 거품 자리

정답 ②

해설 주어(He)와 동사(experimented)를 모두 갖춘 완전한 절에 또 다른 동사(move)가 콤마(,)로 연결될 수 없으므로, 동사 move를 수식어 거품 자리에 올 수 있는 분사구를 이끄는 분사 moving으로 고쳐야 한다.

오답 분석
① 기출포인트 **현재분사 vs. 과거분사** 수식 받는 명사(the reverberations)와 분사가 '반향음이 야기되다'라는 의미의 수동 관계이므로 과거분사 caused가 올바르게 쓰였다.
③ 기출포인트 **5형식 동사** ask는 to 부정사를 목적격 보어로 취하는 동사이므로 to 부정사구 to sit in ~이 올바르게 쓰였다.
④ 기출포인트 **관계절 자리와 쓰임** 선행사(a formula for reverberations) 뒤에 온 목적격 관계대명사 which 뒤에 목적어가 없는 불완전한 절(architects still use)이 올바르게 쓰였다.

해석 Wallace Clement Sabine은 공간 구조에 의해 야기된 반향음을 정확히 계산한 최초의 사람이었다. 그는 1895년에 음향 상태를 실험하기 위해 가구를 이리저리 옮기며 하버드 대학의 강당을 처음으로 실험했다. 그는 심지어 학생들에게 여러 가지 형태와 배열로 특정한 좌석에 앉아달라고 요청했고, 한 사람이 얼마나 많은 소리를 흡수하는지를 계산했다. 그의 실험의 결과는 반향음에 대한 공식의 발명이었는데, 이것은 건축가들이 오늘날까지 여전히 이용하는 것이다.

어휘 accurately 정확히 reverberation 반향음 acoustics 음향 상태 arrangement 배열 absorb 흡수하다 formula 공식

07 기출포인트 수식어 거품 자리 & 현재분사 vs. 과거분사

정답 ④

해설 한 문장에 접속사 없이 두 개의 동사(adds, is)는 올 수 없는데, '별도 요금 10퍼센트이다'는 동사 is(~이다)를 사용하여 나타낼 수 있고 '청구서에 추가된 세금'은 명사를 뒤에서 수식하는 분사를 사용하여 나타낼 수 있으므로 동사 adds를 주어 The tax를 뒤에서 수식하는 분사로 고쳐야 한다. 이때 주어(The tax)와 분사가 '세금이 추가되다'라는 의미의 수동 관계이므로 과거분사 added로 고쳐야 한다.

오답 분석
① 기출포인트 **It - that 강조 구문** '사고를 유발한 사람은 버스 운전기사였다'는 It - that 강조 구문(-한 것은 바로 ~이다)를 써서 나타낼 수 있고, 강조되는 내용이 사람(the bus driver)이므로 that 또는 who를 쓸 수 있다. 따라서 It was the bus driver who ~ accident가 올바르게 쓰였다.
② 기출포인트 **목적어 자리** to 부정사구 목적어(to learn how to type)가 목적격 보어(fun)와 함께 오면, '가짜 목적어 it + 목적격 보어 + 진짜 목적어'의 형태가 되어야 하므로 This program makes it fun to learn ~이 올바르게 쓰였다.
③ 기출포인트 **보어 자리** 동사 sound는 주격 보어를 취하는 동사이므로 보어 자리에 형용사 rough가 올바르게 쓰였다.

어휘 sore 아픈 rough 거친 tax 세금 add 추가하다, 더하다 extra 별도 요금의

08 우리말을 영어로 잘못 옮긴 것은?

① 그는 그녀가 그를 위해 불을 켜두고 떠난 것이 친절하다고 생각했다.
→ He thought it was kind of her to leave the light on for him.

② 당신은 수술 후 며칠간 팔을 움직이는 것이 불편하다고 느낄지도 모른다.
→ You might find uncomfortable to move your arm for a few days after the surgery.

③ 이 연극의 최고의 장면은 모든 배우들이 춤을 출 때였다.
→ The best part of the play was when all the actors danced.

④ 우리는 그 과학기술이 제공하는 가능성들로 인해 들떠 있다.
→ We are excited by the possibilities the technology offers.

09 어법상 옳지 않은 것은?

① The doctor kept us waiting for two hours.

② They seem willingly to agree to whatever we propose to them.

③ There will be a regular inspection next week.

④ It is advisable to check the forecast before going out.

10 다음 문장 중 어법상 틀린 것을 고르시오.

① Lots of practice is necessary for any musician.

② He suggested that I contact the manager of the company.

③ In the dark, a cat can still sees very clearly.

④ The guests thought it confusing how the hotel labeled the difficulty of the various hiking trails.

08 기출포인트 목적어 자리

정답 ②

해설 to 부정사구 목적어(to move your arm)가 목적격 보어(uncomfortable)와 함께 오면, '가짜 목적어 it + 목적격 보어 + 진짜 목적어'의 형태가 되어야 하므로 find uncomfortable to move를 find it uncomfortable to move로 고쳐야 한다.

오답분석
① 기출포인트 **가짜 주어 구문** to 부정사구(to leave ~ him)와 같이 긴 주어가 오면 진주어인 to 부정사구를 문장 맨 뒤로 보내고 가주어 it이 주어 자리에 대신해서 쓰이므로 it was ~ to leave ~ him이 올바르게 쓰였다.
③ 기출포인트 **보어 자리** be 동사(was)는 주격 보어를 취하는 동사이므로, 보어 자리에 명사 역할을 하는 명사절 when ~ danced가 올바르게 쓰였다.
④ 기출포인트 **3형식 동사의 수동태** 감정을 나타내는 동사(excite)의 경우 주어가 감정을 느끼는 주체이면 수동태를 써야 하는데, 주어 We가 기쁨을 느끼는 주체이므로 수동태 are excited가 올바르게 쓰였다. 참고로, 선행사(possibilities) 뒤에 목적격 관계대명사 which 또는 that이 생략된 관계절 the technology offers가 쓰였다.

어휘 uncomfortable 불편한 play 연극 possibility 가능성

09 기출포인트 보어 자리

정답 ②

해설 동사 seem은 주격 보어를 취하는 동사인데 보어 자리에는 명사나 형용사 역할을 하는 것이 와야 하므로 부사 willingly를 형용사 willing으로 고쳐야 한다.

오답분석
① 기출포인트 **보어 자리** 동사 keep(kept)은 목적격 보어를 취하는 동사이므로 보어 자리에 형용사 역할을 하는 분사 waiting이 올바르게 쓰였다.
③ 기출포인트 **가짜 주어 구문** '정기 검진이 있을 것이다'는 가짜 주어 there 구문을 사용하여 'there + 동사 + 진짜 주어'의 형태로 나타낼 수 있고, 미래를 나타내는 시간 표현 next week(다음 주)이 왔으므로 미래 시제 will be를 사용한 There will be a regular inspection이 올바르게 쓰였다.
④ 기출포인트 **가짜 주어 구문** to 부정사구(to check ~ going out)와 같이 긴 주어가 오면 진주어인 to 부정사구를 문장 맨 뒤로 보내고 가주어 it이 주어 자리에 대신해서 쓰이므로 It is advisable to check ~ going out이 올바르게 쓰였다.

해석
① 의사는 우리를 2시간 동안 기다리게 했다.
② 그들은 우리가 그들에게 무엇을 제안하든 기꺼이 받아들일 의향이 있는 듯하다.
③ 다음 주에 정기 점검이 있을 것이다.
④ 외출하기 전에 일기예보를 확인하는 것이 바람직하다.

어휘 willingly 기꺼이 propose 제안하다 inspection 점검 advisable 바람직한

10 기출포인트 동사 자리

정답 ③

해설 동사 자리에는 '조동사 + 동사원형'이 올 수 있으므로 조동사 can 뒤에 온 sees를 동사원형 see로 고쳐야 한다.

오답분석
① 기출포인트 **불가산 명사** 명사 practice는 '연습'이라는 의미로 쓰이면 앞에 부정관사(a/an)를 쓰거나 복수형으로 쓸 수 없는 불가산 명사로 단수 취급하므로 단수 동사 is가 올바르게 쓰였다.
② 기출포인트 **명사절 접속사 1: that** 명사절 접속사 that은 완전한 절(I contact ~ the company)을 이끌며 동사(suggested)의 목적어 자리에 올 수 있고, 동사 contact는 전치사 없이 목적어(the manager ~)를 바로 취하는 타동사이므로 that I contact the manager ~가 올바르게 쓰였다.
④ 기출포인트 **목적어 자리** 명사절 목적어(how the hotel ~ trails)가 목적격 보어(confusing)와 함께 오면, '가짜 목적어 it + 목적격 보어 + 진짜 목적어'의 형태가 되어야 하므로 thought it confusing how the hotel ~ trails가 올바르게 쓰였다.

해석
① 어느 음악가나 수많은 연습이 필요하다.
② 그는 회사의 관리자에게 연락해 보라고 내게 제안했다.
③ 어둠 속에서도, 고양이들은 여전히 앞을 또렷하게 볼 수 있다.
④ 손님들은 그 호텔이 다양한 하이킹 코스의 난이도를 표시해 놓은 방식이 혼란스럽다고 생각했다.

어휘 necessary 필요한 clearly 또렷하게 confusing 혼란스러운 label 표시하다 various 다양한 trail 코스, 자국

gosi.Hackers.com

공부하면서 너무나 힘들 때마다 저는 마인드컨트롤을 계속했습니다.
최선을 다해서 공부하면서 나는 당연히 합격할 거라고 계속해서 생각했습니다.
울면서 공부하면서도 이렇게 공부했으니까 합격할 거라고 생각했습니다.
만약 이렇게 했는데도 안 된다면 이건 내 길이 아니라고 생각하며 공부했습니다.
절대로 포기하지 마시고 무조건 합격한다는 생각을 갖고 공부하시길 바랍니다.
나 자신과 절대로 타협하지 말고, 올해 안 되면 내년에 한다는 생각은 절대로 하지 말고, 이번이
마지막이라는 생각을 갖고 최선을 다해서 공부한다면 분명 결실을 볼 것입니다.

– 지방직 9급 합격자 노*경

Section 2
동사구

Chapter 02 | 동사의 종류
Chapter 03 | 수 일치
Chapter 04 | 시제
Chapter 05 | 능동태·수동태
Chapter 06 | 조동사
Chapter 07 | 가정법

Chapter 02

동사의 종류

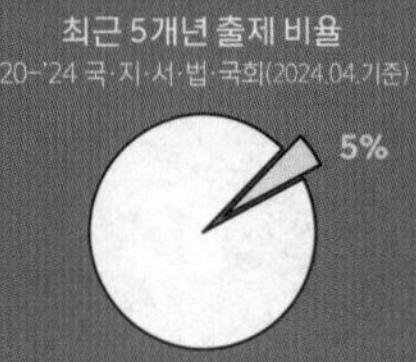

BASIC GRAMMAR 기본기 다지기

01 자동사와 타동사

동사는 목적어를 필요로 하지 않는 **자동사**와 목적어를 필요로 하는 **타동사**로 나뉜다.

The girl **swam**. 그 소녀는 수영했다.
(swam: 자동사)

The girl **ate** a hamburger. 그 소녀는 햄버거를 먹었다.
(ate: 타동사 / a hamburger: 목적어)

→ '수영하다'를 뜻하는 동사 swam(swim의 과거형)은 목적어 없이도 의미가 완전한 자동사이다. 반면 '먹다'를 뜻하는 동사 ate(eat의 과거형)은 '무엇'을 먹었는지 대상을 나타내는 목적어(a hamburger) 없이는 문장의 의미가 완전해지지 않는 타동사이다.

Check-Up

다음 중 자동사를 고르시오.

The child **talked**(ⓐ). 그 아이는 말했다.

The child **likes**(ⓑ) swimming. 그 아이는 수영하는 것을 좋아한다.

→ 목적어를 필요로 하지 않는 ⓐ talked가 자동사다. ⓑ의 동사(like)는 목적어(swimming)가 반드시 필요한 타동사이다.

정답: ⓐ

02 자·타동사와 문장의 5형식

자동사는 1·2형식 문장을, **타동사**는 3·4·5형식 문장을 만든다.

① **1형식** (주어 + 자동사)

She sings. 그녀는 노래한다.
주어 자동사

② **2형식** (주어 + 자동사 + 주격 보어)

The sky is clear. 하늘이 맑다.
주어 자동사 주격 보어

③ **3형식** (주어 + 타동사 + 목적어)

The teacher met him. 그 선생님은 그를 만났다.
주어 타동사 목적어

④ **4형식** (주어 + 타동사 + 간접 목적어 + 직접 목적어)

He lent his younger sister his book. 그는 그의 여동생에게 그의 책을 빌려 주었다.
주어 타동사 간접 목적어 직접 목적어

⑤ **5형식** (주어 + 타동사 + 목적어 + 목적격 보어)

She found the book interesting. 그녀는 그 책이 재미있다는 것을 알게 되었다.
주어 타동사 목적어 목적격 보어

Check-Up

다음 중 4형식 문장을 고르시오.

ⓐ He made his mom a cup of coffee. 그는 그의 엄마에게 커피 한 잔을 만들어 주었다.

ⓑ He made his mom happy. 그는 그의 엄마를 행복하게 해 주었다.

→ '주어(He) + 타동사(made) + 간접 목적어(his mom) + 직접 목적어(a cup of coffee)' 형태인 ⓐ가 4형식 문장이다. ⓑ는 '주어 + 타동사 + 목적어 + 목적격 보어' 형태의 5형식 문장이다.

정답: ⓐ

기출포인트 01

자동사

출제빈도 ★

1 자동사에는 보어가 필요 없는 1형식 동사와 보어를 필요로 하는 2형식 동사가 있다.

1형식 동사	fly 날다 work 일하다, 효과가 있다 happen 발생하다 appear 나타나다	lie 눕다 do 충분하다 occur 발생하다 disappear 사라지다	run 달리다 matter 중요하다 arise 발생하다 last 지속되다	sit 앉다 count 중요하다 emerge 나타나다 rank (등급을) 차지하다
2형식 동사	be ~이다 sound ~처럼 들리다	become ~이 되다 look ~처럼 보이다	seem ~처럼 보이다 smell ~한 냄새가 나다	feel ~처럼 느끼다 taste ~한 맛이 나다

Birds **fly**. 새가 난다.
1형식 동사

My daughter **became** a doctor. 나의 딸은 의사가 되었다.
2형식 동사 보어

2 자동사의 경우, 전치사가 있으면 목적어를 취할 수 있다.

You should (**reply to**, ~~reply~~) this letter within 30 days. 당신은 이 편지에 30일 이내에 답해야 한다.
→ 자동사(reply)는 바로 뒤에 목적어를 취할 수 없으며, 전치사(to)가 있어야만 목적어(this letter)를 취할 수 있다.

3 특정 전치사와 자주 쓰이는 자동사

to	agree to (의견)에 동의하다	belong to ~에 속하다	object to ~에 반대하다	reply to ~에 대답하다
for	account for ~을 설명하다	look for ~을 찾다	wait for ~을 기다리다	
with	agree with (사람)에게 동의하다	comply with ~을 따르다	cooperate with ~와 협력하다	deal with ~을 다루다
from	differ from ~과 다르다	refrain from ~을 삼가다	arise from ~에서 발생하다	suffer from ~으로 고통받다
in	engage in ~에 종사하다	participate in ~에 참여하다	succeed in ~에 성공하다	result in ~을 초래하다
of	approve of ~을 인정하다	consist of ~으로 구성되다	dispose of ~을 처분하다	think of ~을 생각하다
기타	feast on ~을 마음껏 먹다	recede into ~로 물러나다	ponder over ~을 생각하다	improve upon ~을 더 낫게 하다

I **agree with** experts who say we should conserve water. 나는 물을 절약해야 한다고 말하는 전문가들에게 동의한다.

공무원 영어 실전 문제

01 밑줄 친 부분 중 어법상 가장 옳지 않은 것은? [2019년 서울시 9급(6월 시행) 출제경향]

Olivia ① had risen the team leader in the summer of 2023, and she ② initiated a project aimed at fostering collaboration among departments, ③ where employees ④ were to share ideas and resources to enhance productivity.

정답 ① 해설·해석 p.426

기출포인트 02

타동사

출제빈도 ★★

1 타동사는 목적어를 반드시 필요로 하며, 전치사 없이 목적어를 바로 취한다.

When the phone rings, I'm the one who (**answers**, ~~answer to~~) it. 전화벨이 울리면, 내가 전화를 받는 사람이다.

→ 타동사(answer)는 목적어(it)을 반드시 필요로 하며, 전치사(to) 없이 목적어가 바로 와야 한다.

2 자동사로 착각하기 쉬운 타동사

discuss ~에 대해 토론하다	explain ~에 대해 설명하다	address ~에게 연설하다	greet ~에게 인사하다
resemble ~와 닮다	join ~와 / ~에 합류하다	accompany ~와 함께 하다	survive ~보다 오래 살다
attend ~에 참석하다	inhabit ~에 살다	obey ~에 복종하다	affect ~에 영향을 미치다

We (**discussed**, ~~discussed about~~) the social problems. 우리는 사회 문제에 대해 토론했다.

→ discuss는 의미상 자동사로 착각하기 쉽지만 타동사이므로 전치사(about)와 함께 쓸 수 없다.

3 몇몇 타동사는 목적어 뒤에 특정 전치사구와 함께 쓰인다.

rid / rob / deprive ~에게서 -을 제거하다	+ 목적어	+ of
deter / prevent / keep ~을 -으로부터 막다		+ from
provide / supply / present ~에게 -을 제공하다		+ with

I have been **depriving** myself **of** sweets in an effort to lose weight.
나는 체중을 감량해보려는 노력으로 스스로에게서 단 것을 제거하고 있다.(스스로에게 단 것을 허용하지 않고 있다)

The bad weather **kept** them **from** enjoying their weekend. 나쁜 날씨가 그들을 주말을 즐기는 것으로부터 막았다.

The sun **provides** us **with** light. 태양은 우리에게 빛을 제공한다.

공무원 영어 실전 문제

02 밑줄 친 부분 중 어법상 가장 옳지 않은 것은? [2018년 서울시 9급]

Blue Planet II, a nature documentary ① produced by the BBC, left viewers ② heartbroken after showing the extent ③ to which plastic ④ affects on the ocean.

정답 ④ 해설·해석 p.427

Chapter 02 동사의 종류 해커스공무원 영어 문법

기출포인트 03

혼동하기 쉬운 자동사와 타동사

출제빈도 

1 의미가 비슷해서 혼동하기 쉬운 자동사와 타동사

아래 동사들은 의미가 서로 비슷하지만, 자동사는 전치사가 있어야만 목적어를 취할 수 있는 반면, 타동사는 전치사 없이 목적어를 바로 취한다.

의미	자동사 + 전치사		타동사	
말하다	speak to / about ~에게 / ~에 대해 말하다 talk to / about ~와 / ~에 대해 이야기하다		tell ~에게 말하다 mention ~에 대해 말하다	discuss ~에 대해 토론하다 explain ~에 대해 설명하다
답하다	respond to ~에 답하다	reply to ~에 답하다	answer ~에 답하다	
반대하다	object to ~에 반대하다	rebel against ~에 대항하다	oppose ~에 반대하다	resist ~에 저항하다
기타	arrive at / in ~에 도착하다 agree with / to ~에 동의하다 complain about ~에 대해 불평하다	participate in ~에 참여하다 wait for ~을 기다리다	reach ~에 도착하다 enter ~에 들어가다 contact ~에게 연락하다	approach ~에 접근하다 resemble ~을 닮다 marry ~와 결혼하다

She **arrived** **at** the airport two hours before her flight came in. 그녀는 비행기가 도착하기 2시간 전에 공항에 도착했다.
(arrived: 자동사, at: 전치사)

He **reached** the airport an hour later than he expected. 그는 그가 예상했던 것보다 한 시간 늦게 공항에 도착했다.
(reached: 타동사)

2 형태가 비슷해서 혼동하기 쉬운 자동사와 타동사

자동사	타동사
lie - lay - lain 놓여있다, 눕다 lie - lied - lied 거짓말하다	lay - laid - laid ~을 놓다, ~을 두다, (알을) 낳다
sit - sat - sat 앉다	seat - seated - seated ~을 앉히다
rise - rose - risen 떠오르다	raise - raised - raised ~을 모으다, 올리다

The Sun **rises** from the East. 해는 동쪽에서 뜬다.
(rises: 자동사, from: 전치사)

Dr. Han **raises** money for medical research. Han 박사는 의학 연구를 위해 돈을 모은다.
(raises: 타동사)

공무원 영어 실전 문제

03 어법상 옳은 것은? [2018년 지방직 9급 출제경향]

① The smartwatch aids athletes who is training outdoors to track their progress.
② My brother's cookies are superior than store-bought ones.
③ She closely resembles her sister in appearance and traits.
④ Were it not for the signs along the trail, the climbers will be lost.

정답 ③ 해설·해석 p.427

기출포인트 04

4형식 동사

출제빈도 ★

1 4형식 동사는 두 개의 목적어를 취하며, 이때 목적어는 '간접 목적어(~에게) + 직접 목적어(~을/를)' 순서로 와야 한다.

send ~을 보내 주다	lend ~을 빌려주다	buy ~을 사주다	ask ~을 질문하다, 요청하다
make ~을 만들어 주다	offer ~을 제공하다	owe ~을 빚지다	

He lent **me** **a charger**. 그는 나에게 충전기를 빌려줬다.
(me: 간접 목적어 / a charger: 직접 목적어)

2 4형식 문장을 3형식 문장으로 전환하면 '직접 목적어 (~을/를) + 전치사 + 간접 목적어(~에게)' 순서로 와야 하며, 이때 동사에 따라 알맞은 전치사를 사용해야 한다.

to	give ~을 주다 send ~을 보내주다	lend ~을 빌려주다 show ~을 보여주다	bring ~을 가져다주다 offer ~을 제공하다	tell ~을 말해주다 owe ~을 빚지다
for	buy ~을 사주다	make ~을 만들어주다	choose ~을 골라주다	prepare ~을 준비해 주다
of	ask ~을 질문하다, 요청하다	demand ~을 요구하다	require ~을 요구하다	

4형식 문장 The boy's grandmother sent **him** **a gift**. 소년의 할머니가 그에게 선물을 보내줬다.
(him: 간접 목적어 / a gift: 직접 목적어)

3형식 문장 The boy's grandmother sent **a gift** **to** **him**. 소년의 할머니가 그에게 선물을 보내줬다.
(a gift: 직접 목적어 / him: 간접 목적어)

3 목적어(that절/의문사절)를 하나만 가지는 3형식 동사와 목적어를 2개 가지는 4형식 동사를 구별해서 써야 한다.

3형식 동사	say / mention / announce 말하다 suggest / propose / recommend 제안하다 explain / describe 설명하다	+ (to 사람)	+ 목적어(that절/의문사절)
4형식 동사	tell / inform / notify 말하다 assure / convince 확신시키다	+ 간접 목적어(~에게)	+ 직접 목적어(that절/의문사절)

He said (**to me**, ~~me~~) that he would quit school. 그는 나에게 학교를 그만둘 거라고 말했다.
→ that절을 목적어로 갖는 3형식 동사(say) 뒤에는 '사람(me)'이 혼자 올 수 없고 'to + 사람'(to me)의 형태로 와야 하는 점에 주의한다.

He told (**his wife**, ~~to his wife~~) that he wanted to buy a new car. 그는 아내에게 새 차를 사고 싶다고 말했다.
→ that절이나 의문사절을 직접 목적어로 갖는 4형식 동사(tell) 뒤에는 전치사 없이 간접 목적어(his wife)가 와야 한다.

공무원 영어 실전 문제

04 어법상 틀린 것은? [2015년 사회복지직 9급]

① Surrounded by great people, I felt proud.
② I asked my brother to borrow me five dollars.
③ On the platform was a woman in a black dress.
④ The former Soviet Union comprised fifteen union republics.

정답 ② 해설·해석 p.427

5형식 동사

출제빈도 ★★★

1 **5형식 동사는 '목적어 + 목적격 보어'를 취하며, 동사에 따라 명사, 형용사, 분사, to 부정사, 동사원형과 같이 다양한 형태의 목적격 보어가 올 수 있다.**

The child calls(5형식 동사) his father(목적어) "**Captain**"(목적격 보어(명사)). 그 아이는 그의 아버지를 "대장"이라고 부른다.

I found(5형식 동사) one of my roller skates(목적어) **damaged**(목적격 보어(분사)). 나는 내 롤러스케이트 중 하나가 망가진 것을 발견했다.

2 **to 부정사를 목적격 보어로 취하는 동사**

want ~이 -하는 것을 원하다	expect ~이 -할 것을 기대하다	ask ~이 -할 것을 요청하다	tell ~에게 -하도록 이야기하다
cause ~이 -하게 (원인 제공)하다	allow ~이 -하게 허락하다	get ~이 -하게 시키다	lead ~이 -하게 이끌다
force ~이 -하게 강요하다	compel ~이 -하게 강요하다		

Smoking causes your skin (**to wrinkle**, ~~wrinkle~~). 흡연은 당신의 피부가 주름지게 한다.

3 **동사원형을 목적격 보어로 취하는 동사**

사역동사	have ~이 -하게 시키다	let ~이 -하도록 허락하다	make ~이 -하게 만들다
지각동사	see ~이 -하는 것을 보다 hear ~이 -하는 소리를 듣다	watch ~이 -하는 것을 보다 feel ~이 -하는 것을 느끼다	notice ~이 -하는 것을 알아채다

The security guards made people (**open**, ~~to open~~) their bags. 경비원은 사람들이 그들의 가방을 열도록 했다.

고득점 포인트

1. 지각동사는 목적어와 목적격 보어가 능동 관계일 때 목적격 보어로 현재분사도 취할 수 있다.
   He saw some cute ducks (**swim**, **swimming**) in the pond. 그는 귀여운 오리 몇 마리가 연못에서 (헤엄치는 것을/헤엄치고 있는 것을) 보았다.
2. get, 사역동사, 지각동사는 목적어와 목적격 보어가 수동 관계일 때 목적격 보어로 과거분사를 취할 수 있다. 단, 사역동사 let은 목적어와 목적격 보어가 수동 관계일 때 목적격 보어로 'be + p.p.'형태를 취한다.
   I had my house (**painted**, ~~paint~~). 나는 나의 집이 페인트칠되게 했다.
   → '페인트칠하다'가 아니라 '페인트칠 되다'라는 의미로 수동 관계이므로 사역동사 have(had)의 목적격 보어로 과거분사(painted)가 온다.
   The parents let their children (**be tested**, ~~test~~) for hearing problems. 부모들은 그들의 아이들이 청력 문제로 검사받도록 허락했다.
   → '검사하다'가 아니라 '검사받다'라는 의미로 수동 관계이므로 사역동사 let의 목적격 보어로 'be + p.p.'형태(be tested)가 온다.

공무원 영어 실전 문제

05 밑줄 친 부분에 들어갈 말로 가장 옳은 것은? [2019년 서울시 9급(6월 시행)]

I am writing to you from a train in Germany, sitting on the floor. The train is crowded, and all the seats are taken. However, there is a special class of "comfort customers" who are allowed to make those already seated ____________ their seats.

① give up ② take ③ giving up ④ taken

정답 ① 해설·해석 p.427

기출포인트 06

목적어 뒤에 as나 to be를 취하는 동사

출제빈도 ★

1 목적어 뒤에 'as + 명사'를 취하는 동사

regard ~을 -으로 여기다 describe ~을 -으로 묘사하다 / -이라고 말하다 define ~을 -으로 정의하다 identify ~을 -으로 확인하다 refer to ~을 -이라고 부르다 think of ~에 대해 -이라고 생각하다 conceive of ~을 -이라고 생각하다	+ 목적어 + as + 명사

Most people today **describe** the cell phone (**as an essential item**, ~~an essential item~~).
오늘날 대부분의 사람들은 휴대 전화를 필수적인 물건이라고 말한다.

2 목적어 뒤에 '(to be) + 명사/형용사'를 취하는 동사

think ~이 -이라고 생각하다 believe ~이 -이라고 믿다	+ 목적어 + (to be) + 명사·형용사

People **think** nightmares **(to be) images of their fears.** 사람들은 악몽이 그들이 가진 공포의 이미지라고 생각한다.

The early Greeks **believed** the earth **(to be) flat.** 초기 그리스인들은 지구가 평평하다고 믿었다.

3 목적어 뒤에 'as + 명사' 혹은 '(to be) + 명사/형용사'를 취하는 동사

consider ~을 -으로 여기다 certify ~을 -이라고 증명하다	+ 목적어	+ as + (to be)	+ 명사 + 명사·형용사

They **consider** their dog (**as**, **to be**, ~~as to be~~) a member of the family. 그들은 그들의 개를 가족의 일원으로 여긴다.
→ 동사 consider의 목적어 뒤에 as와 to be를 한꺼번에 취할 수는 없다. 'as + 명사'(as a member of the family)나 '(to be) + 명사'(to be a member of the family)의 형태로 와야 한다.

공무원 영어 실전 문제

06 다음 밑줄 친 부분에 들어갈 가장 적절한 표현을 고르시오. [2016년 국회직 9급]

> While creating the mouse, Douglas was working at the Stanford Research Institute. The mouse was originally referred ________ an "X-Y Position Indicator for a Display System." With the cord coming out of the back of the computer mouse, Douglas said the device reminded him of the rodent mouse and the name stuck.

① as ② to with ③ by with ④ to as ⑤ on

정답 ④ 해설·해석 p.428

Hackers Practice

둘 중 어법상 알맞은 것을 고르세요.

01 What did you (discuss / discuss about) in Mr. Elbert's history class this morning?

02 The manager made (the applicant nervous / the applicant to be nervous) during the interview.

03 My friend (offered / contributed) me a ticket for the concert.

04 The card allows shoppers (to receive / receive) a discount.

05 They (agreed to / agreed) the terms of the lease and signed the contract.

06 More stop signs were installed in the town to deter drivers (of / from) going too fast.

07 No one would (object / object to) the proposal they created.

08 Psychologists define personality (a person's certain pattern / as a person's certain pattern) of thinking, feeling, and acting.

09 The students are (raising / rising) money for their baseball team.

어휘

02 applicant 지원자 nervous 긴장한 interview 면접 03 offer 제공하다 contribute 주다, 기부하다 04 discount 할인 05 terms 조건 lease 임대차 계약 contract 계약서 06 install 설치하다 deter 막다 07 object 반대하다 proposal 계획, 제안 08 psychologist 심리학자 personality 성격 09 raise ~을 모으다

01 기출포인트 **타동사**

해설 동사 discuss는 전치사(about) 없이 목적어를 취하는 타동사이므로 discuss가 정답이다.

정답 discuss

해석 너는 오늘 아침 Elbert 선생님의 역사 수업에서 무엇에 대해 토론했니?

02 기출포인트 **5형식 동사**

해설 동사 make(made)는 'make + 목적어 + 목적격 보어'의 형태를 취하는 5형식 동사이므로 the applicant nervous가 정답이다.

정답 the applicant nervous

해석 관리자는 면접 동안 그 지원자를 긴장하게 만들었다.

03 기출포인트 **4형식 동사**

해설 두 개의 목적어를 '간접 목적어(me) + 직접 목적어(a ticket)'의 순서로 취하는 4형식 동사 offered가 정답이다.

정답 offered

해석 나의 친구는 나에게 콘서트 티켓을 제공했다.

04 기출포인트 **5형식 동사**

해설 동사 allow는 to 부정사를 목적격 보어로 취하는 5형식 동사이므로 to receive가 정답이다.

정답 to receive

해석 그 카드는 쇼핑객들이 할인을 받도록 한다.

05 기출포인트 **자동사**

해설 동사 agree는 목적어(the terms)를 취하기 위해 전치사(to)가 필요한 자동사이므로 agreed to가 정답이다.

정답 agreed to

해석 그들은 임대차 계약의 조건에 동의했고 계약서에 서명했다.

06 기출포인트 **타동사**

해설 동사 deter은 'deter + 목적어 + from'의 형태를 취하는 타동사이므로 전치사 from이 정답이다.

정답 from

해석 운전자들이 너무 빨리 가는 것으로부터 막기 위해 더 많은 정지 표지판들이 도시에 설치되었다.

07 기출포인트 **자동사**

해설 동사 object는 목적어(the proposal)를 취하기 위해 전치사(to)가 필요한 자동사이므로 object to가 정답이다.

정답 object to

해석 그들이 고안한 계획에 아무도 반대하지 않을 것이다.

08 기출포인트 **목적어 뒤에 as나 to be를 취하는 동사**

해설 동사 define은 목적어(personality) 뒤에 'as + 명사'를 취하므로 as a person's certain pattern이 정답이다.

정답 as a person's certain pattern

해석 심리학자들은 성격을 한 사람의 생각, 느낌, 그리고 행동의 특정한 패턴으로 정의한다.

09 기출포인트 **혼동하기 쉬운 자동사와 타동사**

해설 문맥상 '돈을 모으다'라는 의미가 되어야 자연스럽고, 뒤에 목적어(money)를 바로 취하는 동사는 타동사이므로 타동사 raise의 현재진행형 raising이 정답이다.

정답 raising

해석 그 학생들은 그들의 야구 팀을 위해 돈을 모으고 있다.

어법상 옳은 것에는 O, 틀린 것에는 X를 표시하고 틀린 부분을 바르게 고치세요.

10 Please don't force me read the book. [ ]

11 Office workers sit their computer desks for long periods of time. [ ]

12 The host let journalists took photos for several minutes. [ ]

13 The officer approached to the man to see if he was injured. [ ]

14 They had their old car washed over the weekend. [ ]

15 Children today regard the radio an unnecessary device. [ ]

16 They waited the server to bring them their meals. [ ]

17 The teacher saw a student cheat during the test. [ ]

18 Many people get internships before they join to a company. [ ]

어휘

10 force 강요하다 11 office worker 회사원 12 host 진행자, 주인 journalist 기자 13 officer 경관, 간부 approach ~에 접근하다 injured 다친
15 unnecessary 불필요한 device 기기 16 meal 식사 17 cheat 부정행위를 하다 18 internship 인턴 연수 기간 join 입사하다, 합류하다

10 기출포인트 **5형식 동사**

해설 동사 force는 to 부정사(to read)를 목적격 보어로 취하는 5형식 동사이므로 동사원형 read를 to 부정사 to read로 고쳐야 한다.

정답 X, read → to read

해석 제발 저에게 그 책을 읽으라고 강요하지 마세요.

11 기출포인트 **혼동하기 쉬운 자동사와 타동사**

해설 동사 sit은 목적어(their computer desks)를 취하기 위해 전치사(at)가 필요한 자동사이므로 sit을 sit at으로 고쳐야 한다.

정답 X, sit → sit at

해석 회사원들은 오랜 시간 동안 그들의 컴퓨터 책상에 앉아 있는다.

12 기출포인트 **5형식 동사**

해설 사역동사 let은 목적격 보어로 동사원형을 취하므로 과거 동사 took를 동사원형 take로 고쳐야 한다.

정답 X, took → take

해석 그 진행자는 기자들이 몇 분 동안 사진을 찍도록 허락했다.

13 기출포인트 **혼동하기 쉬운 자동사와 타동사**

해설 동사 approach는 전치사(to) 없이 목적어를 취하는 타동사이므로 approached to를 approached로 고쳐야 한다.

정답 X, approached to → approached

해석 그 경관은 그 남자가 다쳤는지 보려고 그에게 접근했다.

14 기출포인트 **5형식 동사**

해설 사역동사 have(had)의 목적어(their old car)와 목적격 보어가 '그들의 오래된 차가 씻겨지다'라는 의미의 수동 관계이므로 과거분사 washed가 올바르게 쓰였다.

정답 O

해석 그들은 주말 동안 그들의 오래된 차를 씻겨지게 했다.

15 기출포인트 **목적어 뒤에 as나 to be를 취하는 동사**

해설 동사 regard는 목적어(the radio) 뒤에 'as + 명사'를 취하므로 an unnecessary device를 as an unnecessary device로 고쳐야 한다.

정답 X, an unnecessary device → as an unnecessary device

해석 오늘날의 아이들은 라디오를 불필요한 기기로 여긴다.

16 기출포인트 **자동사**

해설 동사 wait은 목적어(the server)를 취하기 위해 전치사(for)가 필요한 자동사이므로 waited를 waited for로 고쳐야 한다.

정답 X, waited → waited for

해석 그들은 그 서빙하는 사람이 그들에게 그들의 식사를 가져오기를 기다렸다.

17 기출포인트 **5형식 동사**

해설 지각동사 see(saw)의 목적격 보어로 동사원형 cheat가 올바르게 쓰였다.

정답 O

해석 그 선생님은 한 학생이 시험 중에 부정행위를 하는 것을 보았다.

18 기출포인트 **타동사**

해설 동사 join은 전치사(to) 없이 목적어(a company)를 취하는 타동사이므로 join to를 join으로 고쳐야 한다.

정답 X, join to → join

해석 많은 사람은 그들이 회사에 입사하기 전에 인턴 연수 기간을 받는다.

Hackers Test

01 밑줄 친 부분이 어법상 옳지 않은 것은?

① George believed the news report untrue despite its claims.

② My wife convinced to me that the furniture set was too expensive.

③ She asked him to lay the vase down gently.

④ The mayor announced that public bus fares would be raised next month.

02 빈칸에 들어갈 말로 알맞은 것은?

He compelled ______________ the pricey computer.

① purchasing the customer
② the customer purchase
③ the customer purchasing
④ the customer to purchase

03 우리말을 영어로 잘못 옮긴 것은?

① 그녀는 차고로 가는 문이 잠겨있는 것을 발견했다.
→ She found the door to the garage locked.

② 다른 사람들에게 우리가 시작할 준비가 되었다고 알려라.
→ Inform the others that we are ready to begin.

③ 그는 건물 디자인에 대한 변경된 계획에 완강하게 반대했다.
→ He strongly objected the revised plan for the building's design.

④ 그는 그의 조카에게 생일 선물로 테니스 라켓을 주었다.
→ He gave a tennis racket to his nephew as a birthday gift.

01 기출포인트 4형식 동사

정답 ②

해설 동사 convince는 'convince + 간접 목적어 + 직접 목적어(that절)'의 형태를 취하는 4형식 동사인데, 목적어 자리에는 명사 역할을 하는 것이 와야 하므로 동사 convinced 뒤의 to me를 me로 고쳐야 한다.

오답 분석 ① 기출포인트 **목적어 뒤에 as나 to be를 취하는 동사** 동사 believe는 '~이 -이라고 믿다'라는 의미로 쓰일 때 'believe + 목적어 (+ to be) + 형용사'의 형태를 취하므로 목적어(the news report) 뒤에 형용사 untrue가 올바르게 쓰였다.

③ 기출포인트 **5형식 동사** 동사 ask는 5형식 동사로 쓰일 때 to 부정사를 목적격 보어로 취하므로 목적격 보어 자리에 to 부정사 to lay가 올바르게 쓰였다.

④ 기출포인트 **타동사** 3형식 동사 announce의 목적어 자리에 that절이 올바르게 쓰였고, that절의 주어(public bus fares)와 동사가 '버스 요금이 인상될 것이다'라는 의미의 수동 관계이므로 수동태 would be raised가 올바르게 쓰였다.

해석 ① George는 그 뉴스 보도의 주장에도 불구하고 그것이 사실이 아니라고 믿었다.
② 나의 아내는 가구 세트가 너무 비싸다는 것을 나에게 납득시켰다.
③ 그녀는 그에게 꽃병을 조심스럽게 놓아 달라고 요청했다.
④ 시장은 다음 달에 대중 버스 요금이 인상될 것이라고 발표했다.

어휘 untrue 사실이 아닌 claim 주장 convince 납득시키다, 설득하다 mayor 시장 fare 요금 raise 인상하다

02 기출포인트 5형식 동사

정답 ④

해설 빈칸은 5형식 동사 compel(~이 -하게 강요하다)의 목적어와 목적격 보어 자리이다. compel은 목적격 보어로 to 부정사를 취하고 문맥상 '손님들에게 살 것을 강요하다'라는 의미가 되어야 자연스러우므로 ④ the customer to purchase가 정답이다.

해석 그는 손님들에게 값비싼 컴퓨터를 살 것을 강요했다.

어휘 compel 강요하다 pricey 값비싼 purchase 사다, 구매하다

03 기출포인트 자동사

정답 ③

해설 동사 object는 전치사(to) 없이 목적어(the revised plan)를 취할 수 없는 자동사이므로 objected를 objected to로 고쳐야 한다.

오답 분석 ① 기출포인트 **5형식 동사** 제시된 문장이 '차고로 가는 문이 잠기다'라는 의미의 수동 관계이고, 지각동사 find(found)는 목적어(the door to the garage)와 목적격 보어가 수동 관계일 때 목적격 보어로 과거분사를 취하므로, found the door to the garage locked가 올바르게 쓰였다.

② 기출포인트 **4형식 동사** 동사 inform은 'inform + 간접 목적어(the others) + 직접 목적어(that절)'의 형태를 취하는 4형식 동사이므로 Inform the others that이 올바르게 쓰였다.

④ 기출포인트 **4형식 동사** 동사 give(gave)는 두 개의 목적어를 '간접 목적어 + 직접 목적어'의 순서로 취하는 4형식 동사인데, 이를 3형식 문장으로 전환하면 '직접 목적어(~을) + 전치사(to) + 간접 목적어(~에게)'의 형태로 나타낼 수 있으므로 gave a tennis racket to his nephew가 올바르게 쓰였다.

어휘 garage 차고 strongly 완강하게 object 반대하다 revised 변경된

04 다음 문장 중 어법상 옳은 것은?

① The man notified to his friend that her dog was on his lawn.

② I wasn't able to reply his e-mail until late this morning.

③ Rising global temperatures are causing the world's glaciers melting.

④ He described the character as a strong and brave warrior.

05 우리말을 영어로 옮긴 것 중 가장 어색한 것은?

① 그는 어떤 벽지를 살지에 관해 자신의 여동생에게 동의할 수 없었다.
→ He couldn't agree with his sister about which wallpaper to buy.

② 그 남자가 20분 내로 우리에게 피자를 배달해줄 것이다.
→ The man will deliver the pizza to us within twenty minutes.

③ 관중들은 그 공연을 더 잘 보기 위해 무대로 다가갔다.
→ Spectators approached to the stage to get a better view of the performance.

④ 나는 이번 학기 말에 대학을 졸업할 것이다.
→ I will graduate from college at the end of this semester.

06 밑줄 친 부분 중 어법상 옳지 않은 것은?

Some may be afraid to ① tell others "no" because they don't want to make a situation ② uncomfortable. However, for our personal comfort, we must be willing to ③ raise above this fear and send others ④ the clear message that we are going to uphold our boundaries.

04 기출포인트 목적어 뒤에 as나 to be를 취하는 동사

정답 ④

해설 동사 describe는 목적어(the character) 뒤에 'as + 명사'를 취하므로 the character as a strong and brave warrior가 올바르게 쓰였다.

오답분석 ① 기출포인트 **4형식 동사** 동사 notify는 'notify + 간접 목적어(his friend) + 직접 목적어(that절)'의 형태를 취하는 4형식 동사이므로 notified to his friend를 notified his friend로 고쳐야 한다.

② 기출포인트 **자동사** 동사 reply는 전치사(to) 없이 목적어(his e-mail)를 취할 수 없는 자동사이므로 reply his e-mail을 reply to his e-mail로 고쳐야 한다.

③ 기출포인트 **5형식 동사** 동사 cause는 to 부정사를 목적격 보어로 취하는 5형식 동사이므로 현재분사 melting을 to 부정사 to melt로 고쳐야 한다.

해석 ① 그 남자는 그의 친구에게 그녀의 개가 그의 잔디에 있었다고 알렸다.
② 나는 오늘 늦은 아침이 되어서야 그의 이메일에 답신할 수 있었다.
③ 상승하는 지구 기온은 전 세계 빙하가 녹는 원인이 되고 있다.
④ 그는 그 캐릭터를 강하고 용감한 전사로 묘사했다.

어휘 notify 알리다 lawn 잔디 temperature 기온 glacier 빙하 describe 묘사하다 brave 용감한 warrior 전사

05 기출포인트 타동사

정답 ③

해설 동사 approach는 전치사(to) 없이 목적어(the stage)를 바로 취하는 타동사이므로 approached to the stage를 approached the stage로 고쳐야 한다.

오답분석 ① 기출포인트 **자동사** 동사 agree는 전치사 없이 목적어(his sister)를 취할 수 없는 자동사인데 '(사람)에게 동의하다'라는 의미를 나타낼 때는 전치사 with와 함께 쓰이므로 agree with his sister가 올바르게 쓰였다.

② 기출포인트 **타동사** 동사 deliver는 주로 목적어를 하나만 갖는 3형식 동사로 쓰이며, 이때 직접 목적어(the pizza) 뒤에 간접 목적어(us)를 추가로 갖기 위해서는 전치사 to(~에게)가 간접 목적어 앞에 와야 하므로 will deliver the pizza to us가 올바르게 쓰였다.

④ 기출포인트 **자동사** 동사 graduate은 전치사(from) 없이 목적어(college)를 취할 수 없는 자동사이므로 graduate from college가 올바르게 쓰였다.

어휘 wallpaper 벽지 spectator 관중 approach ~에 다가가다 semester 학기

06 기출포인트 혼동하기 쉬운 자동사와 타동사

정답 ③

해설 문맥상 '이 두려움을 극복하다'라는 의미가 되어야 자연스럽고, 목적어(this fear)를 취하기 위해 전치사(above)가 필요한 동사는 자동사이므로 '올리다'라는 의미의 타동사 raise를 '극복하다'라는 의미의 자동사 rise로 고쳐야 한다.

오답분석 ① 기출포인트 **혼동하기 쉬운 자동사와 타동사** 동사 tell(~에게 말하다)은 전치사(to) 없이 목적어(others)를 바로 취하는 타동사이므로 tell others가 올바르게 쓰였다.

② 기출포인트 **5형식 동사** 동사 make는 목적격 보어로 형용사를 취할 수 있는 5형식 동사이므로 목적격 보어 자리에 형용사 uncomfortable이 올바르게 쓰였다.

④ 기출포인트 **4형식 동사** 동사 send는 두 개의 목적어를 '간접 목적어 + 직접 목적어'의 순서로 취하는 4형식 동사이므로 간접 목적어 others 뒤에 직접 목적어 the clear message가 올바르게 쓰였다.

해석 어떤 사람들은 상황을 불편하게 만들고 싶지 않기 때문에 다른 사람들에게 '아니오'라고 말하는 것을 두려워할 수도 있다. 하지만, 우리의 개인적인 편안함을 위해, 우리는 기꺼이 이 두려움을 극복하고 다른 사람들에게 우리의 영역을 지키겠다는 분명한 메시지를 보내야 한다.

어휘 uncomfortable 불편한 comfort 편안함, 위로 uphold 지키다 boundary 영역, 경계

07 밑줄 친 부분 중 어법상 옳지 않은 것은?

When a bank ① agrees to a loan, the borrower not only owes ② the bank the initial amount but must also pay the interest. Failing to ③ address to the total debt by the agreed-upon deadline may make the borrower's credit score ④ worse.

08 다음 문장 중 어법상 가장 옳지 않은 것은? [2017년 서울시 9급 (6월 시행)]

① John promised Mary that he would clean his room.

② John told Mary that he would leave early.

③ John believed Mary that she would be happy.

④ John reminded Mary that she should get there early.

07 기출포인트 타동사

정답 ③

해설 동사 address는 전치사(to) 없이 목적어를 취하는 타동사이므로 address to를 address로 고쳐야 한다.

오답 분석
① **기출포인트 자동사** 동사 agree는 목적어(a loan)를 취하기 위해 전치사(to)가 필요한 자동사이므로 agrees to가 올바르게 쓰였다.
② **기출포인트 4형식 동사** 동사 owe는 두 개의 목적어를 '간접 목적어 + 직접 목적어'의 순서로 취하는 4형식 동사이므로 4형식 동사 owe 뒤에 간접 목적어 the bank가 올바르게 쓰였다.
④ **기출포인트 5형식 동사** 동사 make는 형용사를 목적격 보어로 취할 수 있는 5형식 동사이므로 목적격 보어 자리에 형용사 worse가 올바르게 쓰였다.

해석 은행이 대출에 동의하면, 대출자는 은행에 초기 금액을 빚질 뿐만 아니라 이자도 지불해야 한다. 합의된 기한까지 총부채를 해결하지 못하는 것은 대출자의 신용 점수를 악화시킬 수 있다.

어휘 loan 대출 initial 초기의 interest 이자 address 해결하다 debt 부채, 빚 credit 신용

08 기출포인트 4형식 동사

정답 ③

해설 문맥상 'John은 Mary가 행복할 것이라고 믿었다'라는 의미가 되어야 자연스러운데, 동사 believe는 목적어(that절)를 하나만 가지는 3형식 동사이므로 John believed Mary that ~을 John believed that Mary would be happy로 고쳐야 한다. 또는 목적어(Mary) 뒤에 'to be + 형용사'를 써서 John believed Mary to be happy로 고칠 수도 있다.

오답 분석
① **기출포인트 4형식 동사** 동사 promise는 'promise + 간접 목적어 + 직접 목적어(that절)'의 형태를 취하는 4형식 동사이므로 promised Mary that~ 형태가 올바르게 쓰였다.
② **기출포인트 4형식 동사** 동사 tell(told)은 'tell + 간접 목적어 + 직접 목적어(that절)'의 형태를 취하는 4형식 동사이므로 told Mary that~ 형태가 올바르게 쓰였다.
④ **기출포인트 4형식 동사** 동사 remind는 'remind + 간접 목적어 + 직접 목적어(that절)'의 형태를 취하는 4형식 동사이므로 reminded Mary that~ 형태가 올바르게 쓰였다.

해석
① John은 Mary에게 그가 그의 방을 치울 것이라고 약속했다.
② John은 Mary에게 그가 일찍 떠날 것이라고 말했다.
③ John은 Mary가 행복할 것이라고 믿었다.
④ John은 Mary에게 그녀가 그곳에 일찍 도착해야 한다고 상기시켰다.

어휘 promise 약속하다 remind 상기시키다, 떠오르게 하다

수 일치

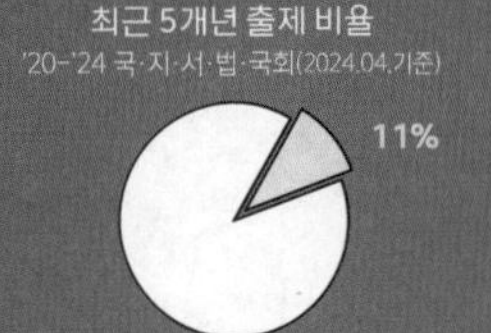

BASIC GRAMMAR 기본기 다지기

01 단수 주어에는 단수 동사, 복수 주어에는 복수 동사

동사는 **주어**에 수 일치해야 한다. 단수 주어에는 단수 동사가, 복수 주어에는 복수 동사가 온다.

A bird sings. 새가 노래한다.
(A bird: 단수 주어, sings: 단수 동사)

Birds sing. 새들이 노래한다.
(Birds: 복수 주어, sing: 복수 동사)

→ 첫 번째 문장의 주어 A bird는 단수이고, 두 번째 문장의 주어 Birds는 복수이다. 주어가 단수인 첫 번째 문장에는 단수 동사인 sings가 오고, 주어가 복수인 두 번째 문장에는 복수 동사인 sing이 온다. 이처럼 동사는 주어에 반드시 수 일치해야 한다.

Check-Up

다음 중 동사의 수 일치가 올바르지 않은 것을 고르시오.

The boy in blue pants reads(ⓐ) a book. 파란색 바지를 입은 소년은 책을 읽는다.

Jess and Daniel is(ⓑ) sitting on a bench. Jess와 Daniel은 벤치에 앉아 있다.

→ 주어(Jess and Daniel)가 복수이므로 ⓑ is를 복수 동사 are로 고쳐야 한다.

정답: ⓑ

02 단수 동사와 복수 동사

• **단수 동사**는 동사의 기본형에 -s나 -es를 붙이고, **복수 동사**는 동사의 기본형을 그대로 사용한다.

He **watches** a movie every Friday. 그는 매주 금요일에 영화를 본다.
단수 동사

→ 주어 He는 단수이므로 -es가 붙은 단수 동사 watches가 온다.

They **watch** a movie every Friday. 그들은 매주 금요일에 영화를 본다.
복수 동사

→ 주어 They는 복수이므로 기본형 watch가 그대로 온다.

He/They **watched** a movie last Friday. 그는/그들은 지난 금요일에 영화를 보았다.
과거 동사

→ 동사가 과거형일 때는 단수와 복수의 형태가 같다. 따라서 주어가 단수(He)이든 복수(They)이든 상관없이 과거 동사 watched가 온다.

• have 동사와 be 동사는 이 규칙에 따르지 않고 단수인지, 복수인지에 따라 **특별한 형태**를 갖는다.

기본형	단수 동사	복수 동사
have	has / had	have / had
be	am / is / was	are / were

The student **has** many things to do. 그 학생은 할 일이 많다.
단수 동사

The students **have** many things to do. 그 학생들은 할 일이 많다.
복수 동사

She **is / was** busy. 그녀는 바쁘다/바빴다.
단수 동사

They **are / were** busy. 그들은 바쁘다 / 바빴다.
복수 동사

Check-Up

다음 중 올바르게 쓰인 동사의 형태를 고르시오.

Connor play the bass guitar. Connor는 베이스 기타를 연주한다.
ⓐ

My grandparents are very kind people. 나의 조부모님은 매우 친절한 사람들이다.
ⓑ

→ 주어(My grandparents)가 복수이므로 be 동사의 복수형인 ⓑ are이 올바르게 쓰였다. ⓐ의 주어(Connor)는 단수이므로 단수 동사 plays가 와야 한다.

정답: ⓑ

주어와 동사의 수 일치

출제빈도 ★★★

1 동명사구·to 부정사구·명사절 주어에는 단수 동사가 와야 한다.

Running for hours (**makes**, ~~make~~) me drink lots of water. 몇 시간 동안 뛰는 것은 내가 물을 많이 마시게 만든다.
(Running for hours: 동명사구 주어 / makes: 단수 동사)

To disagree with your boss (**is**, ~~are~~) not a great idea. 당신의 상사의 의견에 동의하지 않는 것은 좋은 생각이 아니다.
(To disagree with your boss: to 부정사구 주어 / is: 단수 동사)

What they found (**was**, ~~were~~) an old stamp collection. 그들이 발견한 것은 오래된 우표 수집품이었다.
(What they found: 명사절 주어 / was: 단수 동사)

2 기간·가격·길이·무게 등을 나타내는 명사구 주어에는 단수 동사가 와야 한다.

Three days (**is**, ~~are~~) plenty to finish a painting. 3일은 그림을 완성하기 충분하다.
(Three days: 주어(기간) / is: 단수 동사)

→ 주어(Three days)가 기간을 나타내는 명사구이므로 단수 동사(is)가 와야 한다.

3 다음 명사들이 주어에 위치하여 하나의 집단을 의미할 때는 단수 동사가 오고, 집단의 여러 구성원들을 의미할 때는 복수 동사가 온다.

family 가족	team 팀	staff 직원	class 학급	committee 위원회	audience 청중	crowd 무리	crew 승무원

His family **was** about to arrive. 그의 가족이 막 도착하려던 참이었다.

→ 주어(family)가 하나의 집단(한 집단으로서의 가족)을 의미하므로 단수 동사 was가 온다.

All my family **enjoy** dancing. 우리 가족 모두가 춤추는 것을 좋아한다.

→ 주어(family)가 집단의 여러 구성원들(가족 구성원들)을 의미하므로 복수 동사 enjoy가 온다.

4 주어와 동사 사이의 수식어 거품은 동사의 수 결정에 영향을 주지 않는다.

The researchers in this laboratory (**study**, ~~studies~~) a genetic map. 이 연구실의 연구원들은 유전자 지도를 연구한다.
(The researchers: 복수 주어 / in this laboratory: 수식어 거품 / study: 복수 동사)

공무원 영어 실전 문제

01 다음 중 어법상 올바른 문장은? [2013년 국가직 7급 출제경향]

① Four days are not enough time for me to finish my science project.
② What she told me today contradict what she told you yesterday.
③ Drawing portraits with realism and precision is difficult.
④ There is several things every driver should do before starting their car.

정답 ③ 해설·해석 p.428

기출포인트 02 수량·부분·전체 표현의 수 일치

출제빈도 ★★

1 단수 취급하는 수량 표현에는 단수 동사를, 복수 취급하는 수량 표현에는 복수 동사를 쓴다.

단수 취급하는 수량 표현	복수 취급하는 수량 표현
one / each (+ 명사) every / the number of / one of / neither of + 명사 somebody, someone, something anybody, anyone, anything everybody, everyone, everything nobody, no one, nothing	many / several / few / both (+ of the) + 복수 명사 a number of / a couple of / a range of / a variety of + 복수 명사

The number of cars (**is**, ~~are~~) increasing. 자동차의 수가 증가하고 있다.
→ 단수 취급하는 수량 표현(The number of)이 주어 자리에 쓰였으므로, 단수 동사(is)가 와야 한다.

A number of tourists (**visit**, ~~visits~~) the Modern Art Museum every year. 많은 관광객들이 매년 현대 미술관을 방문한다.
→ 복수 취급하는 수량 표현(A number of)이 주어 자리에 쓰였으므로, 복수 동사(visit)가 와야 한다.

고득점 포인트 복수 취급하는 수량 표현 many가 'many a/an + 단수 명사'의 형태로 쓰이면 뒤에 단수 동사가 와야 한다.
Many a girl (**was**, ~~were~~) surprised by the news. 많은 소녀들이 그 소식에 놀랐다.

2 부분·전체를 나타내는 표현을 포함한 주어는 of 뒤 명사에 동사를 수 일치시킨다.

부분·전체를 나타내는 표현	all, most, any, half, a lot, lots, part, the rest, the bulk, percent, portion, 분수	+ of	+ 단수 명사	+ 단수 동사
			+ 복수 명사	+ 복수 동사

All of the tuition **is** covered by the scholarship. 학비의 전체가 장학금으로 충당된다.
(the tuition: 단수 명사, is: 단수 동사)

Thirty percent of people under the age of 24 **lack** health insurance. 24세 이하 사람들의 30퍼센트는 의료 보험이 없다.
(people: 복수 명사, lack: 복수 동사)

공무원 영어 실전 문제

02 우리말을 영어로 바르게 옮긴 것은? [2024년 국가직 9급]

① 지원자 수가 증가하고 있어서 우리는 기쁘다.
→ We are glad that the number of applicants is increasing.
② 나는 2년 전에 그에게서 마지막 이메일을 받았다.
→ I've received the last e-mail from him two years ago.
③ 어젯밤에 그가 잔 침대는 꽤 편안했다.
→ The bed which he slept last night was quite comfortable.
④ 그들은 영상으로 새해 인사를 교환했다.
→ They exchanged New Year's greetings each other on screen.

정답 ① 해설·해석 p.428

기출포인트 03

접속사로 연결된 주어의 수 일치

출제빈도 ★

1 and로 연결된 주어에는 복수 동사를 쓴다.

A and B A와 B	both A and B A와 B 둘 다

Water **and** sunshine **are** essential for plants. 물과 햇빛은 식물에 필수적이다.
(A: Water / B: sunshine / 복수 동사: are)

고득점 포인트 두 개의 명사가 and로 연결되었어도 하나의 대상을 가리키는 경우, 뒤에 단수 동사가 와야 한다.
The famed writer and orator (**teaches**, ~~teach~~) at Yale. 그 유명한 작가이자 연설가는 예일대에서 가르친다.
→ 주어 The famed writer and orator는 and로 연결되었지만, 관사(The)를 한 번만 써서 한 사람을 가리키므로, 단수 동사(teaches)가 와야 한다.

2 as well as로 연결된 주어(A as well as B)는 A에 동사를 수 일치시킨다.

Mary **as well as** her parents **prefers** to eat at home. Mary의 부모님뿐만 아니라 Mary도 집에서 먹는 것을 선호한다.
(A: Mary / B: her parents / 단수 동사: prefers)

→ A 위치에 단수 명사(Mary)가 왔으므로 단수 동사(prefers)가 온다.

3 주어가 아래 접속사들로 연결된 경우, B에 동사를 수 일치시킨다.

A or B A나 B	either A or B A 또는 B 중 하나	neither A nor B A도 B도 아닌
Not A but B A가 아니라 B	not only A but (also) B A뿐만 아니라 B도	

Some chips **or** a salad is enough for me. 약간의 감자 칩이나 샐러드면 내게 충분하다.
(A: Some chips / B: a salad / 단수 동사: is)

→ B 위치에 단수 명사(a salad)가 왔으므로 단수 동사(is)가 온다.

Not only drought **but also** pests cause great damage to crops. 가뭄뿐만 아니라 해충도 농작물에 큰 해를 끼친다.
(A: drought / B: pests / 복수 동사: cause)

→ B 위치에 복수 명사(pests)가 왔으므로 복수 동사(cause)가 온다.

공무원 영어 실전 문제

03 다음 글의 밑줄 친 부분 중 어법상 가장 틀린 것은? [2023년 법원직 9급 출제경향]

Opinion polls serve as a channel ① through which policymakers assess public sentiment on diverse issues. In the past, they helped politicians understand people's desires before elections. However, though they were once ② deemed reliable, these types of polls have faced recent scrutiny. Polling results on voter intentions are often publicized, giving insight into likely winners. And as political experts and interested members of the public ③ sees these results, they may jump on the bandwagon and decide to promote or vote for the party ④ that is ahead.

정답 ③ 해설·해석 p.428

주격 관계절의 수 일치

출제빈도 ★★

1 주격 관계절의 동사는 선행사에 수 일치시킨다.

단수 선행사	+ 주격 관계사 (who / which / that)	+ 단수 동사
복수 선행사		+ 복수 동사

They met a friend (단수 선행사) who **has** (단수 동사) experience in their field. 그들은 그들의 분야에 경험이 있는 친구를 만났다.

People (복수 선행사) who **are** (복수 동사) hopeful about the future are called optimists. 미래에 대해 희망적인 사람들은 낙천주의자라고 불린다.

2 관계절 앞에 명사가 여러 개 있는 경우, 무엇이 선행사인지 파악하여 관계절 내 동사의 수를 결정해야 한다.

The train for commuters (선행사(복수)) who (**want** (복수 동사), ~~wants~~) to travel at night is currently running.

야간에 이동하기를 원하는 통근자들을 위한 열차가 현재 운행 중이다.

→ '야간에 이동하기를 원하는'이라는 의미의 관계절(who ~ night)이 수식하는 선행사는 복수 명사(commuters)이다. 따라서 관계절의 동사도 복수 동사(want)가 와야 한다.

The book collection (선행사(단수)) on the shelves, which (**consists** (단수 동사), ~~consist~~) of 34 volumes, is worth thousands of dollars.

선반 위에 있는 34권으로 구성된 책 전집은 수천 달러의 가치가 있다.

→ '34권으로 구성된'이라는 의미의 관계절(which ~ volumes)이 수식하는 선행사는 단수 명사(The book collection)이다. 따라서 관계절의 동사도 단수 동사(consists)가 와야 한다.

공무원 영어 실전 문제

04 밑줄 친 부분 중 어법상 가장 옳지 않은 것은? [2019년 서울시 9급(6월 시행)]

> Squid, octopuses, and cuttlefish are all ① types of cephalopods. ② Each of these animals has special cells under its skin that ③ contains pigment, a colored liquid. A cephalopod can move these cells toward or away from its skin. This allows it ④ to change the pattern and color of its appearance.

정답 ③ 해설·해석 p.429

Chapter 03 수 일치 | 해커스공무원 영어 문법

Hackers Practice

둘 중 어법상 알맞은 것을 고르세요.

01 A light meal or snacks (are / is) provided at the meeting.

02 The women (attends / attend) the swimming class on Fridays.

03 Few people (was / were) waiting for the results of their exams.

04 Poor sanitation and the lack of antibiotics (was / were) responsible for the spread of the "Black Death."

05 Two weeks (is / are) enough time to complete our project.

06 Children who (is / are) encouraged by their parents do well in school.

07 Approximately seventy-five percent of Canadian citizens (speak / speaks) English as their primary language.

08 Carter as well as his sisters (compete / competes) in diving contests.

09 The number of traffic accidents (is / are) on the decline in the city.

어휘

01 provide 제공하다 02 attend 참석하다 03 result 결과 04 sanitation 위생 상태 antibiotic 항생제 spread 확산, 유행 Black Death 흑사병
05 complete 완료하다, 끝마치다 06 encourage 격려하다, 용기를 북돋우다 07 approximately 대략, 거의 primary 주된, 주요한, 기본적인
08 compete in ~에 출전하다 09 be on the decline 감소하고 있다

01 기출포인트 **접속사로 연결된 주어의 수 일치**

해설 접속사 or로 연결된 주어(A light meal or snacks)는 or 뒤에 오는 명사(snacks)에 동사를 수 일치시켜야 하므로 복수 동사 are가 정답이다.

정답 are

해석 가벼운 식사 또는 간식이 그 회의에서 제공된다.

02 기출포인트 **주어와 동사의 수 일치**

해설 주어 자리에 복수 명사 The women이 왔으므로 복수 동사 attend가 정답이다.

정답 attend

해석 그 여자들은 금요일마다 수영 수업에 참석한다.

03 기출포인트 **수량 표현의 수 일치**

해설 주어 자리에 복수 취급하는 수량 표현 'few + 복수 명사'(Few people)가 왔으므로 복수 동사 were가 정답이다.

정답 were

해석 시험 결과를 기다리는 사람들은 거의 없었다.

04 기출포인트 **접속사로 연결된 주어의 수 일치**

해설 접속사 and로 연결된 주어(Poor sanitation and the lack of antibiotics)는 복수 취급하므로 복수 동사 were가 정답이다.

정답 were

해석 열악한 위생 상태와 항생제의 부족이 '흑사병' 확산의 원인이었다.

05 기출포인트 **주어와 동사의 수 일치**

해설 기간을 나타내는 명사구 주어(Two weeks)는 단수 취급하므로 단수 동사 is가 정답이다.

정답 is

해석 2주는 우리의 프로젝트를 완료하기에 충분한 시간이다.

06 기출포인트 **주격 관계절의 수 일치**

해설 주격 관계절(who ~ parents)의 동사는 선행사(Children)에 수 일치시켜야 하므로 복수 동사 are가 정답이다.

정답 are

해석 부모님의 격려를 받은 아이들은 학교에서 잘 한다.

07 기출포인트 **부분 표현의 수 일치**

해설 부분을 나타내는 표현(seventy-five percent of)을 포함한 주어는 of 뒤 명사(Canadian citizens)에 동사를 수 일치시켜야 하므로 복수 동사 speak가 정답이다.

정답 speak

해석 캐나다 국민의 대략 75퍼센트는 그들의 주 언어로 영어를 말한다.

08 기출포인트 **접속사로 연결된 주어의 수 일치**

해설 A as well as B(B뿐만 아니라 A도)로 연결된 주어 Carter as well as his sisters는 A(Carter)에 동사를 수 일치시켜야 하므로 단수 동사 competes가 정답이다.

정답 competes

해석 그의 여자 형제들뿐만 아니라 Carter도 다이빙 대회에 출전한다.

09 기출포인트 **수량 표현의 수 일치**

해설 주어 자리에 단수 취급하는 수량 표현 'the number of + 명사'(The number of traffic accidents)가 왔으므로 단수 동사 is가 정답이다.

정답 is

해석 그 도시에서 교통사고의 수가 감소하고 있다.

어법상 옳은 것에는 O, 틀린 것에는 X를 표시하고 틀린 부분을 바르게 고치세요.

10 The bus for the hotel guests who needs to go to the airport has arrived. [ ]

11 Both cancer and heart disease cause more deaths each year than automobile accidents. [ ]

12 A number of zoos has endangered animals from around the world. [ ]

13 Creating each of the hand-knotted rugs take the Afghan artisans approximately nine months. [ ]

14 Everything that we know about the new mobile phone have been published in the article. [ ]

15 The laptop's battery is supposed to provide all-day power, but hers last only a few hours. [ ]

16 The rest of the packages need to be collected from the post office. [ ]

17 There is many alternatives to drug-based treatment for depression nowadays. [ ]

18 Both the book and the movie tells the story of a group of teenagers who get caught up in a crime. [ ]

어휘

10 airport 공항 11 cancer 암 heart disease 심장 질환 cause 야기하다 automobile 자동차 accident 사고 12 endangered 멸종 위기에 처한 13 rug 양탄자 artisan 장인, 공예가 14 publish 싣다, 게재하다, 발표하다 15 be supposed to ~하기로 되어 있다 16 package 소포, 포장한 상품 collect 가지러 가다, 모으다 17 alternative 대안, 선택 가능한 것 depression 우울증 18 get caught up in ~에 휘말리다

10 기출포인트 **주격 관계절의 수 일치**

해설 주격 관계절(who ~ the airport)의 동사는 선행사(the hotel guests)에 수 일치시켜야 하므로 단수 동사 needs를 복수 동사 need로 고쳐야 한다.

정답 X, needs → need

해석 공항으로 가야 하는 호텔 손님들을 위한 버스가 도착했다.

11 기출포인트 **접속사로 연결된 주어의 수 일치**

해설 접속사 and로 연결된 주어(Both cancer and heart disease)는 복수 취급하므로 복수 동사 cause가 올바르게 쓰였다.

정답 O

해석 암과 심장 질환 둘 다 매년 자동차 사고보다 더 많은 사망을 야기한다.

12 기출포인트 **수량 표현의 수 일치**

해설 주어 자리에 복수 취급하는 수량 표현 'a number of + 복수 명사'(A number of zoos)가 왔으므로 단수 동사 has를 복수 동사 have로 고쳐야 한다.

정답 X, has → have

해석 많은 동물원들은 전 세계의 멸종 위기에 처한 동물들을 보유하고 있다.

13 기출포인트 **주어와 동사의 수 일치**

해설 주어 자리에 단수 취급하는 동명사구(Creating ~ rugs)가 왔으므로 복수 동사 take를 단수 동사 takes로 고쳐야 한다.

정답 X, take → takes

해석 손으로 엮은 양탄자 각각을 만드는 것은 아프가니스탄의 장인들에게 대략 9달이 걸린다.

14 기출포인트 **주어와 동사의 수 일치**

해설 주어 자리에 단수 취급하는 수량 표현 Everything이 왔으므로 복수 동사 have를 단수 동사 has로 고쳐야 한다.

정답 X, have → has

해석 그 새로운 휴대전화에 대해 우리가 알고 있는 모든 것은 그 기사에 실렸다.

15 기출포인트 **주어와 동사의 수 일치**

해설 종속절의 주어 자리에 온 소유대명사 hers가 앞에 나온 단수 명사 The laptop's battery를 가리키므로 단수 취급해야 한다. 따라서 복수 동사 last를 단수 동사 lasts로 고쳐야 한다.

정답 X, last → lasts

해석 그 노트북 컴퓨터의 배터리는 하루 종일 동력을 제공하기로 되어 있지만, 그녀의 것은 몇 시간밖에 지속되지 않는다.

16 기출포인트 **부분 표현의 수 일치**

해설 부분을 나타내는 표현(The rest of)을 포함한 주어는 of 뒤 명사(the packages)에 동사를 수 일치시켜야 하므로 복수 동사 need가 올바르게 쓰였다.

정답 O

해석 나머지 소포들은 우체국에서 가지고 와야 한다.

17 기출포인트 **주어와 동사의 수 일치**

해설 가짜 주어 there 구문에서 동사는 진짜 주어(many alternatives)에 수 일치시켜야 하므로 단수 동사 is를 복수 동사 are로 고쳐야 한다.

정답 X, is → are

해석 오늘날에는 약물을 기반으로 하는 우울증 치료에 대한 많은 대안들이 있다.

18 기출포인트 **접속사로 연결된 주어의 수 일치**

해설 접속사 and로 연결된 주어(Both the book and the movie)는 복수 취급하므로 단수 동사 tells를 복수 동사 tell로 고쳐야 한다.

정답 X, tells → tell

해석 그 책과 영화 둘 다 범죄에 휘말린 한 무리의 십대들에 대해 이야기한다.

Hackers Test

01 어법상 밑줄 친 곳에 가장 적절한 것은?

My brothers as well as my sister ______________ the same university.

① attends ② attend
③ attending ④ to attend

02 어법상 옳지 않은 것은?

① People who collect stamps as a hobby are known as philatelists.
② Five days in Hawaii was not nearly a long enough vacation for her.
③ He bought a device that reduce the humidity in his room.
④ Learning the drums takes many hours of practice.

03 다음 문장을 영어로 옮길 때 가장 적절한 것을 고르시오.

교수가 아닌 그녀의 학생들이 회의에서 연설을 할 것이다.

① Not the professor but her students are going to speak the conference.
② Not the professor but her students is going to speak the conference.
③ Not the professor but her students are going to speak at the conference.
④ Not the professor but her students is going to speak at the conference.

01 기출포인트 **주어와 동사의 수 일치** 정답 ②

해설 빈칸은 문장의 동사 자리이므로 '동사 + -ing' 형태인 ③번과 'to + 동사원형' 형태인 ④번은 정답이 될 수 없다. A as well as B(B뿐만 아니라 A도)로 연결된 주어는 A(My brothers)에 동사를 수 일치시켜야 하므로 복수 동사 ② attend가 정답이다.

해석 나의 여자 형제뿐만 아니라 남자 형제들도 같은 대학에 다닌다.

어휘 attend ~에 다니다

02 기출포인트 **주격 관계절의 수 일치** 정답 ③

해설 주격 관계절(that ~ in his room)의 동사는 선행사(a device)에 수 일치시켜야 하므로 복수 동사 reduce를 단수 동사 reduces로 고쳐야 한다.

오답분석 ① 기출포인트 **주격 관계절의 수 일치** 주격 관계절(who ~ a hobby)의 동사는 선행사(People)에 수 일치시켜야 하므로 복수 동사 collect가 올바르게 쓰였다.

② 기출포인트 **주어와 동사의 수 일치** 기간을 나타내는 명사구 주어(Five days)는 단수 취급하므로 단수 동사 was가 올바르게 쓰였다.

④ 기출포인트 **주어와 동사의 수 일치** 주어 자리에 단수 취급하는 동명사구(Learning the drums)가 왔으므로 단수 동사 takes가 올바르게 쓰였다.

해석 ① 취미로 우표를 수집하는 사람들은 우표 수집가로 알려져 있다.
② 하와이에서의 5일은 그녀에게 결코 충분히 길지 않은 휴가였다.
③ 그는 그의 방의 습도를 낮춰주는 기기를 구입했다.
④ 드럼을 배우는 것은 많은 시간의 연습을 필요로 한다.

어휘 philatelist 우표 수집가 not nearly 결코 ~이 아니게 device 기기, 기구 reduce 낮추다 humidity 습도

03 기출포인트 **접속사로 연결된 주어의 수 일치** 정답 ③

해설 제시된 문장의 '교수가 아닌 그녀의 학생들'은 not A but B(A가 아니라 B)를 사용하여 Not the professor but her students로 나타낼 수 있는데, not A but B로 연결된 주어는 B(her students)에 동사를 수 일치시켜야 하므로 복수 동사 are를 사용한 ①, ③번이 정답 후보이다. 동사 speak는 '연설을 하다'라는 의미를 나타낼 때 목적어를 직접 취하지 않는 자동사로 쓰이고, '회의에서'는 전치사 at(~에서)을 사용하여 나타낼 수 있으므로 speak at the conference로 나타낸 ③번이 정답이다.

어휘 professor 교수 conference 회의

04 밑줄 친 부분이 어법상 틀린 것을 고르시오.

① Neither the surroundings nor the size was the reason we bought the house.

② The prices of computers on sale includes the discount.

③ That Tom still owes me money is not a big deal.

④ Seventy percent of the hotel rooms are reserved.

05 밑줄 친 부분 중 문법적으로 옳지 않은 것은?

The number of college graduates living with their parents ① are rising. This is because not enough recent graduates are being hired. Due to the difficult job market, many ② young adults are finding ③ it necessary to move back home. Experts ④ expect the trend to continue, as the economy shows no signs of improving.

06 밑줄 친 부분 중 어법상 가장 옳지 않은 것은?

Rashes, acne, and hives are all common skin conditions. Each condition ① causes problems that ② ranges from mild discomfort to permanent skin damage. For this reason, many patients ask dermatologists ③ to help them deal with these ailments. The skin specialists who ④ receive such requests usually prescribe medications that both soothe the skin and prevent damage.

04 기출포인트 주어와 동사의 수 일치

정답 ②

해설 주어 자리에 복수 명사 The prices가 왔으므로 단수 동사 includes를 복수 동사 include로 고쳐야 한다. 참고로, 주어와 동사 사이의 수식어 거품(of ~ sale)은 동사의 수 결정에 영향을 주지 않는다.

오답 분석 ① **기출포인트 접속사로 연결된 주어의 수 일치** 상관접속사 neither A nor B(A도 B도 아닌)로 연결된 주어는 B(the size)에 동사를 수 일치시켜야 하므로 단수 동사 was가 올바르게 쓰였다.

③ **기출포인트 주어와 동사의 수 일치** 명사절 주어(That ~ money)는 단수 취급하므로 단수 동사 is가 올바르게 쓰였다. 참고로, that절의 동사 owe는 두 개의 목적어를 '간접 목적어 + 직접 목적어'의 순서로 취하는 4형식 동사이므로 owes me money가 올바르게 쓰였다.

④ **기출포인트 부분 표현의 수 일치** 부분을 나타내는 표현(percent of)을 포함한 주어는 of 뒤 명사(the hotel rooms)에 동사를 수 일치시켜야 하므로 복수 동사 are가 올바르게 쓰였다.

해석 ① 환경도 크기도 우리가 그 집을 구매한 이유는 아니었다.
② 판매되는 컴퓨터들의 가격은 할인액을 포함한다.
③ Tom이 아직 내게 돈을 빚지고 있다는 것은 큰 문제가 아니다.
④ 호텔 방의 70퍼센트가 예약되어 있다.

어휘 surroundings 환경 include 포함하다 owe 빚지다 reserve 예약하다

05 기출포인트 수량 표현의 수 일치

정답 ①

해설 주어 자리에 단수 취급하는 수량 표현 'the number of + 명사'(The number of college graduates)가 왔으므로 복수 동사 are를 단수 동사 is로 고쳐야 한다.

오답 분석 ② **기출포인트 수량 표현의 수 일치** 복수 취급하는 수량 표현 many는 복수 명사와 함께 쓰이므로 복수 명사 young adults가 many 뒤에 올바르게 쓰였다.

③ **기출포인트 목적어 자리** to 부정사구 목적어(to move back home)가 목적격 보어(necessary)와 함께 오면 '가짜 목적어 it + 목적격 보어 + 진짜 목적어'의 형태가 되어야 하므로 it necessary to move back이 올바르게 쓰였다.

④ **기출포인트 주어와 동사의 수 일치** 주어 Experts가 복수 명사이므로 복수 동사 expect가 올바르게 쓰였다.

해석 부모와 함께 사는 대학 졸업자의 수가 증가하고 있다. 이는 최근의 졸업자들이 충분히 고용되고 있지 않기 때문이다. 어려운 취업 시장으로 인해, 많은 청년들이 집으로 돌아가는 것이 필요하다고 생각하고 있다. 전문가들은 경기가 나아질 조짐을 보이지 않고 있기 때문에, 이러한 추세가 계속될 것이라고 예상한다.

어휘 recent 최근의 hire 고용하다 due to ~으로 인해 expert 전문가 trend 추세 sign 조짐, 징후 improve 나아지다

06 기출포인트 주격 관계절의 수 일치

정답 ②

해설 주격 관계절(that ~ damage) 내의 동사는 선행사(problems)에 수 일치시켜야 하므로 단수 동사 ranges를 복수 동사 range로 고쳐야 한다.

오답 분석 ① **기출포인트 수량 표현의 수 일치** 주어 자리에 단수 취급하는 수량 표현 'Each + 명사'(Each condition)가 왔으므로 단수 동사 causes가 올바르게 쓰였다.

③ **기출포인트 5형식 동사** 동사 ask는 to 부정사를 목적격 보어로 취하는 5형식 동사이므로 목적격 보어 자리에 to 부정사 to help가 올바르게 쓰였다.

④ **기출포인트 주격 관계절의 수 일치** 주격 관계절(who ~ requests) 내의 동사는 선행사(The skin specialists)에 수 일치시켜야 하므로 복수 동사 receive가 올바르게 쓰였다.

해석 발진, 여드름, 그리고 두드러기는 모두 흔한 피부 질환이다. 각 질환은 가벼운 불편에서 영구적인 피부 손상까지 이르는 문제를 일으킨다. 이런 이유로, 많은 환자들은 피부과 전문의들에게 이 질병을 치료하는 것을 도와달라고 요청한다. 그러한 요청을 받는 피부 전문가들은 보통 피부를 진정시키고 손상을 예방하는 약을 처방한다.

어휘 rash 발진 acne 여드름 hive 두드러기 condition 질환; 상태 discomfort 불편 permanent 영구적인 dermatologist 피부과 전문의 ailment 질병 prescribe 처방하다

07 밑줄 친 부분이 어법상 옳은 것을 고르시오.

① The rest of the shirts have to be washed separately.

② The countryside, which are several miles outside the city, is much cleaner.

③ Anyone with a library card are allowed to check out books.

④ Motorists driving through a red light is breaking the law.

08 밑줄 친 부분 중 어법상 옳지 않은 것은? [2022년 국가직 9급]

To find a good starting point, one must return to the year 1800 during ① which the first modern electric battery was developed. Italian Alessandro Volta found that a combination of silver, copper, and zinc ② were ideal for producing an electrical current. The enhanced design, ③ called a Voltaic pile, was made by stacking some discs made from these metals between discs made of cardboard soaked in sea water. There was ④ such talk about Volta's work that he was requested to conduct a demonstration before the Emperor Napoleon himself.

07 기출포인트 부분 표현의 수 일치

정답 ①

해설 부분을 나타내는 표현(The rest of)을 포함한 주어는 of 뒤 명사(the shirts)에 동사를 수 일치시켜야 하므로 복수 동사 have가 올바르게 쓰였다.

오답분석 ② 기출포인트 **주격 관계절의 수 일치** 주격 관계절(which ~ the city)의 동사는 선행사(The countryside)에 수 일치시켜야 하므로 복수 동사 are를 단수 동사 is로 고쳐야 한다.

③ 기출포인트 **수량 표현의 수 일치** 주어 자리에 단수 취급하는 수량 표현 Anyone이 왔으므로 복수 동사 are를 단수 동사 is로 고쳐야 한다. 참고로 주어와 동사 사이의 수식어 거품(with ~ card)은 동사의 수 결정에 영향을 주지 않는다.

④ 기출포인트 **주어와 동사의 수 일치** 주어 자리에 복수 명사 Motorists가 왔으므로 단수 동사 is를 복수 동사 are로 고쳐야 한다. 참고로 주어와 동사 사이의 수식어 거품(driving ~ light)은 동사의 수 결정에 영향을 주지 않는다.

해석 ① 나머지 셔츠들은 단독으로 세탁되어야 한다.
② 도시로부터 몇 마일 밖의 시골 지역은 훨씬 더 깨끗하다.
③ 도서관 카드를 가지고 있는 누구라도 책을 대출하는 것이 허용된다.
④ 빨간불을 무시하고 지나가는 운전자들은 법률을 위반하는 것이다.

어휘 **separately** 단독으로, 따로따로 **countryside** 시골 지역 **motorist** 운전자 **break the law** 법률을 위반하다

08 기출포인트 주어와 동사의 수 일치

정답 ②

해설 주어 자리에 단수 명사 a combination이 왔으므로 복수 동사 were를 단수 동사 was로 고쳐야 한다. 참고로 주어와 동사 사이의 수식어 거품(of silver ~ zinc)은 동사의 수 결정에 영향을 주지 않는다.

오답분석 ① 기출포인트 **전치사 + 관계대명사** 선행사 the year 1800가 사물이고 관계절 내에서 전치사 during의 목적어 역할을 하므로 목적격 관계대명사 which가 올바르게 쓰였다.

③ 기출포인트 **현재분사 vs. 과거분사** 수식받는 명사 The enhanced design과 분사가 '이 향상된 디자인이 ~이라고 불리다'라는 의미의 수동 관계이므로 과거분사 called가 올바르게 쓰였다.

④ 기출포인트 **부사절 접속사 2: 기타** 문맥상 '볼타의 업적에 대한 소문이 퍼져서 그는 ~ 요청을 받았다'라는 의미가 되어야 자연스러운데, '~해서 -하다'는 부사절 접속사 such ~ that을 사용하여 나타낼 수 있으므로 형용사 such가 명사 talk 앞에 올바르게 쓰였다.

해석 좋은 출발점을 찾기 위해서는, 최초의 현대식 전기 배터리가 개발되었던 1800년으로 돌아가야 한다. 이탈리아인인 알레산드로 볼타는 은, 구리, 그리고 아연의 조합이 전류를 만드는 데 이상적이라는 것을 발견했다. 볼타의 전지라고 불리는 이 향상된 디자인은 바닷물에 적신 판지로 만들어진 원반들 사이에 이 금속들로 만들어진 원반 몇 개를 쌓아 올림으로써 만들어졌다. 볼타의 업적에 대한 소문이 퍼져서 그는 나폴레옹 황제 앞에서 직접 시연하라는 요청을 받았다.

어휘 **combination** 조합, 결합 **copper** 구리 **zinc** 아연 **ideal** 이상적인 **electrical current** 전류 **pile** 전지 **stack** 쌓아 올리다 **disc** 원반 **soak** 적시다, 담그다 **conduct** 하다, 행동하다 **demonstration** 시연, 설명

Chapter 04

시제

최근 5개년 출제 비율
'20~'24 국·지·서·법·국회(2024.04.기준)
6%

BASIC GRAMMAR 기본기 다지기

01 동사의 시제

동사는 어느 시점의 동작이나 상태를 나타내는지에 따라 다른 형태를 가지며, 이것을 **동사의 시제**라고 한다.

He **visited** me yesterday. 그는 어제 나를 방문했다.
과거 시제

He **visits** me every day. 그는 매일 나를 방문한다.
현재 시제

He **will visit** me tomorrow. 그는 내일 나를 방문할 것이다.
미래 시제

→ 위의 문장들에서 동사 visit는 동작이 일어나는 시점에 따라 visited, visits, will visit로 변화하고 있다. 이와 같이 시간을 나타내는 동사의 형태 변화를 시제라고 한다.

Check-Up

다음 중 과거 시제 문장을 고르시오.

ⓐ She woke up early today. 그녀는 오늘 일찍 일어났다.

ⓑ She goes to church every Sunday. 그녀는 일요일마다 교회에 간다.

→ wake의 과거 형태인 woke를 사용하여 나타낸 ⓐ가 과거 시제 문장이다. ⓑ는 현재 시제 문장이다.

정답: ⓐ

02 단순, 진행, 완료 시제 형태

동사는 **단순, 진행, 완료 시제**로 쓰이며, 각 시제에 따라 다른 형태를 취한다.

① **단순 시제**는 특정 시점에 일어나는 동작이나 상태를 나타내며, '동사(+ s/es)', '동사 + ed', 'will + 동사원형'을 취한다.

현재 We **play** basketball every Saturday. 우리는 매주 토요일에 농구를 한다.

과거 We **played** basketball last Saturday. 우리는 지난 토요일에 농구를 했다.

미래 We **will play** basketball next Saturday. 우리는 다음 토요일에 농구를 할 것이다.

② **진행 시제**는 특정 시점에 동작이 계속 진행되고 있는 것을 나타내며, 'be + -ing'형을 취한다.

현재진행 She **is sleeping**. 그녀는 자고 있다.

과거진행 She **was sleeping**. 그녀는 자고 있었다.

미래진행 She **will be sleeping**. 그녀는 자고 있을 것이다.

③ **완료 시제**는 특정 시점 이전에 일어난 일이나, 기준 시점 이전부터 기준 시점까지 계속된 동작이나 상태를 나타내며, 'have + p.p.'형을 취한다.

현재완료 I **have lived** in China for five years. 나는 중국에서 5년 동안 살아 왔다.

과거완료 I **had lived** in China for five years before I moved to Korea.
나는 한국으로 이주하기 전에 중국에서 5년간 살았었다.

미래완료 I **will have lived** in China for five years by this December.
이번 12월이면 나는 중국에서 산 지 5년이 될 것이다.

Check-Up

다음 중 우리말을 영어로 가장 잘 옮긴 것을 고르시오.

그녀는 3개월 동안 그 식료품점에서 일해 왔다.

ⓐ She will have worked at the grocery store for three months.

ⓑ She has worked at the grocery store for three months.

→ 그녀가 3개월 전부터 지금까지 그 식료품점에서 일해 온 것이므로, 현재완료 시제 'has + p.p'형(has worked)을 취하는 ⓑ가 정답이다. ⓐ는 'will have + p.p.'형으로 미래완료 시제이다.

정답: ⓑ

기출포인트 01

현재/과거/미래 시제

출제빈도 ★★★

1 현재 시제는 반복되는 동작·상태 묘사, 일반적인 사실, 진리·법칙 등을 표현한다.

반복적 동작·상태 He often **takes** long walks. 그는 종종 오래 산책한다.

일반적 사실 Earth **is** bigger than Mercury. 지구는 수성보다 크다.

진리·법칙 Water **freezes** below 0 degrees Celsius. 물은 섭씨 0도 아래에서 언다.

2 과거 시제는 이미 끝난 과거의 동작·상태 묘사, 역사적 사실을 표현한다.

과거의 동작·상태 I **took** a shower last night. 나는 어젯밤에 샤워를 했다.

역사적 사실 French colonists **settled** Louisiana in the 17th century. 프랑스 식민지 개척자들은 17세기에 루이지애나에 정착했다.

3 미래 시제는 미래의 상황에 대한 예상이나 의지를 표현한다.

미래의 상황 예상 The weather **will start** to improve in March. 날씨가 3월에 좋아지기 시작할 것이다.

미래에 대한 의지 I **will take** my son on my next trip. 나는 다음 여행에 나의 아들을 데려갈 것이다.

4 시간이나 조건을 나타내는 부사절에서는 미래 시제 대신 현재 시제를 쓴다.

시간·조건의 부사절을 이끄는 접속사	if	when	before	after
	unless	as soon as	by the time	

When you (**finish**, ~~will finish~~) your speech, I will give mine. 네가 연설을 끝마치면, 내가 연설할 것이다.
→ 시간을 나타내는 when절에서는 미래를 나타내기 위해 현재 시제(finish)가 사용된다.

고득점 포인트 명사절에서는 when이나 if가 쓰였더라도 미래 시제를 그대로 사용한다.
I want to know when you (**will arrive**, ~~arrive~~) in Italy tomorrow. 나는 네가 내일 언제 이탈리아에 도착할지 알고 싶다.
→ when절이 동사(know)의 목적어 자리에 온 명사절이므로 미래 시제를 나타내기 위해 미래 시제(will arrive)를 써야 한다.

공무원 영어 실전 문제

01 어법상 옳은 것은? [2020년 국가직 9급 출제경향]

① As soon as the bell rings, the class will begin.
② The company's recent picnic was better than those of last year.
③ The growth of a planet is affected by how much sunlight has it received.
④ In France and Spain, chocolate used to be a drink reserved for the privilege.

정답 ① 해설·해석 p.429

기출포인트 02

현재진행/과거진행/미래진행 시제

출제빈도 ★

1 현재진행 시제(am/are/is + -ing)는 현재 시점에 진행되고 있는 일을 표현한다.

The phone **is ringing** now. 지금 전화기가 울리고 있다.
(now: 현재 시점)

고득점 포인트 현재진행형은 미래에 일어나기로 예정되어 있는 일이나 곧 일어나려고 하는 일을 표현하여 미래를 나타내기도 한다.
I am seeing him on Thursday night. 나는 목요일 밤에 그를 만날 예정이다.
The guests **are coming** in half an hour. 손님들이 30분 후에 올 것이다.

2 과거진행 시제(was/were + -ing)는 특정 과거 시점에 진행되고 있었던 일을 표현한다.

The rain **was pouring** when I woke up. 내가 일어났을 때 비가 퍼붓고 있었다.
(when I woke up: 특정 과거 시점)

3 미래진행 시제(will be + -ing)는 특정 미래 시점에 어떤 일이 진행되고 있을 것임을 표현한다.

We **will be swimming** at the beach at this time tomorrow. 내일 이 시간에 우리는 해변에서 수영하고 있을 것이다.
(at this time tomorrow: 특정 미래 시점)

4 진행 시제로 쓸 수 없는 동사

감정	love 좋아하다	like 좋아하다	prefer 선호하다	hate 싫어하다	surprise 놀라게 하다	satisfy 만족시키다
상태	be ~이다	belong 속하다	have 가지다	owe 빚지다	possess 소유하다	consist 구성하다
인지	believe 믿다	know 알다	see 알다	understand 이해하다	realize 깨닫다	remember 기억하다
감각	sound ~하게 들리다	look ~처럼 보이다	seem ~인 것 같다	appear ~인 것 같다	smell ~한 냄새가 나다	taste ~한 맛이 나다
기타	need 필요하다	agree 동의하다	deny 부인하다	promise 약속하다	want 원하다	wish 바라다

I (**had**, ~~was having~~) urgent business last night. 나는 어젯밤에 급한 일이 있었다.

They (**need**, ~~are needing~~) your help right now. 그들은 지금 당장 너의 도움이 필요하다.

공무원 영어 실전 문제

02 어법상 옳지 않은 문장은? [2021년 국회직 9급]

① The question debated in Parliament yesterday was about the new tax.
② A man wearing a red vest is standing still on roller skates.
③ They knew the man who was going out with their daughter.
④ The list shows all articles that are belonging to the owner.
⑤ Authorities are afraid of people knowing the truth.

정답 ④ 해설·해석 p.429

기출포인트 03

현재완료/과거완료/미래완료 시제

출제빈도 ★★★

1 현재완료 시제(have/has + p.p.)는 과거에 발생하여 현재까지 영향을 미치는 일을 표현한다.

계속	~해 왔다 (과거에 시작된 일이 현재까지 계속됨)	He **has played** the piano since he was 7. 그는 7살 때 이래로 피아노를 쳐 왔다. → 7살에 시작하여 지금까지 계속 피아노를 치고 있다.
완료	~했다 (과거에 시작된 일이 현재에 완료됨)	We **have** just **finished** the first chapter. 우리는 막 첫 번째 챕터를 마쳤다. → 과거에 시작한 첫 번째 챕터를 방금 마쳤다.
결과	~해 버렸다 (과거의 일이 현재의 결과에 영향을 미침)	He **has gone** to New York. 그는 뉴욕에 가 버렸다. → 그가 과거에 뉴욕에 가서 지금 여기에 없다.
경험	~해 본 적이 있다 (과거에서 현재에 이르는 경험)	I **have eaten** at this restaurant before. 나는 이 식당에서 전에 먹어본 적이 있다. → 과거부터 지금까지 이 식당에서 먹어 봤던 경험이 있다.

2 과거완료 시제(had + p.p.)는 특정 과거 시점 이전에 발생한 일을 표현한다.

She **had planned** to go on the picnic, but it was canceled. 그녀는 소풍을 가려고 계획했었지만, 그것은 취소되었다.
(it was canceled: 특정 과거 시점)

→ 소풍이 취소된 특정 과거 시점 이전에 소풍을 계획했었음을 표현하기 위해 과거완료 시제(had planned)를 쓴다.

고득점 포인트 '주어 + had not p.p. + before[when] + 주어 + 과거 동사'는 '~하지도 않아 - 했다'라고 해석된다.
I **had not slept** half an hour **(before, when) my phone rang.** 내가 30분도 채 자지 않아서 전화가 울렸다.

3 미래완료 시제(will have + p.p.)는 특정 미래 시점 이전에 시작된 일이 미래의 그 시점에 완료될 것을 표현한다.

By the time I sell my shares, my profits **will have doubled.** 내가 나의 주식을 팔 때에, 내 수익은 두 배가 될 것이다.
(By the time I sell my shares: 특정 미래 시점)

4 완료진행 시제(have/has/had been + -ing)는 기준 시점 이전에 시작된 일이 기준 시점까지 계속 진행 중임을 표현한다.

I **have been practicing** my speech since 7 p.m. 나는 오후 7시부터 나의 연설을 연습하고 있다.
(since 7 p.m.: 기준 시점)

공무원 영어 실전 문제

03 우리말을 영어로 잘못 옮긴 것을 고르시오. [2022년 지방직 9급]

① 식사를 마치자마자 나는 다시 배고프기 시작했다.
→ No sooner I have finishing the meal than I started feeling hungry again.

② 그녀는 조만간 요금을 내야만 할 것이다.
→ She will have to pay the bill sooner or later.

③ 독서와 정신의 관계는 운동과 신체의 관계와 같다.
→ Reading is to the mind what exercise is to the body.

④ 그는 대학에서 의학을 공부했으나 결국 회계 회사에서 일하게 되었다.
→ He studied medicine at university but ended up working for an accounting firm.

정답 ① 해설·해석 p.430

기출포인트 04

시제 일치

출제빈도 ★★

1 과거, 현재, 미래, 현재완료 시제와 자주 함께 쓰이는 표현들을 보고 문장의 시제를 구분할 수 있다.

과거	현재완료	미래·미래완료
yesterday 어제 last + 시간 표현 지난 ~에 시간 표현 + ago ~ 전에	yet 아직 so far 지금까지 since + 과거 시간 표현 ~ 이래로 over / for + 시간 표현 ~ 동안	tomorrow 내일 next + 시간 표현 다음 ~에 by / until + 미래 시간 표현 ~까지 * 단, until은 미래완료와 함께 쓰이지 않는다. by the time + 주어 + 현재 동사 ~할 때쯤에

* 'by the time + 주어 + 과거 동사'는 과거나 과거완료 시제와도 함께 쓰일 수 있다.

Joe **went** to the eye doctor last week. Joe는 지난주에 안과에 갔다.
(went: 과거 시제 / last week: last + 시간 표현)

By the time Monday comes around, I **will have recovered** from my cold. 월요일이 올 때쯤이면, 나는 감기가 다 나아 있을 것이다.
(By the time Monday comes around: by the time + 주어 + 현재 동사 / will have recovered: 미래완료 시제)

2 주절의 시제가 과거일 경우 종속절에는 주로 과거나 과거완료가 온다.

I ordered the sofa (that) I **saw** in the catalogue. 나는 카탈로그에서 본 소파를 주문했다.
(ordered: 과거 시제 / saw: 과거 시제)

→ 주절의 시제가 과거(ordered)이고 종속절에서 '내가 소파를 본' 것 역시 과거 시점에 일어난 일이므로, 과거 시제(saw)가 와야 한다.

He said that he **had witnessed** the criminal deed. 그는 범죄 행위를 목격했다고 진술했다.
(said: 과거 시제 / had witnessed: 과거완료 시제)

→ 주절의 시제가 과거(said)이고 종속절에서 '그가 범죄 행위를 목격한' 것은 주절에서 일어난 일보다 더 이전 시점에 일어난 일이므로, 과거완료 시제(had witnessed)가 와야 한다.

고득점 포인트 주절에 hardly/scarcely가 오고 종속절에 before/when이 오는 경우, 주절에는 과거완료 시제를 사용하고 종속절에는 과거 시제를 사용한다.

Hardly had we sat down **when** the lecturer started speaking. 우리가 앉자마자 강연자는 강연을 하기 시작했다.

→ 주절에 Hardly가 오고 종속절에 when이 왔으므로 주절에는 과거완료 시제(had sat)를 사용하고 종속절에는 과거 시제(started)를 사용한다.

공무원 영어 실전 문제

04 어법상 옳은 것은? [2021년 국가직 9급]

① This guide book tells you where should you visit in Hong Kong.
② I was born in Taiwan, but I have lived in Korea since I started work.
③ The novel was so excited that I lost track of time and missed the bus.
④ It's not surprising that book stores don't carry newspapers any more, doesn't it?

정답 ② 해설·해석 p.430

Hackers Practice

둘 중 어법상 알맞은 것을 고르세요.

01 The workers in the office (drink / had drunk) a lot of coffee every morning.

02 Our legal team (reviewed / is reviewing) your contract now.

03 She (goes / went) to Europe last year.

04 After we (will eat / eat) dinner, please wash the dishes.

05 I still (am remembering / remember) my old house address.

06 Scarcely had she gotten through the door when her dog (came / comes) running.

07 We (will go / went) to a park next weekend.

08 He (has written / writes) four books and is working on the fifth one.

09 As soon as the rain (will stop / stops), I will go for a walk.

어휘

01 office 사무실 02 legal 법률의 review 검토하다 contract 계약서 05 address 주소 06 scarcely ~하자마자; 거의 ~ 않다 come running 한달음에 달려오다 08 work on 작업하다 09 go for a walk 산책하러 가다

01 기출포인트 **현재 시제**

해설 '매일 아침 커피를 많이 마신다'라는 반복되는 동작을 표현하고 있으므로 현재 시제 drink가 정답이다.

정답 drink

해석 그 사무실에서 일하는 직원들은 매일 아침 커피를 많이 마신다.

02 기출포인트 **현재진행 시제**

해설 문장에 시간 표현 now(지금)가 왔고 문맥상 '지금 계약서를 검토하고 있다'라며 현재 진행되고 있는 일을 표현하고 있으므로 현재진행 시제 is reviewing이 정답이다.

정답 is reviewing

해석 우리의 법률팀은 지금 당신의 계약서를 검토하고 있다.

03 기출포인트 **과거 시제**

해설 문장에 시간 표현 last year(작년)가 왔고 문맥상 '작년에 유럽에 갔다'라며 과거의 동작을 표현하고 있으므로 과거 시제 went가 정답이다.

정답 went

해석 그녀는 작년에 유럽에 갔다.

04 기출포인트 **현재 시제**

해설 시간을 나타내는 부사절에서는 미래를 나타내기 위해 현재 시제가 사용되므로 현재 시제 eat이 정답이다.

정답 eat

해석 우리가 저녁을 먹은 후에, 설거지를 해 주세요.

05 기출포인트 **현재진행 시제**

해설 '기억하다'라는 의미의 동사 remember는 진행 시제로 쓸 수 없으므로 현재 시제 remember가 정답이다.

정답 remember

해석 나는 아직도 나의 예전 집 주소를 기억한다.

06 기출포인트 **시제 일치**

해설 주절(Scarcely had ~ door)에 scarcely가 오고 종속절(when her dog ~ running)에 when이 오는 경우 주절에는 과거완료 시제, 종속절에는 과거 시제를 사용하므로 과거 시제 came이 정답이다.

정답 came

해석 그녀가 문을 통과하자마자 그녀의 개가 한달음에 달려왔다.

07 기출포인트 **미래 시제**

해설 문장에 시간 표현 next weekend(다음 주말)가 왔고 문맥상 '다음 주말에 공원에 갈 것이다'라며 미래 상황에 대한 의지를 표현하고 있으므로 미래 시제 will go가 정답이다.

정답 will go

해석 우리는 다음 주말에 공원에 갈 것이다.

08 기출포인트 **현재완료 시제**

해설 '그는 책 네 권을 썼다'라는 과거에 시작된 일이 현재에 완료된 경우를 표현하고 있으므로 현재완료 시제 has written이 정답이다.

정답 has written

해석 그는 책 네 권을 썼고 다섯 번째 책을 작업하고 있다.

09 기출포인트 **현재 시제**

해설 시간을 나타내는 부사절에서는 미래를 나타내기 위해 현재 시제가 사용되므로 현재 시제 stops가 정답이다.

정답 stops

해석 비가 그치자마자, 나는 산책하러 갈 것이다.

어법상 옳은 것에는 O, 틀린 것에는 X를 표시하고 틀린 부분을 바르게 고치세요.

10 The researcher will have completed his report by the end of tomorrow. [ ]

11 The Roman Empire fell during the fourth and fifth centuries. [ ]

12 If you will need any help, I will assist you. [ ]

13 I explained that I have missed the bus. [ ]

14 They will be discussing ways to work more efficiently next Monday. [ ]

15 Hardly did she bought the watch when it stopped working. [ ]

16 He is having a painting that was painted by his grandfather. [ ]

17 She is talking on the phone when her brother interrupted her. [ ]

18 He has been driving the same car for almost ten years. [ ]

어휘

10 complete 완성하다 11 the Roman Empire 로마 제국 12 assist 돕다 13 miss 놓치다 14 efficiently 효율적으로 15 work 작동하다 16 painting 그림 17 interrupt 방해하다, 중단시키다

10 기출포인트 **미래완료 시제**

해설 문장에 'by + 미래 시간 표현'(by the end of tomorrow)이 왔고 문맥상 '보고서를 완성할 것이다'라며 현재나 과거에 발생한 동작이 미래의 어떤 시점까지 완료될 것임을 표현하고 있으므로 미래완료 시제 will have completed가 올바르게 쓰였다.

정답 O

해석 그 연구원은 내일이 끝날 무렵이면 보고서를 완성할 것이다.

11 기출포인트 **과거 시제**

해설 '로마 제국은 ~ 몰락했다'라는 역사적 사실을 표현하고 있으므로 과거 시제 fell이 올바르게 쓰였다.

정답 O

해석 로마 제국은 4세기와 5세기 동안에 몰락했다.

12 기출포인트 **현재 시제**

해설 조건을 나타내는 부사절에서는 미래를 나타내기 위해 현재 시제가 사용되므로 미래 시제 will need를 현재 시제 need로 고쳐야 한다.

정답 X, will need → need

해석 네가 어떤 도움이 필요하다면, 내가 너를 도울게.

13 기출포인트 **시제 일치**

해설 종속절에서 '내가 버스를 놓쳤었다'는 것은 주절의 시제인 과거(explained)보다 더 이전 시점에 일어난 일이므로 현재완료 시제 have missed를 과거완료 시제 had missed로 고쳐야 한다.

정답 X, have missed → had missed

해석 나는 내가 버스를 놓쳤었다고 설명했다.

14 기출포인트 **시제 일치**

해설 미래 시제와 자주 함께 쓰이는 시간 표현 'next + 시간 표현'(next Monday)이 왔으므로 미래 진행 시제 will be discussing이 올바르게 쓰였다.

정답 O

해석 그들은 다음 주 월요일에 더 효율적으로 일할 방법들을 논의하고 있을 것이다.

15 기출포인트 **시제 일치**

해설 주절(Hardly ~ watch)에 hardly가 오고 종속절(when it ~ working)에 when이 오는 경우 주절에는 과거완료 시제, 종속절에는 과거 시제를 사용하므로 Hardly did를 Hardly had로 고쳐야 한다.

정답 X, Hardly did → Hardly had

해석 그녀가 그 시계를 사자마자 그것은 작동을 멈췄다.

16 기출포인트 **현재진행 시제**

해설 동사 have가 '가지다'라는 의미를 나타낼 때는 진행 시제로 쓸 수 없으므로 is having을 has로 고쳐야 한다.

정답 X, is having → has

해석 그는 그의 할아버지가 그린 그림을 가지고 있다.

17 기출포인트 **과거진행 시제**

해설 특정 과거 시점(when ~ interrupted her)에 전화로 얘기하고 있던 것임을 표현하고 있으므로 현재진행 시제 is talking을 과거진행 시제 was talking으로 고쳐야 한다.

정답 X, is talking → was talking

해석 그녀의 형제가 그녀를 방해했을 때 그녀는 전화로 얘기하고 있었다.

18 기출포인트 **현재완료 시제**

해설 문장에 'for + 시간 표현'(for almost ten years)이 왔고 문맥상 '거의 10년 동안 운전해 왔다'라며 과거에 시작된 일이 현재 시점까지 계속 진행 중임을 표현하고 있으므로 현재완료진행 시제 has been driving이 올바르게 쓰였다.

정답 O

해석 그는 같은 차를 거의 10년 동안 운전해 왔다.

Hackers Test

01 다음 글의 밑줄 친 부분 중 옳지 않은 것을 고르시오.

The songs of humpback whales ① have been studied for decades. While biologists ② are not sure how the whales produce the sounds, they do know that humpbacks ③ are preferring to sing songs that ④ are "popular" for the year, the same way humans do.

02 어법상 밑줄 친 곳에 가장 적절한 것은?

If the payment goes as planned, the money __________________ in the real estate agent's account by the time the bank closes.

① was being deposited
② will have been deposited
③ has been deposited
④ is being deposited

03 우리말을 영어로 옮긴 것으로 적절하지 않은 것은?

① 태양과 지구 사이의 거리는 일 년 내내 다르다.
→ The distance between the sun and the earth varies throughout the year.

② 눈이 온다고 하더라도, 나는 어머니를 찾아갈 것이다.
→ Even if it will snow, I will visit my mother.

③ 그가 10분도 채 쉬지 않아서 수업이 시작했다.
→ He had not taken a break for 10 minutes before his class started.

④ 다음 주면 그 가게는 20년째 영업을 하고 있는 것이 된다.
→ The shop will have been in business for 20 years next week.

01 기출포인트 현재진행 시제

정답 ③

해설 '선호하다'라는 의미의 감정을 나타내는 동사 prefer는 진행 시제로 쓸 수 없으므로 현재진행 시제 are preferring을 현재 시제 prefer로 고쳐야 한다.

오답분석 ① 기출포인트 **현재완료 시제** 문장에 'for + 시간 표현'(for decades)이 왔고, 문맥상 '수십 년 동안 연구되어 왔다'라며 과거에 시작된 일이 현재까지 계속되고 있음을 표현하고 있으므로 현재완료 시제 have been studied가 올바르게 쓰였다.

② 기출포인트 **현재 시제** '생물학자들은 ~ 확실히 모른다'라는 사실을 표현하고 있으므로 현재 시제 are not sure가 올바르게 쓰였다.

④ 기출포인트 **주격 관계절의 수 일치** 주격 관계절(that ~ year)의 동사는 선행사(songs)에 수 일치시켜야 하므로 복수 동사 are가 올바르게 쓰였다.

해석 혹등고래의 노래들은 수십 년 동안 연구되어 왔다. 비록 생물학자들은 그 고래들이 어떻게 그 소리들을 내는지는 확실히 모르지만, 마치 인간들이 하는 것처럼, 혹등고래들도 그 해의 '인기 있는' 노래들을 부르는 것을 선호한다는 것을 알고 있다.

어휘 humpback whale 혹등고래 decade 십 년 biologist 생물학자

02 기출포인트 미래완료 시제

정답 ②

해설 주절에 시간 표현 'by the time + 주어 + 현재 동사'(by the time the bank closes)가 왔고, 문맥상 '예치되어 있을 것이다'라는 의미가 되어야 자연스러우므로 미래완료 시제 ② will have been deposited가 정답이다.

해석 지불이 계획대로 진행된다면, 은행이 닫을 때쯤에는 돈이 부동산 중개인의 계좌에 예치되어 있을 것이다.

어휘 payment 지불 real estate 부동산 account 계좌 deposit 예치하다

03 기출포인트 현재 시제

정답 ②

해설 조건을 나타내는 부사절(Even if ~ snow)에서는 미래를 나타내기 위해 현재 시제가 사용되므로 미래 시제 will snow를 현재 시제 snows로 고쳐야 한다.

오답분석 ① 기출포인트 **현재 시제** '태양과 지구 사이의 거리는 일 년 내내 다르다'라는 진리·법칙을 표현하고 있으므로 현재 시제 varies가 올바르게 쓰였다.

③ 기출포인트 **과거완료 시제** '10분도 채 쉬지 않아서 수업이 시작했다'는 과거완료 시제 관련 표현 '주어 + had not p.p. + before + 주어 + 과거동사'(~하지도 않아 –했다)의 형태로 나타낼 수 있으므로 He had not taken이 올바르게 쓰였다.

④ 기출포인트 **미래완료 시제** 문장에 'next + 시간 표현'(next week)이 왔고, '다음 주면 20년째 영업을 하고 있는 것이 된다'라며 이전에 시작된 일이 특정 미래 시점(next week)까지 완료될 것임을 표현하고 있으므로 미래완료 시제 will have been이 올바르게 쓰였다.

어휘 distance 거리 vary 다르다 throughout 내내, ~동안 죽 in business 영업을 하고 있는

04 다음 밑줄 친 부분에 들어갈 문법적으로 가장 옳은 표현은?

> It has been over a week ______________________, but I can still feel some lingering pain.

① since the cast on my arm is removed

② since the cast on my arm has been removed

③ since the cast on my arm was removed

④ by the time the cast on my arm was removed

05 다음 문장 중 어법상 틀린 것을 고르시오.

① I usually read books before going to bed.

② This jacket is belonging to my brother.

③ After she had seen the magic trick once, she knew how to do it.

④ The package will have reached its destination by tomorrow night.

⑤ A Russian ballet is on tour in my country and I am seeing it this afternoon.

06 밑줄 친 부분 중 어법상 옳지 않은 것은?

> Since the end of the Korean War, South Korea ① has undergone a great demographic shift. Today, the population ② is aging at a rapid rate. By 2072, the median age in the country ③ will reaching 63.4 years. The government is now ④ working to prevent this from causing economic problems.

04 기출포인트 시제 일치

정답 ③

해설 빈칸은 현재완료 시제(has been over a week)와 자주 함께 쓰이는 시간 표현 자리이다. 'by the time + 주어 + 과거 동사'는 현재완료 시제와 함께 쓰이지 않으므로 ④번은 정답이 될 수 없고, 현재완료 시제는 since 뒤에 '주어(the cast on my arm) + 과거 동사(was removed)'와 같은 과거 시제와 자주 함께 쓰이므로 ③ since the cast on my arm was removed가 정답이다.

해석 팔의 깁스가 제거된 지 일주일이 넘게 지났지만, 나는 여전히 만성적인 통증을 느낄 수 있다.

어휘 lingering pain 만성적인 통증 cast 깁스; 던지다 remove 제거하다

05 기출포인트 현재진행 시제

정답 ②

해설 '속하다'라는 의미의 상태를 나타내는 동사 belong은 진행 시제로 쓰일 수 없고, '이 재킷은 나의 남자 형제의 것이다'라는 일반적인 사실을 표현하고 있으므로 현재진행 시제 is belonging을 현재 시제 belongs로 고쳐야 한다.

오답분석 ① 기출포인트 **현재 시제** 문장에 usually(보통)가 왔고 '잠들기 전에 책을 읽는다'라는 반복되는 동작을 표현하고 있으므로 현재 시제 read가 올바르게 쓰였다.

③ 기출포인트 **시제 일치** 주절(she knew how to do it)의 시제가 과거(knew)일 경우 종속절(After ~ once)에는 주로 과거나 과거완료 시제가 오므로 과거완료 시제 had seen이 올바르게 쓰였다.

④ 기출포인트 **미래완료 시제** 문장에 'by + 미래 시간 표현'(by tomorrow night)이 왔고 '소포가 목적지에 도착해 있을 것이다'라는 현재나 과거에 발생한 동작이 미래의 어떤 시점까지 완료될 것임을 표현하고 있으므로 미래완료 시제 will have reached가 올바르게 쓰였다.

⑤ 기출포인트 **현재진행 시제** 미래에 일어나기로 예정되어 있는 일을 표현하기 위해 현재진행 시제를 사용할 수 있으므로 현재진행 시제 am seeing이 올바르게 쓰였다.

해석 ① 나는 잠들기 전에 보통 책을 읽는다.
② 이 재킷은 나의 남자 형제의 것이다.
③ 그녀는 마술 묘기를 한 번 본 후, 어떻게 하는지 알았다.
④ 내일 밤이면 소포가 목적지에 도착해 있을 것이다.
⑤ 러시아 발레단은 우리나라에서 순회공연 중이고 나는 오늘 오후에 그것을 보러 갈 것이다.

어휘 destination 목적지 on tour 순회공연 중인

06 기출포인트 미래 시제

정답 ③

해설 문장에 시간 표현 By 2072(2072년까지)가 왔고 문맥상 '중위 연령은 63.4세에 이를 것이다'라며 미래 상황에 대한 예상을 표현하고 있으므로 미래 시제가 쓰여야 하는데, 미래 시제는 'will + 동사원형'의 형태이므로 will reaching을 will reach로 고쳐야 한다.

오답분석 ① 기출포인트 **현재완료 시제** 문장에 'since + 과거 시간 표현(Since the end of the Korean War)'이 왔고, 문맥상 '한국은 큰 인구통계학적 변화를 겪어왔다'라며 과거에 시작된 일이 현재까지 계속되고 있음을 표현하고 있으므로 현재완료 시제 has undergone이 올바르게 쓰였다.

② 기출포인트 **현재진행 시제** 문장에 시간 표현 Today(오늘날)가 왔고 문맥상 '오늘날, 인구는 빠른 속도로 고령화되고 있다'라며 현재 진행되고 있는 일을 표현하고 있으므로 현재진행 시제 is aging이 올바르게 쓰였다.

④ 기출포인트 **현재진행 시제** 문장에 시간 표현 now(현재)가 왔고 문맥상 '현재 정부는 이것이 경제적인 문제를 야기하는 것을 막기 위해 노력하고 있다'라며 현재 진행되는 일을 표현하고 있으므로 be 동사(is)와 함께 현재진행 시제를 완성하는 현재분사 working이 올바르게 쓰였다.

해석 한국전쟁이 끝난 이후, 한국은 큰 인구통계학적 변화를 겪어왔다. 오늘날, 인구는 빠른 속도로 고령화되고 있다. 2072년까지, 그 나라(한국)의 중위 연령은 63.4세에 이를 것이다. 현재 정부는 이것이 경제적인 문제를 야기하는 것을 막기 위해 노력하고 있다.

어휘 undergo 겪다 demographic 인구통계학적 shift 변화 median 중위의, 중간에 있는

07 다음 문장 중 어법상 옳지 않은 것은?

① Newton found that the Earth had a gravitational force.

② The workers will have finished the renovations by the time I move in.

③ Remember to take the garbage outside before the trash collectors arrive.

④ She has been looking for a job for months.

08 어법상 옳은 것은? [2020년 지방직 9급]

① Of the billions of stars in the galaxy, how much are able to hatch life?

② The Christmas party was really excited and I totally lost track of time.

③ I must leave right now because I am starting work at noon today.

④ They used to loving books much more when they were younger.

07 기출포인트 현재 시제

정답 ①

해설 '지구에 중력이 있다'라는 진리·법칙을 표현하고 있으므로 과거 시제 had를 현재 시제 has로 고쳐야 한다.

오답분석
② 기출포인트 **미래완료 시제** 문장에 'by + 미래 시간 표현'(by the time I move in)이 왔고 '근로자들이 수리를 끝냈을 것이다'라는 현재나 과거에 발생한 동작이 미래의 어떤 시점까지 완료될 것임을 표현하고 있으므로 미래완료 시제 will have finished가 올바르게 쓰였다.
③ 기출포인트 **현재 시제** 시간을 나타내는 부사절(before ~ arrive)에서는 미래를 나타내기 위해 현재 시제가 사용되므로 현재 시제 arrive가 올바르게 쓰였다.
④ 기출포인트 **현재완료 시제** 문장에 'for + 시간 표현'(for months)이 왔고, '일자리를 찾고 있는 중이다'라는 과거에 시작된 일이 현재까지 계속되고 있음을 표현하고 있으므로 현재완료진행 시제 has been looking이 올바르게 쓰였다.

해석
① 뉴턴은 지구에 중력이 있다는 것을 발견했다.
② 내가 이사할 때쯤에는 근로자들이 수리를 끝냈을 것이다.
③ 쓰레기 수거반이 도착하기 전에 쓰레기를 밖에 가져다 둘 것을 기억해라.
④ 그녀는 몇 달째 일자리를 찾고 있는 중이다.

어휘 gravitational force 중력 renovation 수리 garbage 쓰레기

08 기출포인트 현재진행 시제

정답 ③

해설 문맥상 '오늘 정오에 일을 시작할 것이기 때문에'라는 의미가 되어야 자연스럽고, 현재진행 시제를 사용해 미래에 일어나기로 예정되어 있는 일을 표현할 수 있으므로 현재진행 시제 am starting이 올바르게 쓰였다.

오답분석
① 기출포인트 **수량 표현** 수량 표현 much가 지시하는 명사(stars)가 가산 복수 명사이므로, how much를 how many로 고쳐야 한다.
② 기출포인트 **3형식 동사의 수동태** 감정을 나타내는 동사(excite)의 경우 주어(The Christmas party)가 '크리스마스 파티는 정말 즐거웠다'라는 의미로 감정의 원인이면 능동태를 써야 하므로 과거분사 excited를 be 동사(was)와 함께 능동태를 완성하는 현재분사 exciting으로 고쳐야 한다.
④ 기출포인트 **조동사 관련 표현** 조동사처럼 쓰이는 표현 used to(~하곤 했다) 뒤에는 동사원형이 와야 하므로 동명사 loving을 동사원형 love로 고쳐야 한다.

해석
① 은하계의 수십억 개의 별들 중에서, 얼마나 많은 별들이 생명을 부화할 수 있을까?
② 크리스마스 파티는 정말 즐거웠고 나는 시간 가는 줄을 완전히 몰랐다.
③ 나는 오늘 정오에 일을 시작할 것이기 때문에 나는 지금 떠나야만 한다.
④ 그들은 더 어렸을 때 책을 훨씬 더 좋아하곤 했다.

어휘 galaxy 은하계 hatch 부화하다 lose track of time 시간 가는 줄 모르다

Chapter 05

능동태·수동태

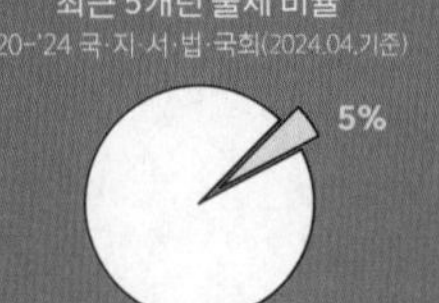

BASIC GRAMMAR 기본기 다지기

01 능동태와 수동태

능동태는 '주어가 ~하다'라는 의미로 주어가 행위의 주체가 되며, **수동태**는 '주어가 ~되다/당하다'라는 의미로 주어가 행위의 대상이 된다. **수동태 동사의 기본 형태는 'be + p.p.'**이다.

능동태 I **made** this cake. 내가 이 케이크를 만들었다.

수동태 This cake **was made** by me. 이 케이크는 나에 의해 만들어졌다.

위의 첫 번째 문장은 '내가 만들었다'라는 의미로 주어인 '내'가 '만들다'는 행위의 주체인 능동태 문장이고, 두 번째 문장은 '이 케이크는 만들어졌다'라는 의미로 주어인 '케이크'가 '만들다'는 행위의 대상이 되는 수동태 문장이다.

	기본형	진행형	완료형
능동태의 형태	동사의 현재 / 과거 / 미래형	be + -ing	have + p.p.
수동태의 형태	be + p.p.	be being + p.p.	have been + p.p.

Check-Up

다음 중 능동태 문장을 고르시오.

ⓐ I cleaned my room. 나는 내 방을 청소했다.

ⓑ My room was cleaned by me. 내 방은 나에 의해 청소되었다.

→ 주어(I)가 '내 방을 청소했다'라는 의미로 행위(cleaned)의 주체가 되는 문장인 ⓐ가 능동태 문장이다. ⓑ는 주어(My room)가 청소되다(was cleaned)라는 의미이므로 수동태 문장이다.

정답: ⓐ

02 수동태 문장 만드는 법

능동태 문장의 목적어가 문장의 주어 자리로 오고, 동사를 'be + p.p.' 형태로 바꾸면 **수동태 문장**이 된다.

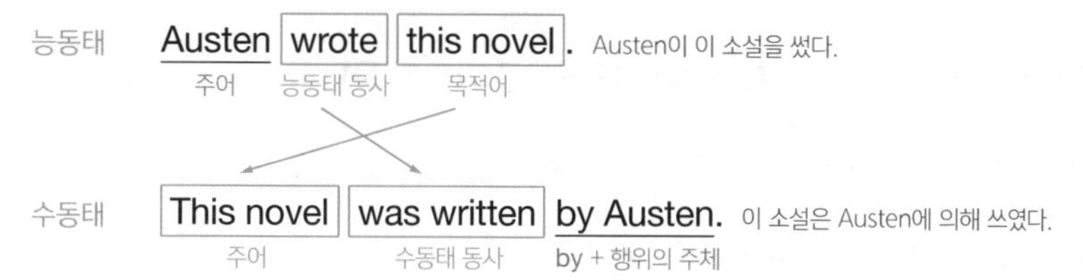

능동태
Austen wrote this novel. Austen이 이 소설을 썼다.
주어 능동태 동사 목적어
수동태
This novel was written by Austen. 이 소설은 Austen에 의해 쓰였다.
주어 수동태 동사 by + 행위의 주체

Check-Up

다음 중 수동태 문장을 고르시오.

ⓐ The teacher praised the student. 그 선생님은 그 학생을 칭찬했다.

ⓑ The student was praised by the teacher. 그 학생은 그 선생님에 의해 칭찬받았다.

→ 능동태 문장의 목적어(the student)가 문장의 주어 자리로 오고, 동사가 'be + p.p.'(was praised)형태로 바뀐 ⓑ가 수동태 문장이다.

정답: ⓑ

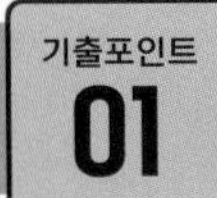

능동태·수동태 구별

출제빈도 ★★★

1 타동사는 능동태일 때는 반드시 목적어를 취하지만, 수동태일 때는 목적어를 취하지 못한다.

Cars (**need**, ~~are needed~~) regular maintenance. 자동차는 정기적인 보수를 필요로 한다.
주어 목적어

→ 동사 뒤에 목적어(regular maintenance)가 있으므로, 능동태 동사(need)를 써야 한다.

The library will (**be renovated**, ~~renovate~~). 그 도서관은 수리될 것이다.
주어

→ 타동사 뒤에 목적어가 없으므로, 수동태 동사(be renovated)를 써야 한다.

2 to 부정사의 동사와 관계절 동사의 능동태·수동태 구별도 목적어 여부에 따라 결정한다.

• to 부정사의 동사가 능동태·수동태인 경우

Employees are required (**to submit**, ~~to be submitted~~) tax forms at the end of every year.
직원들은 매년 말에 납세 신고서를 제출하도록 요구된다.

→ 능동태에서 반드시 목적어를 취하는 타동사(submit) 뒤에 목적어(tax forms)가 있으므로, to 부정사의 능동태(to submit)를 써야 한다.

The research findings are going (**to be presented**, ~~to present~~) by him. 연구 결과들은 그에 의해 발표될 것이다.

→ 능동태에서 반드시 목적어를 취하는 타동사(present) 뒤에 목적어가 없으므로, to 부정사의 수동태(to be presented)를 써야 한다.

• 관계절의 동사가 능동태·수동태인 경우

A famous author who (**writes**, ~~is written~~) children's fairy tales is giving a reading today.
아동용 동화책을 집필하는 유명 작가가 오늘 낭독할 것이다.

→ 능동태에서 반드시 목적어를 취하는 타동사(write) 뒤에 목적어(children's fairy tales)가 있으므로, 능동태 동사(writes)를 써야 한다.

They took in the dog that (**was found**, ~~found~~) under the porch. 그들은 현관 밑에서 발견된 개를 그들의 집에서 지내게 했다.

→ 능동태에서 반드시 목적어를 취하는 타동사(find) 뒤에 목적어가 없으므로, 수동태 동사(was found)를 써야 한다.

공무원 영어 실전 문제

01 밑줄 친 부분 중 어법상 옳지 않은 것을 고르시오. [2019년 국가직 9급]

A myth is a narrative that embodies—and in some cases ① helps to explain—the religious, philosophical, moral, and political values of a culture. Through tales of gods and supernatural beings, myths ② try to make sense of occurrences in the natural world. Contrary to popular usage, myth does not mean "falsehood." In the broadest sense, myths are stories—usually whole groups of stories—③ that can be true or partly true as well as false; regardless of their degree of accuracy, however, myths frequently express the deepest beliefs of a culture. According to this definition, the *Iliad* and the *Odyssey*, the Koran, and the Old and New Testaments can all ④ refer to as myths.

정답 ④ 해설·해석 p.430

기출포인트 02

3형식 동사의 수동태

출제빈도 ★★

1 능동태 문장의 목적어를 주어 자리로 보내고 동사 자리에 'be + p.p.'를 쓰면 수동태 문장이 된다.

능동태 The man [delivered] [a package]. 그 남자는 소포를 배달했다.
(delivered: 능동태 동사 / a package: 목적어)

수동태 [A package] [was delivered] (by the man). (그 남자에 의해) 소포가 배달되었다.
(A package: 주어 / was delivered: 수동태 동사)

고득점 포인트 동작의 행위자가 불분명하거나 또는 굳이 밝힐 필요가 없을 만큼 일반적일 때에는 'by + 행위자'가 생략된다.

2 that절을 목적어로 취하는 동사가 수동태가 되는 경우, 'It + be p.p. + that'의 형태로 쓴다.

that절을 목적어로 취하는 타동사	say	believe	find	think	expect	consider	know	feel

능동태 They believe that the report is inaccurate. 그들은 그 보도가 부정확하다고 믿는다.

수동태 **It is believed that** the report is inaccurate. 그 보도는 부정확한 것으로 믿어진다.
(It + be p.p. + that)

고득점 포인트 that절의 주어가 수동태 문장의 주어로 가면 '주어 + be p.p + to 부정사'의 형태로도 쓰인다.
The report is believed to be inaccurate. 그 보도는 부정확한 것으로 믿어진다.
(The report: that절의 주어 / is believed: be p.p. / to be: to 부정사)

3 감정을 나타내는 동사는 주어가 감정을 느끼면 수동태를, 주어가 감정의 원인이면 능동태를 쓴다.

interest ~에게 흥미를 일으키다	excite ~를 흥분시키다	amuse ~를 즐겁게 하다
please ~를 기쁘게 하다	satisfy ~를 만족시키다	disappoint ~를 실망시키다
depress ~를 낙담시키다	frustrate ~를 좌절시키다	shock ~에게 충격을 주다

수동태 Alice (**was excited**, ~~excited~~) about her new shoes. Alice는 자신의 새 구두에 흥분했다.
→ 주어인 Alice가 흥분을 느꼈다는 것이므로, 수동태 동사(was excited)를 쓴다.

능동태 The new world record (**excited**, ~~was excited~~) the spectators. 세계 신기록은 관중들을 흥분시켰다.
→ 주어인 세계 신기록이 흥분을 느끼게 만든다는 것이므로, 능동태 동사(excited)를 쓴다.

공무원 영어 실전 문제

02 밑줄 친 부분 중 어법상 가장 옳지 않은 것은? [2018년 서울시 9급 출제경향]

I ① surprised by how well I did on the test. ② It is not normal for me to do well on the test. I even did better than a classmate who generally ③ gets perfect scores. ④ What was originally a day I dreaded turned into a moment of triumph.

정답 ① 해설·해석 p.431

기출포인트 03

4형식 동사의 수동태

출제빈도 ★

1 두 개의 목적어를 취하는 4형식 동사가 수동태가 되는 경우, 목적어 중 한 개가 수동태 동사 뒤에 남는다.

능동태
He gave Dan a pen. 그는 Dan에게 펜을 주었다.
(Dan: 간접목적어, a pen: 직접목적어)

간접 목적어가 주어로 간 수동태
Dan was given a pen (by him). Dan은 (그에 의해) 펜을 받았다.
(Dan: 간접목적어, a pen: 직접목적어)

직접 목적어가 주어로 간 수동태
A pen was given to Dan (by him). 펜은 (그에 의해) Dan에게 주어졌다.
(A pen: 직접목적어, Dan: 간접목적어)

2 직접 목적어가 주어로 간 수동태의 경우, 수동태 동사 뒤에 남는 간접 목적어 앞에 to, for, of 등의 전치사를 쓴다.

to를 쓰는 동사	give, send, bring, show, teach, tell, write, read, lend, pay, sell, offer
for를 쓰는 동사	make, buy, cook, get, find, build, choose, fix
of 를 쓰는 동사	ask, require, request

The new robot **was shown to** the audience (by him). 그 새로운 로봇이 (그에 의해) 관중들에게 보여졌다.
(the audience: 간접목적어)

The sweater **was made for** him (by me). 그 스웨터가 (나에 의해) 그를 위해 만들어졌다.
(him: 간접목적어)

Many questions **were asked of** us by the reporter. 많은 질문들이 그 기자에 의해 우리에게 질문되었다.
(us: 간접목적어)

공무원 영어 실전 문제

03 밑줄 친 부분 중 어법상 가장 옳지 않은 것은? [2018년 서울시 9급(3월 추가)]

I ① convinced that making pumpkin cake ② from scratch would be ③ even easier than ④ making cake from a box.

정답 ① 해설·해석 p.431

기출포인트 04

5형식 동사의 수동태

출제빈도 ★

1 목적어와 목적격 보어를 갖는 5형식 동사가 수동태가 되는 경우, 목적격 보어는 수동태 동사 뒤에 남는다.

• 목적격 보어가 명사구인 5형식 동사의 수동태

능동태 They consider Jessica their sister. 그들은 Jessica를 그들의 자매로 여긴다.
능동태 동사
목적어
목적격 보어
수동태 Jessica is considered their sister. Jessica는 그들의 자매로 여겨진다.
주어
수동태 동사
목적격 보어

• 목적격 보어가 to 부정사구인 5형식 동사의 수동태

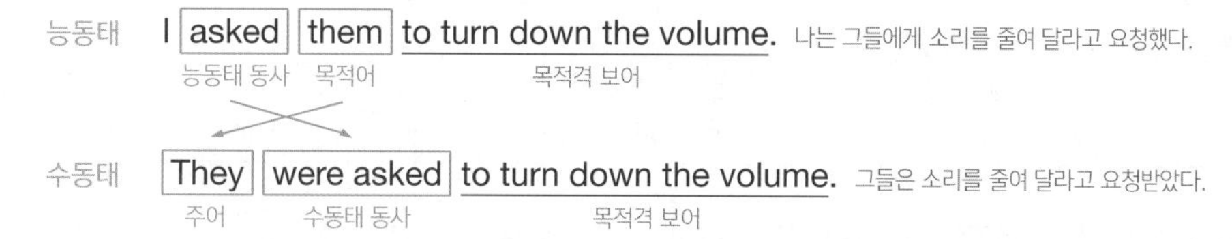

능동태 I asked them to turn down the volume. 나는 그들에게 소리를 줄여 달라고 요청했다.
능동태 동사
목적어
목적격 보어
수동태 They were asked to turn down the volume. 그들은 소리를 줄여 달라고 요청받았다.
주어
수동태 동사
목적격 보어

2 목적격 보어가 동사원형인 5형식 동사가 수동태가 되는 경우, 목적격 보어는 to 부정사가 되어 수동태 동사 뒤에 남는다.

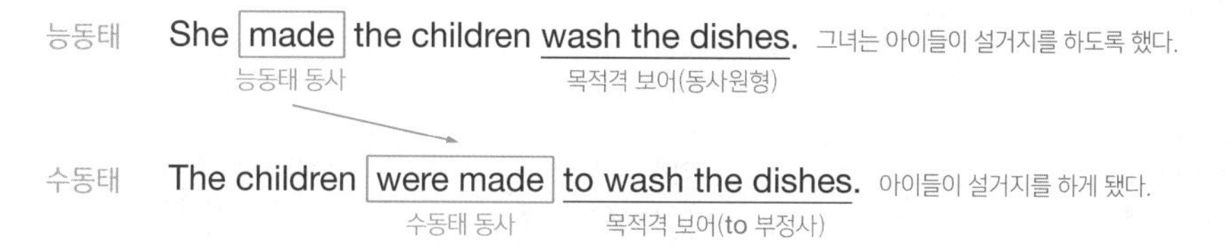

능동태 She made the children wash the dishes. 그녀는 아이들이 설거지를 하도록 했다.
능동태 동사
목적격 보어(동사원형)
수동태 The children were made to wash the dishes. 아이들이 설거지를 하게 됐다.
수동태 동사
목적격 보어(to 부정사)

공무원 영어 실전 문제

04 밑줄 친 부분 중 어법상 가장 옳은 것은? [2017년 법원직 9급 출제경향]

The detriments of fossil fuels are seen ① to outweigh their benefits by conservationists. While they provide energy, they also release massive amounts of the pollution ② what causes climate change. Further, research suggests that the problems with fossil fuel usage ③ is growing as it continues to increase. In light of this, environmentalists are pushing for a transition to clean, renewable energy, ④ included wind, solar and hydroelectric power.

정답 ① 해설·해석 p.431

기출포인트 05

동사구의 수동태

출제빈도 ★

1 '타동사 + 명사 + 전치사'의 수동태

pay attention to ~에 주의를 기울이다	take care of ~를 돌보다	make fun of ~를 놀리다
take advantage of ~을 이용하다		

능동태 I took care of my neighbor's dog. 나는 내 이웃의 개를 돌보았다.

수동태 My neighbor's dog (**was taken care of**, ~~was taken care~~) (by me). 내 이웃의 개는 (나에 의해) 돌보아졌다.

→ '타동사 + 명사 + 전치사'(took care of) 형태의 동사구가 수동태가 되는 경우, 동사구의 명사(care)와 전치사(of) 모두 수동태 동사 뒤에 그대로 남는다.

2 '타동사 + 부사'의 수동태

turn on ~을 켜다	turn off ~을 끄다	call off ~을 취소하다	give up ~을 포기하다

능동태 The referee called off the game because of the rain. 심판은 우천으로 인해 경기를 취소했다.

수동태 The game (**was called off**, ~~was called~~) because of the rain (by the referee).
경기는 (심판에 의해) 우천으로 인해 취소됐다.

→ '타동사 + 부사'(called off) 형태의 동사구가 수동태가 되는 경우, 동사구의 부사(off)는 수동태 동사(was called) 뒤에 그대로 남는다.

3 '자동사 (+ 부사) + 전치사'의 수동태

laugh at ~을 비웃다	run over 차가 ~을 치다	depend on ~에 의존하다	look up to ~를 존경하다
seek after ~을 찾다	refer to (+ 목적어 + as) ~을 -이라고 부르다	take over ~을 인계받다	catch up with ~을 따라잡다

능동태 The company refers to the project as a breakthrough. 회사는 그 프로젝트를 돌파구라고 부른다.

수동태 The project (**is referred to as**, ~~is referred to~~) a breakthrough (by the company).
그 프로젝트는 (회사에 의해) 돌파구라고 불려진다.

→ '자동사 + 전치사'(refers to) 형태의 동사구가 수동태가 되어 목적어(the project)가 주어가 된 경우, 자동사와 함께 쓰인 전치사(to)와 목적어 뒤에 쓰인 전치사(as) 모두 수동태 동사(was referred) 뒤에 그대로 남는다.

공무원 영어 실전 문제

05 어법상 밑줄 친 곳에 가장 적절한 것은? [2012년 국가직 9급 출제경향]

The volume of the TV ______________ by my brother.

① was turned ② has turned
③ was turned down ④ has turned down

정답 ③ 해설·해석 p.432

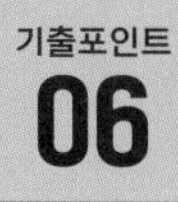

기출포인트 06

수동태로 쓸 수 없는 동사

출제빈도 

1 **능동태 문장의 목적어가 수동태 문장의 주어가 되므로, 목적어를 취하지 않는 자동사는 수동태로 쓸 수 없다.**

The bus (**arrived**, ~~was arrived~~) at the station. 그 버스가 정류장에 도착했다.

2 **타동사로 혼동하기 쉬운 자동사**

아래 동사들은 타동사로 혼동하기 쉽지만, 1형식·2형식 동사로 수동태로 쓸 수 없다.

remain ~인 채로 남아 있다	emerge 나타나다/부상하다	range 범위에 이르다
arise 발생하다	rise 일어나다	consist 이루어져 있다
occur 일어나다	result 결과로 생기다/끝나다	belong 속하다
wait 기다리다		

3 **수동태로 쓸 수 없는 타동사**

resemble 닮다	cost (비용이) ~들다	lack ~이 부족하다
fit ~에 맞다	suit 잘 맞다, 어울리다	become ~에 어울리다
let ~하게 하다	equal ~과 같다	

능동태 He **resembles** his father. [O] 그는 그의 아버지를 닮았다.

수동태 His father is resembled by him. [×]

공무원 영어 실전 문제

06 밑줄 친 부분 중 어법상 옳지 않은 것은? [2018년 국가직 9급]

It would be difficult ① to imagine life without the beauty and richness of forests. But scientists warn we cannot take our forest for ② granted. By some estimates, deforestation ③ has been resulted in the loss of as much as eighty percent of the natural forests of the world. Currently, deforestation is a global problem, ④ affecting wilderness regions such as the temperate rainforests of the Pacific.

정답 ③ 해설·해석 p.432

Hackers Practice

둘 중 어법상 알맞은 것을 고르세요.

01 The defective item (was exchanged / exchanged) for a brand-new one.

02 It (is known / knows) that he is a very demanding director.

03 The company's line of products (ranges / is ranged) from mobile phone cards to low-cost air tickets.

04 Several elderly citizens (took advantage of / were taken advantage of) by the tricky scammer.

05 It (is said / says) that children are naturally afraid of heights.

06 Only a few sofas (remained / were remained) after the sale.

07 The students (were given / give) an hour and a half to complete the essay portion of the exam.

08 The defendant (was found unfit / found unfit) to stand trial.

09 The lady who (drives / is driven) the bus is taking some time off.

어휘

01 defective 결함이 있는 exchange 교환하다 02 demanding 요구가 많은, 힘든 director 관리자, 중역 03 low-cost 저가의
04 take advantage of ~을 이용하다 tricky 교묘한 scammer 사기꾼 05 naturally 선천적으로 height 높은 곳, 높은 위치
06 only a few (다만) 몇 안 되는 07 portion 부분 08 defendant 피고인 unfit 부적합한 stand trial 재판을 받다 09 time off 휴식, 휴가

01 기출포인트 **능동태·수동태 구별**

정답 was exchanged

해설 동사 뒤에 목적어가 없고, 문맥상 주어와 동사가 '결함이 있는 물품이 교환되다'라는 의미의 수동 관계이므로 수동태 was exchanged가 정답이다.

해석 결함이 있는 물품은 새로운 것으로 교환되었다.

02 기출포인트 **3형식 동사의 수동태**

정답 is known

해설 that절을 목적어로 취하는 동사(know)가 수동태가 되면 'It + be p.p. + that'의 형태로 쓰이므로 수동태 is known이 정답이다.

해석 그는 매우 요구가 많은 관리자라고 알려져 있다.

03 기출포인트 **수동태로 쓸 수 없는 동사**

정답 ranges

해설 동사 range(범위에 이르다)는 목적어를 취하지 않는 자동사이기 때문에 수동태로 쓸 수 없으므로 능동태 ranges가 정답이다.

해석 그 회사의 제품군은 휴대 전화 카드에서 저가 항공권까지 다양하다.

04 기출포인트 **동사구의 수동태**

정답 were taken advantage of

해설 동사구 뒤에 목적어가 없고, 문맥상 주어와 동사구가 '몇몇 노인층 시민들이 이용을 당했다'라는 의미의 수동 관계이므로 수동태 were taken advantage of가 정답이다.

해석 몇몇 노인층 시민들은 그 교묘한 사기꾼에 의해 이용을 당했다.

05 기출포인트 **3형식 동사의 수동태**

정답 is said

해설 문맥상 '아이들은 ~이라고 한다(말해진다)'라는 수동의 의미가 되어야 자연스럽고, that절을 목적어로 취하는 동사(say)가 수동태가 되는 경우 'It + be p.p. + that'의 형태로 쓰이므로 수동태 is said가 정답이다.

해석 아이들은 선천적으로 높은 곳을 무서워한다고 한다.

06 기출포인트 **수동태로 쓸 수 없는 동사**

정답 remained

해설 동사 remain(남아 있다)은 목적어를 취하지 않는 자동사이기 때문에 수동태로 쓸 수 없으므로 능동태 remained가 정답이다.

해석 할인 판매 후에 몇 개 안 되는 소파들만이 남아 있었다.

07 기출포인트 **4형식 동사의 수동태**

정답 were given

해설 문맥상 '학생들이 주어졌다'는 의미가 되어야 자연스럽고, 4형식 동사 give가 수동태가 되었을 때 간접 목적어(The students)가 주어로 간 경우, 수동태 동사(were given) 뒤에 직접 목적어(an hour and a half)가 그대로 남으므로 were given이 정답이다.

해석 학생들은 시험의 논술 부분을 완성하는 데 한 시간 반이 주어졌다.

08 기출포인트 **5형식 동사의 수동태**

정답 was found unfit

해설 문맥상 주어와 동사가 '그 피고인은 부적합한 것으로 판정되었다'라는 의미의 수동 관계이고, 5형식 동사 find가 수동태가 되면 목적격 보어(unfit)는 수동태 동사 뒤에 그대로 남아야 하므로 was found unfit이 정답이다.

해석 그 피고인은 재판을 받기에 부적합한 것으로 판정되었다.

09 기출포인트 **능동태·수동태 구별**

정답 drives

해설 관계절(who ~ bus)의 동사 뒤에 목적어(bus)가 있고, 문맥상 선행사(The lady)와 관계절의 동사가 '그 여성이 운전하다'라는 의미의 능동 관계이므로 능동태 drives가 정답이다.

해석 버스를 운전하는 그 여성은 약간의 휴식을 취하고 있는 중이다.

어법상 옳은 것에는 O, 틀린 것에는 X를 표시하고 틀린 부분을 바르게 고치세요.

10 The professional cyclist was damaged his bike when he fell yesterday. [ ]

11 I surprised to find out that he is 10 years older than me. [ ]

12 The baby is well taken care of by his mother. [ ]

13 The winner of the sales competition will announce at the end of the month. [ ]

14 The movie was shown early to an appreciative audience a week before its release date. [ ]

15 The child was made apologize to his grandmother for what he said yesterday. [ ]

16 Classmates catch up with each other at their reunions. [ ]

17 The problem was arisen last night. [ ]

18 The dog that is barked every morning lives in the house next to ours. [ ]

어휘

13 competition 경쟁, 경기 announce 발표하다, 알리다 14 appreciative audience 안목이 높은 청중 release 개봉, 출시 15 apologize 사과하다
16 catch up with 근황을 이야기하다; ~을 따라잡다 reunion 동창회, 모임 17 arise 발생하다, 생기다 18 bark 짖다, 짖는 듯한 소리를 내다

10 기출포인트 **능동태·수동태 구별**

해설 문맥상 주어와 동사가 '사이클 선수가 자전거를 손상시키다'라는 의미의 능동 관계이므로 수동태 was damaged를 능동태 damaged로 고쳐야 한다.

정답 X, was damaged → damaged

해석 그 사이클 선수는 어제 그가 넘어졌을 때 그의 자전거를 손상시켰다.

11 기출포인트 **3형식 동사의 수동태**

해설 주어(I)가 감정을 느끼는 것이므로 능동태 surprised를 수동태 was surprised로 고쳐야 한다.

정답 X, surprised → was surprised

해석 나는 그가 나보다 열 살 더 많다는 것을 알고 놀랐다.

12 기출포인트 **동사구의 수동태**

해설 '타동사 + 명사 + 전치사' 형태의 동사구가 수동태가 되면 동사구의 명사(care)와 전치사(of) 모두 수동태 동사 뒤에 그대로 남아야 하므로 is ~ taken care of가 올바르게 쓰였다.

정답 O

해석 그 아기는 엄마에 의해 잘 돌보아진다.

13 기출포인트 **능동태·수동태 구별**

해설 문맥상 주어와 동사가 '승자가 발표될 것이다'라는 의미의 수동 관계이므로 능동태 will announce를 수동태 will be announced로 고쳐야 한다.

정답 X, will announce → will be announced

해석 판매 경쟁의 승자는 이번 달 말에 발표될 것이다.

14 기출포인트 **4형식 동사의 수동태**

해설 4형식 동사 show가 수동태가 되었을 때 직접 목적어가 주어로 간 경우, 수동태 동사(was shown) 뒤에 '전치사 + 간접 목적어(to an appreciative audience)'가 온다. 따라서 4형식 동사의 수동태 was shown ~ to ~ audience가 올바르게 쓰였다.

정답 O

해석 그 영화는 개봉일 일주일 전에 안목이 높은 청중들에게 일찍 상영되었다.

15 기출포인트 **5형식 동사의 수동태**

해설 동사원형을 목적격 보어로 취하는 5형식 동사(make)가 수동태가 되면 목적격 보어는 to 부정사가 되어 수동태 동사 뒤에 그대로 남아야 하므로 동사원형 apologize를 to 부정사 to apologize로 고쳐야 한다.

정답 X, apologize → to apologize

해석 그 아이는 그가 어제 말했던 것에 대해 그의 할머니에게 사과를 하게 되었다.

16 기출포인트 **동사구의 수동태**

해설 문맥상 '동창생들은 ~ 근황을 이야기한다'라는 의미의 능동 관계이므로 능동태 catch up with each other가 올바르게 쓰였다.

정답 O

해석 동창생들은 그들의 동창회에서 서로의 근황을 이야기한다.

17 기출포인트 **수동태로 쓸 수 없는 동사**

해설 동사 arise는 목적어를 취하지 않는 자동사이기 때문에 수동태로 쓸 수 없으므로 수동태 was arisen을 능동태 arose로 고쳐야 한다.

정답 X, was arisen → arose

해석 그 문제는 어젯밤에 발생했다.

18 기출포인트 **수동태로 쓸 수 없는 동사**

해설 동사 bark(짖다)는 목적어를 취하지 않는 자동사이기 때문에 수동태로 쓸 수 없으므로 수동태 is barked를 능동태 barks로 고쳐야 한다.

정답 X, is barked → barks

해석 매일 아침 짖는 그 개는 우리 집 옆 집에 산다.

Hackers Test

01 밑줄 친 부분 중 어법상 옳지 않은 것을 고르시오.

> The tradition of the "Christmas Book Flood" is ① taken part in by people in Iceland every year. This event ② occurs on Christmas Eve. On this night, books are given ③ for friends and family members. Books may not seem like fun gifts, but Icelandic people ④ are excited by the prospect of spending the night before Christmas reading.

02 밑줄 친 부분 중 가장 어색한 표현을 고르시오.

> The giant squid ① has mistaken for a mythical beast throughout history. Because its nature is ② elusive and sightings ③ are rare, a live image of the animal ④ was not taken until 2001.

03 밑줄 친 부분이 어법상 틀린 것을 고르시오.

① It is thought that the economy will continue to improve in the next quarter.

② We were amused by the dancers who performed in the park.

③ This juice is said containing an excessive amount of sugar.

④ She belongs to a club that practices martial arts.

01 기출포인트 **4형식 동사의 수동태**

정답 ③

해설 문맥상 '책이 주어졌다'는 의미가 되어야 자연스럽고, 4형식 동사 give가 수동태가 되었을 때 직접 목적어(books)가 주어로 간 경우, 수동태 동사(are given) 뒤에 남는 간접 목적어(friends and family members) 앞에 전치사 to를 써야 하므로 전치사 for를 to로 고쳐야 한다.

오답 분석 ① 기출포인트 **동사구의 수동태** '타동사 + 명사 + 전치사'(take part in) 형태의 동사구가 수동태가 되는 경우, 동사구의 명사(part)와 전치사(in) 모두 수동태 동사 뒤에 그대로 남으므로 taken part in이 올바르게 쓰였다.

② 기출포인트 **수동태로 쓸 수 없는 동사** 동사 occur(일어나다)는 목적어를 취하지 않는 자동사이기 때문에 수동태로 쓸 수 없으므로 능동태 occurs가 올바르게 쓰였다.

④ 기출포인트 **3형식 동사의 수동태** 주어(Icelandic people)가 들뜨는 감정을 느끼는 것이므로 수동태 are excited가 올바르게 쓰였다.

해석 아이슬란드 사람들은 매년 '크리스마스 책의 홍수'의 전통에 참여한다. 이 행사는 크리스마스이브에 일어난다. 이날 밤에는, 친구들과 가족 구성원들에게 책이 주어진다. 책은 재미있는 선물처럼 보이지 않을 수도 있지만, 아이슬란드 사람들은 크리스마스 전날 밤을 독서로 보낼 것이라는 전망에 들뜬다.

어휘 tradition 전통 occur 일어나다, 발생하다 prospect 전망, 기대

02 기출포인트 **능동태·수동태 구별**

정답 ①

해설 동사 mistake(has mistaken) 뒤에 목적어가 없고, 문맥상 주어(The giant squid)와 동사가 '거대 오징어가 ~로 오인되다'라는 의미의 수동 관계이므로 능동태 has mistaken을 수동태 has been mistaken으로 고쳐야 한다.

오답 분석 ② 기출포인트 **자동사** 주격 보어를 취하는 be 동사(is)의 보어 자리에 형용사 elusive가 올바르게 쓰였다.

③ 기출포인트 **주어와 동사의 수 일치** 주어 자리에 복수 명사 sightings가 왔으므로 복수 동사 are가 올바르게 쓰였다.

④ 기출포인트 **능동태·수동태 구별** 문맥상 주어(a live image of the animal)와 동사가 '그 동물의 살아있는 모습이 포착되다'라는 의미의 수동 관계이므로 수동태 was not taken이 올바르게 쓰였다.

해석 거대 오징어는 역사를 통틀어 신화 속의 동물로 오인되어 왔다. 그것의 본성이 눈에 띄지 않고 목격된 적이 드물기 때문에, 그 동물의 살아있는 모습은 2001년이 되어서야 비로소 포착되었다.

어휘 mistake A for B A를 B로 오인하다 mythical 신화 속의 beast 동물 elusive 눈에 띄지 않는 sighting 목격 rare 드문

03 기출포인트 **3형식 동사의 수동태**

정답 ③

해설 능동태 문장 They say that this juice contains ~ sugar에서 that절의 주어(this juice)가 문장의 주어로 가서 수동태가 되는 경우, '주어 + be p.p. + to 부정사'의 형태가 되어야 하므로 is said containing을 is said to contain으로 고쳐야 한다.

오답 분석 ① 기출포인트 **3형식 동사의 수동태** that절을 목적어로 취하는 동사(think)가 수동태가 되면 'It + be p.p. + that'의 형태로 쓰이므로 It is thought that ~이 올바르게 쓰였다.

② 기출포인트 **3형식 동사의 수동태** 주어(We)가 즐거움의 감정을 느끼는 것이므로 수동태 were amused가 올바르게 쓰였다.

④ 기출포인트 **자동사** 동사 belong은 전치사(to) 없이는 목적어(a club)를 취할 수 없는 자동사이므로 belongs to가 올바르게 쓰였다.

해석 ① 다음 분기에도 경기가 지속적으로 개선될 것으로 생각된다.
② 우리는 공원에서 공연하는 무용수들을 보고 즐거워했다.
③ 이 주스는 과도한 양의 설탕이 들어있다고 한다.
④ 그녀는 무술을 연습하는 동호회에 속해 있다.

어휘 quarter 사분기 contain 들어있다 excessive 과도한, 지나친 belong to ~에 속하다 martial arts 무술

04 우리말을 영어로 바르게 옮긴 것은?

① 불꽃놀이는 강변을 따라 앉아 있던 손님들을 기쁘게 해주었다.
→The fireworks delighted the guests who seated along the riverside.

② 간호사는 한 시간을 기다리게 된 여성에게 사과했다.
→ The nurse apologized to the woman who was made waiting for an hour.

③ 그녀는 지난주에 위원회 자리를 제안받았다.
→ She offered a position in the council last week.

④ 그 아이들은 그림을 그릴 크레용이 부족했다.
→ The children lacked crayons for drawings.

05 빈칸에 들어갈 알맞은 말은?

After three weeks, the manager ________ enough to operate the sound system on her own.

① is considered his trainee capable

② considered his trainee capable

③ considered capable his trainee

④ is considered capable his trainee

06 밑줄 친 부분이 어법상 옳지 않은 것은?

① Tourists are often taken advantage of by greedy taxi drivers.

② It is said that ants are attracted to homes with bits of food left on the floor.

③ Astronauts are looked up by those aspiring to push the boundaries of human exploration.

④ New Year's Eve is always exciting for us because of the ringing of the bell at midnight.

04 기출포인트 수동태로 쓸 수 없는 동사

정답 ④

해설 동사 lack(~이 부족하다)은 수동태로 쓸 수 없는 타동사이므로 능동태 lacked가 올바르게 쓰였다.

오답 분석 ① 기출포인트 **능동태·수동태 구별** 동사 seat(앉히다)은 목적어를 취하는 타동사이므로, 목적어 없이 능동태로 쓰일 수 없다. 따라서 능동태 seated를 수동태 were seated로 고치거나, 목적어를 취하지 않는 자동사 sit의 과거 시제 sat으로 고쳐야 한다.

② 기출포인트 **5형식 동사의 수동태** 동사원형을 목적격 보어로 취하는 5형식 동사(make)가 수동태가 되면 목적격 보어는 to 부정사가 되어 수동태 동사 뒤에 그대로 남아야 하므로 동명사 waiting을 to 부정사 to wait으로 고쳐야 한다.

③ 기출포인트 **능동태·수동태 구별** 주어와 동사가 '그녀가 제안받다'라는 의미의 수동 관계이므로 능동태 offered를 수동태 was offered로 고쳐야 한다. 참고로, 동사 offer는 2개의 목적어를 취하는 4형식 동사로, 수동태가 되어 간접 목적어(She)가 주어로 간 경우 수동태 동사(was offered) 뒤에 직접 목적어(a position)가 그대로 남는다.

어휘 **fireworks** 불꽃놀이 **delight** 기쁘게 하다 **riverside** 강변 **apologize** 사과하다 **position** 자리 **council** 위원회 **book signing** 책 사인회

05 기출포인트 5형식 동사의 수동태

정답 ②

해설 보기의 동사(considered/is considered) 뒤에 목적어 his trainee가 있고, 문맥상 주어와 동사가 '관리자가 생각한다'라는 의미의 능동 관계이므로 능동태 considered 가 쓰인 ②, ③번이 정답 후보이다. 5형식 동사 consider는 'consider + 목적어 + 목적격 보어'의 형태로 쓰이므로 ② considered his trainee capable이 정답이다.

해석 3주가 지나고, 관리자는 수습 사원이 그녀 혼자서 음향 장치를 조작할 정도로 충분히 능력이 있다고 생각했다.

어휘 **operate** 조작하다 **trainee** 수습 사원 **capable** 능력이 있는

06 기출포인트 동사구의 수동태

정답 ③

해설 문맥상 '우주비행사들이 존경받는다'라는 의미가 되어야 자연스러우므로 look up(올려다보다)이 아닌 look up to(존경하다)가 쓰여야 한다. '자동사 + 부사 + 전치사' 형태의 동사구가 수동태가 되면, 동사구의 부사(up)와 전치사(to) 모두 수동태 동사 뒤에 그대로 남아야 하므로 are looked up을 are looked up to로 고쳐야 한다.

오답 분석 ① 기출포인트 **동사구의 수동태** '타동사 + 명사 + 전치사' 형태의 동사구가 수동태가 되면 동사구의 명사(advantage)와 전치사(of) 모두 수동태 동사 뒤에 그대로 남아야 하므로 are ~ taken advantage of가 올바르게 쓰였다.

② 기출포인트 **3형식 동사의 수동태** that절을 목적어로 취하는 동사(say)가 수동태가 되면 'It + be p.p. + that'의 형태로 쓰이므로 It is said that ~ 이 올바르게 쓰였다.

④ 기출포인트 **3형식 동사의 수동태** 주어(New Year's Eve)가 '신년 전야는 흥미진진하다'라는 의미로 감정의 원인이므로 능동태 New Year's Eve is ~ exciting이 올바르게 쓰였다.

해석 ① 관광객들은 욕심 많은 택시 운전사들에 의해서 빈번히 이용당한다.
② 개미들은 바닥에 남겨진 음식 부스러기 때문에 집으로 끌어들여진다고 한다.
③ 우주비행사들은 인간 탐사의 경계를 확장하고자 열망하는 사람들에게 존경받는다.
④ 자정에 종을 치는 것 때문에 신년 전야는 늘 우리에게 흥미진진하다.

어휘 **take advantage of** ~을 이용하다 **greedy** 욕심 많은 **attract** 끌어들이다 **look up to** 존경하다 **aspire** 열망하다 **boundary** 경계 **exploration** 탐사

07 다음 글의 밑줄 친 부분 중 문법적으로 옳지 않은 것은?

A good leather jacket, marked by expert craftsmanship and high-quality hide, ① is made ② lasting through the wear and tear of even the rowdiest of cowboys. However, ③ it's also necessary to take precautions against rain or improper washing because the leather ④ can be ruined for good.

08 밑줄 친 부분 중 어법상 가장 옳지 않은 것은? [2022년 서울시 9급 (2월 추가)]

Newspapers, journals, magazines, TV and radio, and professional or trade publications ① provide further ② information that may help interpret the facts ③ given in the annual report or on developments since the report ④ published.

07 기출포인트 5형식 동사의 수동태

정답 ②

해설 동사원형을 목적격 보어로 취하는 5형식 동사(make)가 수동태가 되면 목적격 보어는 to 부정사가 되어 수동태 동사 뒤에 그대로 남아야 하므로 lasting을 to 부정사 to last로 고쳐야 한다.

오답분석 ① 기출포인트 **주어와 동사의 수 일치** 주어 자리에 단수 주어 A good leather jacket이 왔으므로 단수 동사 is가 올바르게 쓰였다. 참고로, 주어와 동사 사이의 수식어 거품(marked ~ hide)은 동사의 수 결정에 영향을 주지 않는다.

③ 기출포인트 **가짜 주어 구문** to 부정사구(to take ~ washing)와 같이 긴 주어가 왔으므로 진주어인 to 부정사구를 뒤로 보내고 주어 자리에 가주어 it을 쓰고, 주격 보어를 취하는 be 동사(is)의 보어 자리에 형용사 necessary를 사용해서 it's also necessary가 올바르게 쓰였다.

④ 기출포인트 **능동태·수동태 구별** 동사 can be ruined 뒤에 목적어가 없고, 문맥상 주어(the leather)와 동사가 '가죽이 못쓰게 되다'라는 의미의 수동 관계이므로 수동태 can be ruined가 올바르게 쓰였다.

해석 전문가의 솜씨와 고품질의 가죽으로 특징 지어지는 좋은 가죽 재킷은 가장 거친 카우보이의 사용으로 인한 마모에도 버티도록 제작된다. 그렇지만, 가죽이 영원히 못쓰게 될 수 있기 때문에 비 또는 부적절한 세탁도 조심할 필요가 있다.

어휘 mark 특징 짓다 craftsmanship 솜씨 hide 가죽 wear and tear 마모 rowdy 거친, 난폭한 take precautions against ~에 조심하다 improper 부적절한 ruin 못쓰게 만들다 for good 영원히

08 기출포인트 능동태·수동태 구별

정답 ④

해설 동사 published 뒤에 목적어가 없고, 주어(the report)와 동사가 '보고서가 발간되다'라는 의미의 수동 관계이므로 능동태 published를 수동태 was published로 고쳐야 한다.

오답분석 ① 기출포인트 **주어와 동사의 수 일치** 주어 자리에 복수 명사 Newspapers, journals, ~ trade publications가 왔으므로 복수 동사 provide가 올바르게 쓰였다.

② 기출포인트 **불가산 명사** 불가산 명사는 부정관사(a/an)와 함께 쓰일 수 없으므로 부정관사 없이 불가산 명사 information이 올바르게 쓰였다.

③ 기출포인트 **현재분사 vs. 과거분사** 수식받는 명사(the facts)와 분사가 '사실이 제시되다'라는 의미의 수동 관계이므로 과거분사 given이 올바르게 쓰였다.

해석 신문, 학술지, 잡지, TV 및 라디오와 전문 혹은 무역 출판물은 연례 보고서에 제시된 사실이나 보고서가 발간된 이후에 전개된 상황에 관한 사실을 해석하는 데 도움이 될 수 있는 추가적인 정보를 제공한다.

어휘 journal 학술지 publication 출판물 further 추가적인 interpret 해석하다 annual 연례의 publish 발간하다

Chapter 06

조동사

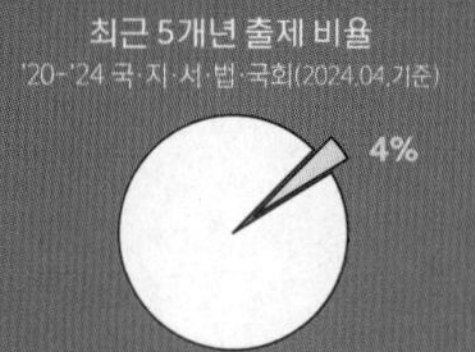

BASIC GRAMMAR 기본기 다지기

01 조동사의 역할과 형태

조동사는 동사 앞에 와서 동사를 돕는 역할을 하며, 조동사 뒤에는 반드시 **동사원형**이 와야 한다.

I walk fast. 나는 빨리 걷는다.
(walk: 동사)

I **can** walk fast. 나는 빨리 걸을 수 있다.
(can: 조동사, walk: 동사원형)

→ '걷다'라는 동사 walk에 조동사 can이 '가능'의 의미를 더해 '걸을 수 있다'라는 뜻을 만든다. 이와 같이 조동사는 동사 앞에서 동사를 돕는 보조적인 역할을 한다.

Check-Up

다음 중 조동사를 고르시오.

She should go to work. 그녀는 출근해야 한다.
(ⓐ She, ⓑ should, ⓒ go)

→ 동사 앞에 와서 동사(go)를 돕는 역할을 하는 ⓑ should가 정답이다.

정답: ⓑ

02 조동사의 종류

조동사는 동사에 보조적인 의미를 더하거나 강조, 부정, 의문을 표현한다.

① 조동사 can, will, may, must, should는 동사에 보조적인 의미를 더한다.

can I **can** clean my room now. 나는 지금 내 방을 청소할 수 있다.

will I **will** clean my room. 나는 내 방을 청소할 것이다.

may I **may** clean my room tonight. 나는 오늘 밤에 내 방을 청소할지도 모른다.

must I **must** clean my room. 나는 내 방을 청소해야 한다.

should I **should** clean my room. 나는 내 방을 청소해야 한다.

→ 조동사 can, will, may, must, should는 동사(clean) 앞에 와서 '~할 수 있다', '~할 것이다', '~할지도 모른다', '~해야 한다' 라는 보조적인 의미를 더해 준다.

② 조동사 do는 강조, 부정, 의문을 표현한다.

강조 I **do** clean my room. 나는 정말로 내 방을 청소한다.

부정 I **don't** clean my room. 나는 내 방을 청소하지 않는다.

의문 **Do** you clean your room? 당신은 당신의 방을 청소하나요?

→ do 동사는 일반동사를 강조하거나, 부정문과 의문문을 만들기 위해 쓰인다.

Check-Up

다음 중 우리말을 영어로 가장 잘 옮긴 것을 고르시오.

그들은 오늘 밤에 서울 타워를 방문할 것이다.

ⓐ They will visit Seoul Tower tonight.
ⓑ They must visit Seoul Tower tonight.

→ ⓐ의 조동사 will이 동사(visit) 앞에 와서 '~할 것이다'라는 보조적인 의미를 더해 준다. ⓑ는 'must'는 '~해야 한다'는 뜻으로 우리말 해석과 맞지 않다.

정답: ⓐ

기출포인트 01

조동사 can·will·may·must·should

출제빈도 ★

1 can·will·may

can	능력 ~할 수 있다 허가 ~해도 된다 요청 ~해주다 강한 추측 ~일 수 있다	Computers **can** store a great amount of data. 컴퓨터는 많은 양의 정보를 저장할 수 있다. You **can** take a break at three o'clock. 너는 3시에 휴식을 취해도 된다. **Can** you bring me the paper? 내게 신문을 가져다줄래? Earthquakes **can** cause large tidal waves. 지진은 큰 해일을 야기할 수 있다.
will	미래 ~할 것이다 의지·고집 ~하겠다 요청 ~해주다	He **will** respond to you by the end of the week. 그는 주말까지 네게 응답할 것이다. I **will** go to today's concert, however sick I feel. 나는 아무리 아파도, 오늘 콘서트에 가겠다. **Will** you take care of my dog for me? 나 대신 내 개를 돌봐 줄래요?
may	허가 ~해도 된다 약한 추측 ~일지 모른다	Students **may** use the lounge after 6 p.m. 학생들은 오후 6시 이후에 휴게실을 이용해도 된다. Susan **may** be right. Susan이 옳을지 모른다.

고득점 포인트 could, would, might는 조동사 can, will, may의 과거형이지만, 아래의 경우에는 다른 의미를 가진다.

1. 허가나 요청의 의미로 쓰인 문장에서 could, would, might는 더 공손한 허가나 요청을 나타내고, 추측의 의미로 쓰인 문장에서 could와 might가 오면 더 약한 추측을 나타낸다.
   Could you call me later? 나중에 전화해 주시겠어요?
   Grace **might** come back within an hour. Grace가 혹시 한 시간 안에 돌아올지 모른다.
2. would는 지금은 그만둔 과거의 동작을 나타낸다. 이와 비슷하게 used to는 지금은 그만둔 과거의 동작이나 지금은 그렇지 않은 과거의 상태를 나타낸다.
   We (**would**, **used to**) play soccer together. 우리는 함께 축구를 하곤 했었다. (그런데 지금은 하지 않는다)
   There **used to** be a large lake here 10 years ago. 10년 전에는 여기에 커다란 호수가 있었다. (그런데 지금은 없다)

2 must·should

must	의무 ~해야 한다 강한 확신 ~임에 틀림 없다	All applicants **must** register by noon. 모든 지원자들은 정오까지 등록해야 한다. Smith **must** be disappointed with the test results. Smith는 시험 결과에 실망했음에 틀림없다.
should	의무·제안 ~해야 한다 추측 ~일 것이다	You **should** visit the dentist. 너는 치과에 가야 한다. Skies **should** clear up before the evening. 저녁 전에는 하늘이 갤 것이다.

공무원 영어 실전 문제

01 다음 중 어법상 가장 옳은 것은? [2016년 서울시 9급 출제경향]

A: I thought you wrecked your car. It ① looks finely.
B: I did, but I ② had it paint at Smith's Garage yesterday.
A: That's where I ③ got mine repair. The paint started peeling after only 6 months.
B: Well. It looks good at the moment, but I guess I ④ might have issues in the future.
A: Yes, keep an eye out for any problems.

정답 ④ 해설·해석 p.432

기출포인트 02

조동사 do

출제빈도 ★

1 do 동사는 일반동사의 부정문과 의문문을 만든다.

• 부정문은 'do/does/did + not + 동사원형'의 형태로 쓴다.

I **don't know** where to go. 나는 어디로 가야 할지 모르겠다.

• 의문문은 'do/does/did + 주어 + 동사원형'의 형태로 쓴다.

Do you know where to go? 너는 어디로 가야 할지 아니?

2 do 동사는 앞에 나온 일반동사 또는 일반동사가 포함된 어구가 반복되는 경우, 이를 대신한다.

She likes dancing, and I **do**(= **like dancing**) too. 그녀는 춤추는 것을 좋아하고, 나도 그렇다(춤추는 것을 좋아한다).

→ do가 앞에 나온 일반동사가 포함된 어구(like dancing)를 대신한다.

You eat much more than Nicholas **does**(= **eats**). 너는 Nicholas보다 (Nicholas가 먹는 것보다) 훨씬 더 많이 먹는다.

→ do 동사(does)가 앞에 나온 일반동사(eat)를 대신한다. 이때, do 동사는 자신이 속한 절의 주어와 수·시제가 일치해야 한다.

고득점 포인트 do 동사가 앞에 나온 일반동사 또는 일반동사가 포함된 어구를 대신할 때, '~역시 그렇다'라는 표현인 so/neither를 사용하여 'so/neither + do 동사 + 주어'로 쓸 수도 있다. 이와 같이 조동사와 주어의 순서가 바뀌는 도치에 대해서는 Chapter 21에서 자세히 다룬다.

She likes dancing, and **so do I**. 그녀는 춤추는 것을 좋아하고, 나도 그렇다(춤추는 것을 좋아한다).

3 do 동사는 긍정문이나 명령문의 동사 앞에서 동사의 의미를 강조한다.

I **do** want to go home. 나는 집에 정말 가고 싶다.

He **does** like snacks. 그는 과자를 정말 좋아한다.

Do give us a call when your plane lands. 비행기가 착륙하면 우리에게 꼭 전화를 해라.

→ 이때 do 동사는 자신이 속한 절의 주어와 수·시제를 일치시키고, do 동사가 강조하는 동사는 동사원형으로 써야 한다.

공무원 영어 실전 문제

02 다음 밑줄 친 부분 중 어법상 옳지 않은 것은? [2018년 국회직 9급 출제경향]

Math is not simply a theoretical study of numbers ① but a practical science. It not only permits us to determine ② such information as Earth's location in the universe, ③ but also to calculate everyday things. Chefs use ④ this important science daily to follow recipes, and ⑤ so does you and I when we calculate or express things like our weight or height.

정답 ⑤ 해설·해석 p.432

기출포인트 **03**

조동사 should의 생략

출제빈도 ★★★

1 **제안·의무·요청·주장을 나타내는 동사·형용사가 주절에 나오면, 종속절에는 'should + 동사원형'이 와야 하며, 이때 should는 생략할 수 있다.**

동사	request 요청하다 order 명령하다 desire 요구하다	command 명령하다 insist 주장하다 propose 제안하다	recommend 추천하다 suggest 제안하다 demand 요구하다	ask 요청하다 require 요구하다 move 제의하다
형용사	necessary 필수적인	essential 필수적인	imperative 필수적인	important 중요한

He asked that his sister (**turn**, ~~turns~~) off the TV. 그는 누나에게 TV를 끄라고 요청했다.
→ 주절에 요청을 나타내는 동사(asked)가 왔으므로, 종속절에는 should를 생략한 동사원형(turn)이 와야 한다.

It is important that the report (**be handed**, ~~is handed~~) in on time. 보고서는 제때 제출되는 것이 중요하다.
→ 주절에 의무를 나타내는 형용사(important)가 왔으므로, 종속절에는 should를 생략한 동사원형(be handed)이 와야 한다.

2 **동사 suggest와 insist가 해야 할 것에 대한 제안과 주장의 의미가 아닌 '암시하다', '~라는 사실을 주장하다'라는 의미를 나타낼 때는 종속절에 (should+) 동사원형을 쓸 수 없다.**

• 동사 suggest가 '제안하다'라는 의미가 아닌 '암시하다'라는 의미를 나타낼 때

All the evidence **suggests** that he **stole** the money. [O] 그 모든 증거가 그가 그 돈을 훔쳤음을 암시한다.
과거 동사

All the evidence **suggests** that he **steal** the money. [X]
동사원형

• 동사 insist가 '~할 것을 주장하다'라는 의미가 아닌 '~라는 사실을 주장하다'라는 의미를 나타낼 때

They **insisted** that the report **was** inaccurate. [O] 그들은 그 보고가 정확하지 않다고(정확하지 않다는 사실을) 주장했다.
과거 동사

They **insisted** that the report **be** inaccurate. [X]
동사원형

공무원 영어 실전 문제

03 다음 글의 밑줄 친 부분 중 어법상 가장 틀린 것은? [2022년 법원직 9급]

Music can have *psychotherapeutic effects that may transfer to everyday life. A number of scholars suggested people ① to use music as psychotherapeutic agent. Music therapy can be broadly defined as being 'the use of music as an adjunct to the treatment or rehabilitation of individuals to enhance their psychological, physical, cognitive or social ② functioning'. Positive emotional experiences from music may improve therapeutic process and thus ③ strengthen traditional cognitive/behavioral methods and their transfer to everyday goals. This may be partially because emotional experiences elicited by music and everyday behaviors ④ share overlapping neurological pathways responsible for positive emotions and motivations.

* psychotherapeutic : 심리 요법의

정답 ① 해설·해석 p.433

기출포인트 04

조동사 관련 표현

출제빈도 ★★★

1 조동사처럼 쓰이는 표현

아래 표현들은 조동사처럼 쓰이는 표현들로, 뒤에는 동사원형을 쓴다.

ought to ~해야 한다	have to ~해야 한다	be going to ~할 것이다	need to ~해야 한다
be able to ~할 수 있다	used to ~하곤 했다	had better ~하는 게 좋겠다	dare to 감히 ~하다

She **had better** (**save**, ~~saved~~) the money. 그녀는 돈을 저축하는 것이 좋겠다.

My family **used to** (**take**, ~~taking~~) trips to the beach. 나의 가족은 해변으로 여행을 가곤 했다.

2 조동사 + have p.p.

cannot[couldn't] have p.p. ~했을 리가 없다	could have p.p. ~했을 수 있었다 (그런데 그러하지 않았다)
must have p.p. ~했었음에 틀림없다	should have p.p. ~했었어야 했다 (그런데 그러하지 않았다)
may[might] have p.p. ~했을지 모른다	ought to have p.p. ~했었어야 했다 (그런데 그러하지 않았다)

She **could not have known** for sure that it would rain today. 그녀는 오늘 비가 오리라는 것을 확실히 알았을 리가 없다.

You **could have notified** us instead of just being late. 너는 그냥 늦는 대신 우리에게 알릴 수도 있었다. (그런데 알리지 않았다)

3 조동사 관련 숙어

would rather 차라리 ~하는 게 낫다	may[might] as well ~하는 편이 더 낫겠다	may well ~하는 게 당연하다
would like to ~하고 싶다	cannot ~ too 아무리 ~해도 지나치지 않다	
cannot (help) but ~할 수밖에 없다 (= cannot help + -ing / have no choice but + to 동사원형)		

I **may as well** go to the library. 나는 도서관에 가는 편이 더 낫겠다.

He **may well** think so. 그가 그렇게 생각하는 게 당연하다.

You **cannot** be **too** careful when driving in bad weather. 나쁜 날씨에 운전을 할 때 너는 아무리 조심해도 지나치지 않다.

공무원 영어 실전 문제

04 어법상 가장 옳은 것은? [2022년 서울시 9급(2월 추가)]

① The poverty rate is the percentage of the population which family income falls below an absolute level.
② Not surprisingly, any college graduate would rather enter the labor force in a year of economic expansion than in a year of economic contraction.
③ It is hard that people pick up a newspaper without seeing some newly reported statistic about the economy.
④ Despite the growth is continued in average income, the poverty rate has not declined.

정답 ② 해설·해석 p.433

Hackers Practice

둘 중 어법상 알맞은 것을 고르세요.

01 The new version of the operating system (will / does) replace the current one after a week.

02 My cousin is going to (opening / open) his own hair salon.

03 The police chief demanded that the officers (to catch / catch) the thief quickly.

04 The manager works late, and so (do / does) we.

05 Travelers (must / would) show their passport before boarding.

06 I should have (slept / sleep) longer because I'm still tired.

07 She used to (read / reading) one book a week during vacations.

08 They'd rather (discussed / discuss) the issue later.

09 Clients can (withdraw / withdrawn) their money at the bank.

어휘

01 operating system 운영 체제 replace 대체하다 02 hair salon 미용실 03 police chief 경찰서장 demand 요구하다 04 manager 관리자
05 passport 여권 boarding 탑승, 승선 06 tired 피곤한 07 vacation 휴가, 방학 08 issue 문제 09 withdraw 인출하다

01 기출포인트 **조동사 will**

정답 will

해설 미래를 나타내는 표현 after a week(일주일 후에)가 왔으므로 미래를 나타내는 조동사 will이 정답이다.

해석 그 운영 체제의 새로운 버전은 일주일 후에 현재의 것을 대체할 것이다.

02 기출포인트 **조동사 관련 표현**

정답 open

해설 조동사처럼 쓰이는 표현 be going to(~할 것이다) 뒤에는 동사원형이 와야 하므로 동사원형 open이 정답이다.

해석 나의 사촌은 자신의 미용실을 개업할 것이다.

03 기출포인트 **조동사 should의 생략**

정답 catch

해설 주절에 요청을 나타내는 동사(demand)가 나오면 종속절에 '(should +) 동사원형'이 와야 하므로 동사원형 catch가 정답이다.

해석 그 경찰서장은 경찰관들이 그 도둑을 빨리 잡을 것을 요구했다.

04 기출포인트 **조동사 do**

정답 do

해설 앞에 나온 일반동사가 포함된 어구(works late)를 대신하는 do 동사는 자신이 속한 절의 주어(we)와 수 일치해야 하므로 복수 동사 do가 정답이다.

해석 그 관리자는 밤늦게 일하고, 우리도 그렇다.

05 기출포인트 **조동사 must**

정답 must

해설 문맥상 '보여줘야 한다'라는 의미가 되어야 자연스러우므로 의무를 나타내는 조동사 must가 정답이다.

해석 여행자들은 탑승 전에 그들의 여권을 보여줘야 한다.

06 기출포인트 **조동사 관련 표현**

정답 slept

해설 문맥상 '더 길게 잤었어야 했다'라는 의미가 되어야 자연스러운데, '~했었어야 했다'라는 조동사 관련 표현은 'should + have p.p.'의 형태로 나타내므로 과거분사 slept가 정답이다.

해석 나는 여전히 피곤하기 때문에 더 길게 잤었어야 했다.

07 기출포인트 **조동사 관련 표현**

정답 read

해설 조동사처럼 쓰이는 표현 used to(~하곤 했다) 뒤에는 동사원형이 와야 하므로 동사원형 read가 정답이다.

해석 그녀는 휴가 동안 일주일마다 책 한 권을 읽곤 했다.

08 기출포인트 **조동사 관련 표현**

정답 discuss

해설 조동사 관련 숙어 would rather(차라리 ~하는 게 낫다) 뒤에는 동사원형이 와야 하므로 동사원형 discuss가 정답이다.

해석 그들은 차라리 그 문제를 나중에 논의하는 게 낫다.

09 기출포인트 **조동사 can**

정답 withdraw

해설 조동사 can 뒤에는 동사원형이 와야 하므로 동사원형 withdraw가 정답이다.

해석 고객들은 그들의 돈을 은행에서 인출할 수 있다.

어법상 옳은 것에는 O, 틀린 것에는 X를 표시하고 틀린 부분을 바르게 고치세요.

10 It is important that all of your research is completed before next week. [ ]

11 She must have started exercising because she looks much healthier than before. [ ]

12 I cannot but waking up early every morning, even on weekends. [ ]

13 Dog owners must keep their pets on a leash while in the park. [ ]

14 With his new job, he is able to living on his own. [ ]

15 You could have returned the shirt if you had kept the receipt. [ ]

16 Repeating a routine do tend to get tiring after a while. [ ]

17 I'd like to explained my ideas during the meeting today. [ ]

18 The taxi driver insists that the passenger pays in cash only. [ ]

어휘

10 research 연구, 조사 complete 완료하다 11 exercise 운동하다 13 leash (개 등을 매어 두는) 줄 14 on one's own 자력으로, 혼자서
15 receipt 영수증 16 routine 일과, 틀 17 meeting 회의, 만남 18 insist 주장하다 cash 현금

10 기출포인트 **조동사 should의 생략**

정답 X, is → (should) be

해설 주절에 의무를 나타내는 형용사(important)가 나오면 종속절에 '(should +) 동사원형'이 와야 하므로 3인칭 단수형 동사 is를 (should) be로 고쳐야 한다.

해석 다음 주 전에 당신의 모든 연구가 완료되는 것이 중요하다.

11 기출포인트 **조동사 관련 표현**

정답 O

해설 문맥상 '운동을 시작했음이 틀림없다'라는 의미가 되어야 자연스러우므로 must have p.p.(~했었음에 틀림없다)를 사용하여 must have started가 올바르게 쓰였다.

해석 그녀가 예전보다 훨씬 더 건강해 보이기 때문에 운동을 시작했음이 틀림없다.

12 기출포인트 **조동사 관련 표현**

정답 X, waking → wake

해설 조동사 관련 숙어 cannot (help) but(~할 수밖에 없다) 뒤에는 동사원형이 와야 하므로 waking을 동사원형 wake로 고쳐야 한다.

해석 나는 매일 아침 일찍 일어날 수밖에 없고, 심지어 주말에도 그렇다.

13 기출포인트 **조동사 must**

정답 O

해설 문맥상 '해 두어야 한다'라는 의미가 자연스러우므로 의무를 나타내는 조동사 must가 올바르게 쓰였다.

해석 개 주인들은 공원에 있는 동안 그들의 반려동물에 줄을 계속 해 두어야 한다.

14 기출포인트 **조동사 관련 표현**

정답 X, living → live

해설 조동사처럼 쓰이는 표현 be able to(~할 수 있다) 뒤에는 동사원형이 와야 하므로 living을 동사원형 live로 고쳐야 한다.

해석 그의 새로운 직업으로, 그는 자력으로 살 수 있다.

15 기출포인트 **조동사 관련 표현**

정답 O

해설 문맥상 '그 셔츠를 환불했을 수 있었다'라는 의미가 되어야 자연스러우므로 could have p.p.(~했을 수 있었다)를 사용하여 could have returned가 올바르게 쓰였다.

해석 네가 영수증을 가지고 있었다면 너는 그 셔츠를 환불했을 수 있었다.

16 기출포인트 **조동사 do**

정답 X, do → does

해설 do 동사가 동사 앞에서 동사의 의미를 강조할 때 do 동사는 자신이 속한 절의 주어와 수 일치해야 하는데, 동명사구 주어(Repeating a routine)가 왔으므로 복수 동사 do를 단수 동사 does로 고쳐야 한다.

해석 일과를 반복하는 것은 얼마 후에 정말로 지치게 하는 경향이 있다.

17 기출포인트 **조동사 관련 표현**

정답 X, explained → explain

해설 조동사 관련 숙어 would like to(~하고 싶다) 뒤에는 동사원형이 와야 하므로 explained를 동사원형 explain으로 고쳐야 한다.

해석 나는 오늘 회의 동안 나의 생각들을 설명하고 싶다.

18 기출포인트 **조동사 should의 생략**

정답 X, pays → (should) pay

해설 주절에 주장을 나타내는 동사(insist)가 나오면 종속절에 '(should +) 동사원형'이 와야 하므로 3인칭 단수형 동사 pays를 (should) pay로 고쳐야 한다.

해석 그 택시 기사는 승객이 현금으로만 지불할 것을 주장한다.

Hackers Test

01 다음 문장 중 어법상 옳은 것은?

① It can snow a lot in the winter.

② She used to waking up at seven o'clock every morning.

③ We had no choice but taking a taxi back home.

④ He practices harder than his brother do.

02 빈칸에 들어갈 알맞은 말은?

The editor ordered that the script ________ to include several more characters.

① is edited
② edited
③ be edited
④ has edited
⑤ edit

03 밑줄 친 부분이 어법상 옳은 것은?

① We have to be willing to learn from failures.

② Parking on this street has not permitted on weekdays.

③ The bus came earlier today than it usually do.

④ It is imperative that students submitted their reports before the deadline.

01 기출포인트 조동사 can

정답 ①

해설 문맥상 '눈이 많이 내릴 수 있다'라는 의미가 되어야 자연스러우므로, 강한 추측을 나타내는 조동사 can(~일 수 있다)이 올바르게 쓰였다.

오답분석 ② 기출포인트 **조동사 관련 표현** 조동사처럼 쓰이는 표현 used to(~하곤 했다) 뒤에는 동사원형이 쓰여야 하므로 동명사 waking up을 동사원형 wake up으로 고쳐야 한다.

③ 기출포인트 **조동사 관련 표현** 조동사 관련 숙어 have no choice but(~할 수밖에 없다) 뒤에는 to 부정사가 와야 하므로 동명사 taking을 to 부정사 to take로 고쳐야 한다.

④ 기출포인트 **조동사 do** 앞에 나온 일반동사(practices)를 대신하는 do 동사는 자신이 속한 절의 주어(his brother)와 수 일치시켜야 하므로 복수 동사 do를 단수 동사 does로 고쳐야 한다.

해석 ① 겨울에는 눈이 많이 내릴 수 있다.
② 그녀는 매일 아침 7시 정각에 일어나곤 했다.
③ 우리는 택시를 타고 집으로 돌아갈 수밖에 없었다.
④ 그는 그의 남자 형제보다 더 열심히 연습한다.

어휘 practice 연습하다

02 기출포인트 조동사 should의 생략

정답 ③

해설 주절에 의무를 나타내는 동사(order)가 나오면, 종속절에는 '(should +) 동사원형'이 와야 하므로 동사원형이 아닌 ①, ②, ④번은 정답이 될 수 없다. 빈칸 뒤에 목적어가 없고 문맥상 that절의 주어(the script)와 동사가 '원고가 수정되다'라는 의미의 수동 관계이므로 수동태 ③ be edited가 정답이다.

해석 그 편집장은 몇몇 등장인물을 더 포함하기 위해서 원고가 수정되어야 한다고 지시했다.

어휘 editor 편집장 script 원고 include 포함하다 edit 수정하다

03 기출포인트 조동사 관련 표현

정답 ①

해설 조동사 관련 표현 have to(~해야 한다) 뒤에는 동사원형이 와야 하므로 have to 뒤에 동사원형 be가 올바르게 쓰였다.

오답분석 ② 기출포인트 **능동태·수동태 구별** 동사 뒤에 목적어가 없고, 주어(Parking ~ street)와 동사가 '주차하는 것은 허용되지 않는다'라는 의미의 수동 관계이므로 완료형을 만드는 조동사 has를 과거분사(permitted) 앞에 쓰여 수동형을 만드는 be 동사 is로 고쳐야 한다.

③ 기출포인트 **조동사 do** 앞에 나온 일반동사(came)를 대신하는 do 동사는 자신이 속한 절의 주어(it)와 수 일치시켜야 하므로 복수 동사 do를 단수 동사 does로 고쳐야 한다.

④ 기출포인트 **조동사 should의 생략** 주절에 의무를 나타내는 형용사(imperative)가 나오면, 종속절에는 '(should +) 동사원형'이 와야 하므로 과거 동사 submitted를 (should) submit으로 고쳐야 한다.

해석 ① 우리는 실패로부터 기꺼이 배우려고 해야 한다.
② 주중에는 이 거리에 주차하는 것이 허용되지 않는다.
③ 오늘은 버스가 평소에 오는 것보다 더 일찍 왔다.
④ 학생들이 보고서를 기한 전에 제출하는 것은 필수적이다.

어휘 be willing to 기꺼이 ~하다 failure 실패 permit 허용하다 imperative 필수적인, 피할 수 없는 submit 제출하다

04 우리말을 영어로 잘못 옮긴 것은?

① 그들은 폭설이 운전을 불가능하게 하리라고 예상했었을 리가 없다.
→ They could not have predicted that the heavy snow would make driving impossible.

② 나의 형은 내 차를 빌렸을 때 기름을 가득 채웠어야 했다.
→ My brother should have filled up the gas tank when he borrowed my car.

③ 생각을 적어보는 것은 정말로 당신이 생각을 정리하는 것을 돕는다.
→ Writing down your ideas does help you organize them.

④ 우리는 손님들을 위한 준비를 시작하는 게 좋겠다.
→ We had better to start preparing for the guests.

05 밑줄 친 부분 중 어법상 옳지 않은 것은?

Once thought impossible, NASA now believes that the moving salt lines that ① were discovered on the Martian surface are proof that liquid water ② do exist on the planet. Their research ③ indicates that the lines intensify during warmer periods when ice melts. Researchers believe the water may well ④ flow and move surface sediment, as a result.

06 밑줄 친 부분 중 어법상 옳지 않은 것은?

When we ① think of the most successful people in the world, we assume that they ② must done well in school. However, this is not always ③ the case. Some of the most famous people in history, such as Albert Einstein, Isaac Newton, and Winston Churchill, ④ did quite poorly in school.

04 기출포인트 조동사 관련 표현

정답 ④

해설 조동사처럼 쓰이는 표현 had better(~하는 게 좋겠다) 뒤에는 동사원형이 와야 하므로 to 부정사 to start를 동사원형 start로 고쳐야 한다.

오답분석
① 기출포인트 **조동사 관련 표현** '예상했었을 리가 없다'는 조동사 관련 표현 couldn't have p.p.(~했을 리가 없다)를 사용하여 나타낼 수 있으므로 could not have predicted가 올바르게 쓰였다.
② 기출포인트 **조동사 관련 표현** '채웠어야 했다'는 조동사 관련 표현 should have p.p.(~했어야 했다)를 사용하여 나타낼 수 있으므로 should have filled up이 올바르게 쓰였다.
③ 기출포인트 **조동사 do** do 동사가 동사 앞에서 동사의 의미를 강조할 수 있고, 이때 do 동사는 자신이 속한 절의 주어와 수·시제가 일치해야 하는데, 동명사구 주어(Writing down your ideas)가 왔으므로 단수 동사 does가 올바르게 쓰였다.

어휘 predict 예상하다 heavy snow 폭설 impossible 불가능한 fill up ~을 가득 채우다 organize 정리하다

05 기출포인트 조동사 do

정답 ②

해설 do 동사가 동사 앞에서 동사의 의미를 강조할 수 있고, 이때 do 동사는 자신이 속한 절의 주어와 수·시제가 일치해야 하는데, 주어 자리에 불가산 명사 liquid water가 왔으므로 복수 동사 do를 단수 동사 does로 고쳐야 한다.

오답분석
① 기출포인트 **능동태·수동태 구별** 관계절의 선행사(the moving salt lines)와 동사가 '움직이는 염선이 발견되다'라는 의미의 수동 관계이므로, 과거분사(discovered)와 함께 수동태를 만드는 be 동사 were가 올바르게 쓰였다.
③ 기출포인트 **주어와 동사의 수 일치** 주어 자리에 단수 명사 Their research가 왔으므로 단수 동사 indicates가 올바르게 쓰였다.
④ 기출포인트 **조동사 관련 표현** 조동사 관련 숙어 may well(~하는 게 당연하다) 뒤에는 동사원형이 와야 하므로 동사원형 flow가 올바르게 쓰였다.

해석 한때 불가능하다고 생각되었지만, 나사는 현재 화성 표면에서 발견된 움직이는 염선이 액체 상태의 물이 그 행성에 존재한다는 증거라고 믿고 있다. 그들의 연구는 얼음이 녹는 더 따뜻한 기간 동안 선이 강해진다는 것을 보여준다. 연구원들은 물이 흐르는 것은 당연하고, 결과적으로 표면 침전물을 움직인다고 믿는다.

어휘 salt line 염선 discover 발견하다 Martian 화성의 surface 표면 liquid 액체 상태의 planet 행성 intensify 강해지다 sediment 침전물

06 기출포인트 조동사 관련 표현

정답 ②

해설 문맥상 '성공한 사람들은 ~ 잘했었음에 틀림없다'라는 의미가 되어야 자연스러우므로 must done을 'must have + p.p.'(~했었음에 틀림없다) 형태를 만드는 must have done으로 고쳐야 한다.

오답분석
① 기출포인트 **자동사** 자동사 think는 '~을 생각하다'라는 의미로 전치사 of와 자주 함께 쓰이므로, think of가 올바르게 쓰였다.
③ 기출포인트 **보어 자리** be 동사(is)의 주격 보어 자리에 명사 the case가 올바르게 쓰였다.
④ 기출포인트 **과거 시제** '역사상 가장 유명한 사람들 몇몇은 성적이 형편없었다'라는 역사적 사실을 표현하고 있으므로 과거 시제(did)가 와야 한다. 참고로, 강조부사 quite이 부사(poorly)를 앞에서 강조하므로 did quite poorly가 올바르게 쓰였다.

해석 우리가 세계에서 가장 성공한 사람들을 생각할 때, 우리는 그들이 학교 생활을 잘했었음에 틀림없다고 생각한다. 하지만, 항상 그런 것은 아니다. 알베르트 아인슈타인, 아이작 뉴턴, 그리고 윈스턴 처칠 같은 역사상 가장 유명한 사람들 몇몇은 성적이 형편없었다.

어휘 assume 생각하다, 추정하다 poorly 형편없이

07 밑줄 친 부분이 어법상 틀린 것은?

① My teenage daughter reads more than <u>my adult brother does</u>.

② We <u>had better replace</u> the car's broken light as soon as possible.

③ The students <u>may as well use</u> this time to study for other classes.

④ The waiter insisted that <u>she orders</u> the restaurant's seafood special.

08 우리말을 영어로 가장 잘 옮긴 것은? [2020년 국가직 9급]

① 몇 가지 문제가 새로운 회원들 때문에 생겼다.
→ Several problems have raised due to the new members.

② 그 위원회는 그 건물의 건설을 중단하라고 명했다.
→ The committee commanded that construction of the building cease.

③ 그들은 한 시간에 40마일이 넘는 바람과 싸워야 했다.
→ They had to fight against winds that will blow over 40 miles an hour.

④ 거의 모든 식물의 씨앗은 혹독한 날씨에도 살아남는다.
→ The seeds of most plants are survived by harsh weather.

07 기출포인트 조동사 should의 생략

정답 ④

해설 주절에 주장을 나타내는 동사 insist가 오면 종속절에는 '(should +) 동사원형'이 와야 하므로, 3인칭 단수형 동사 orders를 동사원형 order로 고쳐야 한다.

오답분석
① 기출포인트 **조동사 do** 앞에 나온 일반동사(read)가 반복되는 경우 이를 대신하여 do 동사를 써야 하고, 이때 do 동사는 자신이 속한 절의 주어(my adult brother)와 수·시제가 일치해야 하므로 does가 올바르게 쓰였다.
② 기출포인트 **조동사 관련 표현** 조동사 관련 표현 had better(~하는 게 좋겠다) 뒤에 동사원형 replace가 올바르게 쓰였다.
③ 기출포인트 **조동사 관련 표현** 조동사 관련 표현 may as well(~하는 편이 더 낫겠다) 뒤에 동사원형 use가 올바르게 쓰였다.

해석
① 내 십대 딸은 성인인 내 남동생보다 책을 더 많이 읽는다.
② 우리는 자동차의 고장난 전조등을 가능한 한 빨리 교체하는 게 좋겠다.
③ 학생들은 이 시간을 다른 수업을 위해 공부하는 데 활용하는 편이 더 낫겠다.
④ 웨이터는 그녀가 그 식당의 해산물 특선 요리를 주문해야 한다고 주장했다.

어휘 replace 교체하다

08 기출포인트 조동사 should의 생략

정답 ②

해설 주절에 의무를 나타내는 동사 command가 오면 종속절에는 '(should +) 동사원형'이 와야 하므로, 종속절에 동사원형 cease가 올바르게 쓰였다.

오답분석
① 기출포인트 **능동태·수동태 구별** 주어(Several problems)와 동사가 '몇 가지 문제가 일어나게 되었다(생겼다)'라는 의미의 수동 관계이므로 능동태 have raised를 수동태 have been raised로 고쳐야 한다.
③ 기출포인트 **시제 일치** 주절의 시제가 과거(had)이고 종속절에서 '바람이 한 시간에 40마일이 넘게 분 것' 역시 과거 시점에 일어난 일이므로 미래 시제 will blow를 과거 시제 blew로 고쳐야 한다.
④ 기출포인트 **능동태·수동태 구별** 주어(The seeds)와 동사가 '씨앗이 살아남다'라는 의미의 능동 관계이므로 수동태 are survived by를 능동태 survive로 고쳐야 한다.

어휘 **raise** 일으키다 **due to** ~ 때문에 **committee** 위원회 **command** 명령하다 **cease** 중단하다 **harsh** 혹독한

Chapter 07

가정법

최근 5개년 출제 비율
'20-'24 국·지·서·법·국회(2024.04.기준)
3%

BASIC GRAMMAR 기본기 다지기

01 가정법 문장

가정법 문장은 현재나 과거의 상황을 반대로 가정해 보거나, 일어날 가능성이 희박한 일이 미래에 일어날 경우를 가정해 보는 문장이다. 가정법은 대개 if로 시작하며, 특별한 시제를 사용한다.

If I **were** free, I **would go** out for dinner. 만약 내가 한가하다면, 저녁 식사를 하러 나갈 텐데.

If I **had been** free, I **would have gone** out for dinner. 만약 내가 한가했다면, 저녁 식사를 하러 나갔을 텐데.

→ 첫 번째 문장은 현재의 상황을 반대로 가정하는 가정법 과거 문장으로, 현재 한가하지 않지만 한가한 상황을 가정해 보는 것이다. 두 번째 문장은 과거의 상황을 반대로 가정하는 가정법 과거완료 문장으로, 과거에 한가하지 않았지만 한가했을 상황을 가정해 보는 것이다.

Check-Up

다음 중 우리말을 영어로 가장 잘 옮긴 것을 고르시오.

만약 Ashley가 일찍 일어난다면, 그녀는 학교에 늦지 않을 텐데.

ⓐ If Ashley have woken up early, she wouldn't have been late for school.

ⓑ If Ashley woke up early, she wouldn't be late for school.

→ 현재 Ashley가 일찍 일어나지 않지만 일찍 일어난 상황을 가정해보는 것이므로, 현재 상황을 반대로 가정하는 가정법 과거 문장인 ⓑ가 정답이다.

정답: ⓑ

02 가정법 문장과 조건절 문장

가정법 문장은 if로 시작하는 **직설법** 문장과 구별해야 한다.

가정법 If it **were** not cold, I **could go** hiking. 만약 춥지 않다면, 나는 하이킹을 갈 수 있을 텐데.

조건절 If you **are** cold, you **can close** the window. 네가 춥다면, 창문을 닫아도 된다.

→ 두 번째 문장과 같이 어떤 일을 실제 사실로 받아들이고 말하는 경우를 직설법이라고 하며, 이때의 if절을 조건절이라고 한다. 현재 상황의 반대를 나타낼 때 과거 시제, 과거 상황의 반대를 나타낼 때 과거완료 시제를 쓰는 가정법과 달리, 조건절에는 현재 표현에 현재 시제, 과거 표현에는 과거 시제를 쓴다.

Check-Up

다음 중 가정법 문장을 고르시오.

ⓐ If the store opens, please buy some juice. 그 가게가 문을 연다면, 주스를 사와라.

ⓑ If the store opened, I would buy some juice. 그 가게가 문을 연다면, 나는 주스를 살 텐데.

→ 가게가 문을 열지 않은 현재 상황의 반대를 나타내기 위해 if절에 과거 시제(opened)를 쓴 ⓑ가 가정법 문장이다. ⓐ는 가게가 문을 연다는 것을 실제 사실로 받아들이는 조건절이 포함된 문장이다.

정답: ⓑ

기출포인트 01

가정법 과거·과거완료

출제빈도 ★★

1 가정법 과거는 현재의 상황을 반대로 가정할 때 쓰인다.

가정법 과거	If + 주어 + 과거 동사(be 동사는 were),	주어 + would/should/could/might + 동사원형	만약 ~하다면 -할 텐데

If he **focused**, he (**could finish**, ~~can finish~~) the paper.
그가 집중한다면, 그는 논문을 끝낼 수 있을 텐데. (집중을 안 해서 논문을 끝내지 못한다)
→ 현재 집중하지는 않지만 집중한 상태라고 가정하는 가정법 과거 문장이므로, 주절에 could finish가 와야 한다.

If we **were** married, we (**would move**, ~~will move~~) out of the city.
만약 우리가 결혼한 상태라면, 도시 밖으로 이사 갈 텐데. (결혼을 안 해서 이사를 못 간다)
→ 현재 결혼한 상태는 아니지만 결혼한 상태라고 가정하는 가정법 과거 문장이므로, 주절에 would move가 와야 한다.

2 가정법 과거완료는 과거의 상황을 반대로 가정할 때 쓰인다.

가정법 과거완료	If + 주어 + had p.p.,	주어 + would/should/could/might + have p.p.	만약 ~했었다면 -했을 텐데

If someone **had pressed** the doorbell, I (**would have heard**, ~~would hear~~) it ring.
누군가 초인종을 눌렀다면, 나는 그것이 울리는 것을 들었을 텐데.
→ 과거에 누군가 초인종을 누르지 않았지만 눌렀다고 가정하는 가정법 과거완료 문장이므로, 주절에 would have heard가 와야 한다.

If I **had written** down her number, we (**would have been**, ~~would be~~) able to meet again.
내가 그녀의 전화번호를 적었다면, 우리는 다시 만날 수 있었을 텐데.
→ 과거에 그녀의 전화번호를 적지 않았지만 적었다고 가정하는 가정법 과거완료 문장이므로, 주절에 would have been이 와야 한다.

공무원 영어 실전 문제

01 어법상 옳은 것은? [2018년 지방직 9급]

① Please contact to me at the email address I gave you last week.
② Were it not for water, all living creatures on earth would be extinct.
③ The laptop allows people who is away from their offices to continue to work.
④ The more they attempted to explain their mistakes, the worst their story sounded.

정답 ② 해설·해석 p.434

기출포인트 02

가정법 미래·혼합 가정법

출제빈도 ★★

1 가정법 미래는 가능성이 희박한 미래를 가정할 때 쓰인다.

가정법 미래	If + 주어 + should + 동사원형,	주어 + will / would, can / could, may / might, should + 동사원형	(혹시라도) 만약 ~하다면 ~할 것이다
	If + 주어 + were to + 동사원형,	주어 + would, should, could, might + 동사원형	

If you **should fall** behind, you **can ask** me for help. (혹시라도) 만약 네가 뒤쳐진다면, 나에게 도움을 청해도 될 것이다.

If I **were to quit** my job, my family (**would be**, ~~will be~~) shocked. (혹시라도) 만약 내가 일을 그만둔다면, 가족들은 충격을 받을 것이다.

2 혼합 가정법은 과거 상황을 반대로 가정했을 경우 그 결과가 현재에 영향을 미칠 때 쓰인다.

혼합 가정법	If + 주어 + had p.p.,	주어 + would, should, could, might + 동사원형	만약 (과거에) ~했었더라면 (지금) ~할 텐데

If I **had done** my homework, I (**could go**, ~~could have gone~~) to a movie now.
내가 숙제를 했었더라면, 지금 영화를 보러 갈 수 있을 텐데.

→ If절에 과거 사실의 반대를 가정하는 가정법 과거완료 시제(had done)가 왔지만, 주절에서는 현재 상황의 반대를 표현하고 있으므로 가정법 과거(could go)가 온다.

고득점 포인트 혼합 가정법의 주절에는 주로 '현재'임을 나타내는 단서가 함께 온다.
If I **had ordered** the books last week, I **would have** them **now**. 내가 지난주에 책을 주문했었더라면, 지금 그것들을 가지고 있을 텐데.
(now: 현재를 나타내는 단서)

공무원 영어 실전 문제

02 어법상 가장 옳은 것은? [2018년 서울시 9급(3월 추가)]

① If the item should not be delivered tomorrow, they would complain about it.
② He was more skillful than any other baseball players in his class.
③ Hardly has the violinist finished his performance before the audience stood up and applauded.
④ Bakers have been made come out, asking for promoting wheat consumption.

정답 ① 해설·해석 p.434

기출포인트 03

가정법 도치

출제빈도 ★★

1 가정법 문장에서 If가 생략될 수 있으며, 이때 주어와 동사의 자리가 바뀐다.

과거 **If the cameras were not so expensive**, I would go buy one. 카메라가 그렇게 비싸지 않다면, 하나 사러 갈 텐데.

→ **Were the cameras not so expensive**, I would go buy one.

→ 가정법 과거 문장의 If가 생략되면서, 동사 Were가 주어 the cameras 보다 앞에 온다.

과거완료 **If she had met Tom yesterday**, she might have said hello 그녀가 어제 Tom을 만났다면, 그에게 인사했을 텐데.

→ **Had she met Tom yesterday**, she might have said hello.

미래 **If it should be sunny tomorrow**, we will go on a picnic. 혹시라도 내일 해가 난다면, 우리는 소풍을 갈 텐데.

→ **Should it be sunny tomorrow**, we will go on a picnic.

→ 가정법 문장의 If가 생략되면서, 조동사(Had, Should)가 주어(she, it) 보다 앞에 온다.

2 Were it not for / Had it not been for 가정법 구문

과거	Were it not for + 명사,	주어 + would / should / could / might + 동사원형	~가 없다면 / ~가 아니라면 -할 텐데
과거완료	Had it not been for + 명사,	주어 + would / should / could / might + have p.p.	~가 없었다면 / ~가 아니었다면 -했을 텐데

Were it not for the accident, the traffic (**would be**, ~~will be~~) going smoothly. 사고가 아니라면, 교통이 원활할 텐데.

Had it not been for your help, I (**would not have won**, ~~would not win~~) the game.
네 도움이 없었다면, 나는 경기에서 이기지 못했을 텐데.

고득점 포인트 Were it not for와 Had it not been for는 if not for, but for, without으로 바꿔 쓸 수 있다.
Were it not for (= If not for / But for / Without) the accident, the traffic would be going smoothly. 사고가 아니라면, 교통이 원활할 텐데.

공무원 영어 실전 문제

03 다음 밑줄 친 (A)와 (B)에 들어갈 가장 적절한 표현은? [2020년 국회직 9급]

If the police had asked for a safety licence for their new flying camera, it ___(A)___ a major crime-fighting success. Unfortunately they didn't, and as a result the young man they filmed stealing a car might go free. "As long as you have a licence, there is no problem using these machines," said a lawyer. "___(B)___ a properly licensed camera, it would have been fine."

	(A)	(B)
①	would have been	Had they used
②	will be	If they used
③	will have been	If they use
④	would be	Have they used
⑤	would have been	Had they been used

정답 ① 해설·해석 p.434

기출포인트 04

기타 가정법

출제빈도 ★

1 I wish 가정법

과거	I wish + 주어 + 과거 동사	~하면 좋을 텐데
과거완료	I wish + 주어 + had p.p.	(과거에) ~했다면 좋을 텐데

I wish I were with you. 내가 너와 함께 있다면 좋을 텐데.
→ 현재 너와 함께 있지 않지만 너와 함께 있기를 소망하므로, 현재 상황의 반대를 소망하는 I wish 가정법 과거(I wish I were)가 온다.

I wish we had met earlier. 우리가 더 일찍 만났다면 좋을 텐데.
→ 과거에 우리가 더 일찍 만났기를 소망하므로, 과거 상황의 반대를 소망하는 I wish 가정법 과거 완료(I wish we had)가 온다.

2 It's (high / about) time 가정법

과거	It's (high/about) time + 주어 + 과거 동사/should + 동사원형	~해야 할 때이다

It's high time he **switched** careers to one he likes better. 그가 더 좋아하는 것으로 직업을 바꿔야 할 때이다.

It's high time you **should** go to bed. 네가 잠자리에 들어야 할 시간이다.

3 As if / As though 가정법

과거	주어 + 동사 + as if/as though + 주어 + 과거 동사	마치 ~인 것처럼
과거완료	주어 + 동사 + as if/as though + 주어 + had p.p.	마치 ~이었던 것처럼

She speaks (**as if**, **as though**) she were a celebrity. 그녀는 마치 그녀가 유명인사인 것처럼 말한다.

4 자주 쓰이는 가정법 관련 표현

What if ~하면 어쩌지	if at all 기왕에 ~할 거면	if not all 전부는 아니지만
if anything 사실은	if any 만약에 있다면, 만일 있다 해도	as it were (= so to speak) 말하자면

What if I fail the exam? 내가 시험에 낙제하면 어쩌지?

공무원 영어 실전 문제

04 다음 중 어법상 가장 옳지 않은 것을 고르면? [2016년 서울시 7급 출제경향]

① Only employees were allowed to go onto the factory floor.
② There go the best player on our soccer team and the coach.
③ So hot was the pizza that everyone burned their mouths when eating it.
④ I wish I ask for a raise when I had the chance yesterday.

정답 ④ 해설·해석 p.435

Hackers Practice

둘 중 어법상 알맞은 것을 고르세요.

01 I really wish our family's house (is / were) as nice as my friend Billy's mansion.

02 If the rainfall (may / should) stop, the repairmen would be able to work quicker.

03 It's high time the restaurant (treated / treats) regular customers better.

04 If I had not stopped playing basketball, I (could be / could have been) a professional player.

05 If Andy had started applying for jobs earlier, he (would have / would have had) one now.

06 Were it not for perfect timing, I would not (live / have lived) where I do today.

07 If we weren't stuck at work, we (would be / will be) at the beach today.

08 If we (made / had made) our reservations earlier, we would have saved a lot of money.

09 If he were to study harder, his grades (would improve / would have improved) quite a bit.

어휘

01 mansion 저택 02 repairman 수리공 03 treat 대하다, 대우하다 regular customer 단골 손님 04 professional player 프로 선수
05 apply for a job 일자리에 지원하다, 입사원서를 내다 06 timing 타이밍, 시기선택 07 be stuck at work 일에 매여있다
08 make a reservation 예약을 하다 09 improve 좋아지다, 향상하다 quite a bit 상당히

01 기출포인트 **기타 가정법**

해설 I wish 가정법은 현재 상황을 반대로 가정할 때 'I wish + 주어 + 과거 동사'의 형태로 나타내므로 과거 동사 were가 정답이다.

정답 were

해석 우리 가족의 집이 내 친구 Billy의 저택만큼 멋지다면 정말 좋을 텐데.

02 기출포인트 **가정법 미래**

해설 가정법 미래의 if절은 'If + 주어 + should + 동사원형'의 형태로 나타내므로 should가 정답이다.

정답 should

해석 혹시라도 비가 그친다면, 수리공들은 더 빨리 일할 수 있을 것이다.

03 기출포인트 **기타 가정법**

해설 It's high time 가정법은 'It's high time + 주어 + 과거 동사'의 형태로 나타내므로 과거 동사 treated가 정답이다.

정답 treated

해석 그 식당이 단골 손님들을 더 잘 대해야 할 때이다.

04 기출포인트 **가정법 과거완료**

해설 if절에 가정법 과거완료 'if + 주어 + had p.p.' 형태가 왔으므로 주절에도 가정법 과거완료 '주어 + could + have p.p.'의 형태를 만드는 could have been이 정답이다.

정답 could have been

해석 내가 농구를 그만두지 않았더라면, 나는 프로 선수가 될 수 있었을 텐데.

05 기출포인트 **혼합 가정법**

해설 문맥상 'Andy가 ~ 시작했었다면'이라는 의미로 과거 상황을 반대로 가정하고 있지만, 주절에는 현재임을 나타내는 now가 있으므로 혼합가정법 'If + 주어 + had p.p., 주어 + would + 동사원형'의 형태를 만드는 would have가 정답이다.

정답 would have

해석 Andy가 일자리에 더 일찍 지원하기 시작했었다면, 그는 지금 직장이 있을 텐데.

06 기출포인트 **가정법 도치**

해설 if절에 if가 생략된 가정법 과거 구문 Were it not for가 왔으므로 주절에도 가정법 과거 '주어 + would + 동사원형'의 형태를 만드는 live가 정답이다.

정답 live

해석 완벽한 타이밍이 아니라면, 오늘날 내가 사는 곳에 살지 못할 텐데.

07 기출포인트 **가정법 과거**

해설 if절에 가정법 과거 'If + 주어 + 과거 동사' 형태가 왔으므로 주절에도 가정법 과거 '주어 + would + 동사원형'의 형태를 만드는 would be가 정답이다.

정답 would be

해석 우리가 일에 매여 있지 않다면, 우리는 오늘 해변에 있을 텐데.

08 기출포인트 **가정법 과거완료**

해설 문맥상 '우리가 예약을 더 일찍 했었다면'이라는 의미로 과거 상황을 반대로 가정하고 있고, 주절에 가정법 과거완료 형태 '주어 + would + have p.p.'가 왔으므로, if절에도 가정법 과거완료 'if + 주어 + had p.p.'의 형태를 만드는 had made가 정답이다.

정답 had made

해석 우리가 예약을 더 일찍 했었다면, 우리는 많은 돈을 절약했을 텐데.

09 기출포인트 **가정법 미래**

해설 if절에 가정법 미래 'If + 주어 + were to + 동사원형' 형태가 왔으므로, 주절에도 가정법 미래 '주어 + would + 동사원형'의 형태를 만드는 would improve가 정답이다.

정답 would improve

해석 그가 공부를 더 열심히 한다면, 그의 성적은 상당히 좋아질 것이다.

어법상 옳은 것에는 O, 틀린 것에는 X를 표시하고 틀린 부분을 바르게 고치세요.

10 If this applicant were more experienced, we employed him. [ ]

11 Were it not for the wind, the weather will be nice. [ ]

12 It's about time the candidate starts discussing the topics that matter to voters. [ ]

13 If you were to take the earlier flight, you will arrive before noon. [ ]

14 If the team played better during the tournament, it would have placed higher than fifth. [ ]

15 The man had never studied art but he paints as though he is a professional. [ ]

16 If you had taken the medicine I gave you, you would feel better now. [ ]

17 Please include your work experience, if any, on your application. [ ]

18 Without the strong holiday sales, the store would not have made a profit this year. [ ]

어휘

10 applicant 지원자 experienced 경험이 풍부한 employ 고용하다 12 candidate 후보자 matter 중요하다, 문제되다 voter 유권자, 투표자
13 take a flight 비행기에 탑승하다 14 tournament 토너먼트, 승자 진출전 15 professional 전문가 16 take (a) medicine 약을 먹다
feel better (기분·몸이) 나아지다 17 work experience 근무 경력 application 지원서 18 holiday sales 휴가철 매출 make (a) profit 수익을 내다

10 기출포인트 **가정법 과거**

해설 if절에 가정법 과거 'If + 주어 + 과거 동사' 형태가 왔으므로 주절에도 가정법 과거 '주어 + would + 동사원형'의 형태를 만들기 위해 employed를 would employ로 고쳐야 한다.

정답 X, employed → would employ

해석 만일 이 지원자가 경험이 더 풍부하다면, 우리는 그를 고용할 텐데.

11 기출포인트 **가정법 도치**

해설 if가 생략된 가정법 과거 구문 Were it not for(~가 아니라면)가 왔으므로 주절에도 가정법 과거 '주어 + would + 동사원형'의 형태를 만들기 위해 will be를 would be로 고쳐야 한다.

정답 X, will be → would be

해석 바람만 아니라면, 날씨가 좋을 텐데.

12 기출포인트 **기타 가정법**

해설 It's about time 가정법은 'It's about time + 주어 + 과거 동사'의 형태로 나타내므로 현재 동사 starts를 과거 동사 started로 고쳐야 한다.

정답 X, starts → started

해석 그 후보자가 유권자들에게 중요한 주제들을 논의하기 시작해야 할 때이다.

13 기출포인트 **가정법 미래**

해설 If절에 가정법 미래 'If + 주어 + were to + 동사원형'의 형태가 왔으므로, 주절에도 가정법 미래 '주어 + would + 동사원형'의 형태를 만들기 위해 will을 would로 고쳐야 한다.

정답 X, will → would

해석 네가 더 빠른 비행기에 탑승한다면, 너는 정오 전에 도착할 것이다.

14 기출포인트 **가정법 과거완료**

해설 문맥상 '그 팀이 ~ 더 잘 했었다면'이라는 의미로 과거 상황을 반대로 가정하고 있으므로 가정법 과거완료 'If + 주어 + had p.p., 주어 + would + have p.p.'의 형태를 만들기 위해 played를 had played로 고쳐야 한다.

정답 X, played → had played

해석 그 팀이 토너먼트 동안 더 잘 했었다면, 그것(팀)은 5등보다 더 높은 순위에 올랐을 텐데.

15 기출포인트 **기타 가정법**

해설 as though 가정법 과거 '주어 + 동사 + as though + 주어 + 과거 동사'의 형태를 만들기 위해 현재 동사 is를 과거 동사 were로 고쳐야 한다.

정답 X, is → were

해석 그는 결코 미술을 배웠던 적이 없지만 그가 마치 전문가인 것처럼 그림을 그린다.

16 기출포인트 **혼합 가정법**

해설 문맥상 '네가 약을 먹었다면'이라는 의미로 과거 상황의 반대를 가정하고 있지만, 주절에는 현재임을 나타내는 now가 있으므로, 혼합 가정법 'If + 주어 + had p.p., 주어 + would + 동사원형'의 형태로 If you had taken ~, you would feel ~이 올바르게 쓰였다.

정답 O

해석 네가 내가 주었던 약을 먹었다면, 너는 지금 몸 상태가 더 나을 텐데.

17 기출포인트 **기타 가정법**

해설 문맥상 '만약에 경력이 있다면'이라는 의미가 되어야 자연스러우므로, 가정법 관련 표현 if any (만약에 있다면)가 올바르게 쓰였다.

정답 O

해석 만약에 당신의 근무 경력이 있다면, 당신의 지원서에 포함시켜 주세요.

18 기출포인트 **가정법 도치**

해설 if가 생략된 가정법 과거완료 구문 Had it not been for(~가 없었다면)는 Without으로 바꿔 쓸 수 있으므로, 주절에 가정법 과거완료 '주어 + would + have p.p.'의 형태로 the store would not have made ~가 올바르게 쓰였다.

정답 O

해석 아주 많은 휴가철 매출이 없었다면, 그 매장은 올해 수익을 내지 못했을 것이다.

Hackers Test

01 어법상 밑줄 친 곳에 가장 적절한 것을 고르시오.

> ___________ they were going on a trip, I would have asked them to bring me a gift.

① Hearing
② If I hear
③ Had I heard
④ If I am hearing

02 다음 빈칸에 들어갈 단어로 가장 적절한 것은?

> Educational theorists believe that if classes had fewer students, the quality of instruction ___________________.

① increased
② would increase
③ have increased
④ would have increased

03 다음 문장 중 어법상 옳지 않은 것은?

① Were it not for her cold, she could go meet her friends.
② What if astronauts find life on other planets?
③ If we had left the party earlier, we could be home now.
④ Should you lose your passport, you must have contacted the nearest embassy.

01 기출포인트 가정법 도치

정답 ③

해설 주절에 가정법 과거완료 '주어 + would + have p.p.' 형태가 왔으므로 if절에도 가정법 과거완료를 만드는 'If + 주어 + had p.p.' 형태가 와야 하는데, 이때 if절에서 if가 생략되면 주어와 동사의 자리가 바뀌어 'Had + 주어 + p.p.'의 형태가 되므로 ③ Had I heard가 정답이다.

해석 내가 그들이 여행을 가는 것을 들었다면, 그들에게 나에게 선물을 가져오라고 부탁했을 텐데.

어휘 go on a trip 여행을 가다

02 기출포인트 가정법 과거

정답 ②

해설 if절에 가정법 과거 'if + 주어(classes) + 과거 동사(had)' 형태가 왔으므로 주절에도 가정법 과거 '주어 + would + 동사원형'의 형태를 만드는 ② would increase가 정답이다.

해석 교육 이론가들은 학급의 학생 수가 더 적다면, 교육의 질이 높아질 것이라고 믿는다.

어휘 theorist 이론가 instruction 교육, 가르침

03 기출포인트 가정법 미래

정답 ④

해설 if절에 if가 생략되어 동사 should가 주어(you) 앞으로 온 가정법 미래 Should you lose가 왔으므로 주절에도 가정법 미래 '주어 + 조동사 + 동사원형'의 형태를 나타내기 위해 현재완료 have contacted를 동사원형 contact로 고쳐야 한다.

오답 분석
① 기출포인트 **가정법 도치** if절에 if가 생략된 가정법 과거 구문 Were it not for가 왔으므로 주절에도 가정법 과거 '주어 + could + 동사원형'의 형태를 만드는 could go가 올바르게 쓰였다.
② 기출포인트 **기타 가정법** 가정법 관련 표현 What if(~하면 어쩌지)를 사용하여 What if astronauts find가 올바르게 쓰였다.
③ 기출포인트 **가정법 과거완료** if절에 가정법 과거완료가 왔지만 주절에 현재임을 나타내는 now가 왔으므로 혼합가정법 'If + 주어 + had p.p., 주어 + could + 동사원형'의 형태를 나타내기 위해 we could be가 올바르게 쓰였다.

해석 ① 감기가 아니라면, 그녀는 친구들을 만나러 갈 텐데.
② 만약 우주 비행사들이 다른 행성에서 생명을 발견한다면 어쩌지?
③ 우리가 파티에서 일찍 떠났었더라면, 지금쯤 집에 도착할 수 있을 텐데.
④ 만약 당신이 여권을 잃어버린다면, 당신은 가장 가까운 대사관에 연락을 취해야 한다.

어휘 astronaut 우주 비행사 planet 행성 embassy 대사관

04 다음 글의 밑줄 친 부분 중 옳지 않은 것을 고르시오.

> The Voynich Manuscript is probably one of the most celebrated and mysterious historical artifacts to date. The manuscript ① was written in a coded language that no one ② has been able to decipher for more than 100 years. Countless scholars, codebreakers, and linguists ③ have had no success in breaking the code. If someone were able to do it, it ④ would have certainly made news worldwide.

05 밑줄 친 부분이 어법상 옳은 것을 고르시오.

① If I won the lottery, I would have taken a long trip around the world.

② Should investors find the proposal compelling, they will put up money to fund it.

③ Doctors think that if cities had less air pollution, citizens' mental health would have improved.

④ If you signed up for Spanish lessons last year, you would be fluent by now.

06 밑줄 친 부분에 들어갈 말로 가장 적절한 것을 고르시오.

> ________________ more comfortable, I would still be studying at the café now.

① The chairs were
② Had the chairs being
③ If the chairs being
④ If the chairs had been

04 기출포인트 가정법 과거

정답 ④

해설 if절에 가정법 과거 'If + 주어(someone) + 과거 동사(were)' 형태가 왔으므로 주절에도 가정법 과거 '주어 + would + 동사원형' 형태를 나타내기 위해 would have certainly made를 would certainly make로 고쳐야 한다.

오답 분석
① 기출포인트 **능동태·수동태 구별** 문맥상 주어(The manuscript)와 동사가 '문서가 작성되다'라는 의미의 수동 관계이므로 수동태 was written이 올바르게 쓰였다.
② 기출포인트 **현재완료 시제** 문장에 'for + 시간 표현'(for more than 100 years)이 왔고 문맥상 '100년이 넘도록 해독하지 못했다'라는 과거에 시작된 일이 현재까지 계속되는 경우를 표현하고 있으므로 현재완료 시제 has been이 올바르게 쓰였다.
③ 기출포인트 **접속사로 연결된 주어의 수 일치** 등위접속사 and로 연결된 주어(Countless scholars ~ and linguists)는 복수 취급하므로 복수 동사 have가 올바르게 쓰였다.

해석 보이니치 문서는 아마 지금까지 가장 유명하고 신비한 역사적 유물 중 하나일 것이다. 이 문서는 100년이 넘도록 아무도 해독하지 못한 암호화된 언어로 작성되었다. 무수한 학자, 암호 해독자, 그리고 언어학자가 암호를 푸는 데 성공하지 못했다. 누군가가 그것을 할 수 있다면, 분명히 전 세계적으로 뉴스거리가 될 것이다.

어휘 manuscript 문서, 원고 celebrated 유명한 mysterious 신비한 artifact 유물 to date 지금까지 coded 암호화된 decipher 해독하다 countless 무수한, 셀 수 없는 codebreaker 암호 해독자 linguist 언어학자 worldwide 전 세계적인

05 기출포인트 가정법 도치

정답 ②

해설 if절에 if가 생략되어 동사 should가 주어(investors) 앞으로 온 가정법 미래 Should investors find가 올바르게 쓰였다. 또한 주절에도 가정법 미래 '주어(they) + will + 동사원형(put)'의 형태가 올바르게 쓰였다.

오답 분석
① 기출포인트 **가정법 과거** if절에 가정법 과거 'If + 주어(I) + 과거 동사(won)' 형태가 왔으므로 주절에도 가정법 과거 '주어 + would + 동사원형'의 형태를 나타내기 위해 would have taken을 would take로 고쳐야 한다.
③ 기출포인트 **가정법 과거** if절에 가정법 과거 'if + 주어(cities) + 과거 동사(had)' 형태가 왔으므로 주절에도 가정법 과거 '주어 + would + 동사원형'의 형태를 나타내기 위해 would have improved를 would improve로 고쳐야 한다.
④ 기출포인트 **혼합 가정법** 문맥상 '네가 스페인어 수업에 등록했더라면'이라는 의미로 과거 상황의 반대를 가정하고 있지만, 주절에는 현재임을 나타내는 by now가 있으므로, if절에 혼합 가정법 'If + 주어 + had p.p.'의 형태를 나타내기 위해 signed up for를 had signed up for로 고쳐야 한다.

해석 ① 내가 그 복권에 당첨된다면, 나는 전 세계를 오래 여행할 것이다.
② 투자자들이 그 제안이 설득력 있다고 생각한다면, 그들은 그것에 투자하기 위해 돈은 내놓을 것이다.
③ 의사들은 만약 도시의 대기오염이 적으면, 시민들의 정신 건강이 호전될 것이라고 생각한다.
④ 네가 작년에 스페인어 수업에 등록했더라면, 지금쯤이면 유창할 것이다.

어휘 lottery 복권 compelling 설득력 있는 put up (돈을) 내놓다 fluent 유창한

06 기출포인트 혼합 가정법

정답 ④

해설 문맥상 '의자가 더 편했더라면'이라는 의미로 과거 상황을 반대로 가정하고 있지만, 주절에는 현재임을 나타내는 now가 있으므로 혼합 가정법 'If + 주어 + had p.p., 주어 + would + 동사원형'의 형태를 만드는 ④ If the chairs had been이 정답이다.

해석 의자가 더 편했더라면, 나는 지금 여전히 그 카페에서 공부하고 있을 텐데.

어휘 comfortable 편한

07 우리말을 영어로 옮긴 것으로 가장 적절한 것은?

① 예방 접종이 없었더라면, 무수한 어린이들이 아팠을 것이다.
→ Were it not for the vaccination, thousands of children would have been sick.

② Charles가 교통 혼잡 시간대의 극심한 교통량을 예상했었더라면, 이곳에 더 일찍 왔을 것이다.
→ Charles would be here earlier, had he anticipated the heavy rush hour traffic.

③ 그는 사실 그녀를 기억하지 못하지만, 마치 기억하는 것처럼 행동한다.
→ He acts as if he remembered her, when in fact he doesn't.

④ 내가 그렇게 바쁘지 않다면, 가족들과 더 많은 시간을 보낼 텐데.
→ If I were not so busy, I could have spent more time with my family.

08 어법상 옳은 것을 고르시오. [2017년 국가직 9급 (10월 추가)]

① Undergraduates are not allowed to using equipments in the laboratory.

② The extent of Mary's knowledge on various subjects astound me.

③ If she had been at home yesterday, I would have visited her.

④ I regret to inform you that your loan application has not approved.

07 기출포인트 기타 가정법

정답 ③

해설 '마치 기억하는 것처럼 행동한다'는 as if 가정법을 사용하여 '주어 + 동사 + as if + 주어 + 과거 동사'로 나타낼 수 있으므로 He acts as if he remembered her가 올바르게 쓰였다.

오답 분석
① **기출포인트 가정법 도치** 과거 상황을 반대로 가정하고 있고, 주절에 가정법 과거완료 '주어(thousands of children) + would + have p.p.(have been)' 형태가 왔으므로 if절에 Were it not for를 가정법 과거완료 구문 Had it not been for로 고쳐야 한다.

② **기출포인트 가정법 과거완료** 과거 상황을 반대로 가정하고 있고, if절에 if가 생략되어 조동사 had가 주어(he) 앞으로 온 가정법 과거완료 had he anticipated가 왔으므로 주절에도 가정법 과거완료 '주어 + would + have p.p.'의 형태를 나타내기 위해 would be를 would have been으로 고쳐야 한다.

④ **기출포인트 가정법 과거** 현재 상황을 반대로 가정하고 있고, if절에 가정법 과거 'If + 주어(I) + 과거동사(were)' 형태가 왔으므로 주절에도 가정법 과거를 만드는 '주어 + could + 동사원형'의 형태를 나타내기 위해 could have spent를 could spend로 고쳐야 한다.

어휘 vaccination 예방 접종 anticipate 예상하다 rush hour 교통 혼잡 시간대

08 기출포인트 가정법 과거완료

정답 ③

해설 문맥상 '그녀가 ~ 있었다면, 나는 그녀를 방문했을 것이다'라며 과거의 상황을 반대로 가정하고 있으므로 가정법 과거완료를 사용하여 나타낼 수 있는데, 가정법 과거완료는 'If + 주어 + had p.p., 주어 + would + have p.p.'의 형태로 나타내므로 If she had been ~, I would have visited her가 올바르게 쓰였다.

오답 분석
① **기출포인트 to 부정사를 취하는 동사 | 불가산 명사** 동사 allow는 to 부정사를 목적격 보어로 취하는 5형식 동사이므로 to using을 to 부정사 to use로 고쳐야 한다. 또한, 불가산 명사(equipment)는 복수형으로 쓸 수 없으므로 equipments를 equipment로 고쳐야 한다.

② **기출포인트 주어와 동사의 수 일치** 주어 자리에 단수 명사 The extent가 왔으므로 복수 동사 astound를 단수 동사 astounds로 고쳐야 한다. 참고로 주어와 동사 사이의 수식어 거품(of ~ various subjects)은 동사의 수 결정에 영향을 주지 않는다.

④ **기출포인트 능동태·수동태 구별** 동사 approve 뒤에 목적어가 없고, that절의 주어(your loan application)와 동사가 '대출 신청이 승인되지 않다'라는 의미의 수동 관계이므로 능동태 has not approved를 수동태 has not been approved로 고쳐야 한다.

해석
① 학부생들은 실험실에서 장비를 사용하도록 허락되지 않는다.
② 다양한 주제에 대한 Mary의 지식의 범위는 나를 깜짝 놀라게 한다.
③ 만약 그녀가 어제 집에 있었다면, 나는 그녀를 방문했을 것이다.
④ 당신의 대출 신청이 승인되지 않았다는 것을 알리게 되어 유감입니다.

어휘 undergraduate 학부생, 대학생 equipment 장비 laboratory 실험실 astound 깜짝 놀라게 하다 loan 대출 application 신청

Section Test

01 어법상 밑줄 친 곳에 가장 적절한 것은?

> Since I can't get the answer from you now, I ______________________ it later this week.

① will be expecting
② have been expecting
③ expected
④ am going to be expected

02 다음 중 어법상 틀린 것을 고르시오.

① Our vacation would have been great if I hadn't misplaced my wallet.
② The discounts that the shopping mall Web site offered were smaller than we expected.
③ The country has been attracting more tourists in recent months.
④ He married to someone he knew in high school.

03 빈칸에 가장 적절한 것은?

> ___(A)___ video games ___(B)___ a great way to relieve stress and unwind. However, make sure to do it in moderation, so that it does not prevent you ___(C)___ maintaining an active social life.

	(A)	(B)	(C)
①	Play	are	from
②	Playing	are	to
③	Play	is	to
④	Playing	is	from

01 기출포인트 미래진행 시제

정답 ①

해설 빈칸은 주절의 동사 자리인데, 미래를 나타내는 시간 표현 later this week(이번 주 후반)가 왔으므로 현재완료 시제 ② have been expecting과 과거 시제 ③ expected는 정답이 될 수 없다. 또한 빈칸 뒤에 목적어 it이 있고 문맥상 주어(I)와 동사가 '나는 기대하다'라는 의미의 능동 관계이므로 수동태 ④ am going to be expected는 정답이 될 수 없다. 따라서 미래진행 시제 능동태 ① will be expecting이 정답이다.

해석 당신으로부터 지금 답을 받을 수 없으므로, 이번 주 후반에 답을 받을 것을 기대하고 있겠습니다.

어휘 later 후의, 나중에 expect 기대하다

02 기출포인트 혼동하기 쉬운 자동사와 타동사

정답 ④

해설 동사 marry는 전치사 없이 목적어(someone)를 바로 취하는 타동사이므로 married to를 married로 고쳐야 한다. 참고로, '~와 결혼했다(결혼한 상태이다)'는 be married to를 사용하여 나타낼 수 있으므로 married to를 is married to로 고칠 수도 있다.

오답 분석 ① **기출포인트 가정법 과거완료** 문맥상 '내가 나의 지갑을 잘못 두지 않았더라면'이라는 의미로 과거 상황의 반대를 가정하고 있고, 주절에 가정법 과거완료 '주어(Our vacation) + would + have p.p.(have been)' 형태가 왔으므로 if절에도 가정법 과거완료 'if + 주어 + had p.p.' 형태인 if I hadn't misplaced가 올바르게 쓰였다.

② **기출포인트 주어와 동사의 수 일치** 주어 자리에 복수 명사 The discounts가 왔으므로 복수 동사 were가 올바르게 쓰였다. 참고로 주어와 동사 사이의 수식어 거품(that ~ offered)은 동사의 수 결정에 영향을 주지 않는다.

③ **기출포인트 현재완료 시제** 문맥상 '최근 몇 달 동안 더 많은 관광객들을 유치해 왔다'라는 의미로 과거에 시작된 일이 현재까지 계속되는 경우를 표현하고 있으므로 현재완료진행 시제 has been attracting이 올바르게 쓰였다.

해석 ① 내가 나의 지갑을 잘못 두지 않았더라면 우리의 휴가는 매우 좋았을 텐데.
② 쇼핑몰 웹사이트가 제공했던 할인액은 우리가 예상했던 것보다 더 적었다.
③ 그 국가는 최근 몇 달 동안 더 많은 관광객들을 유치해 왔다.
④ 그는 그가 고등학교 때 알았던 누군가와 결혼했다.

어휘 misplace 잘못 두다 attract 유치하다, 유인하다

03 기출포인트 주어 자리 & 주어와 동사의 수 일치 & 타동사

정답 ④

해설 (A) 주어 자리에는 명사 역할을 하는 것이 와야 하므로 동명사 Playing을 써야 한다.
(B) 동명사구 주어(Playing video games)는 단수 취급하므로 단수 동사 is를 써야 한다.
(C) 동사 prevent는 '~가 ~하는 것을 막다'의 의미로 쓰일 때 'prevent + 목적어 + from'의 형태를 취하므로 전치사 from을 써야 한다.
따라서 (A) Playing-(B) is-(C) from의 순서로 쓰인 ④번이 정답이다.

해석 비디오 게임을 하는 것은 스트레스를 완화하고 긴장을 푸는 좋은 방법이다. 그러나, 그것이 당신이 활발한 사회생활을 유지하는 것을 막지 않도록 반드시 그것을 적당히 하라.

어휘 unwind 긴장을 풀다 in moderation 적당히, 알맞게 maintain 유지하다 social life 사회생활

04 밑줄 친 부분 중 어법상 옳지 않은 것은?

Officials were ① hesitant to confirm rumors that the nation's largest car factory ② would be closing soon, which would result in more than 10,000 employees being dismissed. Though no announcements ③ have made, many are worried about ④ the consequences of such a huge layoff.

05 밑줄 친 부분 중 문법적으로 옳지 않은 것을 고르시오.

In 1904, tea leaves ① were placed in small bags for safe transport to Europe, and when they arrived, the recipients accidentally put the bags in boiling water. People ② have been enjoying tea this way ever since, and ③ had it not been for this mistake, the tea bag ④ might not been invented.

06 밑줄 친 부분 중 어법상 옳지 않은 것은?

Even though I had known it would take a while to ① receive an answer, the school's admissions board kept me waiting for a painfully long three months before finally giving me a call. I couldn't wait to tell my parents that the London School of Ballet ② had not only accepted me as their student, but had also decided ③ to award me a full scholarship. I ④ begin this difficult process three years ago, but this moment made me realize it was all worth it. Despite being a little scared, I couldn't wait to embark on this new journey.

04 기출포인트 능동태·수동태 구별

정답 ③

해설 주어(announcements)와 동사가 '발표가 되다'라는 의미의 수동 관계이므로 능동태 have made를 수동태 have been made로 고쳐야 한다.

오답분석
① 기출포인트 **보어 자리** be 동사(were)의 보어 자리에 형용사 hesitant가 올바르게 쓰였다.
② 기출포인트 **동사 자리** 동사 자리에는 '조동사 + 동사원형'이 올 수 있으므로 would be가 올바르게 쓰였다.
④ 기출포인트 **명사 자리** 전치사(about)의 목적어 자리에 명사 the consequences가 올바르게 쓰였다.

해석 임원들은 국내에서 가장 큰 자동차 공장이 곧 문을 닫을 것이라는 소문이 사실임을 보여주기를 주저했는데, 이는 10,000명 이상의 근로자가 해고되는 결과를 낳을 것이다. 어떠한 발표도 없었지만, 많은 사람들이 그러한 대규모 해고의 결과에 대해 걱정하고 있다.

어휘 hesitant 주저하는 confirm 사실임을 보여주다, 확증하다 dismiss 해고하다, 해산시키다 consequence 결과 layoff 해고

05 기출포인트 가정법 도치

정답 ④

해설 if절에 if가 생략된 가정법 과거완료 had it not been for가 왔으므로 주절에도 가정법 과거완료 '주어 + might + have p.p.'의 형태를 나타내기 위해 might not been invented를 might not have been invented로 고쳐야 한다.

오답분석
① 기출포인트 **능동태·수동태 구별** 동사 place 뒤에 목적어가 없고, 주어(tea leaves)와 동사가 '찻잎이 담아지다'라는 의미의 수동 관계이므로 수동태 were placed가 올바르게 쓰였다.
② 기출포인트 **현재완료 시제** 문맥상 '그때부터 이러한 방식으로 차를 즐겨왔다'라며 과거에 시작된 일이 현재 시점까지 계속 진행 중임을 표현하고 있으므로 현재완료진행 시제 have been enjoying이 올바르게 쓰였다.
③ 기출포인트 **가정법 도치** 문맥상 '이 실수가 아니었다면 티백이 발명되지 않았을 것이다'라는 과거 상황을 반대로 가정하는 의미가 되어야 자연스러우므로 if가 생략된 가정법 과거완료 구문 had it not been for가 올바르게 쓰였다.

해석 1904년에, 유럽으로의 안전한 운송을 위해 찻잎은 작은 봉지에 담아졌는데, 그것들이 도착했을 때, 수령인들은 실수로 그 봉지를 끓는 물에 넣었다. 사람들은 그때부터 이러한 방식으로 차를 즐겨왔고, 이 실수가 아니었다면 티백이 발명되지 않았을 것이다.

어휘 tea leaf 찻잎 transport 운송 recipient 수령인, 수취인 accidentally 실수로, 우연히

06 기출포인트 시제 일치

정답 ④

해설 과거 시제와 자주 함께 쓰이는 표현 '시간 표현 + ago'(three years ago)가 왔으므로 현재 시제 begin을 과거 시제 began으로 고쳐야 한다.

오답분석
① 기출포인트 **타동사** 동사 receive는 전치사 없이 목적어(an answer)를 바로 취하는 타동사이므로 receive an answer가 올바르게 쓰였다.
② 기출포인트 **과거완료 시제** '런던 발레학교가 ~ 받아들인 것'이 '부모님에게 말하고 싶었던' 특정 과거 시점보다 더 이전 시점에 일어난 일이므로 과거완료 시제 had not only accepted가 올바르게 쓰였다.
③ 기출포인트 **4형식 동사** 동사 decide는 to 부정사를 목적어로 취하는 동사이고 동사 award는 두 개의 목적어를 '간접 목적어 + 직접 목적어'의 순서로 취하는 4형식 동사이므로 to award me a full scholarship이 올바르게 쓰였다.

해석 비록 답변을 받기까지 꽤 오랜 시간이 걸릴 거라는 것을 알고 있었지만, 그 학교의 입학처는 마침내 내게 전화해 줄 때까지 내가 매우 긴 3개월을 기다리게 했다. 나는 런던 발레학교가 나를 그들의 학생으로 받아들였을 뿐만 아니라 전액 장학금을 수여하기로 했다는 사실을 부모님에게 말하고 싶어 안달이 났었다. 나는 이 어려운 과정을 3년 전에 시작했는데, 이 순간은 내가 그 모든 것이 가치가 있었다는 것을 깨닫게 해주었다. 조금 두렵기도 하지만, 나는 이 새로운 여정에 나서는 것이 너무 기다려졌다.

어휘 admission 입학 award 수여하다 worth ~의 가치가 있는 embark on ~에 나서다

07 밑줄 친 부분 중 어법상 옳은 것은?

Gordon Moore, the CEO of Intel, observed during the 1960s and 1970s that the number of transistors used in integrated circuit chips for electronics seemed to double every two years. This observation about transistors known as Moore's Law, ① do also apply to other technological and economic fields. For example, Moore also noted that while the cost of producing transistors fell, the increased number of transistors required in electronics causes the cost of factories that produce such parts ② double every four years. These observations are ③ referring to as useful predictors of future trends, but they are not set in stone. Indeed, Moore's Law may become invalid ④ should current rates of change in electronics continue to slow.

08 우리말을 영어로 잘못 옮긴 것은?

① 내가 어제 저녁에 집에 도착했을 때 아이들은 밖에서 놀고 있었다.
→ The children were playing outside when I arrived home yesterday evening.

② 그 그림들이 묘사하는 것은 평범한 것들에 있는 아름다움이다.
→ What the paintings portray are the beauty in ordinary things.

③ 우리는 모두 그 정책이 바뀌어야 한다는 데 동의한다.
→ All of us agree that the policy should be changed.

④ 그가 더 어리다면, 그는 직업을 바꿀 텐데.
→ If he were younger, he would switch careers.

07 기출포인트 가정법 미래

정답 ④

해설 문맥상 '만약 ~ 계속해서 느려진다면'이라는 가능성이 희박한 미래를 가정하고 있고, 주절에 '주어(Moore's Law) + may + 동사원형(become)'의 형태가 왔으므로, if절에도 가정법 미래 'If + 주어 + should + 동사원형'의 형태가 와야 하는데, If가 생략되고 주어와 should가 도치되면 'Should + 주어 + 동사원형'의 형태가 되므로 should가 current rates of change ~ continue 앞에 올바르게 쓰였다.

오답 분석
① 기출포인트 **조동사 do** 동사 앞에서 동사의 의미를 강조할 수 있는 조동사 do는 자신이 속한 절의 주어(This observation)와 수·시제가 일치해야 하므로 복수 동사 do를 단수 동사 does로 고쳐야 한다.

② 기출포인트 **5형식 동사** 동사 cause는 '~이 -하게 하다'라는 의미를 나타낼 때 목적격 보어로 to 부정사를 취하는 5형식 동사이므로 동사원형 double을 to 부정사 to double로 고쳐야 한다.

③ 기출포인트 **동사구의 수동태** 동사 are referring to 뒤에 목적어가 없고, 문맥상 주어(These observations)와 동사가 '이 결과는 유용한 예측변수라고 불린다'라는 의미의 수동 관계이므로 수동태가 쓰여야 한다. 따라서 현재분사 referring을 과거분사 referred로 고쳐야 한다.

해석 인텔의 최고경영자 고든 무어는 1960년대와 1970년대 동안 전자기기용 집적회로 칩에 사용되는 트랜지스터의 수가 2년마다 두 배가 되는 것으로 보인다는 것을 알아챘다. 무어의 법칙으로 알려진 트랜지스터에 대한 이 결과는 다른 기술적 영역과 경제적 영역에도 적용된다. 예를 들어, 무어는 트랜지스터의 생산비용은 하락했지만, 전자기기에서 요구되는 트랜지스터의 증가된 수가 그러한 부품을 생산하는 공장의 비용이 4년마다 두 배가 되게 한다는 것 또한 알아차렸다. 이 결과는 미래 경향의 유용한 예측변수라고 불리지만, 그것들이 영구적인 것은 아니다. 실제로, 만약 전자기기의 현재의 변화율이 계속해서 느려진다면 무어의 법칙은 효력이 없게 될지도 모른다.

어휘 observe 알아채다, 깨닫다 transistor 트랜지스터(반도체를 접합해 만든 전자회로 구성요소) integrated circuit 집적회로
double 두 배가 되다 apply 적용되다, 적합하다 note 알아차리다, 주목하다 predictor 예측변수, 전조가 되는 것
set in stone 영구적인, 확정된 invalid 효력 없는, 근거 없는

08 기출포인트 주어와 동사의 수 일치

정답 ②

해설 명사절 주어(What the paintings portray)는 단수 취급하므로 복수 동사 are를 단수 동사 is로 고쳐야 한다.

오답 분석
① 기출포인트 **과거진행 시제** 특정 과거 시점(when I arrived ~ yesterday evening)에 아이들이 노는 중이었음을 나타내고 있으므로 특정 과거 시점에 진행되고 있었던 일을 표현하는 과거진행 시제 were playing이 올바르게 쓰였다.

③ 기출포인트 **전체 표현의 수 일치** 전체를 나타내는 표현(all of)을 포함한 주어는 of 뒤 명사(us)에 동사를 수 일치시켜야 하므로 복수 동사 agree가 올바르게 쓰였다.

④ 기출포인트 **가정법 과거** 문맥상 '그가 더 어리다면, 그는 직업을 바꿀 텐데'라는 현재 상황을 반대로 가정하는 의미가 되어야 자연스러우므로 가정법 과거 'if + 주어 + 과거 동사, 주어 + would + 동사원형' 형태인 If he were ~, he would switch ~가 올바르게 쓰였다.

어휘 portray 묘사하다 ordinary 평범한, 보통의 policy 정책

09 우리말을 영어로 바르게 옮긴 것은?

① 내가 버스를 기다리고 있을 때 지나가던 차가 내게 물을 튀겼다.
→ A passing car splashed water on me as I was waiting the bus.

② 이 약은 저온에서 보관되어야 한다.
→ This medicine should store at a low temperature.

③ 그는 라디오 아나운서로 9년 동안 일해 왔다.
→ He worked as a radio announcer for nine years.

④ 그들은 그녀에게 생일 선물로 여러 종류의 꽃을 사줬다.
→ They bought her assorted flowers for her birthday.

⑤ 도시의 많은 건물이 지진으로 인해 파괴되었다.
→ A number of buildings in the city was destroyed by the earthquake.

10 다음 중 어법상 틀린 것을 고르시오.

① The park on Elm Street, which I go to often, is very beautiful.

② The event will finish at noon if it will begin on time.

③ He often eats at that restaurant because he enjoys the great food.

④ Historians regard King Arthur as a mythical figure.

09 기출포인트 4형식 동사

정답 ④

해설 동사 buy(bought)는 두 개의 목적어를 '간접 목적어 + 직접 목적어'의 순서로 취하는 4형식 동사이므로 bought her assorted flowers가 올바르게 쓰였다.

오답 분석
① 기출포인트 **자동사** 동사 wait은 전치사(for) 없이는 목적어(the bus)를 취할 수 없는 자동사이므로 waiting을 waiting for로 고쳐야 한다.
② 기출포인트 **능동태·수동태 구별** 동사 store 뒤에 목적어가 없고 주어(This medicine)와 동사가 '이 약이 보관되다'라는 의미의 수동 관계이므로 능동태 should store를 수동태 should be stored로 고쳐야 한다.
③ 기출포인트 **현재완료 시제** 문장에 'for + 시간 표현'(for nine years)이 왔고 '아나운서로 9년 동안 일해왔다'라는 과거에 시작된 일이 현재까지 계속되는 경우를 표현하고 있으므로 과거 시제 worked를 현재완료 시제 has worked로 고쳐야 한다.
⑤ 기출포인트 **수량 표현의 수 일치** 복수 취급하는 수량 표현 a number of(많은)가 쓰였으므로 단수 동사 was를 복수 동사 were로 고쳐야 한다.

어휘 splash (물·흙탕물 등을) 튀기다 store 보관하다 temperature 온도 assorted 여러 종류의 destroy 파괴하다 earthquake 지진

10 기출포인트 현재 시제

정답 ②

해설 조건을 나타내는 부사절(if ~ on time)에서는 미래를 나타내기 위해 현재 시제를 사용하므로 미래 시제 will begin을 현재 시제 begins로 고쳐야 한다.

오답 분석
① 기출포인트 **주어와 동사의 수 일치** 주어 자리에 단수 명사 The park가 왔으므로 단수 동사 is가 올바르게 쓰였다.
③ 기출포인트 **현재 시제** '그 레스토랑에서 자주 식사를 한다'는 반복되는 일을 표현하고 있으므로 현재 시제 eats가 올바르게 쓰였다.
④ 기출포인트 **목적어 뒤에 as나 to be를 취하는 동사** 동사 regard는 'regard + 목적어 + as + 명사'의 형태를 취하므로 regard King Arthur as a mythical figure가 올바르게 쓰였다.

해석
① 내가 자주 가는 Elm Street에 있는 그 공원은 매우 아름답다.
② 제시간에 시작된다면 행사는 정오에 마무리될 것이다.
③ 그는 훌륭한 음식을 즐기기 때문에 그 레스토랑에서 자주 식사를 한다.
④ 역사학자들은 아서왕을 신화 속에 나오는 인물로 여긴다.

어휘 historian 역사학자 mythical 신화 속에 나오는 figure 인물

gosi.Hackers.com

공무원 시험 준비는 장기전이기 때문에 체력 관리를 소홀히 하지 말라고 전해드리고 싶습니다.
저 같은 경우에는 무조건 1년 안에 끝내겠다는 생각에
정신없이 공부만 하느라 체력관리를 잘 하지 못 했습니다.
그 탓에 시험이 다가오는 3월 즈음에는 체력이 많이 달려서 축 쳐지고
오히려 이전보다 공부량이 확 줄어들기도 했습니다.
이런 일을 미연에 방지하기 위해 수험생 분들께서
하루에 30-40분씩만이라도 투자해서 간단한 운동을 하며
체력관리에 신경 써주신다면 나중에 더 좋은 결과가 있을 것이라고 생각합니다.
또한 공무원시험은 장기전이기 때문에 중간에 포기하지 말고
초심을 가지고 끝까지 도전을 이어나가신다면 누구나 좋은 결과를 얻게 될 수 있을 것입니다.
포기하지 마시고 초심을 잊지 말고 체력 관리 하시며
끝까지 도전하라고 전해드리고 싶습니다.

- 국가직 9급 합격자 함*진

Section 3
준동사구

Chapter 08 | to 부정사
Chapter 09 | 동명사
Chapter 10 | 분사

Chapter 08

to 부정사

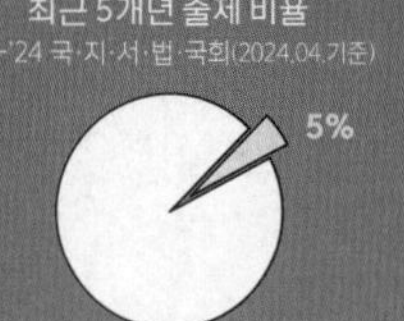

BASIC GRAMMAR 기본기 다지기

01 to 부정사

to 부정사는 'to + 동사원형'의 형태를 가지며, 동사에서 나왔지만 문장에서 동사 역할이 아니라 **명사, 형용사, 부사 역할**을 한다.

I **to read** books. [×]

I like **to read** books. [○] 나는 책 읽는 것을 좋아한다.
명사 역할(목적어)

I bought many books **to read**. [○] 나는 읽을 책을 많이 샀다.
형용사 역할

I'll go to the library **to read** some books. [○] 나는 책을 읽기 위해서 도서관에 갈 것이다.
부사 역할

→ 위 문장들에서 볼 수 있듯이 to 부정사는 동사 역할을 하지 못한다. to 부정사(to read)는 동사(like)의 목적어로 쓰여 명사 역할을 하거나, 명사(books)를 수식하는 형용사 역할을 하거나, 동사(go)를 수식하는 부사 역할을 한다. 이처럼 동사원형에 to가 붙어 문장에서 다양한 품사로 사용되는 to 부정사는 품사가 정해져 있지 않다는 뜻으로 '부정사'라고 불린다. to 없이 쓰인 동사원형은 그에 상응하여 '원형 부정사'라고도 불린다.

Check-Up

다음 중 밑줄 친 to 부정사 중 명사 역할을 하는 것을 고르시오.

ⓐ She hoped to meet her parents again. 그녀는 그녀의 부모님을 다시 만나기를 희망한다.

ⓑ She was happy to meet his parents again. 그녀는 그녀의 부모님을 다시 만나서 행복했다.

→ ⓐ의 to meet이 동사 hoped의 목적어로 쓰여 명사 역할을 한다. ⓑ의 to meet은 형용사 happy를 수식하여 부사 역할을 한다.

정답: ⓐ

02 to 부정사의 형태

to 부정사의 부정형은 to 앞에 not을 붙이며, 수동형은 'to be p.p.', 진행형은 'to be -ing', 완료형은 'to have p.p.'로 쓴다.

부정형 They preferred **not to sell** their house until April. 그들은 4월까지 집을 팔지 않고 싶어 했다.

수동형 He doesn't want **to be included** in the discussion. 그는 토론에 포함되는 것을 원하지 않는다.

진행형 She seems **to be making** an important phone call. 그녀는 중요한 전화를 하고 있는 것처럼 보인다.

완료형 I am sorry **to have told** you a lie. 너에게 거짓을 말해서 미안하다.

Check-Up

다음 중 밑줄 친 to 부정사 중 수동형을 고르시오.

ⓐ I expect to be elected class president. 나는 반장으로 당선되기를 기대한다.

ⓑ I expect to be a class president. 나는 반장이 되는 것을 기대한다.

→ 'to be p.p.' 형태인 ⓐ to be elected가 to 부정사의 수동형이다.

정답: ⓐ

03 to 부정사의 성질

to 부정사는 동사 역할을 할 수 없지만 동사의 성질을 가지고 있다. 따라서 to 부정사는 **목적어**나 **보어**를 가질 수 있고 **부사**의 꾸밈을 받을 수 있다.

He wants **to play** the violin. 그는 바이올린을 켜고 싶어 한다.

He wants **to be** a violinist. 그는 바이올리니스트가 되고 싶어 한다.

He needs **to exercise** regularly. 그는 규칙적으로 연습할 필요가 있다.

→ 첫 번째 문장에서 to 부정사(to play)는 목적어(the violin)를 갖고, 두 번째 문장의 to 부정사(to be)는 보어(a violinist)를 가지며, 세 번째 문장의 to 부정사(to exercise)는 부사(regularly)의 수식을 받는다. 이와 같은 'to 부정사 + 목적어/보어/부사'의 덩어리를 'to 부정사구'라고 부른다.

Check-Up

다음 밑줄 중 to 부정사구를 고르시오.

ⓐ She decided to study Spanish. 그녀는 스페인어를 공부하기로 결정했다.

ⓑ She went to Spain last summer. 그녀는 지난 여름에 스페인에 갔다.

→ ⓐ의 to study가 목적어 Spanish를 가져 'to 부정사 + 목적어' 덩어리 형태로 to 부정사구이다.

정답: ⓐ

기출포인트 01

to 부정사의 역할

출제빈도 ★★★

1 to 부정사는 명사·형용사·부사 역할을 한다.

• 명사 역할을 하며 주어, 목적어, 보어 자리에 올 수 있다.

주어 **To live happily** is the key to life for many. 행복하게 사는 것은 많은 사람의 삶의 핵심이다.

목적어 I want **to reserve a table.** 나는 테이블 하나를 예약하기를 원한다.

주격 보어 One method of losing weight **is to eat less.** 몸무게를 줄이는 한 가지 방법은 덜 먹는 것이다.

목적격 보어 Her secretary told me **to call back later.** 그녀의 비서는 내게 나중에 다시 전화하라고 말했다.

• 형용사 역할을 하며 명사를 수식한다.

명사 수식 She has a meeting **to attend.** 그녀는 참석할 회의가 있다.

• 부사 역할을 할 때, 동사, 형용사, 부사 또는 문장 전체를 꾸며주는 역할을 하며 목적, 이유, 결과를 나타낸다.

목적 I'll go **to visit my family.** 나는 가족을 방문하러 갈 것이다.

이유 I'm happy **to see you again.** 너를 다시 만나서 기쁘다.

결과 He grew up **to be a physicist.** 그는 자라서 물리학자가 되었다.

고득점 포인트 to 부정사가 목적을 나타낼 때 to 대신 in order to, so as to를 쓸 수 있고, to 부정사가 결과를 나타낼 때는 to 부정사 앞에 only, never와 같은 부사를 써서 의도되지 않은 결과(only)나 부정(never)을 나타낼 수 있다.

I climbed the mountain (**in order to**, **so as to**) **get** the best view of the valley. 나는 계곡의 가장 좋은 경치를 보기 위해서 산을 올랐다.

She kept crying, **only** to make her mom angrier. 그녀는 계속 울었지만, 엄마를 더 화나게 했을 뿐이다.

2 'be 동사 + to 부정사'는 예정, 가능, 의무, 운명, 의도의 의미를 나타낸다.

예정	~할 예정이다 (= will, be going to)	He **is to** graduate in February. 그는 2월에 졸업할 예정이다.
가능	~할 수 있다 (= can)	The paintings **are to** be seen here. 그 그림들은 여기에서 보여질 수 있다.
의무	~해야 한다 (= must, have to)	We **are to** respect our elders. 우리는 노인을 공경해야 한다.
운명	~할 운명이다 (= be destined to)	The Roman Empire **was to** fall. 로마 제국은 멸망할 운명이었다.
의도	~하려고 하다 (= intend to)	If you **are to** succeed, you must set a goal first. 성공하려고 한다면, 너는 먼저 목표를 설정해야 한다.

공무원 영어 실전 문제

01 밑줄 친 부분 중 어법상 옳지 않은 것은? [2015년 국가직 7급 출제경향]

Leptobrachium boringii is an unusual species of toad ① native to China. During mating season, the males of this species grow spikes along their upper lips, which they use to fight one another ② so as to establish dominance. ③ To obtaining the mate of their choice, they stab each other with the spikes. Once mating season is over, the spikes fall off and the toads go back ④ to looking a bit less intimidating.

정답 ③ 해설·해석 p.435

기출포인트 02

to 부정사의 의미상 주어

출제빈도

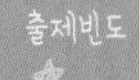

1 문장의 주어와 to 부정사의 행위 주체가 달라서 to 부정사의 의미상 주어가 필요한 경우, 'for +명사' 또는 'for + 목적격 대명사'를 to 부정사 앞에 쓴다.

The goal of this workshop is (**for the staff**, ~~the staff~~, ~~by the staff~~) to improve their teamwork skills.
이 연수회의 목적은 직원들이 그들의 팀워크 능력을 향상시키는 것이다.

→ 문장의 주어(The goal)와 to 부정사의 행위 주체가 다르므로, to 부정사의 의미상 주어로 'for + 명사'(for the staff)를 쓴다.

It would be difficult (**for him to accomplish**, ~~to accomplish for him~~) his dreams. 그가 꿈을 성취하는 것은 어려울 것이다.

→ to 부정사의 의미상 주어로 'for + 목적격 대명사(for him)'가 와야 하며, to 부정사 뒤가 아니라 앞에 와야 한다.

2 성격·성질을 나타내는 형용사가 to 부정사 앞에 쓰일 경우, to 부정사의 의미상 주어는 'of + 명사' 또는 'of + 목적격 대명사'로 쓴다.

It was thoughtful (**of the guests**, ~~for the guests~~) to bring over a housewarming gift.
집들이 선물을 가져오다니 그 손님들은 사려 깊다.

It is kind (**of her**, ~~for her~~) to donate for the homeless. 노숙자들을 위해 기부하다니 그녀는 친절하다.

→ 성격·성질을 나타내는 형용사(thoughtful, kind)가 to 부정사 앞에 쓰였으므로, to 부정사의 의미상 주어는 'of + 명사'(of the guests, of her)로 to 부정사 앞에 쓴다.

Chapter 08 to 부정사 해커스공무원 영어 문법

공무원 영어 실전 문제

02 우리말을 영어로 잘못 옮긴 것은? [2019년 지방직 9급 출제경향]

① 비가 올 경우에 대비해 우산을 가져가라.
→ Take an umbrella in case it rains.

② 그 일자리 제의는 고려할 가치가 있다.
→ It's worth considering the job offer.

③ 그 부부는 결혼한 지 10년이 되었다.
→ The couple has been married for 10 years.

④ 당신의 아들이 수영하는 방법을 배우는 것은 중요하다.
→ It's important of your son to learn how to swim.

정답 ④ 해설·해석 p.435

기출포인트 03

to 부정사를 취하는 동사/to 부정사 관련 표현

출제빈도 ★★

1 to 부정사를 취하는 동사

동사 + 목적어	~하기를 원하다	want to	need to	wish to	hope to	desire to	expect to
	~하기를 계획·시도·결정하다	plan to	prepare to	attempt to	intend to	mean to	decide to
	~하기를 제안·약속·거절하다	offer to	ask to	promise to	agree to	refuse to	
	기타	fail to ~하지 못하다		afford to ~할 수 있다		manage to (간신히) ~해내다	
동사 + 목적어 + 목적격 보어	~가 -하기를 원하다	want 목 to	need 목 to	expect 목 to	invite 목 to	require 목 to	
	~가 -하게 부추기다	cause 목 to	ask 목 to	convince 목 to	encourage 목 to		
	~가 -하게 강요하다	force 목 to	compel 목 to	get 목 to	tell 목 to		
	~가 -하게 허락하다	allow 목 to	permit 목 to	enable 목 to	forbid 목 to ~을 금지하다		
	~가 -하라고 알려주다	remind 목 to	advise 목 to	warn 목 to			
동사 + 주격 보어	seem to ~인 것 같다	appear to ~인 것처럼 보이다					

동사 + 목적어 The employer **expects to hire** nine new clerks. 고용주는 9명의 새 점원을 고용하기를 원한다.

동사 + 목적어 + 목적격 보어 She **wants** him **to buy** flowers for her birthday. 그녀는 그가 그녀의 생일에 꽃을 사주기를 원한다.

동사 + 주격 보어 We **seem to work** together better than I expected. 우리는 내가 예상했던 것보다 더 잘 함께 일하는 것 같다.

2 to 부정사를 취하는 명사/형용사

명사 + to 부정사	chance to ~할 기회	time to ~할 시간	right to ~할 권리	opportunity to ~할 기회	way to ~할 방법
형용사 + to 부정사	be able to ~할 수 있다	be likely to ~할 것 같다	be willing to 기꺼이 ~하다	be about to 막 ~하려 하다	

The holiday break gave him **a chance to catch up** on his sculpting. 휴가는 그에게 그의 조각을 마무리할 기회를 주었다.

The old man **is able to tell** when it will rain. 그 노인은 언제 비가 올지 알 수 있다.

3 to 부정사 관용 표현

too ~ to 너무 ~해서 -할 수 없다	be supposed to ~하기로 되어 있다	be inclined to ~하는 경향이 있다
enough to ~하기에 충분히 -하다	be projected to ~하기로 되어 있다	

It is **too** dark **to go** jogging at this time of night. 이렇게 늦은 밤에는 너무 어두워서 조깅하러 갈 수 없다.

It is light **enough to lift** alone. 그것은 혼자 들기에 충분히 가볍다.

공무원 영어 실전 문제

03 다음 빈칸에 들어갈 것으로 가장 적절한 것은? [2016년 지방직 9급 출제경향]

The struggling company needed some new talent but couldn't afford __________ any more people.

① to hire ② hire ③ hiring ④ to be hired

정답 ① 해설·해석 p.436

기출포인트 04

원형 부정사를 목적격 보어로 취하는 동사

출제빈도 ★

1 사역동사(make, let, have) + 목적어 + 원형 부정사

His parents **let** him (**watch**, ~~to watch~~) the hockey game. 그의 부모는 그가 하키 경기를 보는 것을 허락했다.

→ 사역동사 let의 목적격 보어로 원형 부정사(watch)가 와야 한다.

고득점 포인트 get은 '~하게 만들다'라는 사역의 의미를 가지고 있지만, 목적격 보어로 원형 부정사가 아닌 to 부정사가 와야 한다.

They **got** Victor (**to come**, ~~come~~) to the club. 그들은 Victor가 동호회에 오게 했다.

2 준 사역동사 help (+ 목적어) + 원형 부정사/to 부정사

Swimming **helps (to) improve** one's physical strength. 수영은 체력을 개선시키는 것을 돕는다.

Rachel **helped** Felix **(to) prepare** for his bar exam. Rachel은 Felix가 변호사 시험을 준비하는 것을 도왔다.

→ 준 사역동사의 목적어와 목적격 보어로 원형 부정사(improve, prepare)와 to 부정사(to improve, to prepare)가 모두 올 수 있다.

3 지각동사(hear, see, watch, notice …) + 목적어 + 원형 부정사/현재분사

We **saw** them **fight** outside. 우리는 그들이 밖에서 싸우는 것을 보았다.

We **saw** them **fighting** outside. 우리는 그들이 밖에서 싸우고 있는 것을 보았다.

→ 지각동사(see)의 목적격 보어로 원형 부정사(fight)와 현재분사(fighting)가 모두 올 수 있고, 현재분사(fighting)가 올 경우, 동작의 진행을 강조한다.

고득점 포인트 사역동사·지각동사의 목적어와 목적격 보어가 '~가 ~되다'라는 의미의 수동 관계이면, 목적격 보어로 과거분사가 와야 한다. 단, 사역동사 let은 목적어와 목적격 보어가 수동 관계일 때 목적격 보어로 'be + p.p.'형태를 취한다.

I heard the winner (**announced**, ~~announce~~, ~~announcing~~). 나는 우승자가 발표되는 것을 들었다.
(heard: 지각동사, the winner: 목적어)

→ '우승자가 발표하다'가 아니라 '우승자가 발표되다'라는 의미의 수동 관계이므로 목적격 보어로 과거분사(announced)가 와야 한다.

He let my car (**be parked**, ~~park~~) in his spot. 그는 나의 차를 그의 자리에 주차되도록 허락했다.
(let: 사역동사, my car: 목적어)

→ '주차하다'가 아니라 '주차되다'라는 의미로 수동 관계이므로 목적격 보어 자리로 'be + p.p.'형태(be parked)가 와야 한다.

공무원 영어 실전 문제

04 밑줄 친 부분 중 어법상 옳지 않은 것은? [2017년 지방직 9급(12월 추가) 출제경향]

I tried a new restaurant last weekend. As soon as I got there, I ① smelled something burning. This ② made me to want to leave, but I decided to stay. The ③ food I ate actually turned out to be good. When the waiter approached my table to ask me ④ if I wanted dessert, I said yes.

정답 ② 해설·해석 p.436

Hackers Practice

둘 중 어법상 알맞은 것을 고르세요.

01 She saw a bunch of squirrels (chase / chased) away by a cat.

02 It is a good idea (carry / to carry) a pen and paper with you at all times.

03 The senior manager had his assistant (take / to take) his letter to the post office.

04 The staff will let people (to enter / enter) the theater at 7:30.

05 He reminded his boss (return / to return) a call to a client.

06 The team went on (create / to create) a successful product.

07 The boy heard his brother (call / to call) him from the living room.

08 I am eager (escaping / to escape) for the weekend on a camping trip.

09 It is important (for you / of you) to use this time wisely.

어휘

01 bunch 떼, 무리 squirrel 다람쥐 chase 쫓다 02 at all times 항상 03 senior manager 고위 간부 assistant 조수, 조교 04 theater 극장
05 return a call 답례 전화를 하다 client 고객 06 go on to 이어서 ~을 하다 successful 성공적인 product 상품, 제품 07 living room 거실
08 escape (현실에서) 벗어나다, 도피하다 camping trip 캠핑 여행 09 wisely 현명하게

01 기출포인트 **원형 부정사를 목적격 보어로 취하는 동사**

해설 문맥상 지각동사 see(saw)의 목적어(a bunch of squirrels)와 목적격 보어가 '다람쥐 떼가 쫓기다'라는 의미의 수동 관계이므로 목적격 보어 자리에 과거분사 chased가 와야 한다.

정답 chased

해석 그녀는 다람쥐 떼가 고양이에 의해서 쫓기는 것을 보았다.

02 기출포인트 **to 부정사의 역할**

해설 to 부정사구 주어를 대신할 수 있는 가짜 주어 it이 주어 자리에 왔으므로 진짜 주어 자리에 to 부정사 to carry가 와야 한다.

정답 to carry

해석 네가 항상 펜과 종이를 갖고 다니는 것은 좋은 생각이다.

03 기출포인트 **원형 부정사를 목적격 보어로 취하는 동사**

해설 사역동사 have(had)는 목적격 보어로 원형 부정사를 취하므로 원형 부정사 take가 정답이다.

정답 take

해석 고위 간부는 그의 조수가 그의 편지를 우체국에 갖다 주도록 시켰다.

04 기출포인트 **원형 부정사를 목적격 보어로 취하는 동사**

해설 사역동사 let은 목적격 보어로 원형 부정사를 취하므로 원형 부정사 enter가 정답이다.

정답 enter

해석 그 직원은 사람들이 7시 30분에 극장에 들어가도록 할 것이다.

05 기출포인트 **to 부정사를 취하는 동사**

해설 동사 remind는 목적격 보어로 to 부정사를 취하는 동사이므로 to 부정사 to return이 정답이다.

정답 to return

해석 그는 그의 상사에게 고객에게 답례 전화를 하라고 알려주었다.

06 기출포인트 **to 부정사의 역할**

해설 문맥상 '이어서 성공적인 상품을 만들었다'라는 의미가 되어야 자연스러우므로, 부사 역할을 할 때 결과를 나타낼 수 있는 to 부정사 to create가 정답이다.

정답 to create

해석 그 팀은 이어서 성공적인 상품을 만들었다.

07 기출포인트 **원형 부정사를 목적격 보어로 취하는 동사**

해설 지각동사 hear(heard)는 원형 부정사를 목적격 보어로 취할 수 있으므로 원형 부정사 call이 정답이다.

정답 call

해석 그 소년은 그의 남동생이 거실에서 그를 부르는 것을 들었다.

08 기출포인트 **to 부정사 관련 표현**

해설 형용사 eager는 to 부정사를 취해 be eager to(몹시 ~하고 싶다)로 쓰이는 형용사이므로 to 부정사 to escape가 정답이다.

정답 to escape

해석 나는 주말 동안 캠핑 여행을 가서 현실에서 정말 벗어나고 싶다.

09 기출포인트 **to 부정사의 의미상 주어**

해설 문장의 주어(It)와 to 부정사의 행위 주체(you)가 달라서 to 부정사의 의미상 주어가 필요할 경우 'for + 목적격 대명사'를 to 부정사 앞에 써야 하므로 for you가 정답이다.

정답 for you

해석 네가 이 시간을 현명하게 사용하는 것은 중요하다.

어법상 옳은 것에는 O, 틀린 것에는 X를 표시하고 틀린 부분을 바르게 고치세요.

10 Mrs. Cooper's one wish is to marry for her son a kind person. [ ]

11 They had their garden spray to get rid of pests. [ ]

12 The couch is too large that fit through the front door. [ ]

13 The ball appeared to hanging in the sky before it came back down. [ ]

14 A doctor can help determine what diet you should be on. [ ]

15 It was honest of him to return the lost wallet. [ ]

16 He failed buttoning his shirt before the photo was taken. [ ]

17 She reviewed her notes so as to get prepared for the meeting. [ ]

18 When they went outside, they noticed the ground cover in light snow. [ ]

어휘

10 wish 소망 11 spray 살충제를 뿌리다 get rid of ~을 제거하다 pest 해충 12 couch 소파 fit through ~를 통과하다 front door 현관문 13 hang 매달리다, 걸리다 14 determine 결정하다 diet 식이요법, 식단 15 honest 정직한 return 돌려주다 wallet 지갑 16 fail ~하지 못하다, 실패하다 button 단추를 잠그다 17 review 다시 보다, 복습하다 prepare for ~를 준비하다 meeting 회의 18 go outside 밖으로 나가다 notice ~을 (보거나 듣고) 알다, 의식하다 cover 덮다 light 약간의, 많지 않은

10 기출포인트 **to 부정사의 의미상 주어**

해설 문장의 주어(Mrs. Cooper's one wish)와 to 부정사의 행위 주체(her son)가 달라서 to 부정사의 의미상 주어가 필요할 경우 'for + 명사'를 to 부정사 앞에 써야 하므로 to marry for her son을 for her son to marry로 고쳐야 한다.

정답 X, to marry for her son → for her son to marry

해석 Cooper 씨의 한 가지 소망은 그녀의 아들이 다정한 사람과 결혼하는 것이다.

11 기출포인트 **원형 부정사를 목적격 보어로 취하는 동사**

해설 문맥상 사역동사 have(had)의 목적어 their garden과 목적격 보어가 '그들의 정원이 살충제가 뿌려지다'라는 의미의 수동 관계이므로 원형 부정사 spray를 과거분사 sprayed로 고쳐야 한다.

정답 X, spray → sprayed

해석 그들은 해충을 제거하기 위해 정원에 살충제가 뿌려지게 했다.

12 기출포인트 **to 부정사 관련 표현**

해설 문맥상 '너무 커서 통과할 수 없다'라는 의미가 되어야 자연스러운데, '너무 ~해서 -할 수 없다'는 to 부정사 관용 표현 too ~ to를 써서 나타낼 수 있으므로 too large that을 too large to로 고쳐야 한다.

정답 X, that → to

해석 그 소파는 너무 커서 현관문을 통과할 수 없다.

13 기출포인트 **to 부정사를 취하는 동사**

해설 동사 appear은 '~인 것처럼 보이다'의 의미로 쓰일 때 to 부정사를 주격 보어로 취하는 동사이므로 to hanging을 to hang으로 고쳐야 한다.

정답 X, to hanging → to hang

해석 그 공은 아래로 다시 떨어지기 전에 하늘에 매달린 것처럼 보였다.

14 기출포인트 **원형 부정사를 목적격 보어로 취하는 동사**

해설 준 사역동사 help의 목적어로 원형 부정사가 올 수 있으므로 원형 부정사 determine이 올바르게 쓰였다.

정답 O

해석 의사는 당신이 어떤 식이요법을 해야 하는지 결정하는 것을 도울 수 있다.

15 기출포인트 **to 부정사의 의미상 주어**

해설 성격을 나타내는 형용사(honest)가 to 부정사 앞에 쓰일 경우, to 부정사의 의미상 주어는 'of + 목적격 대명사'로 to 부정사 앞에 써야 하므로 of him이 to return 앞에 올바르게 쓰였다.

정답 O

해석 그가 잃어버린 지갑을 돌려준 것은 참 정직했다.

16 기출포인트 **to 부정사를 취하는 동사**

해설 동사 fail은 to 부정사를 목적어로 취하는 동사이므로 동명사 buttoning을 to 부정사 to button으로 고쳐야 한다.

정답 X, buttoning → to button

해석 그는 사진이 찍히기 전에 그의 셔츠 단추를 잠그지 못했다.

17 기출포인트 **to 부정사의 역할**

해설 to 부정사가 목적을 나타낼 때 to 대신 so as to를 쓸 수 있으므로 so as to get이 올바르게 쓰였다.

정답 O

해석 그녀는 회의를 준비하기 위해 그녀의 노트를 다시 보았다.

18 기출포인트 **원형 부정사를 목적격 보어로 취하는 동사**

해설 문맥상 지각동사 notice의 목적어(the ground)와 목적격 보어가 '땅이 덮이다'라는 의미의 수동 관계이므로 원형 부정사 cover를 과거분사 covered로 고쳐야 한다.

정답 X, cover → covered

해석 그들이 밖으로 나갔을 때, 그들은 땅이 약간의 눈으로 덮여 있는 것을 알았다.

Hackers Test

01 어법상 밑줄 친 곳에 가장 적절한 것은?

> The city's plan is ______________________ running in June.

① of late-night buses to start
② by late-night buses starting
③ for late-night buses to start
④ in late-night buses starting

02 밑줄 친 부분 중 어법상 옳지 않은 것은?

> Though his mom forbade him ① play in the woods, he couldn't help but ② investigate the magical place in secret. He got a thrill of excitement every time he explored the forest, hoping ③ to see the fairytale creatures he was ④ sure lived there.

03 우리말을 영어로 옮긴 것으로 가장 적절하지 않은 것은?

① 다시 디자인된 웹 사이트는 고객들이 쇼핑하는 것을 더 간편하게 만든다.
→ The redesigned Web site makes it simpler for customers to shop.

② 긴급 자금을 사용하기 위한 결정은 쉽게 내려지지 않았다.
→ The decision utilize emergency funds was not easily made.

③ 다가오는 폭풍 이후에 기온이 떨어지기로 되어 있다.
→ Temperatures are projected to fall after the approaching storm.

④ 시간 엄수와 근면함은 우수한 사원이 되기 위해 필요한 조건이다.
→ Punctuality and diligence are the qualifications necessary to become a great employee.

01 기출포인트 to 부정사의 의미상 주어

정답 ③

해설 to 부정사(to start)가 be 동사(is)의 주격 보어 자리에 올 수 있는데, 문장의 주어(The city's plan)와 to 부정사의 행위 주체(late-night buses)가 달라서 to 부정사의 의미상 주어가 필요할 경우 'for + 명사'를 to 부정사 앞에 써야 하므로 ③ for late-night buses to start가 정답이다.

해석 도시의 계획은 심야 버스가 6월에 운행을 시작하는 것이다.

어휘 run 운행하다 late-night 심야의

02 기출포인트 to 부정사를 취하는 동사

정답 ①

해설 동사 forbid(forbade)는 to 부정사를 목적격 보어로 취하는 동사이므로 동사원형 play를 to 부정사 to play로 고쳐야 한다.

오답분석
② 기출포인트 **조동사 관련 표현** 조동사 관련 숙어 cannot help but(~하지 않을 수 없다) 뒤에 동사원형 investigate가 올바르게 쓰였다.
③ 기출포인트 **to 부정사를 취하는 동사** 동사 hope는 to 부정사를 목적어로 취하는 동사이므로 to 부정사 to see가 올바르게 쓰였다.
④ 기출포인트 **보어 자리** be 동사(was)의 주격 보어 자리에 형용사 sure가 올바르게 쓰였다.

해석 그의 어머니는 그가 숲속에서 노는 것을 못 하게 했지만, 그는 몰래 그 마법의 장소를 탐색하지 않을 수 없었다. 그는 그가 숲속에 살고 있다고 확신하는 동화 속의 존재를 보기를 희망하면서, 숲을 탐험할 때마다 전율이 이는 흥분을 느꼈다.

어휘 forbid ~을 못 하게 하다, 금지하다 investigate 탐색하다 thrill 전율 explore 탐험하다 fairytale 동화 sure 확신하는

03 기출포인트 to 부정사 관련 표현

정답 ②

해설 명사 decision은 to 부정사를 취하는 명사이므로 동사원형 utilize를 to 부정사 to utilize로 고쳐야 한다.

오답분석
① 기출포인트 **to 부정사의 형태와 의미상 주어** to 부정사 목적어(to shop)가 목적격 보어(simpler)와 함께 오면, 진짜 목적어인 to 부정사를 목적격 보어 뒤로 보내고 목적어가 있던 자리에 가짜 목적어 it을 써서 '가짜 목적어 it + 목적격 보어 + 진짜 목적어'의 형태가 된다. 이때, 문장의 주어(The redesigned Web site)와 to 부정사의 행위 주체(customers)가 달라서 to 부정사의 의미상 주어가 필요할 경우 'for + 명사'를 to 부정사 앞에 써야 하므로 makes it simpler for customers to shop이 올바르게 쓰였다.
③ 기출포인트 **to 부정사 관련 표현** '기온이 떨어지기로 되어 있다'는 to 부정사 관련 표현 be projected to(~하기로 되어 있다)를 사용하여 나타낼 수 있으므로 are projected to 뒤에 동사원형 fall이 올바르게 쓰였다.
④ 기출포인트 **접속사로 연결된 주어의 수 일치** 접속사 and로 연결된 주어(Punctuality and diligence)는 복수 취급하므로 복수 동사 are가 올바르게 쓰였다. 참고로, 선행사 the qualifications를 수식하는 관계절에서 '주격 관계대명사(which) + be 동사(are)'는 생략될 수 있으므로 주격 관계절 (which are) necessary ~ employee가 올바르게 쓰였다.

어휘 approach 다가오다, 다가가다 punctuality 시간 엄수 diligence 근면, 성실 qualification 조건 employee 사원, 고용인

04 어법상 옳은 것을 고르시오.

① She is smart enough figuring out her assignments by herself.

② He convinced me to reconsider my decision to move.

③ The teacher helped the student finding the answer.

④ I planned attending the anniversary party tonight, but something else came up.

05 우리말을 영어로 바르게 옮긴 것은?

① 그 소프트웨어 회사는 새로운 게임을 막 발표하려고 한다.
→ The software company is about announcing a new game.

② 구내식당에서 내 자리를 맡아주다니 그녀는 참 착하다.
→ It was nice for her to save me a seat in the cafeteria.

③ 그녀는 계속 잤지만, 더 피곤할 뿐이었다.
→ She kept sleeping, only to make herself more tired.

④ 수영하러 갈 정도로 충분히 더워서 그들은 해변에 함께 갔다.
→ It was hot enough going swimming, so they went to the beach together.

06 밑줄 친 부분이 어법상 옳지 않은 것은?

① The music teacher made each student <u>to sing</u> in front of the class.

② We saw the climbers <u>reaching</u> the top of the mountain.

③ Our manager encourages the staff <u>to develop</u> their professional skills as much as possible.

④ It's never too late for someone <u>to learn</u> something new.

04 기출포인트 to 부정사를 취하는 동사

정답 ②

해설 동사 convince는 to 부정사를 목적격 보어로 취하는 동사이므로 to 부정사 to reconsider가 올바르게 쓰였다.

오답 분석 ① 기출포인트 **to 부정사 관련 표현** 문맥상 '그녀는 이해할 만큼 충분히 영리하다'라는 의미가 되어야 자연스러우므로, to 부정사 관용 표현 enough to(~하기에 충분히 -하다)를 써서 enough figuring out을 enough to figure out으로 고쳐야 한다.

③ 기출포인트 **원형 부정사를 목적격 보어로 취하는 동사** 준 사역동사 help는 원형 부정사와 to 부정사를 목적격 보어로 취할 수 있으므로 동명사 finding을 원형 부정사 find 또는 to 부정사 to find로 고쳐야 한다.

④ 기출포인트 **to 부정사를 취하는 동사** 동사 plan은 to 부정사를 목적어로 취하는 동사이므로 동명사 attending을 to 부정사 to attend로 고쳐야 한다.

해석 ① 그녀는 자신의 과제를 혼자서 이해할 만큼 충분히 영리하다.
② 그는 이사하기로 한 나의 결정을 재고해보라고 설득했다.
③ 선생님은 학생이 답을 찾는 것을 도왔다.
④ 나는 오늘 밤에 기념일 파티에 참석하려고 했지만, 다른 일이 생겼다.

어휘 figure out ~을 이해하다 convince 설득하다 reconsider 재고하다 decision 결정 anniversary 기념일 come up (일·결원 등이) 생기다

05 기출포인트 to 부정사의 역할

정답 ③

해설 to 부정사가 결과를 나타낼 때 to 부정사 앞에 only를 써서 의도되지 않은 결과를 나타낼 수 있으므로 only to make herself more tired가 올바르게 쓰였다.

오답 분석 ① 기출포인트 **to 부정사 관련 표현** 형용사 about은 to 부정사를 취해 be about to(막 ~하려 하다)로 쓰이는 형용사이므로 동명사 announcing을 to 부정사 to announce로 고쳐야 한다.

② 기출포인트 **to 부정사의 의미상 주어** 성격을 나타내는 형용사(nice)가 to 부정사 앞에 쓰일 경우, to 부정사의 의미상 주어는 'of + 목적격 대명사'로 써야 하므로 for her를 of her로 고쳐야 한다.

④ 기출포인트 **to 부정사 관련 표현** '~할 정도로 충분히 더워서'는 to 부정사 관용 표현 enough to(~하기에 충분히 -하다)를 사용하여 나타낼 수 있으므로 enough going을 enough to go로 고쳐야 한다.

어휘 announce 발표하다 cafeteria 구내식당, 카페테리아

06 기출포인트 원형 부정사를 목적격 보어로 취하는 동사

정답 ①

해설 동사 make(made)는 목적격 보어로 원형 부정사를 취하는 사역동사이므로 to 부정사 to sing을 원형 부정사 sing으로 고쳐야 한다.

오답 분석 ② 기출포인트 **원형 부정사를 목적격 보어로 취하는 동사** 지각동사(see)는 동작의 진행을 강조하기 위해 현재분사를 목적격 보어로 취할 수 있으므로 현재분사 reaching이 올바르게 쓰였다.

③ 기출포인트 **to 부정사를 취하는 동사** 동사 encourage는 to 부정사를 목적격 보어로 취하는 동사이므로 목적어(the staff) 뒤에 to 부정사 to develop이 올바르게 쓰였다.

④ 기출포인트 **to 부정사 관련 표현** 문맥상 '새로운 것을 배우기에 너무 늦은 것은 결코 아니다'라는 의미가 되어야 하는데, '너무 ~해서 -할 수 없다'는 to 부정사 관용 표현 'too ~ to'를 사용하여 나타낼 수 있으므로 to learn이 올바르게 쓰였다.

해석 ① 음악 선생님은 각 학생에게 교실 앞에서 노래를 부르게 했다.
② 우리는 등산객들이 산 정상에 도달하는 것을 보았다.
③ 우리의 관리자는 직원들이 전문적인 기술을 가능한 한 많이 개발할 수 있도록 격려한다.
④ 누군가가 새로운 것을 배우기에 너무 늦은 것은 결코 아니다.

어휘 encourage 격려하다, 부추기다 professional 전문적인

07 밑줄 친 부분이 어법상 옳지 않은 것은?

① The coach is to choose the team captain by the end of the week.

② The debate class helped him to overcome his fear of public speaking.

③ The landlord got someone repair the elevator right away.

④ She noticed her name printed on the front page of the newspaper.

08 우리말을 영어로 옳게 옮긴 것은? [2018년 지방직 9급]

① 그는 며칠 전에 친구를 배웅하기 위해 역으로 갔다.
→ He went to the station a few days ago to see off his friend.

② 버릇없는 그 소년은 아버지가 부르는 것을 못 들은 체했다.
→ The spoiled boy made it believe he didn't hear his father calling.

③ 나는 버팔로에 가본 적이 없어서 그곳에 가기를 고대하고 있다.
→ I have never been to Buffalo, so I am looking forward to go there.

④ 나는 아직 오늘 신문을 못 읽었어. 뭐 재미있는 것 있니?
→ I have not read today's newspaper yet. Is there anything interested in it?

07 기출포인트 원형 부정사를 목적격 보어로 취하는 동사

정답 ③

해설 동사 get(got)은 목적격 보어로 to 부정사를 취하므로 목적어(someone) 뒤의 동사원형 repair를 to 부정사 to repair로 고쳐야 한다.

오답분석 ① 기출포인트 **to 부정사의 역할** 문맥상 '팀 주장을 선출할 예정이다'라는 의미가 되어야 자연스럽고, '~할 예정이다'는 'be 동사 + to 부정사' 형태를 사용하여 나타낼 수 있으므로 is to choose가 올바르게 쓰였다.

② 기출포인트 **원형 부정사를 목적격 보어로 취하는 동사** 준 사역동사 help는 원형 부정사와 to 부정사를 목적격 보어로 취할 수 있으므로 목적격 보어 자리에 to 부정사 to overcome이 올바르게 쓰였다.

④ 기출포인트 **원형 부정사를 목적격 보어로 취하는 동사** 지각동사의 목적어와 목적격 보어가 '~가 되다'라는 의미의 수동 관계이면 목적격 보어로 과거분사가 와야 하는데, 문맥상 지각동사 notice의 목적어(her name)와 목적격 보어가 '그녀의 이름이 인쇄되다'라는 의미의 수동 관계이므로 과거분사 printed가 올바르게 쓰였다.

해석 ① 그 코치는 이번 주말까지 팀 주장을 선출할 예정이다.
② 토론 수업은 그가 대중 연설에 대한 두려움을 극복하는 데 도움이 되었다.
③ 집주인은 누군가에게 엘리베이터를 즉시 수리하게 했다.
④ 그녀는 신문 1면에 그녀의 이름이 인쇄된 것을 알아차렸다.

어휘 **debate** 토론, 토의 **overcome** 극복하다 **public speaking** 대중 연설 **landlord** 집주인, 임대주 **repair** 수리하다

08 기출포인트 to 부정사의 역할

정답 ①

해설 '배웅하기 위해'를 나타내기 위해 부사처럼 목적을 나타낼 수 있는 to 부정사구 to see off his friend가 올바르게 쓰였다.

오답분석 ② 기출포인트 **숙어 표현** 동사 make가 5형식 동사로 쓰일 때 'make + 목적어 + 동사원형'의 형태를 취하지만, 해당 문장에서는 make believe (that) (~인 체하다)라는 숙어 표현으로 쓰였으므로 made it believe를 made believe로 고쳐야 한다.

③ 기출포인트 **동명사 관련 표현** '그곳에 가기를 고대하고 있다'는 동명사 관련 표현 'look forward to -ing'(~을 고대하다)로 나타낼 수 있으므로 동사원형 go를 동명사 going으로 고쳐야 한다.

④ 기출포인트 **현재분사 vs. 과거분사** 감정을 나타내는 분사가 수식하는 대상이 감정을 일으키는 주체인 경우 현재 분사를 쓰고, 감정을 느끼는 대상인 경우 과거분사를 쓰는데, anything이 '재미있는' 감정을 일으키는 주체이므로 과거분사 interested를 현재분사 interesting으로 고쳐야 한다.

어휘 **see off** ~을 배웅하다 **spoil** 버릇없게 기르다, 망치다 **make believe** ~인 체하다

Chapter 09 동명사

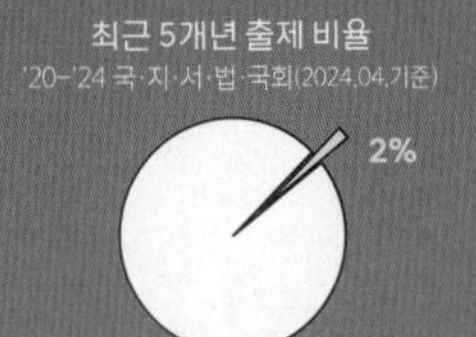

BASIC GRAMMAR 기본기 다지기

01 동명사

동명사는 '동사원형 + -ing'의 형태를 가지며, 동사에서 나왔지만 문장에서 동사 역할이 아니라 **명사 역할**을 한다.

I **jogging** in the morning. [×]

I like **jogging** in the morning. [○] 나는 아침에 조깅하는 것을 좋아한다.
명사 역할(목적어)

→ 위 두 문장에서 볼 수 있듯이 동명사(jogging)는 동사에서 나왔지만 동사 역할을 하지 못한다. 동명사는 동사(like)의 목적어처럼 명사 역할을 한다.

Check-Up

다음 중 어법상 올바른 문장을 고르시오.

ⓐ She reading a book.

ⓑ She enjoys reading a book. 그녀는 책을 읽는 것을 즐긴다.

→ 동명사는 문장에서 명사 역할을 하므로, 동명사 reading이 동사 enjoy의 목적어로 쓰인 ⓑ가 정답이다.

정답: ⓑ

02 동명사의 형태

동명사의 부정형은 동명사 앞에 not을 붙이며, 수동형은 'being p.p.', 완료형은 'having p.p.'이다.

부정형 He regretted **not joining** the baseball team. 그는 야구팀에 가입하지 않은 것을 후회했다.

수동형 I imagined **being awarded** the grand prize. 나는 대상을 받는 것을 상상했다.

완료형 She apologized for **having missed** my call. 그녀는 내 전화를 놓친 것에 대해 사과했다.

Check-Up

다음 중 밑줄 친 동명사 중 완료형을 고르시오.

ⓐ She admitted to breaking my new camera. 그녀는 나의 새 카메라를 부순 것을 인정했다.

ⓑ She admitted to having broken my new camera. 그녀는 나의 새 카메라를 부쉈던 것을 인정했다.

→ 동명사의 완료형은 having p.p. 형태를 취하므로 ⓑ가 정답이다.

정답: ⓑ

03 동명사의 성질

동명사는 동사 역할을 할 수 없지만 동사의 성질을 가지고 있다. 따라서 동명사는 **목적어**나 **보어**를 가질 수 있고 **부사**의 꾸밈을 받을 수 있다.

He enjoys **writing** poems. 그는 시 쓰는 것을 즐긴다.

Becoming a poet is his dream. 시인이 되는 것이 그의 꿈이다.

He is famous for **writing** well. 그는 글을 잘 쓰는 것으로 유명하다.

→ 첫 번째 문장에서 동명사(writing)는 목적어(poems)를 가지고, 두 번째 문장의 동명사(Becoming)는 보어(a poet)를 가진다. 세 번째 문장에서는 동명사(writing)가 부사(well)의 수식을 받고 있다. 이와 같은 '동명사 + 목적어/보어/부사'의 덩어리를 '동명사구'라고 부른다.

Check-Up

다음 밑줄 중 동명사구를 고르시오.

ⓐ My hobby is growing plants. 나의 취미는 식물을 기르는 것이다.

ⓑ I am growing plants in my room. 나는 내 방에서 식물을 기르는 중이다.

→ ⓐ의 growing이 목적어 plants를 가져 '동명사 + 목적어' 덩어리 형태로 동명사구이다.

정답: ⓐ

기출포인트 01

동명사의 역할과 의미상 주어

출제빈도 ★★★

1 동명사는 명사 역할을 하며 주어, 목적어, 보어 자리에 온다.

주어 **Cooking** is a practical skill to learn. 요리하는 것은 배우기에 실용적인 기술이다.

동사의 목적어 She dislikes **washing** dishes. 그녀는 설거지하는 것을 싫어한다.

전치사의 목적어 In spite of **feeling** sleepy, she continued to study. 졸음이 옴에도 불구하고, 그녀는 공부를 계속했다.

보어 Her worry is **arriving** late for class. 그녀의 걱정은 수업에 늦게 도착하는 것이다.

2 동명사 자리에 동사는 올 수 없다.

He began (**practicing**, ~~practice~~) yoga. 그는 요가를 연습하기 시작했다.

→ 동사(began)의 목적어 자리이므로, 동사(practice)가 아니라 동명사(practicing)가 와야 한다.

She is worried about (**being**, ~~be~~) late. 그녀는 늦는 것에 대해 걱정한다.

→ 전치사(about)의 목적어 자리이므로, 동사(be)가 아니라 동명사(being)가 와야 한다.

3 문장의 주어와 동명사의 행위 주체가 달라 동명사의 의미상 주어가 필요한 경우, 명사·대명사의 소유격을 동명사 앞에 쓴다.

Everyone enjoyed **my father's** telling of the joke. 모든 사람들은 나의 아버지가 하는 농담에 즐거워했다.

She will never forgive **his** telling lies about her. 그녀는 그가 그녀에 대한 거짓말을 한 것을 결코 용서하지 않을 것이다.

→ 문장의 주어(Everyone, She)와 동명사(telling)의 행위 주체가 다르므로, 동명사의 의미상 주어로 명사·대명사의 소유격(my father's, his)을 동명사 앞에 쓴다.

공무원 영어 실전 문제

01 밑줄 친 부분 중 어법상 가장 옳지 않은 것은? [2019년 서울시 9급 출제경향]

Criminalizing homelessness is a less urgent need than ① address poverty. Yet, fines continue to be issued for begging or sleeping in public, making life ② even more difficult for the poor. It's ③ more compassionate to provide low-income individuals with support than ④ to punish them for their circumstances.

정답 ① 해설·해석 p.436

기출포인트 02

동명사를 목적어로 취하는 동사

출제빈도 ★★

1 동명사를 목적어로 취하는 동사

제안·고려	suggest -ing 제안하다	recommend -ing 추천하다	consider -ing 고려하다	
중지·연기	stop -ing 그만두다 give up -ing 포기하다	discontinue -ing 중지하다 delay -ing 연기하다	finish -ing 끝내다 postpone -ing 연기하다	quit -ing 그만두다
부정적 의미	dislike -ing 싫어하다 resist -ing 반대하다	deny -ing 부인하다	mind -ing 꺼리다	avoid -ing 피하다
기타	enjoy -ing 즐기다 risk -ing 감행하다	imagine -ing 상상하다 admit -ing 인정하다	allow -ing 허락하다 practice -ing 연습하다	keep -ing 계속하다

제안·고려 The dentist suggests (**chewing**, ~~to chew~~) only sugar-free gum. 치과의사는 무설탕 껌만 씹을 것을 제안한다.

중지·연기 She finished (**writing**, ~~to write~~) her screenplay. 그녀는 그녀의 시나리오를 쓰는 것을 끝냈다.

부정적 의미 I don't mind (**sharing**, ~~to share~~) my food with others. 나는 내 음식을 다른 사람들과 나눠 먹는 것을 꺼리지 않는다.

기타 She enjoys (**riding**, ~~to ride~~) her bicycle. 그녀는 자전거 타는 것을 즐긴다.

Chapter 09 동명사 해커스공무원 영어 문법

공무원 영어 실전 문제

02 어법상 옳은 것을 고르시오. [2016년 지방직 9급]

① That place is fantastic whether you like swimming or to walk.
② She suggested going out for dinner after the meeting.
③ The dancer that I told you about her is coming to town.
④ If she took the medicine last night, she would have been better today.

정답 ② 해설·해석 p.436

기출포인트 03

동명사와 to 부정사 둘 다 목적어로 취하는 동사

출제빈도 ★★

1 동명사가 목적어일 때와 to 부정사가 목적어일 때 의미가 동일한 경우

시작하다 / 계속하다	begin 시작하다	start 시작하다	continue 계속하다	
좋아하다 / 싫어하다	like 좋아하다	love 좋아하다	prefer 선호하다	hate 싫어하다

We like (**swimming**, **to swim**). 우리는 수영하는 것을 좋아한다.

→ like는 동명사(swimming)와 to 부정사(to swim) 둘 다 목적어로 취할 수 있으며, 이때 의미의 차이는 없다.

2 동명사가 목적어일 때와 to 부정사가 목적어일 때 의미가 다른 경우

	+ -ing (과거 의미)	+ to 부정사 (미래 의미)
remember	~한 것을 기억하다	~할 것을 기억하다
forget	~한 것을 잊다	~할 것을 잊다
regret	~한 것을 후회하다	~하게 되어 유감스럽다

He remembered **fixing** the lamp. 그는 램프를 고친 것을 기억했다. (이미 고쳤다)

He remembered **to fix** the lamp. 그는 램프를 고칠 것을 기억했다. (아직 고치지 않아서 고쳐야 한다)

고득점 포인트

1. try 뒤의 동명사는 '(시험 삼아) ~을 해보다'라는 의미이고, to 부정사는 '~하려고 노력하다'라는 의미이다.
   He tried **eating** kimchi. 그는 김치를 (시험 삼아) 먹어봤다.
   He tried **to eat** kimchi. 그는 김치를 먹어보려고 노력했다.
2. stop 뒤의 동명사는 목적어로 '~하는 것을 멈추다'라는 의미이고, to 부정사는 부사적 용법으로 '~하기 위해 (하던 일을) 멈추다'라는 의미이다.
   She stopped **smoking**. 그녀는 흡연하는 것을 멈췄다.
   She stopped **to smoke**. 그녀는 흡연하기 위해 멈췄다.

공무원 영어 실전 문제

03 우리말을 영어로 잘못 옮긴 것을 고르시오. [2017년 지방직 9급(6월 시행)]

① 나는 매달 두세 번 그에게 전화하기로 규칙을 세웠다.
→ I made it a rule to call him two or three times a month.

② 그는 나의 팔을 붙잡고 도움을 요청했다.
→ He grabbed me by the arm and asked for help.

③ 폭우로 인해 그 강은 120cm 상승했다.
→ Owing to the heavy rain, the river has risen by 120cm.

④ 나는 눈 오는 날 밖에 나가는 것보다 집에 있는 것을 더 좋아한다.
→ I prefer to staying home than to going out on a snowy day.

정답 ④ 해설·해석 p.437

기출포인트 04

동명사 관련 표현

출제빈도 ★★

1 동사(구) + 전치사 to + -ing

contribute to -ing -에 공헌하다	look forward to -ing -을 고대하다	object to -ing -에 반대하다
be accustomed to -ing -에 익숙하다	be opposed to -ing -에 반대하다	be[get] used to -ing -에 익숙하다
be devoted to -ing -에 헌신하다	be addicted to -ing -에 중독되다	be dedicated to -ing -에 헌신하다
be attributed to -ing -의 탓이다	be exposed to -ing -에 노출되다	be committed to -ing -에 전념하다

She is looking forward to (**skiing**, ~~ski~~) this winter. 그녀는 이번 겨울에 스키 타는 것을 고대하고 있다.
→ look forward 뒤에 쓰인 to는 to 부정사가 아니라 전치사이므로, 동명사(skiing)가 와야 한다.

The employees objected to (**working**, ~~work~~) longer hours. 직원들은 더 오랜 시간 일하는 것에 반대했다.
→ object 뒤에 쓰인 to는 to 부정사가 아니라 전치사이므로, 동명사(working)가 와야 한다.

고득점 포인트 아래 표현들은 비슷한 형태를 가지고 있지만 의미는 다르다.

used to + 동사원형 ~하곤 했다	There **used to be** a pharmacy on Main Street. Main가에 약국이 있었다. (그런데 지금은 없다)
be used to -ing -에 익숙하다	He **is used to riding** a bike in the rain. 그는 빗속에서 자전거를 타는 것에 익숙하다.
be used to + 동사원형 ~하기 위해 사용되다	This machine **is used to make** microchips. 이 기계는 마이크로칩을 만들기 위해 사용된다.

2 동명사구 관용 표현

go -ing -하러 가다	be worth -ing -할 가치가 있다	be busy in -ing -하느라 바쁘다
on[upon] -ing -하자마자	end up -ing 결국 -하다	It's no use[good] -ing -해도 소용 없다
spend + 시간/돈 + (in) -ing -하는 데 시간/돈을 쓰다		have difficulty[trouble/a problem] (in) -ing -하는 데 어려움을 겪다
cannot help -ing -하지 않을 수 없다 (= have no choice but + to 부정사)		

A doctorate degree may **be worth pursuing.** 박사 학위는 추구할 가치가 있을지도 모른다.

I **cannot help watching** the news when it comes on. 나는 뉴스가 시작하면 그것을 보지 않을 수 없다.

공무원 영어 실전 문제

04 어법상 옳은 것은? [2021년 지방직 9급 출제경향]

① They saved money for a new car, but in the end buy a used one.
② They are busy organizing a fundraiser for charity.
③ It was a so difficult math problem that he couldn't solve it.
④ As the sun set for the evening, the beach grew coldly.

정답 ② 해설·해석 p.437

Hackers Practice

둘 중 어법상 알맞은 것을 고르세요.

01 It is best to avoid (to drive / driving) downtown during rush hour.

02 The third lane that was added to Highway 88 was made for (commuting / to commute) to work.

03 The hotel's concierge is devoted to (help / helping) guests have the best possible stay.

04 (She / Her) turning down the CEO position was a shock to the hiring committee.

05 The most difficult job in the factory is (package / packaging) the finished products.

06 The small bakery has difficulty (to produce / producing) enough baked goods to fill its daily orders.

07 Mr. Colton regrets (to sell / selling) his house before the real estate market became stronger.

08 Doctors advise their patients to give up (to smoke / smoking) in order to extend their lives.

09 After several unprofitable quarters, the company had no choice but (declaring / to declare) bankruptcy.

어휘

02 lane 차선 commute 통근하다 03 concierge 관리인, 수위 be devoted to ~에 헌신하다 04 turn down 거절하다, 거부하다 hire 고용하다
05 package 포장하다; 소포, 포장 06 bakery 빵집, 제과점 produce 만들어 내다, 생산하다 baked goods 빵류 07 real estate market 부동산 시장
08 give up 그만두다, 포기하다 extend 연장하다 09 unprofitable 수익을 못 내는 quarter 분기(3개월) declare 신고하다, 선언하다 bankruptcy 파산

01 기출포인트 **동명사를 목적어로 취하는 동사**

해설 동사 avoid는 동명사를 목적어로 취하는 동사이므로 동명사 driving이 정답이다.

정답 driving

해석 교통 혼잡 시간 동안에는 시내에서 운전하는 것을 피하는 것이 최선이다.

02 기출포인트 **동명사의 역할**

해설 전치사(for)의 목적어 자리에 올 수 있는 명사 역할을 하는 동명사 commuting이 정답이다.

정답 commuting

해석 88 고속도로에 추가된 세 번째 차선은 직장으로 통근하는 것을 위해 만들어졌다.

03 기출포인트 **동명사 관련 표현**

해설 동사구 be devoted 뒤에 쓰인 to는 전치사이므로 동명사 helping이 정답이다.

정답 helping

해석 그 호텔의 관리인은 손님들이 가능한 한 최상의 숙박을 하도록 돕는 데 헌신한다.

04 기출포인트 **동명사의 의미상 주어**

해설 동명사(turning down)의 의미상 주어는 소유격 대명사를 동명사 앞에 써서 나타내므로 소유격 대명사 Her가 정답이다.

정답 Her

해석 그녀가 최고 경영자 자리를 거절한 것은 고용 위원회에게 충격이었다.

05 기출포인트 **동명사의 역할**

해설 be 동사(is)의 주격 보어 자리에 올 수 있는 명사 역할을 하는 동명사 packaging이 정답이다.

정답 packaging

해석 공장에서 가장 어려운 일은 완성품을 포장하는 것이다.

06 기출포인트 **동명사 관련 표현**

해설 동명사구 관용 표현 have difficulty (in) -ing(-하는 데 어려움을 겪다)의 형태가 되어야 하므로 동명사 producing이 정답이다.

정답 producing

해석 그 작은 빵집은 매일의 주문을 충족시키기에 충분한 빵류를 만들어 내는 데 어려움을 겪는다.

07 기출포인트 **동명사와 to 부정사 둘 다 목적어로 취하는 동사**

해설 문맥상 '부동산 시장이 더 강해지기 전에 집을 판 것을 후회하다'라는 의미가 되어야 자연스러운데, 동사 regret은 '~한 것을 후회하다'라는 과거의 의미를 나타낼 때는 동명사를 목적어로 취하므로 동명사 selling이 정답이다.

정답 selling

해석 Colton 씨는 부동산 시장이 더 강해지기 전에 그의 집을 판 것을 후회한다.

08 기출포인트 **동명사를 목적어로 취하는 동사**

해설 동사구 give up은 동명사를 목적어로 취하는 동사구이므로 동명사 smoking이 정답이다.

정답 smoking

해석 의사들은 그들의 환자들에게 수명을 연장하기 위해 흡연을 그만둘 것을 조언한다.

09 기출포인트 **동명사 관련 표현**

해설 동명사구 관용 표현 cannot help -ing와 같은 뜻으로 쓰이는 관용 표현 have no choice but + to 부정사(~할 수밖에 없다)의 형태가 되어야 하므로 to 부정사 to declare가 정답이다.

정답 to declare

해석 수익을 못 내는 몇 분기 이후, 그 회사는 파산을 신고할 수밖에 없었다.

어법상 옳은 것에는 O, 틀린 것에는 X를 표시하고 틀린 부분을 바르게 고치세요.

10 I remember sending a letter to the manager yesterday. [ ]

11 The beaver is a mammal that builds dams by gather wood. [ ]

12 The defendant admitted to steal several automobiles. [ ]

13 Drivers risk lose control on the icy roads if they do not reduce their speed. [ ]

14 The board of directors delayed announce the company's new CEO until the shareholders' meeting. [ ]

15 Everyone in the company celebrated Jessica's winning the contest. [ ]

16 Despite follow the recipe closely, his cake turned out badly. [ ]

17 The highly contagious disease continued to spread across the country. [ ]

18 Due to the long travel time, South America isn't worth to go to for less than a week. [ ]

어휘

11 beaver 비버 mammal 포유동물 dam 둑, 댐 gather 모으다 12 defendant 피고 admit 인정하다 automobile 자동차 13 risk ~을 감행하다 icy road 빙판길 14 board of directors 이사회 shareholder 주주 15 celebrate 축하하다, 기념하다 16 recipe 조리법 closely 주의하여, 면밀히 turn out (결과가) ~되다, 되어 가다 17 contagious 전염성의

10 기출포인트 **동명사와 to 부정사 둘 다 목적어로 취하는 동사**

해설 문맥상 '어제 편지를 보낸 것을 기억한다'라는 의미가 되어야 자연스러운데, 동사 remember는 '~한 것을 기억하다'라는 과거의 의미를 나타낼 때는 동명사를 목적어로 취하므로 동명사 sending이 올바르게 쓰였다.

정답 O

해석 나는 어제 관리자에게 편지를 보낸 것을 기억한다.

11 기출포인트 **동명사의 역할**

해설 전치사(by)의 목적어 자리에는 명사 역할을 하는 것이 와야 하므로 gather를 동명사 gathering으로 고쳐야 한다.

정답 X, gather → gathering

해석 비버는 나무를 모아 둑을 쌓는 포유동물이다.

12 기출포인트 **동명사 관련 표현**

해설 동사 admit 뒤에 쓰인 to는 전치사이므로 동사원형 steal을 동명사 stealing으로 고쳐야 한다.

정답 X, steal → stealing

해석 그 피고는 자동차 여러 대를 훔친 것을 인정했다.

13 기출포인트 **동명사를 목적어로 취하는 동사**

해설 동사 risk는 동명사를 목적어로 취하는 동사이므로 동사원형 lose를 동명사 losing으로 고쳐야 한다.

정답 X, lose → losing

해석 운전자들은 그들의 속도를 줄이지 않는다면 빙판길에서 통제력을 잃을 것을 감행한다.

14 기출포인트 **동명사를 목적어로 취하는 동사**

해설 동사 delay는 동명사를 목적어로 취하는 동사이므로 동사원형 announce를 동명사 announcing으로 고쳐야 한다.

정답 X, announce → announcing

해석 이사회는 주주 회의까지 회사의 새로운 최고 경영자를 발표하는 것을 연기했다.

15 기출포인트 **동명사의 의미상 주어**

해설 문장의 주어(Everyone)와 동명사(winning)의 행위 주체가 달라서 동명사의 의미상 주어가 필요할 경우 명사의 소유격을 동명사 앞에 써야 하므로 winning 앞에 Jessica's가 올바르게 쓰였다.

정답 O

해석 회사의 모든 사람들은 Jessica가 대회에서 우승한 것을 축하했다.

16 기출포인트 **동명사의 역할**

해설 전치사(Despite)의 목적어 자리에는 명사 역할을 하는 것이 와야 하므로 follow를 동명사 following으로 고쳐야 한다.

정답 X, follow → following

해석 조리법을 주의하여 따랐음에도 불구하고, 그의 케이크는 형편없게 되었다.

17 기출포인트 **동명사와 to 부정사 둘 다 목적어로 취하는 동사**

해설 동사 continue(계속하다)는 동명사가 목적어일 때와 to 부정사가 목적어일 때 의미가 동일하므로 continued to spread가 올바르게 쓰였다.

정답 O

해석 매우 전염성이 높은 병이 전국에 계속해서 퍼져 나갔다.

18 기출포인트 **동명사 관련 표현**

해설 동명사구 관용 표현 be worth -ing(-할 가치가 있다) 형태가 되어야 하므로 to 부정사 to go를 동명사 going으로 고쳐야 한다.

정답 X, to go → going

해석 긴 이동 시간 때문에, 남아메리카 대륙은 일주일 이하의 기간으로는 갈 가치가 없다.

Hackers Test

01 빈칸에 들어갈 말로 알맞은 것은?

Despite receiving high marks for her dance performance, it was __________ that really impressed the judges.

① of her singing
② her singing
③ she singing
④ she's singing

02 밑줄 친 부분이 어법상 옳지 않은 것은?

① Swimming always makes me feel tired.
② Her hobby is painting landscapes as well as portraits.
③ He got to the movie theater by walking.
④ Her hand hurt but she kept to write the letter.

03 밑줄 친 부분 중 문법적으로 옳지 않은 것은?

In Dubai, police finally ① found and apprehended the man they thought to be responsible for multiple bank robberies over the past five months. When asked about the crimes, the man denied ② to have any knowledge of them, claiming he was completely ③ innocent. But, ultimately, he ended up ④ going to jail.

01 기출포인트 동명사의 역할과 의미상 주어

정답 ②

해설 be 동사(was)의 보어 자리에 명사 역할을 하는 동명사(singing)가 왔고, 문장의 주어(it)와 동명사의 행위 주체(her)가 달라서 동명사의 의미상 주어가 필요할 경우 소유격 대명사를 동명사 앞에 써야 하므로 ② her singing이 정답이다.

해석 그녀의 댄스 공연에 대해 높은 점수를 받았음에도 불구하고, 심사위원들에게 정말로 감동을 준 것은 그녀의 노래였다.

어휘 mark 점수, 평점 performance 공연 impress 감동을 주다 judge 심사위원

02 기출포인트 동명사 관련 표현

정답 ④

해설 동명사구 관용 표현 keep (on) -ing(계속 -하다)의 형태가 되어야 하므로 to 부정사 to write을 동명사 writing으로 고쳐야 한다.

오답 분석 ① 기출포인트 **주어와 동사의 수 일치** 동명사 주어(Swimming)는 단수 취급하므로 단수 동사 makes가 올바르게 쓰였다. 참고로, 사역동사 make는 목적격 보어로 원형 부정사를 취하므로 원형 부정사 feel이 올바르게 쓰였다.

② 기출포인트 **동명사의 역할** be 동사(is)의 보어 자리에 명사 역할을 하는 동명사구 painting landscapes가 올바르게 쓰였다. 참고로, 상관접속사 (A as well as B)로 연결된 병치 구문에서 접속사 앞뒤에 명사 landscapes와 명사 portraits가 올바르게 쓰였다.

③ 기출포인트 **동명사의 역할** 전치사(by)의 목적어 자리에 명사 역할을 하는 동명사 walking이 올바르게 쓰였다. 참고로, 동사 get(got)은 '~에 도착하다'라는 의미로 쓰일 때 전치사(to) 없이는 목적어를 취할 수 없는 자동사이므로 got to the movie theater가 올바르게 쓰였다.

해석 ① 수영하는 것은 언제나 나를 피곤하게 한다.
② 그녀의 취미는 초상화뿐만 아니라 풍경화를 그리는 것이다.
③ 그는 걸어서 영화관에 도착했다.
④ 그녀는 손이 아팠지만 계속 편지를 썼다.

어휘 landscape 풍경화 portrait 초상화

03 기출포인트 동명사를 목적어로 취하는 동사

정답 ②

해설 동사 deny(부인하다)는 동명사를 목적어로 취하는 동사이므로 to 부정사 to have를 동명사 having으로 고쳐야 한다.

오답 분석 ① 기출포인트 **과거 시제** '발견하여 체포했다'라는 이미 끝난 과거의 동작을 표현하고 있으므로 과거 시제 found and apprehended가 올바르게 쓰였다.

③ 기출포인트 **보어 자리** be 동사(was)의 주격 보어 자리에 형용사 innocent가 올바르게 쓰였다.

④ 기출포인트 **동명사 관련 표현** 동명사구 관용 표현 end up -ing(결국 -하다)의 형태가 되어야 하므로 동명사 going이 올바르게 쓰였다.

해석 두바이에서, 경찰은 지난 5개월간의 다수의 은행 강도사건의 주범이라고 생각되는 남성을 마침내 발견하여 체포했다. 범죄에 대해 질문을 받았을 때, 그 남자는 자신이 완전히 결백하다고 주장하며 그것들에 대해 아는 바가 없다고 부인했다. 하지만 그는 결국 감옥에 가게 되었다.

어휘 apprehend 체포하다 multiple 다수의 robbery 강도사건 claim 주장하다 innocent 결백한 ultimately 결국

04 다음 중 우리말을 영어로 잘못 옮긴 것은?

① 나의 자동차는 현재 수리되고 있다.
→ My car is currently being fixed.

② 그녀는 책을 빌렸던 것을 잊었다.
→ She forgot about having borrowed the book.

③ 그는 프랑스어를 배워보고 싶다.
→ He wants to try learning French.

④ 배심원으로서 일하도록 선택되는 것은 곤란할 수 있다.
→ Being chosen to serve on a jury can be inconvenient.

⑤ 열심히 공부하지 않으면, 당신은 그 시험을 통과할 수 없다.
→ Without study hard, you can't pass the test.

05 우리말을 영어로 잘못 옮긴 것은?

① 학생들은 견학 갈 때 교복을 입는 것에 반대했다.
→ Students objected to wear school uniforms when they went on a field trip.

② 그녀는 훌륭한 점수를 받았음에도 불구하고, 결국 결승전에 나가지 못했다.
→ Although she got an excellent score, she ended up not going to the championship.

③ 20마일을 달린 후, 마라톤 주자는 기진맥진한 느낌이 들기 시작했다.
→ After running for 20 miles, the marathon runner started feeling exhausted.

④ 과학자들은 믿음이 질병에서의 회복을 촉진하는 데 중요한 역할을 할 수 있다는 것을 인정한다.
→ Scientists recognize that faith may play an important role in facilitating recovery from illness.

06 다음 글의 밑줄 친 부분 중 옳지 않은 것을 고르시오.

It is common to think that you will keep ① staying close to your friends from your younger years forever. It can be hard to get used to not ② see them as often when you get older. While you may both want to continue ③ to visit each other like before, the truth is that we cannot help ④ spending more time with family and at work and less time with friends.

04 기출포인트 동명사의 역할

정답 ⑤

해설 전치사(Without)의 목적어 자리에는 명사 역할을 하는 것이 와야 하므로 동사원형 study를 동명사 studying으로 고쳐야 한다.

오답분석 ① 기출포인트 **현재진행 시제** '나의 자동차는 현재 수리되고 있다'라는 현재 진행되고 있는 일을 표현하고 있고, 주어(My car)와 동사가 '자동차가 수리되다'라는 의미의 수동 관계이므로 현재진행 수동태 is being fixed가 올바르게 쓰였다.

② **Chapter 09 동명사 BASIC GRAMMAR** 전치사(about)의 목적어 자리에는 명사 역할을 하는 것이 와야 하고, 그녀가 '책을 빌린 것'이 '빌린 것을 잊은' 시점보다 이전이므로 동명사의 완료형 having borrowed가 올바르게 쓰였다.

③ 기출포인트 **동명사와 to 부정사 둘 다 목적어로 취하는 동사** 동사 try는 '(시험 삼아) ~해보다'라는 의미를 나타낼 때 동명사를 목적어로 취하므로 동명사 learning이 올바르게 쓰였다.

④ **Chapter 09 동명사 BASIC GRAMMAR** 동명사(Being chosen) 뒤에 목적어가 없고 문맥상 '배심원으로서 일하도록 선택되다'라는 의미의 수동 관계가 되어야 하므로 동명사의 수동형 Being chosen이 올바르게 쓰였다.

어휘 currently 현재 jury 배심원 pass 통과하다

05 기출포인트 동명사 관련 표현

정답 ①

해설 '교복을 입는 것에 반대했다'는 object to -ing(~에 반대하다)의 형태로 나타낼 수 있으므로 to wear를 to wearing으로 고쳐야 한다.

오답분석 ② 기출포인트 **동명사 관련 표현** '결국 결승전에 나가지 못했다'는 동명사구 관용 표현 end up -ing(결국 -하다)의 형태로 나타낼 수 있고, 동명사의 부정형은 동명사 앞에 not이 와야 하므로 ended up not going이 올바르게 쓰였다.

③ 기출포인트 **동명사와 to 부정사 둘 다 목적어로 취하는 동사** 동사 start는 동명사가 목적어일 때와 to 부정사가 목적어일 때 의미가 동일하므로 started feeling이 올바르게 쓰였다.

④ 기출포인트 **동명사의 역할** 전치사(in)의 목적어 자리에 명사 역할을 하는 동명사 facilitating이 올바르게 쓰였다. 참고로, 동사 recognize는 that 절(that faith ~ illness)을 목적어로 갖는 3형식 동사이므로 recognize that ~ illness가 올바르게 쓰였다.

어휘 field trip 견학 faith 믿음 facilitate 촉진하다 recovery 회복

06 기출포인트 동명사 관련 표현

정답 ②

해설 문맥상 '자주 보지 못하는 것에 익숙해지기 어려울 수 있다'라는 의미가 되어야 자연스러운데 '-에 익숙하다'는 동명사 관련 표현 get used to -ing 형태를 사용하여 나타낼 수 있으므로 동사원형 see를 동명사 seeing으로 고쳐야 한다.

오답분석 ① 기출포인트 **동명사를 목적어로 취하는 동사** 동사 keep은 동명사를 목적어로 취하는 동사이므로 동명사 staying이 올바르게 쓰였다.

③ 기출포인트 **동명사와 to 부정사 둘 다 목적어로 취하는 동사** 동사 continue는 동명사와 to 부정사를 둘 다 목적어로 취하는 동사이므로 목적어 자리에 to 부정사 to visit이 올바르게 쓰였다.

④ 기출포인트 **동명사 관련 표현** 문맥상 '가족과 직장에서 더 많은 시간을 보내지 않을 수 없다'는 의미가 되어야 자연스러운데 '-하지 않을 수 없다'는 동명사구 관용 표현 cannot help -ing 형태를 사용하여 나타낼 수 있으므로 동명사 spending이 올바르게 쓰였다.

해석 어릴 때 친구들과 영원히 가깝게 지낼 것이라고 생각하는 것은 흔한 일이다. 나이가 들면서 그들을 자주 보지 못하는 것에 익숙해지기 어려울 수 있다. 두 사람 모두 예전처럼 계속해서 서로를 방문하고 싶을 수도 있지만, 진실은 우리가 가족과 직장에서 더 많은 시간을 보내고 친구들과 더 적은 시간을 보내지 않을 수 없다는 것이다.

어휘 continue 계속하다

07 밑줄 친 부분이 어법상 옳지 않은 것은?

① My mother is looking forward to celebrating the holidays all together.

② Contestants on the show cannot help grinning when meeting the host for the first time.

③ He regrets to leave the house this morning without an umbrella.

④ She appreciated his taking the time to look over her essay.

08 다음 밑줄 친 부분에 들어갈 가장 적절한 표현은? [2017년 국회직 9급]

When the detective interrogated Steve about the incident, he remembered ________ a black figure passing by. But he couldn't be sure of what it was.

① seen

② to see

③ seeing

④ being seen

⑤ to be seen

07 기출포인트 **동명사와 to 부정사 둘 다 목적어로 취하는 동사** 정답 ③

해설 문맥상 '오늘 아침에 우산 없이 집을 나선 것을 후회하다'라는 의미가 되어야 자연스러운데, 동사 regret은 '~한 것을 후회하다'라는 과거의 의미를 나타낼 때는 동명사를 목적어로 취하므로 to 부정사 to leave를 동명사 leaving으로 고쳐야 한다.

오답 분석
① 기출포인트 **동명사 관련 표현** 문맥상 '휴일을 모두 함께 기념하기를 고대하고 있다'라는 의미가 되어야 자연스러운데 '-를 고대하다'는 동명사 관련 표현 look forward to -ing 형태를 사용하여 나타낼 수 있으므로 전치사 to 뒤에 동명사 celebrating이 쓰인 to celebrating이 올바르게 쓰였다.
② 기출포인트 **동명사 관련 표현** 문맥상 '미소를 짓지 않을 수 없었다'라는 의미가 되어야 자연스러운데 '-하지 않을 수 없다'는 동명사구 관용 표현 cannot help -ing 형태를 사용하여 나타낼 수 있으므로 동명사 grinning이 올바르게 쓰였다.
④ 기출포인트 **동명사의 의미상 주어** 동명사(taking)의 의미상 주어는 소유격 대명사를 동명사 앞에 써서 나타내므로 소유격 대명사 his가 올바르게 쓰였다.

해석 ① 나의 어머니는 휴일을 모두 함께 기념하기를 고대하고 있다.
② 그 프로그램의 출연자들은 처음으로 진행자를 만났을 때 미소를 짓지 않을 수 없었다.
③ 그는 오늘 아침에 우산 없이 집을 나선 것을 후회한다.
④ 그녀는 그가 시간을 내어 자신의 수필을 검토해 준 것에 감사했다.

어휘 celebrate 기념하다, 축하하다 contestant 출연자, 참가자 grin 미소 짓다 host 진행자, 주최자 regret 후회하다 appreciate 감사하다 essay 수필, 작문

08 기출포인트 **동명사와 to 부정사 둘 다 목적어로 취하는 동사** 정답 ③

해설 빈칸은 동사 remember의 목적어 자리이므로 과거분사 ① seen은 정답이 될 수 없다. 동사 remember는 '~한 것을 기억하다'라는 과거의 의미를 나타낼 때 동명사를 목적어로 취하고, 빈칸 뒤에 목적어 a black figure가 있고 문맥상 '본 것을 기억했다'라는 능동 관계이므로, 동사 remember의 목적어로 동명사의 능동형 ③ seeing이 정답이다.

해석 형사가 그 사건에 대해 Steve를 심문했을 때, 그는 검은 형태가 지나가는 것을 본 것을 기억했다. 하지만 그는 그것이 무엇이었는지 확신할 수 없었다.

어휘 detective 형사 interrogate 심문하다 figure 형태, 인물 pass by 지나가다

Chapter 10

분사

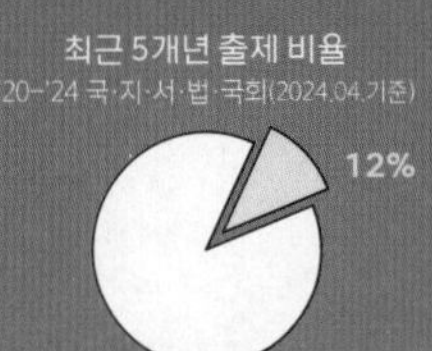

BASIC GRAMMAR 기본기 다지기

01 현재분사와 과거분사

분사에는 능동의 의미를 나타내는 **현재분사(동사원형 + ing)**와 수동의 의미를 나타내는 **과거분사(동사원형 + ed)**가 있다. **분사**는 동사에서 나왔지만, 문장에서 동사 역할이 아니라 **형용사 역할**을 한다.

I **exciting** movies. [×]

I watched **exciting** movies. [○] 나는 흥미진진한 영화를 보았다.
현재분사(능동의 의미)

I got **interested** in the class. [○] 나는 그 수업에 흥미를 가졌다.
과거분사(수동의 의미)

→ 위의 문장들에서 볼 수 있듯이 분사는 동사에서 나왔지만 동사 역할을 하지 못한다. 첫 번째 문장의 현재분사 exciting처럼 명사를 수식하거나 두 번째 문장의 과거분사 interested처럼 문장의 보어 자리에 와서 형용사 역할을 한다.

Check-Up

다음 보기 중 빈칸에 들어갈 알맞은 것을 고르시오.

I saw George ________ guitar in the park. 나는 George가 공원에서 기타를 치는 것을 보았다.

ⓐ playing ⓑ to play ⓒ played

→ 빈칸은 지각동사 see(saw)의 목적격 보어 자리이므로 형용사 역할을 하는 현재분사 ⓐ playing이 정답이다.

정답: ⓐ

02 분사의 성질

분사는 동사의 성질을 여전히 가지고 있어서, **목적어**나 **보어**를 가질 수 있고 **부사**의 수식을 받을 수 있다.

She has a friend **learning** Spanish. 그녀는 스페인어를 배우는 한 친구가 있다.
목적어

The singer, **feeling** tense, couldn't sing his song. 그 가수는 긴장을 느껴서, 그의 노래를 부를 수 없었다.
보어

The girl **walking** slowly is my sister. 천천히 걷고 있는 그 소녀는 내 여자 형제이다.
부사

→ 첫 번째 문장에서 분사(learning)는 목적어(Spanish)를 가지고, 두 번째 문장의 분사(feeling)는 보어(tense)를 가진다. 세 번째 문장에서는 분사(walking)가 부사(slowly)의 수식을 받고 있다. 이와 같은 '분사 + 목적어/보어/부사 등'의 덩어리를 '분사구'라고 부른다.

Check-Up

다음 중 분사를 수식하는 것을 찾으시오.

We looked after the baby **crying** loudly. 우리는 크게 우는 아기를 돌봤다.
ⓐ ⓑ ⓒ 분사 ⓓ

→ 분사 crying은 동사의 성질을 여전히 가지고 있으므로, 부사 ⓓ loudly의 수식을 받을 수 있다.

정답: ⓓ

03 분사구문

분사구문은 '부사절 접속사 + 주어 + 동사' 형태의 부사절을 **분사**를 이용하여 **부사구**로 바꾼 것으로, 문장에서 부사절 역할을 하는 **수식어 거품**이다.

When she met her friend again, Karen was so pleased.

Meeting her friend again, Karen was so pleased. 그녀의 친구를 다시 만났을 때, Karen은 너무나 기뻤다.

→ 두 번째 문장의 분사구문(Meeting her friend again)은 첫 번째 문장의 부사절(When she met her friend again)과 같이, 완전한 문장(Karen was so pleased)에 붙어 '친구를 다시 만났을 때'와 같은 부가적 의미를 더하며, 문장에 없어도 되는 부가성분인 수식어 거품이다.

Check-Up

다음 중 분사구문을 고르시오.

Living in the country, we know many farmers. 시골에 살기 때문에, 우리는 많은 농부를 안다.
ⓐ ⓑ

→ ⓐ Living in the country는 '시골에 살기 때문에'라는 의미의 분사구문으로, 문장에 없어도 되는 부가성분인 수식어 거품이다.

정답: ⓐ

분사의 역할

출제빈도 ★

1 분사는 형용사 역할을 한다.

• 형용사처럼 명사 앞이나 뒤에서 명사를 수식한다.

명사 앞 수식 In the silence, she heard the **ticking** clock. 고요함 속에서, 그녀는 똑딱거리는 시계 소리를 들었다.
→ 분사(ticking)는 명사(clock)를 앞에서 수식한다.

명사 뒤 수식 There is a long list of people **scheduled for interviews.** 인터뷰 예정인 사람들의 긴 목록이 있다.
→ 분사구(scheduled for interviews)는 명사(people)를 뒤에서 수식한다.

• 형용사처럼 주격 보어나 목적격 보어로 쓰인다.

주격 보어 That game looks **entertaining.** 그 게임은 재미있어 보인다.

목적격 보어 She looked at the footprints **left** in the snow. 그녀는 눈에 남겨진 발자국을 보았다.

2 분사 자리에 동사는 올 수 없다.

The books (**ordered**, ~~order~~) online arrived one week later. 온라인으로 주문된 책들은 일주일 후에 도착했다.
→ 동사(order)는 명사(books)를 수식할 수 없으므로, 형용사 역할을 하는 분사(ordered)가 와야 한다.

She quickly became (**acquainted**, ~~acquaint~~) with the others. 그녀는 빠르게 다른 사람들과 알게 되었다.
→ 동사(acquaint)는 주격 보어 자리에 올 수 없으므로, 형용사 역할을 하는 분사(acquainted)가 와야 한다.

공무원 영어 실전 문제

01 어법상 밑줄 친 부분에 가장 적절한 것은? [2015년 서울시 9급]

Most of the art ____________ in the museum is from Italy in the 19th century.

① is displayed ② displaying ③ displayed ④ are displayed

정답 ③ 해설·해석 p.437

기출포인트 **02**

현재분사 vs. 과거분사

출제빈도 ★★★

1 분사가 명사를 수식하는 경우, 수식 받는 명사와 분사가 능동 관계면 현재분사, 수동 관계면 과거분사가 와야 한다.

I received a letter (**informing**, ~~informed~~) me to pick up a package at the post office.
나는 우체국에서 소포를 가져가라고 알리는 편지를 받았다.
→ 수식 받는 명사(a letter)와 분사가 '편지가 알리다'라는 의미의 능동 관계이므로, 현재분사(informing)가 와야 한다.

The audience enjoyed the aria (**sung**, ~~singing~~) at the opera. 관객들은 오페라에서 불리는 아리아를 즐겼다.
→ 수식 받는 명사(the aria)와 분사가 '노래가 불리다'라는 의미의 수동 관계이므로, 과거분사(sung)가 와야 한다.

2 분사가 주격 보어이거나 목적격 보어일 경우, 주어와 보어 또는 목적어와 보어가 능동 관계면 현재분사, 수동 관계면 과거분사가 와야 한다.

She returned (**carrying**, ~~carried~~) a pot of tea. 그녀는 차 한 주전자를 가지고 돌아왔다.
→ 주어(She)와 분사가 '그녀가 차 한 주전자를 가지고 오다'라는 의미의 능동 관계이므로, 현재분사(carrying)가 와야 한다.

He found the entire building (**remodeled**, ~~remodeling~~). 그는 건물 전체가 개조된 것을 발견했다.
→ 목적어(the entire building)와 분사가 '건물이 개조되다'라는 의미의 수동 관계이므로, 과거분사(remodeled)가 와야 한다.

고득점 포인트 감정을 나타내는 분사가 수식 또는 보충 설명하는 대상이 감정을 일으키는 주체인 경우 현재분사를 쓰고, 감정을 느끼는 대상인 경우 과거분사를 쓴다.
The lecture on evolution seems **interesting**. 진화에 대한 강의는 흥미로워 보인다.
The **excited** children shouted loudly. 흥분한 아이들은 크게 소리 질렀다.

공무원 영어 실전 문제

02 우리말을 영어로 잘못 옮긴 것을 고르시오. [2021년 지방직 9급]

① 그의 소설들은 읽기가 어렵다.
→ His novels are hard to read.
② 학생들을 설득하려고 해 봐야 소용없다.
→ It is no use trying to persuade the students.
③ 나의 집은 5년마다 페인트칠된다.
→ My house is painted every five years.
④ 내가 출근할 때 한 가족이 위층에 이사 오는 것을 보았다.
→ As I went out for work, I saw a family moved in upstairs.

정답 ④ 해설·해석 p.437

기출포인트 03

분사구문의 형태와 의미상 주어

출제빈도
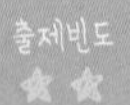

1 분사구문은 '부사절 접속사 + 주어 + 동사' 형태의 부사절을 분사를 이용하여 부사구로 바꾼 것이다.

①　②　③
~~Because they~~ tried their best, they won.

Trying their best, they won.
최선을 다했기 때문에, 그들은 이겼다.

① 부사절 접속사를 생략한다.
② 주절과 부사절의 주어가 같은 경우 부사절의 주어를 생략한다.
③ 부사절의 동사를 -ing형의 분사로 바꾼다.
*이때 주절의 주어와 분사구문이 수동 관계인 경우, 과거분사로 시작한다.

고득점 포인트　분사구문의 의미를 분명하게 하기 위해 부사절 접속사가 분사구문 앞에 올 수 있다.
After eating dinner, she went upstairs. 저녁을 먹고 나서, 그녀는 위층으로 갔다.

2 분사구문의 부정형을 쓸 때는 분사 앞에 not이나 never를 붙인다.

Not getting through, she hung up and called again. 연결이 되지 않았기 때문에, 그녀는 전화를 끊고 다시 걸었다.

Never considered safe, the park was closed off at night. 절대 안전한 것으로 간주되지 않기 때문에, 공원은 밤에 폐쇄되었다.

3 분사구문의 완료형은 having p.p.이고, 주절의 동사보다 이전의 시점에 일어난 일을 나타낸다.

Having taken a vacation, she came back refreshed and energized. 휴가를 갔다 온 후, 그녀는 원기가 회복되고 활기가 넘쳐서 돌아왔다.
→ 휴가를 간 시점이 돌아온 시점(came back)보다 이전이므로 분사구문의 완료형(Having taken)을 쓴다.

4 주어와 분사구문의 행위 주체가 달라 분사구문의 의미상 주어가 필요한 경우 명사 또는 주격 대명사를 분사구문 앞에 쓴다.

The meeting **ending** late, the staff decided to get dinner together. 회의가 늦게 끝났기 때문에, 직원들은 함께 저녁을 먹기로 결정했다.
(The meeting: 의미상의 주어 / the staff: 주절의 주어)

It **being** sunny, we went to the beach. 날씨가 화창했기 때문에, 우리는 해변에 갔다.
(It: 의미상의 주어 / we: 주절의 주어)

공무원 영어 실전 문제

03 밑줄 친 부분 중 어법상 가장 옳은 것은? [2017년 국가직 9급(10월 추가) 출제경향]

AJ Delgado wondered what ① was he hearing as he ate breakfast. ② Something banging loudly, he initially thought someone was throwing things on his roof. He went outside to find the cause of the noise and ③ making it stop. Looking up, he saw it was raining fish. Experts say this ④ occurs when sometimes waterspouts – weak tornados that form over water – suck up fish and drop them far away.

정답 ② 해설·해석 p.438

기출포인트 04

분사구문의 역할과 관용 표현

출제빈도

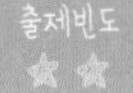

1 분사구문은 시간, 이유, 조건 등을 나타내는 부사절 역할을 한다.

시간 **Reading** (= When he read) **a history book**, he kept losing his concentration.
역사책을 읽을 때, 그는 계속 집중력을 잃어버렸다.

이유 **Finding** (= Because she found) **herself lost**, she asked a passerby for directions.
자신이 길을 잃은 것을 알았기 때문에, 그녀는 지나가는 사람에게 방향을 물어보았다.

조건 **Held** (= If it is held) **steady**, the ship will be able to navigate through the storm.
균형이 잡히면, 배는 폭풍을 뚫고 항해할 수 있을 것이다.

2 'with + 명사 + 분사'는 '~가 - 한 채로/하면서' 또는 '~때문에'의 의미로, 동시에 일어나는 상황이나 이유를 나타낸다.

He kept working **with his phone ringing**. 그는 그의 전화기가 울리는 채로 계속 일했다.

She is listening to music **with her eyes closed**. 그녀는 눈을 감은 채로 음악을 듣고 있다.

With my hand bandaged, I could not write properly. 나의 손을 붕대로 감고 있었기 때문에, 나는 글을 제대로 쓸 수 없었다.

3 분사구문 관용 표현

according to ~에 따르면	considering ~을 고려해보면	concerning ~에 관하여
generally speaking 일반적으로	frankly speaking 솔직히 말하자면	strictly speaking 엄격히 말하자면
providing / provided (that) 만일 ~이라면	supposing / suppose (that) 만일 ~이라면	assuming / given (that) ~이라 가정(고려)하면
depending on ~에 따라서	all things considered 모든 것을 고려해보면	granting / granted (that) 설사 ~이라 하더라도

Considering her age, it's not easy for her to run one kilometer. 그녀의 나이를 고려해보면, 그녀가 1킬로미터를 달리는 것은 쉽지 않다.

Generally speaking, most people prefer sunny weather. 일반적으로, 대부분의 사람들은 화창한 날씨를 선호한다.

공무원 영어 실전 문제

04 우리말을 영어로 잘못 옮긴 것을 고르시오. [2022년 국가직 9급]

① 커피 세 잔을 마셨기 때문에, 그녀는 잠을 이룰 수 없다.
→ Having drunk three cups of coffee, she can't fall asleep.

② 친절한 사람이어서, 그녀는 모든 이에게 사랑받는다.
→ Being a kind person, she is loved by everyone.

③ 모든 점이 고려된다면, 그녀가 그 직위에 가장 적임인 사람이다.
→ All things considered, she is the best-qualified person for the position.

④ 다리를 꼰 채로 오랫동안 앉아 있는 것은 혈압을 상승시킬 수 있다.
→ Sitting with the legs crossing for a long period can raise blood pressure.

정답 ④ 해설·해석 p.438

Hackers Practice

둘 중 어법상 알맞은 것을 고르세요.

01 German is one of many languages (write / written) in the Latin alphabet.

02 (Having not / Not having) had dinner, I was starving.

03 When (asked / ask) who broke the glass, the child pretended not to know.

04 A message (warned / warning) residents of high air pollution levels was sent out.

05 They said that the science fair next week looks (intriguing / intrigued).

06 If (consuming / consumed) in moderation, sugar isn't that bad.

07 (Concerning / Concerned) deadlines, the managers were impressed with her speed.

08 Passenger should stay in their seats with their seatbelts (fastened / fastening).

09 (Looked / Looking) out over the water, they saw a group of dolphins.

어휘

01 language 언어 02 starve 몹시 배고프다 03 pretend ~인 척하다 04 resident 주민 send out 발송하다 05 fair 박람회 intrigue 흥미를 돋우다
06 consume 섭취하다, 먹다 in moderation 적당히 07 deadline 마감 시간 08 fasten 매다, 묶다 09 dolphin 돌고래

01 기출포인트 **분사의 역할**

해설 수식 받는 명사(languages)와 분사가 '언어가 쓰이다'라는 의미의 수동 관계이므로 과거분사 written이 정답이다.

정답 written

해석 독일어는 로마자로 쓰인 많은 언어 중 하나이다.

02 기출포인트 **분사구문의 형태**

해설 분사구문의 부정형은 분사 앞에 not이나 never를 쓰므로 Not having이 정답이다.

정답 Not having

해석 저녁을 먹지 않았기 때문에, 나는 몹시 배고팠다.

03 기출포인트 **현재분사 vs. 과거분사**

해설 주절의 주어(the child)와 분사구문이 '그 아이가 질문을 받다'라는 의미의 수동 관계이므로 과거분사 asked가 정답이다.

정답 asked

해석 누가 유리를 깼는지 질문을 받았을 때, 그 아이는 모른 척했다.

04 기출포인트 **현재분사 vs. 과거분사**

해설 수식 받는 명사(A message)와 분사가 '메시지가 경고하다'라는 의미의 능동 관계이므로 현재분사 warning이 정답이다.

정답 warning

해석 주민들에게 높은 대기 오염 수준을 경고하는 메시지가 발송되었다.

05 기출포인트 **현재분사 vs. 과거분사**

해설 감정을 나타내는 동사(intrigue)의 경우 주어가 감정의 원인이면 현재분사를 써야 하는데, that절의 주어(the science fair)가 '과학 박람회가 흥미를 돋우다'라는 의미로 감정의 원인이므로 현재분사 intriguing이 정답이다.

정답 intriguing

해석 그들은 다음 주의 과학 박람회가 흥미로워 보인다고 말했다.

06 기출포인트 **분사구문의 형태**

해설 주절의 주어(sugar)와 분사구문이 '설탕이 섭취되다'라는 의미의 수동 관계이므로 과거분사 consumed가 정답이다.

정답 consumed

해석 만약 적당히 섭취된다면, 설탕은 그렇게 나쁘지 않다.

07 기출포인트 **분사구문 관용 표현**

해설 문맥상 '마감 시간에 관하여'라는 의미가 되어야 자연스러우므로 '~에 관하여'라는 의미의 분사구문 관용 표현 Concerning이 정답이다.

정답 Concerning

해석 마감 시간에 관하여, 그 관리자들은 그녀의 속도에 감명받았다.

08 기출포인트 **분사구문의 역할**

해설 동시에 일어나는 상황은 'with + 명사 + 분사'의 형태로 나타낼 수 있는데, 명사(their seatbelts)와 분사가 '그들의 안전벨트가 매어지다'라는 의미의 수동 관계이므로 과거분사 fastened가 정답이다.

정답 fastened

해석 승객들은 그들의 안전벨트를 맨 채 그들의 자리에 머물러야 한다.

09 기출포인트 **분사구문의 형태**

해설 주절의 주어(they)와 분사구문이 '그들이 바다를 내다보다'라는 의미의 능동 관계이므로 현재분사 Looking이 정답이다.

정답 Looking

해석 그들이 바다를 내다보았을 때, 그들은 돌고래 떼를 보았다.

어법상 옳은 것에는 O, 틀린 것에는 X를 표시하고 틀린 부분을 바르게 고치세요.

10 The damaging equipment was sent back to the manufacturer for replacement. [ ]

11 Arriving at the hotel, I confirmed my room reservation with the receptionist. [ ]

12 Hold four boxes, he struggled to open the door. [ ]

13 Their meals didn't look like the photos showing on the menu. [ ]

14 Had lost his job, the man sent his résumé to more than 200 companies. [ ]

15 Keep in a refrigerator, milk can stay good for a week. [ ]

16 With its streets repaving recently, the city was much more inviting to tourists. [ ]

17 The woman to enter the gym is a new member. [ ]

18 According to the forecast, it will rain tomorrow afternoon. [ ]

어휘

10 equipment 장비 manufacturer 제조 회사 replacement 교체 11 confirm 확인하다 reservation 예약 receptionist 접수원
12 struggle 버둥거리다, 분투하다 13 meal 식사 14 résumé 이력서 15 refrigerator 냉장고 16 repave 다시 포장하다 inviting 매력적인
17 gym 체육관 18 forecast 예보

10 기출포인트 **현재분사 vs. 과거분사**

해설 수식 받는 명사(equipment)와 분사가 '장비가 손상되다'라는 의미의 수동 관계이므로 현재분사 damaging을 과거분사 damaged로 고쳐야 한다.

정답 X, damaging → damaged

해석 손상된 장비는 교체를 위해 제조 회사에 돌려보내졌다.

11 기출포인트 **분사구문의 역할**

해설 문맥상 '나는 호텔에 도착한 후 예약을 확인했다'라는 의미가 되어야 자연스러우므로 시간을 나타내는 부사절 역할을 하는 분사구문 Arriving at the hotel이 올바르게 쓰였다.

정답 O

해석 호텔에 도착한 후, 나는 접수원에게 나의 객실 예약을 확인했다.

12 기출포인트 **분사구문의 형태**

해설 동사(Hold)는 분사 자리에 올 수 없고, 주절의 주어(he)와 동사가 '그가 들다'라는 의미의 능동 관계이므로 동사 Hold를 분사구문 형태를 만드는 현재분사 Holding으로 고쳐야 한다.

정답 X, Hold → Holding

해석 상자 네 개를 들고, 그는 문을 열기 위해 버둥거렸다.

13 기출포인트 **현재분사 vs. 과거분사**

해설 수식 받는 명사(the photos)와 분사가 '사진이 보이다'라는 의미의 수동 관계이므로 현재분사 showing을 과거분사 shown으로 고쳐야 한다.

정답 X, showing → shown

해석 그들의 식사는 메뉴에 보이는 사진들처럼 보이지 않았다.

14 기출포인트 **분사구문의 형태**

해설 '직장을 잃은' 시점이 '이력서를 보낸' 시점보다 이전이므로 분사구문의 완료형 'Having + p.p.'가 쓰여야 한다. 따라서 Had를 Having으로 고쳐야 한다.

정답 X, Had → Having

해석 직장을 잃은 후, 그 남자는 그의 이력서를 200곳 이상의 회사에 보냈다.

15 기출포인트 **분사구문의 형태**

해설 동사(Keep)는 분사 자리에 올 수 없고, 주절의 주어(milk)와 동사가 '우유가 보관되다'라는 의미의 수동 관계이므로 동사 Keep을 분사구문 형태를 만드는 과거분사 Kept로 고쳐야 한다.

정답 X, Keep → Kept

해석 냉장고에 보관되면, 우유는 일주일 동안 좋은 상태를 유지할 수 있다.

16 기출포인트 **분사구문의 역할**

해설 이유를 나타낼 때 'with + 명사 + 분사'의 형태로 나타낼 수 있는데, 명사(its streets)와 분사가 '거리들이 다시 포장되다'라는 의미의 수동 관계이므로 현재분사 repaving을 과거분사 repaved로 고쳐야 한다.

정답 X, repaving → repaved

해석 그것(도시)의 거리들이 최근에 다시 포장되었기 때문에, 그 도시는 관광객들에게 훨씬 더 매력적이었다.

17 기출포인트 **분사의 역할**

해설 문맥상 수식 받는 명사(The woman)와 수식어가 '체육관에 들어가는 여성'이라는 의미가 되어야 자연스러우므로 to 부정사 to enter를 현재분사 entering으로 고쳐야 한다. 참고로, to 부정사 to enter은 '들어갈'이라는 의미가 된다.

정답 X, to enter → entering

해석 체육관에 들어가는 그 여성은 새로운 회원이다.

18 기출포인트 **분사구문 관용 표현**

해설 문맥상 '예보에 따르면'이라는 의미가 되어야 자연스러우므로 '~에 따르면'이라는 의미의 분사구문 관용 표현 According to가 올바르게 쓰였다.

정답 O

해석 예보에 따르면, 내일 오후에 비가 내릴 것이다.

Hackers Test

01 우리말을 영어로 옮긴 것으로 가장 적절하지 않은 것은?

① 매년 열리기 때문에, 그 축제는 매우 인기 있다.
→ Held yearly, the festival is very popular.

② 큰 결정을 내릴 때는 신중히 생각해라.
→ Think carefully when making big decisions.

③ 그는 세탁소에서 정장을 세탁했다.
→ He had his suit cleaned at a dry cleaner.

④ 어느 것이 맞는 열쇠인지 몰라서, 나는 그것들을 모두 시도해보았다.
→ Not known which one was the right key, I tried them all.

02 밑줄 친 부분 중 가장 어색한 표현을 고르시오.

> Despite using the ax in an attempt to ① make a hole in the ② froze lake so that he could go ice fishing one last time before the ice began ③ to thaw, Hank made little progress. ④ Using the hand drill, he gave it another try.

03 어법상 밑줄 친 곳에 가장 적절한 것은?

> ____________________, he decided to clean the house.

① The furniture to get dusty
② Getting dusty
③ The furniture getting dusty
④ Get dusty

01 기출포인트 분사구문의 형태

정답 ④

해설 주절의 주어(I)와 분사구문이 '내가 알지 못하다'라는 의미의 능동 관계이므로 과거분사 known을 현재분사 knowing으로 고쳐야 한다.

오답분석 ① 기출포인트 **분사구문의 형태** 주절의 주어(the festival)와 분사구문이 '그 축제가 열리다'라는 의미의 수동 관계이므로 과거분사 Held가 올바르게 쓰였다.

② 기출포인트 **분사구문의 형태** 분사구문의 생략된 주어(you)와 분사가 '네가 결정을 내리다'라는 의미의 능동 관계이므로 현재분사 making이 올바르게 쓰였고, 분사구문의 뜻을 분명하게 하기 위해 부사절 접속사 when이 분사구문 앞에 올바르게 쓰였다.

③ 기출포인트 **원형 부정사를 목적격 보어로 취하는 동사** 사역동사 have(had)는 목적어(his suit)와 목적격 보어가 수동 관계일 때 목적격 보어로 과거분사를 취하므로 과거분사 cleaned가 올바르게 쓰였다.

어휘 hold (회의·시합 등을) 열다 carefully 신중히 dry cleaner 세탁소

02 기출포인트 현재분사 vs. 과거분사

정답 ②

해설 명사(lake)를 수식하는 것은 형용사 역할을 하는 것이므로 분사가 와야 하는데, 수식 받는 명사와 분사가 '호수가 얼려지다'라는 의미의 수동 관계이므로 과거 동사 froze를 과거분사 frozen으로 고쳐야 한다.

오답분석 ① 기출포인트 **to 부정사 관련 표현** attempt는 to 부정사를 취하는 명사이므로 to 뒤에 to 부정사를 만드는 원형 부정사 make가 올바르게 쓰였다.

③ 기출포인트 **동명사와 to 부정사 둘 다 목적어로 취하는 동사** 동사 begin(began)은 to 부정사와 동명사 둘 다 목적어로 취하는 동사이므로 to 부정사 to thaw가 올바르게 쓰였다.

④ 기출포인트 **분사구문의 형태** 주절의 주어(he)와 분사가 '그가 사용하다'라는 의미의 능동 관계이므로 현재분사 Using이 올바르게 쓰였다.

해석 얼음이 녹기 시작하기 전에 마지막으로 얼음낚시를 할 수 있도록 얼어 있는 호수에 구멍을 내기 위해 도끼를 사용했음에도 불구하고, Hank는 거의 진전을 보이지 못했다. 핸드 드릴을 이용하여, 그는 다시 한번 시도해 보았다.

어휘 ax 도끼 in an attempt to ~하기 위하여 freeze 얼게 하다, 얼리다 thaw 녹다 progress 진전

03 기출포인트 분사구문의 형태와 의미상 주어

정답 ③

해설 빈칸은 수식어 역할을 하는 분사구문 자리이므로 분사구문을 만들 수 있는 ②,③번이 정답의 후보이다. 문맥상 주절의 주어(he)가 아니라 가구가 먼지투성이가 된 것이므로 분사구문의 의미상의 주어(The furniture)가 분사구문 앞에 온 ③ The furniture getting dusty가 정답이다.

해석 가구들이 먼지투성이가 되어서, 그는 집 안을 청소하기로 결심했다.

어휘 dusty 먼지투성이인

04 밑줄 친 부분이 어법상 옳은 것은?

① Seeing from up close, the image is made up of millions of colored dots.

② Gone to amusement park, you must have had an exciting day.

③ Before explained everything to him, I had kept the information to myself.

④ The movie released a week ago seems entertaining.

05 다음 밑줄 친 부분에 들어갈 문법적으로 가장 옳은 표현은?

The woman ______________________________ about the hotel.

① calling from California asked

② calling from California asking

③ to call from California asking

④ to call from California asked

06 다음 문장 중 어법상 옳은 것은?

① The passengers got off the train held their bags.

② If leaving unattended, the dogs may get into a fight.

③ With both parties unsatisfied, they decided to cancel the merger.

④ Items purchasing before this month can be returned at any time.

04 기출포인트 현재분사 vs. 과거분사

정답 ④

해설 분사가 주격 보어일 때 감정을 나타내는 동사(entertain)의 경우 주어가 감정의 원인이면 현재분사를 써야 하는데, 주어(The movie)가 '영화가 재미있게 하다'라는 의미로 감정의 원인이므로 현재분사 entertaining이 올바르게 쓰였다.

오답 분석
① **기출포인트 분사구문의 형태** 주절의 주어(the image)와 분사구문이 '그림이 보여지다'라는 의미의 수동 관계이므로 현재분사 Seeing을 과거분사 Seen으로 고쳐야 한다.
② **기출포인트 분사구문의 형태** 주절의 주어(you)와 분사구문이 '네가 ~ 가다'라는 의미의 능동 관계이고, '신나는 하루를 보낸' 것보다 '놀이공원에 간' 것이 더 이전에 일어난 일이므로 과거분사 Gone을 분사의 완료형 Having gone으로 고쳐야 한다.
③ **기출포인트 분사구문의 형태** 주절의 주어(I)와 분사구문이 '내가 설명하다'라는 의미의 능동 관계이므로 과거분사 explained를 현재분사 explaining으로 고쳐야 한다.

해석 ① 바로 가까이에서 보면, 그 그림은 수백만 개의 색 있는 점들로 구성되어 있다.
② 놀이공원에 갔으니, 너는 신나는 하루를 보냈겠구나.
③ 그에게 모든 것을 설명하기 전에, 나는 그 정보를 아무에게도 말하지 않았다.
④ 일주일 전에 개봉된 그 영화는 재미있는 것 같다.

어휘 up close 바로 가까이에 amusement park 놀이공원

05 기출포인트 분사의 역할

정답 ①

해설 문맥상 수식 받는 명사(The woman)와 수식어가 '전화한 여성'이라는 의미가 되어야 자연스러우므로, '전화할 여성'이라는 의미가 되는 to 부정사 to call을 사용한 ③, ④번은 정답이 될 수 없다. 수식 받는 명사와 분사가 '여성이 전화하다'라는 의미의 능동 관계이므로 현재분사 calling이 와야 하고, 동사 자리에 동명사 형태는 올 수 없으므로 과거 동사 asked가 동사 자리에 쓰인 ① calling from California asked가 정답이다.

해석 캘리포니아에서 전화한 여성은 호텔에 관해서 물었다.

어휘 ask 묻다, 질문하다

06 기출포인트 분사구문의 역할

정답 ③

해설 이유를 나타낼 때 'with + 명사 + 분사'의 형태로 나타낼 수 있는데, 명사(both parties)와 분사가 '양측 모두 만족되지 못하다'라는 의미의 수동 관계이므로 과거분사 unsatisfied가 올바르게 쓰였다.

오답 분석
① **기출포인트 분사구문의 형태** 주어(The passengers)와 분사가 '승객들이 가방을 들다'라는 의미의 능동 관계이므로, 과거분사 held를 현재분사 holding으로 고쳐야 한다.
② **기출포인트 분사구문의 형태** 주절의 주어(the dogs)와 분사구문이 '개들이 남겨지다'라는 의미의 수동 관계이므로 현재분사 leaving을 과거분사 left로 고쳐야 한다.
④ **기출포인트 현재분사 vs. 과거분사** 수식 받는 명사(Items)와 분사가 '상품들이 구입되다'라는 의미의 수동 관계이므로 현재분사 purchasing을 과거분사 purchased로 고쳐야 한다.

해석 ① 승객들은 그들의 가방을 들고 기차에서 내렸다.
② 만약 방치된 채로 남겨진다면, 그 개들은 싸우게 될지도 모른다.
③ 양측 모두 만족스럽지 않아서, 그들은 합병을 취소하기로 결정했다.
④ 이번 달 이전에 구입된 상품들은 언제라도 환불될 수 있다.

어휘 unattended 방치된 merger 합병

07 우리말을 영어로 잘못 옮긴 것은?

① 피곤했기 때문에, 나는 일찍 자러 갔다.
→ Feeling tired, I went to sleep early.

② 깨진 유리를 밟지 않도록 조심하세요.
→ Be careful not to step on any broken glass.

③ 그녀는 추워서 손을 꽉 쥔 채 걸었다.
→ She was cold, so she walked with her hands clenched.

④ 해수면보다 낮은 땅을 차지하고 있는 뉴올리언스는, 결국 완전히 물에 잠기게 될 것이다.
→ New Orleans, occupied land below sea level, will eventually be completely flooded.

08 다음 글의 밑줄 친 부분 중 어법상 틀린 것은? [2020년 법원직 9급]

Many people refuse to visit animal shelters because they find it too sad or ① depressed. They shouldn't feel so bad because so many lucky animals are saved from a dangerous life on the streets, ② where they're at risk of traffic accidents, attack by other animals or humans, and subject to the elements. Many lost pets likewise ③ are found and reclaimed by distraught owners simply because they were brought into animal shelters. Most importantly, ④ adoptable pets find homes, and sick or dangerous animals are humanely relieved of their suffering.

07 기출포인트 분사구문의 형태

정답 ④

해설 주절의 주어(New Orleans)와 분사구문이 '뉴올리언스가 땅을 차지하다'라는 의미의 능동 관계이므로 과거분사 occupied를 현재분사 occupying으로 고쳐야 한다.

오답분석
① 기출포인트 **분사구문의 형태** 주절의 주어(I)와 분사구문이 '나는 피곤하다'라는 의미의 능동 관계이므로 현재분사 Feeling이 올바르게 쓰였다. 참고로, 감정을 나타내는 동사(tire)의 경우 주어가 감정을 느끼는 주체이면 과거분사를 써야 하므로 과거분사 tired가 올바르게 쓰였다.
② **Chapter 08 to 부정사 BASIC GRAMMAR** to 부정사의 부정형을 만들 때는 to 앞에 not이 와야 하므로 not to step이 올바르게 쓰였다.
③ 기출포인트 **분사구문의 역할** 동시에 일어나는 상황은 'with + 명사 + 분사'의 형태로 나타낼 수 있고, 명사(her hands)와 분사가 '그녀의 손이 꽉 쥐어지다'라는 의미의 수동 관계이므로 과거분사 clenched가 올바르게 쓰였다.

어휘 clench 꽉 쥐다 occupy 차지하다

08 기출포인트 현재분사 vs. 과거분사

정답 ①

해설 감정을 나타내는 동사(depress)의 경우 주어가 감정의 원인이면 현재분사를, 감정을 느끼는 주체이면 과거분사를 써야 하는데, 문맥상 주어(it)가 우울한 감정의 원인이므로 과거분사 depressed를 현재분사 depressing으로 고쳐야 한다.

오답분석
② 기출포인트 **관계부사** 선행사 streets가 장소를 나타내고, 관계사 뒤에 완전한 절(they're ~ the elements)이 왔으므로 장소를 나타내는 관계부사 where이 올바르게 쓰였다.
③ 기출포인트 **능동태·수동태 구별** 동사(are found) 뒤에 목적어가 없고, 주어(Many lost pets)와 동사가 '많은 실종된 반려동물들이 발견된다'라는 의미의 수동 관계이므로 수동태 are found가 올바르게 쓰였다.
④ 기출포인트 **형용사 자리** 문맥상 '입양할 수 있는 반려동물'이라는 의미가 되어야 자연스러우므로, 명사를 수식할 수 있는 형용사 adoptable이 명사(pets) 앞에 올바르게 쓰였다.

해석 많은 사람들은 그것(동물 보호소를 방문하는 것)이 너무 슬프거나 우울하다고 생각하기 때문에 동물 보호소를 방문하려고 하지 않는다. 너무나 많은 운이 좋은 동물들이 길거리에서의 위험한 생활에서 구조되었기 때문에 그들(사람들)은 그렇게 상심해서는 안 되는데, 그곳(길거리)에서는 그들(동물들)이 교통사고, 다른 동물이나 인간의 공격의 위험에 처해 있으며, 악천후의 영향을 받기 쉽다. 마찬가지로 많은 실종된 반려동물들도 그들이 동물 보호소로 데려와졌다는 이유만으로 마음이 산란해진 주인들에게 발견되고 되찾아진다. 가장 중요한 것은, 입양할 수 있는 반려동물들은 집을 찾으며, 아프거나 위험에 처한 동물들은 인도적으로 고통을 덜게 된다.

어휘 refuse ~하려고 하지 않다 shelter 보호소, 피난처 at risk 위험이 있는 subject to ~의 영향을 받기 쉬운 elements 악천후 likewise 마찬가지로 reclaim 되찾다, 매립하다 distraught (근심 따위로) 마음이 산란해진 relieve ~을 덜게 하다, 편안하게 하다 suffering 고통, 괴로움

Section Test

01 빈칸에 들어갈 말로 가장 적절한 것은?

The door ________ from the outside, he had to call his wife and ask her to open it.

① lock ② to lock
③ locks ④ locked

02 다음 밑줄 친 부분에 들어갈 말로 가장 적절한 것은?

She was embarrassed to be seen in public ________________.

① by her arm bruised ② with her arm bruising
③ with her arm bruised ④ by her arm bruise

03 밑줄 친 부분 중 어법상 가장 옳지 않은 것은?

Caffeine addiction is a real problem that causes some people to remain in an ① energizing state when they should be sleeping. While it may ② seem obvious that they should give up all caffeine, it's not so easy. If they do, they will begin to ③ experience withdrawal in the form of lethargy and weariness. It can take the body a long time to adjust ④ to generating enough energy on its own.

04 밑줄 친 부분 중 어법상 옳지 않은 것은?

The older generation may not use computers as much as their children do, but ① being computer illiterate is a different problem altogether. While most people who ② do not know how to use a computer simply haven't tried to learn, those who are computer illiterate cannot use a computer despite ③ be shown many times over. Living in a ④ tech-based world, this can be a serious issue.

01 기출포인트 **분사구문의 형태와 의미상 주어** 정답 ④

해설 주절에 완전한 절(he had to ~ it)이 왔으므로 빈칸에는 수식어 거품을 완성하는 분사구문 형태가 와야 하는데, 분사구문의 주어(The door)와 분사가 '문이 잠기다'라는 의미의 수동 관계이므로 과거분사 ④ locked가 정답이다. 참고로, 주절의 주어(he)와 분사구문의 주어(The door)가 달라 분사구문의 의미상 주어(The door)가 분사구문 앞에 왔다.

해석 문이 바깥쪽에서 잠겨있어서, 그는 아내에게 전화해서 문을 열어달라고 해야 했다.

어휘 outside 바깥쪽에 lock 잠그다

02 기출포인트 **분사구문의 역할** 정답 ③

해설 문맥상 '팔에 멍이 든 채로'라는 의미가 되어야 자연스러운데 동시에 일어나는 상황은 'with + 목적어 + 분사'의 형태로 나타낼 수 있으므로 전치사 with를 사용한 ②, ③번이 정답 후보이다. 명사(her arm)와 분사가 '팔에 멍이 들다'라는 의미의 수동 관계이므로 과거분사 bruised가 쓰인 ③ with her arm bruised가 정답이다.

해석 그녀는 팔에 멍이 든 채로 대중에게 모습을 보이는 것이 창피했다.

어휘 embarrassed 창피한 public 대중 bruise 멍들게 하다

03 기출포인트 **현재분사 vs. 과거분사** 정답 ①

해설 수식 받는 명사(state)와 분사가 '상태가 활기차게 되다'라는 의미의 수동 관계이므로 현재분사 energizing을 과거분사 energized로 고쳐야 한다.

오답 분석
② 기출포인트 **보어 자리** 동사 seem은 주격 보어를 취하는 동사이므로 보어 자리에 형용사 obvious가 올바르게 쓰였다.
③ 기출포인트 **불가산 명사** 동사 experience는 전치사 없이 목적어를 바로 취하는 타동사이고, 불가산 명사(withdrawal)는 부정관사(a)를 쓰거나 복수형으로 쓰일 수 없으므로 experience withdrawal이 올바르게 쓰였다.
④ 기출포인트 **동명사의 역할** 동사구 adjust to(~에 적응하다)에서 to는 전치사이므로, 뒤에 명사 역할을 하는 동명사 generating이 올바르게 쓰였다.

해석 카페인 중독은 몇몇 사람들이 자고 있어야 할 때 활기찬 상태를 유지하게 만드는 심각한 문제이다. 그들이 모든 카페인을 포기해야 할 것이 분명해 보일지도 모르지만, 그것은 그렇게 쉽지 않다. 만약 그들이 그렇게 한다면, 그들은 무기력과 피로의 형태로 금단 증상을 경험하기 시작할 것이다. 신체가 스스로 충분한 에너지를 생산하는 것에 적응하는 것은 오랜 시간이 걸릴 수 있다.

어휘 addiction 중독 energize 활기를 북돋우다, 동력을 공급하다 obvious 분명한, 명백한 withdrawal 금단 증상 lethargy 무기력 weariness 피로

04 기출포인트 **동명사의 역할** 정답 ③

해설 전치사(despite)의 목적어 자리에는 명사 역할을 하는 것이 와야 하므로 동사 be를 동명사 being으로 고쳐야 한다.

오답 분석
① 기출포인트 **주어 자리** 주어 자리에는 명사 역할을 하는 것이 와야 하므로 동명사구 being computer illiterate가 올바르게 쓰였다.
② **Chapter 06 조동사 BASIC GRAMMAR** 일반동사(know)의 부정문은 조동사 do 뒤에 not이 쓰이므로 do not know가 올바르게 쓰였다.
④ 기출포인트 **현재분사 vs. 과거분사** 수식 받는 명사(world)와 분사가 문맥상 '세계가 기술이 기반이 되다(기술이 기반이 되는 세계)'라는 의미의 수동 관계이므로 과거분사 tech-based가 명사 world 앞에 올바르게 쓰였다.

해석 기성세대는 그들의 자녀들이 그러는 만큼 컴퓨터를 많이 사용하지 않을지도 모르지만, 컴맹인 것은 완전히 다른 문제이다. 컴퓨터를 사용하는 방법을 모르는 대부분의 사람들이 단지 배우려고 시도하지 않은 반면, 컴맹인 사람들은 몇 번을 반복하여 가르쳐 주어도 컴퓨터를 사용하지 못한다. 기술이 기반이 되는 세계에 살고 있기 때문에, 이것은 심각한 문제일 수 있다.

어휘 generation 세대 computer illiterate 컴맹의 altogether 완전히, 전적으로 serious 심각한

05 밑줄 친 부분 중 어법상 옳지 않은 것은?

Someone ① stole the *Mona Lisa* in 1911. Though he denied ② to take the painting, the famous artist Pablo Picasso was actually arrested as a suspect in the crime. He was eventually freed, and the real thief and the artwork ended up ③ being found two years later. Fortunately, the priceless painting was completely ④ undamaged.

06 우리말을 영어로 잘못 옮긴 것은?

① 한 행인이 그 현장을 떠나기 전에 그 싸움을 목격한 것으로 전해진다.
→ A bystander is reported to have witnessed the fight before leaving the scene.

② 학자들은 빅뱅에 대한 학설이 정확하다고 믿는다.
→ Scholars believe that the theory about the Big Bang is accurate.

③ 긴장을 풀기 위해 당신의 방에서 혼자 15분 동안 명상을 해보아라.
→ Try meditating alone in your room for 15 minutes in order to relax.

④ 손님이 오기 전에 우리는 가구를 정리했다.
→ We had the furniture arrange before the guests came over.

07 어법상 옳은 것은?

① They brought the equipment and are ready to setting it up.

② Yesterday, I saw him to do a magic trick.

③ Having undergone surgery, he needed a full week to recover completely.

④ I admitted to use up the rest of the baking ingredients.

05 기출포인트 동명사를 목적어로 취하는 동사

정답 ②

해설 동사 deny는 동명사를 목적어로 취하는 동사이므로 to 부정사 to take를 동명사 taking으로 고쳐야 한다.

오답 분석 ① **기출포인트 과거 시제** 문장에 시간 표현 in 1911(1911년에)가 왔고 문맥상 '누군가가 1911년에 <모나리자>를 훔쳤다'라며 과거의 동작을 표현하고 있으므로 과거 시제 stole이 올바르게 쓰였다.

③ **기출포인트 동명사 관련 표현** 문맥상 '진짜 도둑과 예술품은 결국 2년 뒤에 발견되었다'라는 의미가 되어야 자연스러운데 '결국 -하다'는 동명사구 관용 표현 end up -ing 형태로 나타낼 수 있으므로 동명사 being이 올바르게 쓰였다.

④ **기출포인트 보어 자리** be 동사(was)는 주격 보어를 취하는 동사이므로, 보어 자리에 형용사 undamaged가 올바르게 쓰였다.

해석 1911년에 누군가가 <모나리자>를 훔쳤다. 비록 그는 그 그림을 가져간 것을 부인했지만, 유명한 예술가 파블로 피카소가 실제로 그 범죄의 용의자로 체포되었다. 그는 마침내 풀려났고, 진짜 도둑과 예술품은 결국 2년 뒤에 발견되었다. 다행히, 그 대단히 귀중한 그림은 완전히 손상되지 않았다.

어휘 arrest 체포하다 suspect 용의자 crime 범죄 eventually 마침내, 결국 free 풀어주다, 해방시키다 thief 도둑 artwork 예술품 fortunately 다행히, 운 좋게 priceless 대단히 귀중한 undamaged 손상되지 않은, 흠이 없는

06 기출포인트 원형 부정사를 목적격 보어로 취하는 동사

정답 ④

해설 사역동사 have(had)의 목적어(the furniture)와 목적격 보어가 '가구가 정리되었다'라는 의미의 수동 관계이므로 원형 부정사 arrange를 과거분사 arranged로 고쳐야 한다.

오답 분석 ① **기출포인트 3형식 동사의 수동태** that절을 목적어로 취하는 능동태 문장 They report that a bystander witnessed ~ the scene에서 that절의 주어(A bystander)가 문장의 주어로 가서 수동태 문장이 되는 경우 '주어 + be p.p. + to 부정사'의 형태가 되므로 A bystander is reported to have witnessed가 올바르게 쓰였다. 참고로, 목격한 시점이 전해지는(is reported) 시점보다 이전이므로 to 부정사의 완료형(to have witnessed)이 올바르게 쓰였다.

② **기출포인트 명사절 접속사 1: that** 동사 believe는 that절을 목적어로 취하는 동사이므로 완전한 절(the theory ~ is accurate)을 이끄는 명사절 접속사 that이 올바르게 쓰였다.

③ **기출포인트 동명사와 to 부정사 둘 다 목적어로 취하는 동사** 동사 try는 '~해보다'라는 의미일 때 동명사를 목적어로 취하므로 try meditating이 올바르게 쓰였다. 참고로, to 부정사가 목적을 나타낼 때는 to 대신 in order to를 쓸 수 있으므로 in order to relax가 올바르게 쓰였다.

어휘 bystander 행인 witness 목격하다 scene 현장 scholar 학자 theory 학설 accurate 정확한 meditate 명상하다 in order to ~하기 위해 arrange 정리하다

07 기출포인트 분사구문의 형태

정답 ③

해설 주절의 주어(he)와 분사구문이 '그가 수술을 받다'라는 의미의 능동 관계이므로 현재분사가 와야 하고, 수술을 받은 것이 회복한 것보다 이전 시점에 일어났으므로 분사구문의 완료형 Having undergone이 올바르게 쓰였다.

오답 분석 ① **기출포인트 to 부정사 관련 표현** 형용사 ready는 to 부정사를 취해 be ready to(~할 준비가 되다)의 형태로 쓰이는 형용사이므로 to setting을 to 부정사 to set으로 고쳐야 한다.

② **기출포인트 원형 부정사를 목적격 보어로 취하는 동사** 지각동사 see(saw)는 목적격 보어로 원형 부정사나 현재분사를 취할 수 있으므로 to 부정사 to do를 원형 부정사 do 또는 현재분사 doing으로 고쳐야 한다.

④ **기출포인트 동명사를 목적어로 취하는 동사** 동사구 admit to(~을 인정하다)에서 to는 전치사이므로 뒤에 명사 역할을 하는 것이 와야 한다. 따라서 동사원형 use를 동명사 using 또는 동명사의 완료형 having used로 고쳐야 한다.

해석 ① 그들은 장비를 가져왔고 그것을 설치할 준비가 되어있다.
② 어제, 나는 그가 마술 묘기를 부리는 것을 보았다.
③ 수술을 받은 후, 그가 완전히 회복하기 위해 꼬박 일주일이 필요했다.
④ 나는 나머지 제빵 재료들을 모두 써버린 것을 인정했다.

어휘 equipment 장비 undergo (수술을) 받다 surgery 수술 recover 회복하다 completely 완전히 admit 인정하다 ingredient 재료

08 우리말을 영어로 잘못 옮긴 것은?

① 그의 부모님은 그가 최선을 다하도록 항상 격려한다.
→ His parents always encourage him to do his best.

② 그들은 전기 자동차가 환경 오염 문제의 해결책이라고 생각한다.
→ They consider electric cars to be a solution to the pollution problem.

③ 그녀는 자신의 많은 독자에게서 온 메일에 회신하느라 바쁘다.
→ She is busy replying to e-mails sent by her many readers.

④ 정부는 시민들에게 필수적인 서비스를 제공하는 것을 멈추지 않을 것이다.
→ The government won't stop provide essential services to citizens.

09 밑줄 친 부분이 어법상 옳지 않은 것은?

① She will call him to make sure he is coming to the meeting.

② I have never heard her mention that she had a brother.

③ Some of the articles publish in the newspaper contained a few mistakes.

④ Sitting on the porch, we talked about what we wanted to do with our lives.

10 다음 문장 중 어법상 옳은 것은?

① It was too late to reconsider for him the opportunity to move overseas.

② It was stupid of her to attempt to perform complicated bicycle tricks.

③ Artificial light can confuse flown birds, causing them to become lost.

④ He was upset about being not able to meet the deadline for his assignment.

08 기출포인트 동명사와 to 부정사 둘 다 목적어로 취하는 동사

정답 ④

해설 동사 stop은 '~하는 것을 멈추다'라는 의미의 타동사로 쓰일 때 동명사를 목적어로 취하므로 동사원형 provide를 동명사 providing으로 고쳐야 한다.

오답분석
① 기출포인트 **to 부정사를 취하는 동사** 동사 encourage는 to 부정사를 목적격 보어로 취하므로 encourage him to do가 올바르게 쓰였다.
② 기출포인트 **목적어 뒤에 as나 to be를 취하는 동사** 동사 consider는 목적어(electric cars) 뒤에 '(to be) + 명사'를 취하는 동사이므로 consider electric cars to be a solution이 올바르게 쓰였다.
③ 기출포인트 **동명사 관련 표현** '메일에 회신하느라 바쁘다'는 동명사구 관용 표현 be busy -ing(-하느라 바쁘다)의 형태로 나타낼 수 있으므로 is busy replying이 올바르게 쓰였다. 참고로, 동사 reply는 전치사(to) 없이 목적어를 취할 수 없는 자동사이므로 replying to가 올바르게 쓰였다.

어휘 encourage 격려하다 solution 해결책 essential 필수적인

09 기출포인트 현재분사 vs. 과거분사

정답 ③

해설 한 문장에 동사가 두 개(publish, contained) 올 수는 없고, 문맥상 '기사들이 오류를 포함했다'라는 의미가 되어야 자연스러우므로 contained가 문장의 동사이고, publish는 명사 articles를 수식하는 분사 형태가 되어야 한다. 수식 받는 명사(the articles)와 분사가 '기사가 게재되다'라는 의미의 수동 관계이므로 동사 publish를 과거분사 published로 고쳐야 한다.

오답분석
① 기출포인트 **to 부정사의 역할** 문맥상 '확실히 하기 위해'라는 의미가 되어야 자연스러우므로 '~하기 위해서'라는 의미를 가지며 부사 역할을 하는 to 부정사 to make sure가 올바르게 쓰였다.
② 기출포인트 **원형 부정사를 목적격 보어로 취하는 동사** 지각동사 hear(heard)는 원형 부정사를 목적격 보어로 취할 수 있으므로 heard의 목적격 보어 자리에 원형 부정사 mention이 올바르게 쓰였다. 참고로, 동사 mention은 전치사 없이 목적어를 취하는 타동사이므로 목적어 자리에 명사 역할을 하는 명사절(that she had a brother)이 올바르게 쓰였다.
④ 기출포인트 **분사구문의 형태** 주절의 주어(we)와 분사구문이 '우리가 현관에 앉다'라는 의미의 능동 관계이므로 현재분사 Sitting이 올바르게 쓰였다.

해석
① 그녀는 그가 회의에 올 것인지 확실히 하기 위해 그에게 전화를 할 것이다.
② 나는 그녀가 남동생이 있다고 말하는 것을 전혀 들어본 적이 없다.
③ 신문에 게재된 일부 기사들은 몇몇 오류를 포함했다.
④ 현관에 앉아서, 우리는 우리가 인생에서 하고 싶은 것에 대해 이야기했다.

어휘 article 기사 publish 게재하다 contain 포함하다 porch 현관

10 기출포인트 to 부정사의 의미상 주어

정답 ②

해설 성격·성질을 나타내는 형용사(stupid)가 to 부정사(to attempt) 앞에 쓰일 경우 to 부정사의 의미상 주어는 'of + 목적격 대명사'를 to 부정사 앞에 써야 하므로 stupid of her to attempt가 올바르게 쓰였다.

오답분석
① 기출포인트 **to 부정사의 의미상 주어** to 부정사의 의미상 주어는 'for + 목적격 대명사'의 형태를 to 부정사 앞에 써야 하므로 to reconsider for him을 for him to reconsider로 고쳐야 한다.
③ 기출포인트 **현재분사 vs. 과거분사** 수식 받는 명사(birds)와 분사가 '새들이 날다'라는 의미의 능동 관계이므로 과거분사 flown을 현재분사 flying으로 고쳐야 한다.
④ **Chapter 09 동명사 BASIC GRAMMAR** 동명사(being)의 부정형은 동명사 앞에 not이 와야 하므로 being not을 not being으로 고쳐야 한다.

해석
① 그가 해외로 이주할 기회를 다시 생각하기에는 이미 너무 늦었다.
② 그녀가 복잡한 자전거 묘기를 선보이려 시도한 것은 어리석었다.
③ 인공조명은 나는 새들을 혼란스럽게 할 수 있으며, 그것들이 길을 잃게 한다.
④ 그는 과제의 마감 시간을 맞추지 못한 것에 대해 화가 났다.

어휘 overseas 해외로 attempt to ~하려고 시도하다 complicated 복잡한 artificial 인공의 confuse 혼란시키다

gosi.Hackers.com

현재 공무원을 준비하고 계신 많은 후배와 선배 수험생 여러분!
모두들 혼자만의 외롭고도 고독한 자신과의 싸움으로
몸과 마음이 많이 지치셨을 것입니다.
하지만 제가 직접 경험을 해보니 합격자 명단에
본인의 수험 번호가 선명하게 찍혀 있는 순간
그 기쁨은 말로 표현할 수 없는 순간이었습니다.
늘 잠자기 전에 PC 모니터 속의 합격자 명단에
자신의 수험 번호가 찍혀 있는 모습을 매일 상상하며
마음을 다잡아 보세요.
반드시 이루어 질 것입니다. Fighting!

- 지방직 9급 합격자 맹*곡

Section 4

품사

Chapter 11 | 명사와 관사
Chapter 12 | 대명사
Chapter 13 | 형용사와 부사
Chapter 14 | 전치사

명사와 관사

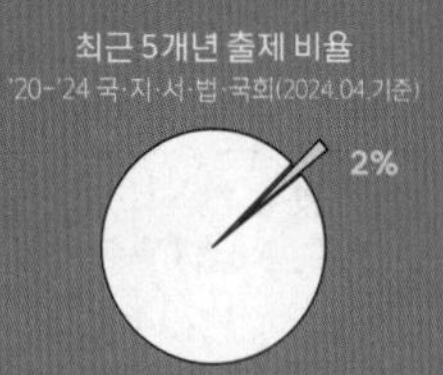

BASIC GRAMMAR 기본기 다지기

01 명사

명사는 **사람**이나 **사물**, **추상적인 개념** 등을 나타내는 단어이다.

student　　dog　　computer　　sun　　water　　love　　belief　　America

Check-Up

다음 중 명사가 아닌 것을 고르시오.

ⓐ girl　　ⓑ family　　ⓒ cheap　　ⓓ time

→ ⓒ cheap은 '(값이) 싼'이라는 의미의 형용사로, 명사가 아니다.

정답: ⓒ

02 가산 명사와 불가산 명사

명사는 **셀 수 있는 명사**(가산 명사)와 **셀 수 없는 명사**(불가산 명사)로 나뉜다.

① 가산 명사

보통명사	일반적인 사람, 사물의 이름·명칭	boy, teacher, customer, book, desk, ...
집합명사	여러 개체가 모여 이룬 하나의 집합	family, people, police, team, audience, ...

② 불가산 명사

고유명사	특정한 사람이나 사물의 이름	Korea, Seoul, Jane, Christmas, ...
추상명사	실제 형태 없이 추상적으로 존재하는 개념	math, information, pleasure, peace, ...
물질명사	형태가 정해져 있지 않은 기체나 액체 등	air, oil, salt, water, ...

Check-Up

다음 중 가산 명사를 고르시오.

ⓐ water　　ⓑ book　　ⓒ money　　ⓓ England

→ ⓑ book은 '책'이라는 사물의 이름·명칭에 해당하므로 가산 보통명사이다. ⓐ water, ⓒ money는 물질명사, ⓓ England는 고유명사로 불가산 명사들이다.

정답: ⓑ

03 관사

관사는 명사 앞에 쓰여 **명사의 의미를 한정**하며 **부정관사**와 **정관사**로 나뉜다.

① 부정관사(a/an)는 명사 앞에서 '정해지지 않은 하나의'라는 뜻으로 쓰인다.

I saw **a cat** on the street. 나는 길에서 고양이를 봤다.

→ 부정관사(a)는 명사(cat) 앞에 와서 '특별히 정해지지 않은 한 고양이'라는 의미를 나타낸다.

② 정관사(the)는 명사 앞에서 '이미 언급한', '특별히 정해진'이라는 뜻으로 쓰인다.

I saw **the cat** with black stripes on the street. 나는 길에서 그 검은 줄무늬 고양이를 봤다.

→ 정관사(the)는 명사(cat) 앞에 와서 '이미 언급한 그 검은 줄무늬 고양이'라는 의미를 나타낸다.

Check-Up

다음 중 우리말을 영어로 가장 잘 옮긴 것을 고르시오.

그녀는 노란색 줄무늬가 있는 그 우산을 사고 싶다.

ⓐ She wants to buy the umbrella with yellow stripes.

ⓑ She wants to buy an umbrella with yellow stripes.

→ 그 우산은 그녀가 사고 싶어하는 특별히 정해진 노란색 줄무늬가 있는 우산을 뜻하므로, 정관사 the를 사용한 ⓐ가 정답이다.

정답: ⓐ

기출포인트 01 명사 자리

출제빈도 ★

1 명사는 문장 내에서 주어, 목적어, 보어 자리에 온다.

주어	**Viruses** can cause sickness. 바이러스는 질병을 야기할 수 있다.
타동사의 목적어	Officials noted the **improvement** in education. 공무원들은 교육에서의 개선에 주목했다.
전치사의 목적어	He asked about the **furniture** that was on sale. 그는 할인 중인 가구에 대해 물었다.
보어	She is the **president** of this company. 그녀는 이 회사의 회장이다.

2 명사는 다음의 품사 앞이나 뒤에 나온다.

관사 + 명사 + 전치사	The **structure** of seaplanes allows them to land on water. (The: 관사, of: 전치사) 수상 비행기의 구조는 그것들이 물 위에 착륙할 수 있도록 해준다.
형용사/분사 + 명사	The resort hotel features a beautiful **beach**. 그 휴양지 호텔은 아름다운 해변을 특징으로 한다. (beautiful: 형용사)
소유격 + (형용사 +) 명사	You have my eternal **gratitude** for everything you've done. (my: 소유격, eternal: 형용사) 당신이 해주신 모든 것에 한없이 감사 드립니다.
명사 + 명사 [복합명사]	The next customer may proceed to the **checkout counter**. 다음 손님은 계산대로 오셔도 좋습니다. (checkout counter: 복합명사)

3 명사 자리에 동사는 올 수 없다.

We told the driver to step on the (**accelerator**, ~~accelerate~~). 우리는 운전사에게 엑셀을 밟으라고 말했다.

→ 전치사(on)의 목적어 자리이면서 관사 뒤에 위치하므로, 동사(accelerate)가 아니라 명사(accelerator)가 와야 한다.

It wasn't my (**intention**, ~~intend~~) to stay late at the office, but I had to.

사무실에 늦게까지 있는 것은 내 의도는 아니었지만, 나는 그래야만 했다.

→ be 동사(wasn't)의 보어 자리이면서 소유격 뒤에 위치하므로, 동사(intend)가 아니라 명사(intention)가 와야 한다.

공무원 영어 실전 문제

01 어법상 옳지 않은 것은? [2014년 서울시 9급 출제경향]

> Many ① artistic are considered ② superior to other works. Meanwhile, artists ③ themselves may think their work more ④ commonplace than their colleague's ⑤ pieces.

정답 ① 해설·해석 p.438

기출포인트 **02**

가산 명사·불가산 명사

출제빈도 ★★★

1 가산 명사는 반드시 관사와 함께 쓰이거나 복수형으로 쓴다.

The child fed (**a duck**, **ducks**, ~~duck~~) at the pond. 아이는 연못에 있는 오리 한 마리에게/오리들에게 먹이를 주었다.
→ duck은 가산 명사이므로, 관사를 붙인 형태(a duck)나 복수형(ducks)으로 써야 한다.

2 불가산 명사는 부정관사와 함께 쓰일 수 없고, 복수형으로 쓸 수 없다.

Security officers at the airport scan (**luggage**, ~~a luggage~~, ~~luggages~~). 공항 경비원들은 화물을 조사한다.
→ luggage는 불가산 명사이므로, 앞에 부정관사가 올 수 없고 복수형으로도 쓰일 수 없다.

고득점 포인트 불가산 명사인 물질명사는 앞에 단위 표현을 붙여 센다.
She woke up and got herself (**two cups of water**, ~~waters~~). 그녀는 일어나서 물 두 잔을 마셨다.
→ 물질명사(water)는 복수형으로 쓸 수 없으므로, 복수형의 단위 표현(two cups of)을 붙여 세야 한다.

3 혼동하기 쉬운 가산 명사·불가산 명사

가산 명사	a price 가격 a noise 소음	a workplace 일터 an excuse 변명	a result / an outcome 결과 measures 수단, 대책	a disaster 재해 belongings 소지품
불가산 명사	homework 숙제 evidence 증거 knowledge 지식 clothing 의류	certification 자격 furniture 가구 news 뉴스 machinery 기계류	information 정보 equipment 장비 luggage 수하물, 짐 stationery 문구류	politics (등의 학문 이름) 정치학 advice 조언 access 접근, 출입

(**Prices**, ~~Price~~) have gone up across the board in the food industry. 식품 산업에서 전반적으로 가격이 상승해 왔다.

The encyclopedia contains (**information**, ~~an information~~) on world population densities.
백과사전은 세계 인구 밀도에 관한 정보를 담고 있다.

고득점 포인트 아래 명사들은 가산 명사일 때와 불가산 명사일 때 의미가 다르다.

a light (가산) 조명 / light (불가산) 빛	times (가산) 시대 / time (불가산) 시간, 시기
a room (가산) 방 / room (불가산) 여지, 공간	a work (가산) 작품 / work (불가산) 일

He closed the blinds so that (**light**, ~~a light~~) would not enter the room. 그는 빛이 방에 들어 오지 않도록 블라인드를 내렸다.

공무원 영어 실전 문제

02 다음 중 어법상 옳지 않은 것은? [2013년 지방직 9급 출제경향]

① We took pictures of the beautiful scenery when we went to Ireland.
② Astronomers discovered evidence of water on the planet.
③ The airline provided onboard entertainment for the passengers.
④ The wise old man said that there was no such thing as too many knowledges.

정답 ④ 해설·해석 p.438

기출포인트 03

부정관사 a(n)

출제빈도 ★

1 부정관사 a(n)은 가산 단수 명사 앞에만 쓰며, 복수 명사나 불가산 명사 앞에는 올 수 없다.

He will apply to ~~an~~ exchange programs. 그는 교환학생 프로그램에 지원할 것이다.

He will apply to **an** exchange program.
→ 복수 명사(programs) 앞에는 부정관사(an)가 올 수 없고, 단수 명사(program) 앞에만 와야 한다.

2 부정관사 a(n)의 다양한 의미

'하나의(one)'를 나타낼 때	She lent me **a** pencil. 그녀는 나에게 한 자루의 연필을 빌려줬다.
'~ 당/마다(per)'를 나타낼 때	He tries not to spend more than eighty dollars **a** week. 그는 일주일당 80달러 이상 쓰지 않으려고 노력한다.
'어떤(a certain)'을 나타낼 때	She opened the lock with **a** key. 그녀는 자물쇠를 (어떤) 열쇠로 열었다.
'같은(the same)'을 나타낼 때	Birds of **a** feather flock together. 깃털이 같은 새들은 함께 모인다.
종족 전체를 대표할 때	**A** sloth is a very slow animal. 나무늘보는 매우 느린 동물이다.

3 부정관사 관련 숙어 표현

a series of 일련의	a part of 일부분의	a range of 다양한
a portion of 일부의	a variety of 다양한	a bit of 약간의

The scientists performed **a series of** experiments on the virus. 과학자들은 바이러스에 대한 일련의 실험을 했다.

A part of the highway has been closed off due to construction. 고속도로의 일부분이 공사 때문에 폐쇄되었다.

Each car model is available in **a range of** colors. 각각의 차 모델은 다양한 색상으로 구입이 가능하다.

That bakery sells **a variety of** pies. 저 빵집은 다양한 파이를 판매한다.

공무원 영어 실전 문제

03 다음 문장 중 어법상 옳지 않은 것은? [2012년 국가직 9급 출제경향]

① It was her decision that we meet here at 8:30.
② She is new student at this school.
③ The market down the street has the best produce in town.
④ The newest digital cameras come equipped with a series of digital effects.

정답 ② 해설·해석 p.439

정관사 the

출제빈도 ★★

1 정관사는 가산 단수·복수 명사와 불가산 명사 모두의 앞에 올 수 있다.

Alan bought his wife **the** necklace she wanted. Alan은 그의 부인에게 그녀가 원하던 목걸이를 사주었다.
가산 단수 명사

She used a telescope to view **the** moons of Mars. 그녀는 화성의 위성들을 보기 위해 망원경을 사용했다.
가산 복수 명사

We advise guests not to drink **the** water. 우리는 손님들에게 그 물을 마시지 말라고 충고한다.
불가산 명사

고득점 포인트 교통·통신 수단은 정관사 the 없이 'by + 교통·통신 수단'의 형태로 쓰인다.
She goes to work **by ~~the~~ subway.** 그녀는 지하철로 출근한다.
He always contacts clients **by ~~the~~ phone.** 그는 항상 고객들에게 전화로 연락한다.

2 정관사와 함께 쓰이는 표현

the + 최상급 + 명사	She is **the tallest member** of the basketball team. 그녀는 농구팀에서 가장 키가 큰 선수다.
the + 서수 + 명사	Thanksgiving is **the fourth Thursday** of November. 추수감사절은 11월의 네 번째 목요일이다.
the + same/only/very + 명사	The man ordered **the same meal** as his wife. 그 남자는 그의 부인과 같은 식사를 주문했다.
the + top/middle/bottom	The hikers reached **the top** of the mountain. 그 도보 여행자들은 산 꼭대기에 도달했다.
by the + 단위/수량 표현	Our employer pays us **by the hour**. 고용주는 우리에게 시간당 급여를 지급한다.
the + 유일한 것	**The sun** rises in the east. 해는 동쪽에서 뜬다.
전치사 + the + 신체	The girl pulled the doll **by the hair**. 그 소녀는 인형의 머리카락을 잡아당겼다.

고득점 포인트 'the + 형용사'는 '~한 사람들'이라는 뜻으로 복수 명사 역할을 하며, 따라서 'the + 형용사' 뒤에는 복수 동사가 온다.
The young have difficulty getting jobs. 젊은이들은 직업을 얻는 데 어려움을 겪는다.

공무원 영어 실전 문제

04 다음 중 어법상 가장 옳지 않은 것은? [2017년 지방직 9급(6월 시행) 출제경향]

① They met not on campus but in a public library.
② You cannot be too cautious about opening your door to a stranger.
③ Our volunteers are devoted to helping poor in the area.
④ This morning, there was a warning that ice would coat the streets.

정답 ③ 해설·해석 p.439

Hackers Practice

둘 중 어법상 알맞은 것을 고르세요.

01 The organic supermarket sells (the variety of / a variety of) delicious fruits and vegetables.

02 After the accident, the man on the bicycle requested an (apologize / apology).

03 Many children have (a trouble / trouble) in school.

04 Singapore is a small city-state founded on (a Malay Peninsula / the Malay Peninsula).

05 Only people who hold a VIP pass can gain (an access / access) to the backstage area.

06 The constant interruptions of the (moderate / moderator) made it difficult for the debaters to answer questions.

07 The news agency sent (reporter / a reporter) to cover the eruption of the volcano.

08 The elderly (spend / spends) more on healthcare than any other group.

09 (Workplace / Workplaces) often have first aid kits so that employees can treat minor injuries.

어휘

01 **organic** 유기농의 **vegetable** 채소 02 **accident** 사고 **request** 요구하다 **apologize** 사과하다 04 **city-state** 도시 국가 **found** 세우다, 설립하다 **peninsula** 반도 05 **access** 접근 **backstage** 무대 뒤의 06 **constant** 거듭되는, 끊임없는 **interruption** 가로막음, 중단, 방해 **moderator** 사회자, 중재자 **debater** 토론자 07 **news agency** 언론사, 통신사 **cover** 취재하다, 보도하다 **eruption** 폭발, 분화 08 **healthcare** 의료 서비스, 건강 관리 09 **workplace** 직장, 일터 **first aid kit** 구급 상자 **minor** 가벼운, 경미한 **injury** 상처, 부상

01 기출포인트 **부정관사 a(n)**

해설 '다양한 과일과 채소'는 부정관사 관련 숙어 표현 a variety of(다양한)를 사용하여 나타낼 수 있으므로 a variety of가 정답이다.

정답 a variety of

해석 그 유기농 슈퍼마켓은 다양한 맛있는 과일과 채소를 판다.

02 기출포인트 **명사 자리**

해설 부정관사(an) 뒤에는 명사가 와야 하므로 명사 apology가 정답이다.

정답 apology

해석 그 사고 이후에, 자전거를 탄 남자는 사과를 요구했다.

03 기출포인트 **불가산 명사**

해설 명사 trouble은 '~에 어려움을 겪다'라는 의미의 have trouble in으로 쓰일 때는 불가산 명사로 쓰이므로 trouble이 정답이다.

정답 trouble

해석 많은 아이들이 학교에서 어려움을 겪는다.

04 기출포인트 **정관사 the**

해설 '말레이 반도'와 같이 유일한 것을 나타낼 때는 정관사 the가 명사 앞에 쓰이므로 the Malay Peninsula가 정답이다.

정답 the Malay Peninsula

해석 싱가포르는 말레이 반도에 세워진 작은 도시 국가이다.

05 기출포인트 **불가산 명사**

해설 불가산 명사(access)는 앞에 부정관사(an)를 쓸 수 없으므로 access가 정답이다.

정답 access

해석 VIP 출입증을 가지고 있는 사람들만이 무대 뒤의 장소에 접근할 수 있다.

06 기출포인트 **명사 자리**

해설 전치사(of)의 목적어 자리이면서 관사(the) 뒤에 위치할 수 있는 것은 명사이므로 명사 moderator가 정답이다.

정답 moderator

해석 사회자의 거듭되는 가로막음은 토론자들이 질문들에 대답하는 것을 어렵게 만들었다.

07 기출포인트 **가산 명사**

해설 가산 명사(reporter)는 단수일 때 반드시 관사와 함께 쓰이므로 a reporter가 정답이다.

정답 a reporter

해석 그 언론사는 화산의 폭발을 취재하기 위해 기자를 보냈다.

08 기출포인트 **정관사 the**

해설 정관사 the가 'the + 형용사'의 형태로 쓰여 '~한 사람들'이라는 의미를 가지면 복수 취급하므로 복수 동사 spend가 정답이다.

정답 spend

해석 노인들은 다른 어떤 집단들보다 의료 서비스에 더 많은 돈을 쓴다.

09 기출포인트 **가산 명사**

해설 가산 명사(workplace)는 반드시 관사와 함께 쓰이거나 복수형으로 쓰여야 하므로 복수형 Workplaces가 정답이다.

정답 Workplaces

해석 직장들은 직원들이 가벼운 상처를 치료할 수 있도록 보통 구급 상자를 가지고 있다.

어법상 옳은 것에는 O, 틀린 것에는 X를 표시하고 틀린 부분을 바르게 고치세요.

10 Sometimes I feel like my best friend is only person I can trust. [ ]

11 All employees receive a raises after finishing their probationary period. [ ]

12 Politics is a varied subject that includes public management, law, and international relations. [ ]

13 Your activate for people with disabilities has had several beneficial results. [ ]

14 The company's decision to move to the area was a good news for local jobseekers. [ ]

15 Dr. Jenkins is a best surgeon in the city. [ ]

16 Newcomb Pottery was produced in a range of shapes, colors, and sizes. [ ]

17 Workers from the moving company loaded the family's furnitures into the back of a truck. [ ]

18 The study's findings proved the relate between fast food and obesity. [ ]

어휘

11 raise (임금 등의) 인상, 상승 probationary 견습중의, 가채용의 12 politics 정치학, 정치 varied 다채로운, 다양한 public management 행정관리 international relations 국제 관계 13 activate 작동시키다, 활성화시키다 disability 장애 14 jobseeker 구직자 15 surgeon 외과 전문의 16 a range of 다양한 17 moving company 이삿짐 운송 회사 load 싣다, 적재하다 18 finding 결과, 결론 prove 입증하다 relate 관계시키다, 관계를 설명하다 obesity 비만, 비대

10 기출포인트 **정관사 the**

해설 '유일한 사람'은 'the + only + 명사'의 형태로 나타낼 수 있으므로 only를 the only로 고쳐야 한다.

정답 X, only → the only

해석 가끔 나는 나의 가장 친한 친구가 내가 신뢰할 수 있는 유일한 사람이라고 느낀다.

11 기출포인트 **부정관사 a(n)**

해설 부정관사(a)는 가산 단수 명사 앞에만 올 수 있으므로 복수 명사 raises를 raise로 고쳐야 한다.

정답 X, a raises → a raise

해석 모든 직원들은 그들의 견습 기간을 끝낸 후에 임금 인상을 받는다.

12 기출포인트 **불가산 명사**

해설 학문 이름(Politics)은 불가산 명사로 단수 취급하므로 단수 동사 is가 올바르게 쓰였다.

정답 O

해석 정치학은 행정관리, 법, 그리고 국제 관계를 포함하는 다채로운 과목이다.

13 기출포인트 **명사 자리**

해설 소유격(Your)의 수식을 받는 것은 명사이므로 동사 activate를 명사 activity로 고쳐야 한다.

정답 X, activate → activity

해석 장애가 있는 사람들에 대한 당신의 활동이 몇 가지 유익한 결과를 가져왔다.

14 기출포인트 **불가산 명사**

해설 불가산 명사(news)는 앞에 부정관사(a)를 쓸 수 없으므로 a good news를 good news로 고쳐야 한다.

정답 X, a good news → good news

해석 그 지역으로 이전하겠다는 회사의 결정은 지역의 구직자들에게 좋은 소식이었다.

15 기출포인트 **정관사 the**

해설 최상급(best)은 정관사 the와 함께 'the + 최상급 + 명사'의 형태로 쓰이므로 a best를 the best로 고쳐야 한다.

정답 X, a best → the best

해석 Dr. Jenkins는 그 도시에서 가장 뛰어난 외과 전문의이다.

16 기출포인트 **부정관사 a(n)**

해설 '다양한 모양, 색상, 그리고 크기'는 부정관사 관련 숙어 표현 a range of(다양한)를 사용하여 나타낼 수 있으므로 a range of shapes ~가 올바르게 쓰였다.

정답 O

해석 뉴콤 도자기는 다양한 모양, 색상, 그리고 크기로 생산되었다.

17 기출포인트 **불가산 명사**

해설 불가산 명사(furniture)는 복수형으로 쓰일 수 없으므로 복수형 furnitures를 단수형 furniture로 고쳐야 한다.

정답 X, furnitures → furniture

해석 이삿짐 운송 회사의 인부들은 그 가족의 가구를 트럭의 뒤에 실었다.

18 기출포인트 **명사 자리**

해설 타동사(prove)의 목적어 자리이면서 관사(the) 뒤에 위치할 수 있는 것은 명사이므로 동사 relate를 명사 relationship으로 고쳐야 한다.

정답 X, relate → relationship

해석 그 연구의 결과는 패스트푸드와 비만 간의 관계를 입증했다.

Hackers Test

01 밑줄 친 부분 중 어법상 옳지 않은 것은?

> ① It is always ② good to keep an extra cardigan or sweater at work in case you show up one day and ③ are embarrassed to discover that you are wearing ④ same outfit as someone else.

02 밑줄 친 부분이 어법상 옳지 않은 것은?

① The couple got married at the very place they had met five years ago.

② The girls like watching films about animals.

③ Applying a bit of toothpaste to minor burns helps relieve the pain.

④ Physics provides scientists with an understand of how the universe works.

03 어법상 밑줄 친 곳에 가장 적절한 것은?

> He disagreed with her ______________________.

① thinks about the project
② thoughts about project
③ thoughts about the project
④ thinks about project

01 기출포인트 **정관사 the** 정답 ④

해설 형용사 same은 정관사 the와 함께 'the + same + 명사'의 형태로 쓰이므로 same을 the same으로 고쳐야 한다.

오답분석
① 기출포인트 **가짜 주어 구문** to 부정사구(to keep ~ at work)와 같이 긴 주어가 오면 진주어인 to 부정사구를 문장 맨 뒤로 보내고 가주어 it이 주어 자리에 대신해서 쓰이므로 가주어 It이 올바르게 쓰였다.
② 기출포인트 **보어 자리** be 동사(is)의 주격 보어 자리에 형용사 good이 올바르게 쓰였다.
③ 기출포인트 **3형식 동사의 수동태** 감정을 나타내는 동사(embarrass)의 경우 주어(you)가 감정을 느끼는 주체이면 수동태를 써야 하므로 수동태 are embarrassed가 올바르게 쓰였다.

해석 어느 날 출근해 당신이 다른 이와 똑같은 옷을 입고 있는 것을 발견해 당황할 경우를 대비해서 직장에 여분의 카디건이나 스웨터를 가지고 있는 것은 언제나 좋다.

어휘 extra 여분의 in case ~할 경우에 대비해서 embarrassed 당황스러운 outfit 옷, 복장

02 기출포인트 **명사 자리** 정답 ④

해설 관사(an)와 전치사(of) 사이에 올 수 있는 것은 명사이므로 동사 understand를 명사 understanding으로 고쳐야 한다.

오답분석
① 기출포인트 **정관사 the** 형용사 very는 정관사 the와 함께 'the + very + 명사'의 형태로 쓰이므로 the very place가 올바르게 쓰였다.
② 기출포인트 **동명사를 목적어로 취하는 동사** 동사 like는 목적어로 동명사를 취할 수 있으므로 동명사 watching이 올바르게 쓰였다.
③ 기출포인트 **원형 부정사를 목적격 보어로 취하는 동사** 준 사역동사 help는 목적어와 목적격 보어로 원형 부정사를 취할 수 있으므로 목적어 자리에 원형 부정사 relieve가 올바르게 쓰였다. 참고로, 동명사구 주어(Applying ~ burns)가 쓰였으므로 단수 동사 helps가 올바르게 쓰였다.

해석 ① 그 부부는 그들이 5년 전에 만났던 바로 그 장소에서 결혼을 했다.
② 그 소녀들은 동물에 관한 영화를 보는 것을 좋아한다.
③ 약간의 치약을 가벼운 화상 부위에 바르는 것은 통증을 완화하는 데 도움이 된다.
④ 물리학은 과학자들에게 세상이 어떻게 돌아가는지에 대한 지식을 제공한다.

어휘 apply 바르다 minor 가벼운, 작은 burn 화상; 불타다 relieve 완화하다 physics 물리학 provide 제공하다 understanding 지식, 이해

03 기출포인트 **정관사 the** 정답 ③

해설 동사(think)는 소유격(her)의 수식을 받을 수 없으므로 동사구 thinks about이 쓰인 ①, ④번은 정답이 될 수 없다. 가산 명사 project는 관사와 함께 쓰이거나 복수형으로 쓰여야 하므로 정관사 the를 포함하는 ③ thoughts about the project가 정답이다.

해석 그는 프로젝트에 대한 그녀의 생각에 동의하지 않았다.

어휘 disagree 동의하지 않다 thought 생각

04 밑줄 친 부분이 어법상 옳은 것은?

① It may take employees a few weeks to get adjusted to the new workplace.

② Getting angry at someone is poor excuse for picking a fight.

③ Diners receive a free bottle of soda when they order two burgers.

④ The magazine will be delivered to your house once month for six months.

05 밑줄 친 부분 중 어법상 옳지 않은 것은?

> ① Amazon River is ② the second longest river in the world. It ③ is located in South America and ④ stretches for more than 6,000 kilometers to the ocean.

06 우리말을 영어로 잘못 옮긴 것은?

① 모든 참석자들은 공간을 제공하기 위해서 앞쪽으로 이동해야 한다.
→ All attendees should move to the front to provide room.

② 사람은 시대가 얼마나 빠르게 변하는지 깨닫고 스트레스를 받을 수도 있다.
→ One may feel stressed upon realizing how quickly the times are changing.

③ 대통령 선거의 결과는 몇몇 사람들에게 실망스러웠다.
→ The results of the presidential election were disappointing to some.

④ 사진을 수정하기 위해 다양한 소프트웨어 프로그램이 사용될 수 있다.
→ Variety of software programs can be used to alter photos.

04 기출포인트 불가산 명사

정답 ③

해설 불가산 명사인 물질명사 soda(음료)는 앞에 단위 표현(a bottle of)을 붙여 세야 하므로 a free bottle of soda가 올바르게 쓰였다.

오답분석 ① 기출포인트 **가산 명사** 명사 place는 '장소'라는 의미로 쓰일 때 가산 명사인데, 가산 명사는 단수일 때 부정관사(a)와 함께 쓰이므로 new workplace를 a new workplace로 고쳐야 한다.

② 기출포인트 **부정관사 a(n)** 가산 명사(excuse)는 단수일 때 부정관사(a)와 함께 쓰이므로 poor excuse를 a poor excuse로 고쳐야 한다.

④ 기출포인트 **부정관사 a(n)** 문맥상 '한 달에 한 번'이라는 의미가 되어야 자연스럽고, 부정관사 a/an은 '~당/마다(per)'라는 의미로 쓰이므로 once month를 once a month로 고쳐야 한다.

해석 ① 직원들이 새로운 직장에 적응하는 데는 몇 주가 걸릴 수도 있다.
② 누군가에게 화가 난다는 것은 싸움을 거는 것에 대한 궁색한 변명이다.
③ 식사하는 사람들은 버거 두 개를 주문하면 무료 음료 한 병을 받는다.
④ 그 잡지는 6개월 동안 한 달에 한 번 당신의 집으로 배달될 것이다.

어휘 employee 직원 adjust 적응하다 excuse 변명 pick a fight 싸움을 걸다 diner 식사하는 사람(손님)

05 기출포인트 정관사 the

정답 ①

해설 '아마존강'과 같이 유일한 것을 나타낼 때는 정관사 the가 명사 앞에 쓰이므로 Amazon River를 The Amazon River로 고쳐야 한다.

오답분석 ② 기출포인트 **정관사 the** 서수(second)는 정관사 the와 함께 'the + 서수 + 명사'의 형태로 쓰이므로 the second longest river가 올바르게 쓰였다.

③ 기출포인트 **능동태·수동태 구별** 동사(is located) 뒤에 목적어가 없고, 문맥상 주어(It)와 동사가 '그것(아마존강)은 남미에 위치해 있다'라는 의미의 수동 관계이므로 수동태 is located가 올바르게 쓰였다.

④ 기출포인트 **주어와 동사의 수 일치** 주어 자리에 단수 대명사 It이 왔으므로 단수 동사 stretches가 올바르게 쓰였다.

해석 아마존강은 세계에서 두 번째로 긴 강이다. 그것은 남미에 있고 바다까지 6,000킬로미터 이상 뻗어 있다.

어휘 be located in ~에 있다 stretch 뻗어 있다, 늘이다

06 기출포인트 부정관사 a(n)

정답 ④

해설 '다양한 소프트웨어'는 부정관사 관련 숙어 표현 a variety of(다양한)를 사용하여 나타낼 수 있으므로 Variety of를 A variety of로 고쳐야 한다.

오답분석 ① 기출포인트 **부정관사 a(n)** 명사 room은 '자리, 공간'이라는 의미로 쓰일 때 불가산 명사로 앞에 부정관사(a)가 오거나 복수형으로 쓰일 수 없으므로 room이 올바르게 쓰였다.

② 기출포인트 **가산 명사** 명사 time은 '시대'라는 의미로 쓰일 때 가산 명사이므로 복수형 times가 올바르게 쓰였다. 참고로, 동사 feel의 주격 보어 자리에 형용사 역할을 하는 과거분사 stressed가 올바르게 쓰였다.

③ 기출포인트 **주어와 동사의 수 일치** 주어 자리에 복수 명사 The results가 왔으므로 복수 동사 were가 올바르게 쓰였다. 감정을 나타내는 동사(disappoint)의 경우 주어가 감정의 원인이면 현재분사를 써야 하는데, 주어(The results of ~ election)가 '대통령 선거의 결과가 실망스럽게 하다'라는 의미로 감정의 원인이므로 현재분사 disappointing이 올바르게 쓰였다.

어휘 attendee 참석자 realize 깨닫다, 알아차리다 presidential election 대통령 선거 alter 수정하다, 고치다

07 밑줄 친 부분 중 어법상 옳지 않은 것은?

① There was no doubt that Uncle Henry had always been a bit eccentric. The rest of the family put up with his odd behavior, but as he grew ② older, he became decidedly stranger. He stopped ③ trusting everybody around him and became paranoid that people were trying to poison him. He began to drink black coffee ④ by a gallon, believing that it would somehow counteract the poison he thought was in his food.

08 우리말을 영어로 잘못 옮긴 것을 고르시오. [2017년 지방직 9급 (6월 시행)]

① 그를 당황하게 한 것은 그녀의 거절이 아니라 그녀의 무례함이었다.
→ It was not her refusal but her rudeness that perplexed him.

② 부모는 아이들 앞에서 그들의 말과 행동에 대해 아무리 신중해도 지나치지 않다.
→ Parents cannot be too careful about their words and actions before their children.

③ 환자들과 부상자들을 돌보기 위해 더 많은 의사가 필요했다.
→ More doctors were required to tend sick and wounded.

④ 설상가상으로, 또 다른 태풍이 곧 올 것이라는 보도가 있다.
→ To make matters worse, there is a report that another typhoon will arrive soon.

07 기출포인트 정관사 the

정답 ④

해설 단위 표현은 정관사 the를 사용하여 'by the + 단위 표현'의 형태로 쓰이므로 by a gallon을 by the gallon으로 고쳐야 한다.

오답 분석
① **기출포인트 가짜 주어 구문** 가짜 주어 there 구문은 'there + 동사 + 진짜 주어'의 형태로 쓰이므로 There was no doubt이 올바르게 쓰였다.
② **기출포인트 보어 자리** 동사 grow(grew)는 '자라다'라는 의미일 때 주격 보어를 취하는 동사이므로, 보어 자리에 형용사 older가 올바르게 쓰였다.
③ **기출포인트 동명사와 to 부정사 둘 다 목적어로 취하는 동사** 동사 stop은 '~하는 것을 멈추다'라는 의미를 나타낼 때 동명사를 목적어로 취할 수 있는데, 문맥상 '그는 주변에 있는 모든 사람들을 믿는 것을 멈추었다'라는 의미가 되어야 하므로 목적어 자리에 trusting이 올바르게 쓰였다.

해석 Henry 삼촌이 좀 별났었다는 것은 의심할 여지가 없었다. 나머지 가족들은 그의 이상한 행동을 참았지만, 나이가 들어갈수록, 그는 확실히 더 이상해졌다. 그는 주변에 있는 모든 사람들을 믿는 것을 그만두었고 사람들이 그를 독살하려 한다며 피해망상적이 되었다. 그는 그의 음식에 들어있다고 믿는 독을 블랙커피가 어떻게든 중화할 것이라고 믿으며 블랙커피를 갤런 단위로 마시기 시작했다.

어휘 eccentric 별난, 괴짜인 put up with 참다, 받아들이다 odd 이상한 decidedly 확실히 paranoid 피해망상적인 poison 독살하다; 독 counteract 중화하다, 대응하다

08 기출포인트 정관사 the

정답 ③

해설 to 부정사(to tend)의 목적어 자리에는 명사 역할을 하는 것이 와야 하므로, 형용사 sick and wounded를 'the + 형용사'의 형태로 쓰여 '~한 사람들/것들'을 의미하는 the sick and the wounded로 고쳐야 한다.

오답 분석
① **기출포인트 It-that 강조 구문 | 상관 접속사의 쓰임** 사람·사물·시간·장소 등을 강조할 때 'It-that 강조 구문'(-한 것은 바로 ~이다)을 사용하여 'It + 동사(was) + 강조하는 말(not her ~ rudeness) + that절(that perplexed him)'의 형태로 나타낼 수 있고, '그녀의 거절이 아니라 그녀의 무례함'은 상관접속사 'not A but B'(A가 아니라 B)를 사용하여 나타낼 수 있으므로 It was not her refusal but her rudeness that ~이 올바르게 쓰였다.
② **기출포인트 조동사 관련 표현** '아무리 신중해도 지나치지 않다'는 조동사 관련 숙어 표현 'cannot ~ too'(아무리 -해도 지나치지 않다)의 형태로 나타낼 수 있으므로 cannot be too careful이 올바르게 쓰였다.
④ **기출포인트 가짜 주어 구문** 가짜 주어 there 구문 'there + 동사 + 진짜 주어(a report)'에서 동사는 진짜 주어에 수 일치시켜야 하는데, 진짜 주어 자리에 단수 명사 a report가 왔으므로 단수 동사 is가 올바르게 쓰였다.

어휘 refusal 거절 rudeness 무례함 perplex 당황하게 하다 to make matters worse 설상가상으로 typhoon 태풍

대명사

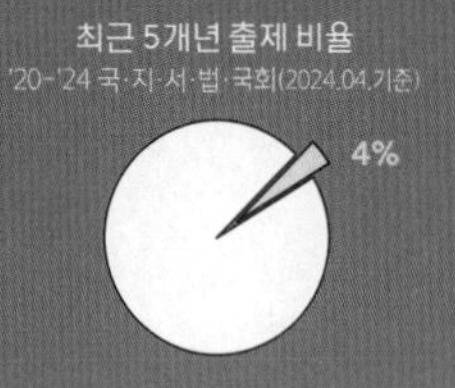

BASIC GRAMMAR 기본기 다지기

01 대명사의 역할

대명사는 앞서 나온 명사가 반복되는 것을 막기 위해 앞의 **명사를 대신하여 사용**되며, 따라서 명사처럼 문장에서 **주어, 목적어, 보어** 역할을 한다.

I love my brothers. **They** love me too. 나는 내 형제들을 사랑한다. 그들 또한 나를 사랑한다.
→ 두 번째 문장의 주어 역할을 하는 They는 앞에 나온 명사(my brothers)가 반복되는 것을 막기 위해 대신 쓴 대명사이다.

Check-Up

다음 중 대명사를 고르시오.

I met Vanessa. She looked happy. 나는 Vanessa를 만났다. 그녀는 행복해 보였다.
(I ⓐ, Vanessa ⓑ, She ⓒ, happy ⓓ)

→ ⓒ She가 앞에 나온 명사(Vanessa)가 반복되는 것을 막기 위해 대신 사용된 대명사이다.

정답: ⓒ

02 대명사의 종류

① **인칭대명사**(I, you, she, he, it, they 등)는 **사람**이나 **사물**을 가리킨다.

Connie went to graduate school because **she** wanted to study more.
Connie는 더 공부하기를 원했기 때문에 대학원에 진학했다.

② **재귀대명사**(myself, yourself, himself, herself 등)는 인칭대명사에 **-self(selves)**를 붙여 **'- 자신'**을 뜻한다.

I introduced **myself** to them. 나는 그들에게 나 자신을 소개했다.

*인칭대명사와 재귀대명사의 종류

인칭	수/성		인칭대명사				재귀대명사
			주격	소유격	목적격	소유대명사	
1인칭	단수		I	my	me	mine	myself
	복수		we	our	us	ours	ourselves
2인칭	단수		you	your	you	yours	yourself
	복수		you	your	you	yours	yourselves
3인칭	단수	남성	he	his	him	his	himself
		여성	she	her	her	hers	herself
		사물	it	its	it	-	itself
	복수		they	their	them	theirs	themselves

③ **지시대명사**(this/these, that/those)는 특정 사물을 가리켜 '이것(들)', '저것(들)'이란 뜻을 나타낸다. 또한 명사 앞에서 '이 ~', '저 ~'와 같은 뜻의 지시형용사로 쓰이기도 한다.

지시대명사 I don't like movies like **this.** 나는 이것 같은 영화들을 좋아하지 않아.

지시형용사 I don't like **this** movie. 나는 이 영화를 좋아하지 않아.

④ **부정대명사**(some, any 등)는 불특정한 사람, 사물, 수량 등을 나타낸다. 또한 명사 앞에서 '어떤 ~', '몇몇의 ~' 등의 뜻을 가진 부정형용사로 쓰이기도 한다.

부정대명사 **Some** of the students are wearing glasses. 학생들 중 몇몇은 안경을 쓰고 있다.

부정형용사 **Some** students are wearing glasses. 몇몇의 학생들은 안경을 쓰고 있다.

Check-Up

다음 중 우리말을 영어로 가장 잘 옮긴 것을 고르시오.

나는 몇몇의 아이들을 봤다.

ⓐ I saw some children.

ⓑ I saw these children.

→ '몇몇의'라는 뜻으로 불특정한 아이들을 보았다고 하였으므로 부정형용사 ⓐ some이 와야 한다.

정답: ⓐ

기출포인트 01

인칭대명사/재귀대명사

출제빈도 ★

1 인칭대명사의 격

주격	주어 자리 (-은/는/이/가)	**He** hasn't returned from the store. 그는 가게에서 돌아오지 않았다.
소유격	명사 앞 (-의)	Taking a shortcut was **my** idea. 지름길로 가는 것은 내 생각이었다.
목적격	타동사의 목적어 자리(-을/를) 전치사의 목적어 자리(-을/를)	I'll show **her** around the apartment. 내가 그녀에게 아파트를 안내해 줄 것이다. He carried the books for **her**. 그는 그녀를 위해 책을 옮겼다.
소유대명사	'소유격 + 명사' 자리 (-의 것)	The bed by the window will be **yours**. 창문 옆의 침대는 네 것이 될 것이다.

고득점 포인트 명사가 a/the/some/many와 함께 쓰여 소유의 의미를 나타낼 때는, 'a/the/some/many + 명사 + of + 소유대명사'의 형태로 쓴다.
He met **some friends of his**. 그는 그의 친구 중 몇 명을 만났다.

2 재귀대명사의 용법

재귀 용법 He looked at **himself** in the mirror. 그는 거울 속의 자신을 쳐다봤다.
→ 목적어가 주어와 같은 사람이나 사물을 지칭할 때 목적어 자리에 재귀대명사를 쓰며, 이때 재귀대명사는 생략할 수 없다.

강조 용법 Roy **himself** said that he had lied. Roy는 직접 자신이 거짓말을 했다고 말했다.
→ 주어나 목적어를 강조할 때 강조하는 대상 바로 뒤나 문장 맨 뒤에 재귀대명사를 쓰며, 이때 재귀대명사는 생략할 수 있다.

3 재귀대명사 관용 표현

by oneself 홀로, 혼자 힘으로(= alone, on one's own)	in spite of oneself 자기도 모르게	by itself 저절로
for oneself 자기를 위하여, 혼자 힘으로	beside oneself 이성을 잃고, 흥분하여	in itself 자체로, 본질적으로

The guitarist practiced **by himself** until his band arrived. 그 기타리스트는 그의 밴드가 도착할 때까지 홀로 연습했다.

4 인칭대명사·재귀대명사는 그것이 지시하는 명사에 수·성·인칭이 일치해야 한다.

He prepared lunch for the children by (**himself**, ~~themselves~~, ~~itself~~). 그는 혼자 힘으로 아이들을 위한 점심을 준비했다.

공무원 영어 실전 문제

01 다음 글의 밑줄 친 부분 중, 어법상 가장 틀린 것은? [2023년 법원직 9급 출제경향]

Significant variations in greeting styles ① are found in different cultures. ② Due to historical, social, and other factors, social groups have adopted different ways to approach one another, such as bowing in Asian cultures or kissing on the cheek in European societies. These customs are often ③ deeply ingrained cultural values. When people encounter others with divergent greeting styles, the lack of cultural awareness of the expected greeting can result in unintended offense or confusion between ④ it.

정답 ④ 해설·해석 p.439

기출포인트 **02**

지시대명사

출제빈도 ★★★

1 **지시대명사 that/those는 앞에 나온 명사를 대신하며, 이때 뒤에서 수식어(전치사구, 관계절, 분사)의 꾸밈을 받을 수 있다.**

Ms. Crawford's novel sold better than (**that**, ~~this~~) of her rival. Crawford 씨의 소설은 그녀의 라이벌의 것보다 더 잘 팔렸다.
(novel: 명사 / of her rival: 수식어)

→ 지시대명사가 앞에 나온 명사(novel)를 대신하므로, that이 와야 한다.

Additional measures should be taken besides (**those**, ~~these~~) that already exist.
(measures: 명사 / that already exist: 수식어)
이미 존재하는 것들 이외에 추가적인 조치가 취해져야 한다.

→ 지시대명사가 앞에 나온 명사(measures)를 대신하므로, those가 와야 한다.

2 **지시대명사 those는 '~한 사람들'이라는 뜻으로 쓰일 수 있고, 이때 뒤에서 수식어(전치사구, 관계절, 분사)의 꾸밈을 받는다.**

(**Those**, ~~They~~) found trespassing on private property will be fined. 사유지에 침입한 것이 밝혀진 사람들은 벌금에 처해질 것이다.
(found trespassing on private property: 수식어(분사구))

→ 뒤에 나오는 수식어구의 수식을 받아 '~한 사람들'이라는 뜻이 되어야 하므로, Those가 와야 한다.

3 **지시대명사는 그것이 지시하는 명사에 수 일치해야 한다.**

(**This**, ~~These~~) is the largest tree in the world. 이것은 세계에서 가장 큰 나무다.

This grocery store's vegetables are fresher than (**those**, ~~that~~) of its competitor.
이 식료품점의 채소들은 경쟁 업체의 그것들보다 더 신선하다.

고득점 포인트 지시형용사 this/that은 가산 단수 명사와 불가산 명사 앞에, these/those는 가산 복수 명사 앞에 쓰여 '이 ~', '저 ~'의 의미를 갖는다.

That window needs to be cleaned. 저 창문은 닦일 필요가 있다.
(window: 단수 명사)

These potato chips always make me thirsty. 이 감자 칩은 항상 나를 갈증 나게 한다.
(potato chips: 복수 명사)

공무원 영어 실전 문제

02 밑줄 친 부분 중 어법상 옳지 않은 것은? [2024년 국가직 9급]

① Despite the belief that the quality of older houses is superior to ② those of modern houses, the foundations of most pre-20th-century houses are dramatically shallow ③ compared to today's, and have only stood the test of time due to the flexibility of ④ their timber framework or the lime mortar between bricks and stones.

정답 ② 해설·해석 p.440

기출포인트 **03**

부정대명사: one·another·other

출제빈도 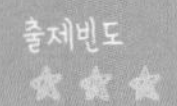

1 one(ones)은 정해지지 않은 가산 명사를 대신하고, 앞에는 반드시 one(ones)이 대신하는 명사가 있어야 한다.

- one은 앞에서 언급된 명사와 같은 종류이지만 다른 대상을 가리킬 때 쓴다.

  Our new coffee machine works better than the last **one**. 우리의 새 커피 머신은 예전 것보다 더 잘 작동한다.

- one의 복수형은 ones로, 정해지지 않은 복수 가산 명사를 대신한다.

  My gloves didn't fit, so I purchased bigger **ones**. 내 장갑이 맞지 않아서, 나는 더 큰 것을 구입했다.

2 another는 '이미 언급한 것 이외의 또 다른 하나'라는 뜻의 대명사, 형용사로 쓰인다.

If you don't like this plan, I have **another**. 만약 네가 이 계획이 싫다면, 나는 또 다른 계획이 있다.

We have **another** pair of shoes in the back. 뒤에 또 다른 신발 한 켤레가 있다.

3 other는 '이미 언급한 것 이외의 것의'라는 뜻의 형용사로 복수 명사 앞에 쓰이고, others는 '이미 언급한 것 이외의 것들 중 몇몇'이라는 뜻의 대명사로 쓰인다.

Rather than being alone, she prefers being with **other** people. 혼자 있기보다는, 그녀는 다른 사람들과 있는 것을 선호한다.

Children need to get along with **others**. 아이들은 다른 아이들과 함께 잘 어울릴 필요가 있다.

4 the other(s)는 '정해진 것 중 남은 것 전부'라는 뜻의 대명사로 쓰이고, the other는 '정해진 것 중 남은 것의'라는 뜻의 형용사로 쓰인다.

I own one of her albums, but I don't have **the others** yet. 나는 그녀의 앨범 중 하나를 소장하고 있지만, 나머지 것들은 아직 갖고 있지 않다.

The right pedal is the accelerator, and **the other** pedal is the brake. 오른쪽 페달은 가속장치이고, 나머지 한 페달은 제동장치이다.

고득점 포인트 each other, one another는 '서로서로'라는 뜻으로 쓰인다.
Those tennis partners are a good match for **each other**. 저 테니스 파트너들은 서로에게 좋은 상대이다.

공무원 영어 실전 문제

03 우리말을 영어로 잘못 옮긴 것은? [2023년 지방직 9급 출제경향]

① 아이들은 할머니의 방문에 신이 났다.
→ The children were excited by the visit from grandma.

② Shah Jahan은 그의 아내를 위해 타지마할을 지었다.
→ Shah Jahan had the Taj Mahal built for his wife.

③ 우리는 장난감을 가지고 놀고 난 후에 그것들을 치웠다.
→ We put away our toys after playing with them.

④ 가게에 있는 모든 자전거 중에서, 내가 가장 좋아하는 자전거는 파란색이다.
→ Of all the bikes in the shop, my favorite bike is the blue ones.

정답 ④ 해설·해석 p.440

기출포인트 04 부정대명사: some·any·all·each·every·both·either·neither

출제빈도 ★★★

1 some·any

some 몇몇(의), 약간(의)	주로 긍정문에서 쓴다. The weather is cloudy only **some** of the time. 날씨는 가끔씩만 흐리다.
any 조금(의)	주로 부정문과 의문문, 조건문에서 쓴다. I don't have **any** idea what happened. 무슨 일이 일어났는지 나는 조금도 모르겠다.

고득점 포인트 any가 긍정문에 쓰일 경우, '어떤 ~라도', '무엇이든'이라는 의미로 쓸 수 있다.
Any student can come to my office and ask questions. 어떤 학생이라도 내 연구실에 와서 질문할 수 있다.

2 all·every·each

all 모든	all (of) + 복수 명사 + 복수 동사	**All (of)** the tickets **were** sold out. 모든 티켓들이 매진되었다.
	all (of) + 불가산 명사 + 단수 동사	**All (of)** the food **was** delicious. 모든 음식이 맛있었다.
every 모든	every + 단수 명사 + 단수 동사	**Every** book **has** a different ending. 모든 책에는 다른 결말이 있다.
	every + -thing/-body/-one + 단수 동사	**Everybody is** having a good time. 모두가 좋은 시간을 보내고 있다.
each 각각(의)	each of + 복수 명사 + 단수 동사	**Each of** the kids **was** wearing a hat. 각각의 아이들은 모자를 쓰고 있었다.
	each + 단수 명사 + 단수 동사	**Each** classroom **has** a computer. 각각의 교실에는 컴퓨터가 있다.

3 both·either·neither

both 둘 모두	both (of) + 복수 명사 + 복수 동사	**Both (of)** the players **are** exhausted. 두 선수들 모두 지쳐있다.
either 둘 중 어느 것이든/누구든	either of + 복수 명사 + 단/복수 동사	**Either of** the plans **is[are]** excellent. 둘 중 어느 계획이든 훌륭하다.
	either + 단수 명사 + 단수 동사	**Either** solution **is** possible. 두 해결책 중 어느 것이든 가능하다.
neither 둘 중 어느 것도/누구도	neither of + 복수 명사 + 단/복수 동사	**Neither of** the kids **has[have]** a bag. 그 아이들 둘 중 누구도 가방을 가지고 있지 않다.
	neither + 단수 명사 + 단수 동사	**Neither** answer **is** correct. 두 답안 중 어느 것도 정확하지 않다.

공무원 영어 실전 문제

04 다음 밑줄 친 부분 중 어법상 옳지 않은 것은? [2018년 국회직 9급 출제경향]

① What a participatory government enables citizens to do is affect change directly, as laws or representatives are voted for by ② every persons. Countries in the Middle Ages had avoided ③ what we now consider an ideal government, one ④ in which all people can impact laws. While the specific forms differ, this ⑤ has become one of the most celebrated types of governance.

정답 ② 해설·해석 p.440

Hackers Practice

둘 중 어법상 알맞은 것을 고르세요.

01 The actor's fan was overwhelmed to have her T-shirt signed by (him / it).

02 I like to spend (my / mine) free time reading or taking walks.

03 The deer were seen grazing in the same spot as (they were / it was) yesterday.

04 The vivid colors displayed by the new TV were (its / their) biggest selling point.

05 After paying his rent, he doesn't have (any / some) money left.

06 It is important to think for (one / oneself) instead of just following the crowd.

07 The hotel's rates are cheaper than (these / those) of its competitors.

08 I printed out copies of the report for the team by (ourselves / myself).

09 Our flight stops in Dallas, where we'll transfer to the next (ones / one).

어휘

01 overwhelm 어쩔 줄 모르게 만들다 03 graze 풀을 뜯다 spot 장소 04 vivid 선명한, 강렬한 display 표시하다 selling point (상품이 지닌) 장점
05 rent 집세, 방세 06 crowd 군중 07 rate 요금 08 copy 복사본 09 flight 항공편 transfer 갈아타다

01 기출포인트 **인칭대명사**

해설 대명사가 지시하는 명사가 남성(The actor)이므로 대명사 him이 정답이다.

정답 him

해석 그 배우의 팬은 그녀의 티셔츠에 그의 사인을 받아서 어쩔 줄 몰랐다.

02 기출포인트 **인칭대명사**

해설 명사(free time) 앞에 쓰이는 대명사는 소유격이므로 소유격 대명사 my가 정답이다.

정답 my

해석 나는 내 여가 시간을 독서를 하거나 산책을 하면서 보내는 것을 좋아한다.

03 기출포인트 **인칭대명사**

해설 대명사가 지시하는 명사는 The deer이고, deer 뒤에 복수 동사 were seen이 쓰였으므로 The deer는 복수 명사이다. 따라서 '복수 대명사 + 복수 동사'로 쓰인 they were가 정답이다.

정답 they were

해석 그 사슴들이 어제 있었던 곳과 같은 장소에서 풀을 뜯고 있는 것이 발견되었다.

04 기출포인트 **인칭대명사**

해설 대명사가 지시하는 명사(the new TV)가 단수이므로 단수 대명사 its가 정답이다.

정답 its

해석 새로운 TV에 의해 표시되는 그 선명한 색은 그것의 가장 큰 장점이었다.

05 기출포인트 **부정대명사: any**

해설 '조금(의)'이라는 뜻으로 부정문에 쓰였으므로 부정대명사 any가 정답이다.

정답 any

해석 그의 집세를 낸 후, 그는 조금의 돈도 남지 않았다.

06 기출포인트 **재귀대명사**

해설 문맥상 '혼자 힘으로 생각하다'라는 의미가 되어야 자연스러운데, '혼자 힘으로'는 재귀대명사 관련 관용 표현 for oneself로 나타낼 수 있으므로 재귀대명사 oneself가 정답이다.

정답 oneself

해석 그저 군중을 따르는 것 대신 혼자 힘으로 생각하는 것이 중요하다.

07 기출포인트 **지시대명사**

해설 지시대명사가 앞에 나온 복수 명사(rates)를 대신하므로 those가 정답이다.

정답 those

해석 그 호텔의 요금은 그것의 경쟁자들의 그것보다 더 싸다.

08 기출포인트 **재귀대명사**

해설 대명사가 지시하는 명사(I)가 단수이므로 단수 대명사 myself가 정답이다.

정답 myself

해석 나는 팀을 위한 보고서의 복사본들을 혼자 인쇄했다.

09 기출포인트 **부정대명사: one**

해설 대명사가 지시하는 명사(Our flight)가 단수이므로 단수 부정대명사 one이 정답이다.

정답 one

해석 우리의 항공편은 댈러스에서 멈추는데, 그곳에서 우리는 다음 것으로 갈아탈 것이다.

어법상 옳은 것에는 O, 틀린 것에는 X를 표시하고 틀린 부분을 바르게 고치세요.

10 The highly anticipated soccer game had attracted millions of spectators and was about to begin their second half. [ ]

11 Besides calling, cell phones have the other functions. [ ]

12 You should see if you can answer the question by yourself. [ ]

13 A company that offers business lectures will expand their services overseas. [ ]

14 She criticized itself for making the same mistake again. [ ]

15 They requiring assistance should come to the front desk. [ ]

16 The two friends have known another for almost ten years. [ ]

17 They came up with ideas that were different from those that had been made previously. [ ]

18 She is selling some artwork of hers at the gallery. [ ]

어휘

10 highly 대단히 anticipated 기대되는 attract 끌어 모으다 spectator 관중 11 besides ~ 외에 function 기능 12 by oneself 혼자 힘으로, 홀로 13 expand 확장시키다 14 criticize 비난하다 15 assistance 도움, 지원 17 come up with 내놓다, 찾아내다 18 artwork 미술품 gallery 미술관

10 기출포인트 **인칭대명사**

해설 대명사가 지시하는 명사(The ~ soccer game)가 단수이므로 복수 대명사 their를 단수 대명사 its로 고쳐야 한다.

정답 X, their → its

해석 대단히 기대되는 그 축구 경기는 수백만 명의 관중을 끌어 모았고, 이제 그것의 후반전이 막 시작하려던 참이었다.

11 기출포인트 **부정대명사: other**

해설 문맥상 '이미 언급한 것(calling) 이외의 기능들을 갖고 있다'는 의미가 되어야 자연스러우므로 부정형용사 the other를 '이미 언급한 것 이외의 것의'를 의미하는 부정형용사 other로 고쳐야 한다.

정답 X, the other → other

해석 통화 기능 외에, 휴대폰은 다른 기능들을 갖고 있다.

12 기출포인트 **재귀대명사**

해설 문맥상 '네가 혼자 힘으로 ~ 답하다'라는 의미가 되어야 자연스러우므로 재귀대명사 관용 표현 by oneself(혼자 힘으로)를 사용하여 by yourself가 올바르게 쓰였다.

정답 O

해석 너는 네가 혼자 힘으로 그 질문에 답할 수 있는지 봐야 한다.

13 기출포인트 **인칭대명사**

해설 대명사가 지시하는 명사(A company)가 단수이므로 복수 대명사 their를 단수 대명사 its로 고쳐야 한다.

정답 X, their → its

해석 사업 강연들을 제공하는 회사는 그것의 서비스를 해외로 확장시킬 것이다.

14 기출포인트 **재귀대명사**

해설 대명사가 지시하는 명사가 여성(She)이므로 재귀대명사 itself를 herself로 고쳐야 한다.

정답 X, itself → herself

해석 그녀는 같은 실수를 또 한 것에 대해 스스로를 비난했다.

15 기출포인트 **지시대명사**

해설 문맥상 '도움을 필요로 하는 사람들'이라는 의미가 되어야 자연스러우므로 They를 뒤에서 수식어구(requiring assistance)의 꾸밈을 받아 '~한 사람들'을 나타내는 지시대명사 Those로 고쳐야 한다.

정답 X, They → Those

해석 도움을 필요로 하는 사람들은 안내 데스크로 와야 한다.

16 기출포인트 **부정대명사: other**

해설 문맥상 '서로서로를 알다'라는 의미가 되어야 자연스러우므로 another를 '서로서로'를 의미하는 each other로 고쳐야 한다.

정답 X, another → each other

해석 그 두 친구들은 서로서로를 거의 10년 동안 알아왔다.

17 기출포인트 **지시대명사**

해설 지시대명사가 앞에 나온 복수 명사(ideas)를 대신하므로 복수 지시대명사 those가 올바르게 쓰였다.

정답 O

해석 그들은 이전에 만들어져 온 것들과 다른 아이디어들을 내놓았다.

18 기출포인트 **부정대명사: some**

해설 명사(artwork)가 some과 함께 쓰여 소유의 의미를 나타낼 때는 소유대명사를 사용하여 'some + 명사 + of + 소유대명사'의 형태로 써야 하므로 some artwork of hers가 올바르게 쓰였다.

정답 O

해석 그녀는 그녀의 미술품 중 몇 개를 미술관에서 팔고 있다.

Hackers Test

01 밑줄 친 부분이 어법상 옳은 것은?

① These bread that was just baked is delicious.

② The average temperature on Venus is hotter than this of Earth.

③ Whales use a variety of sounds to communicate with other.

④ The car parked next to mine over there is hers.

02 밑줄 친 부분 중 문법적으로 옳지 않은 것을 고르시오.

You can choose ① to take an exam or write a 10-page essay, which will account for 40 percent of your final grade ② this semester. ③ They planning on taking the exam should let me ④ know by the end of next week.

03 우리말을 영어로 잘못 옮긴 것은?

① 나는 내 자신이 그 사건을 몇 번이고 거듭 살피고 있다는 것을 알아차렸다.
→ I found myself going over the incident again and again.

② 만약 당신이 다른 질문이 조금이라도 있으시면 저희에게 연락해주세요.
→ If you have any other questions, please contact us.

③ 딱딱한 표지로 제본된 책은 다른 책들보다 비싸다.
→ Hardcover books are more expensive than another.

④ 그는 혼자 힘으로 운동 기구를 조립하기 전에 사용 지침 영상을 보았다.
→ He watched a tutorial video before assembling the exercise machine by himself.

01 기출포인트 인칭대명사

정답 ④

해설 문맥상 '내 차 옆에 주차된 차는 그녀의 것이다'라는 의미가 되어야 자연스러우므로, 대명사가 지시하는 것은 '그녀의 차'이다. 이때, '소유격(her) + 명사(car)'는 소유대명사로 나타낼 수 있으므로 소유대명사 hers가 올바르게 쓰였다.

오답분석 ① 기출포인트 **지시대명사** 지시형용사 These는 불가산 명사(bread) 앞에 쓰일 수 없으므로 These를 불가산 명사와 함께 쓰이는 지시형용사 This로 고쳐야 한다.

② 기출포인트 **지시대명사** 앞에 나온 단수 명사(The ~ temperature)를 대신하면서, 수식어(of Earth)의 꾸밈을 받을 수 있는 것은 지시대명사 that이므로, 지시대명사 this를 지시대명사 that으로 고쳐야 한다.

③ 기출포인트 **부정대명사: other** 전치사 with의 목적어 자리에 부정형용사 other는 올 수 없고, 문맥상 '고래는 서로와(다른 고래들과) 소통하기 위해 ~ 사용한다'라는 의미가 되어야 자연스러우므로 부정형용사 other를 '서로서로'를 의미하는 one another 또는 '이미 언급한 것 이외의 것들 중 몇몇'을 의미하는 others로 고쳐야 한다.

해석 ① 방금 구워진 이 빵은 맛있다.
② 금성의 평균 기온은 지구의 그것보다 더 뜨겁다.
③ 고래는 서로와(다른 고래들과) 소통하기 위해 다양한 소리들을 사용한다.
④ 저기 내 차 옆에 주차된 차는 그녀의 것이다.

어휘 average temperature 평균 기온 Venus 금성

02 기출포인트 지시대명사

정답 ③

해설 문맥상 '시험을 ~ 계획하는 사람들'이라는 의미가 되어야 자연스러우므로 They를 뒤에서 수식어구(planning ~ the exam)의 꾸밈을 받아 '~한 사람들'을 나타내는 지시대명사 Those로 고쳐야 한다.

오답분석 ① 기출포인트 **to 부정사를 취하는 동사** 동사 choose는 to 부정사를 목적어로 취하는 동사이므로 to take가 올바르게 쓰였다.
② 기출포인트 **지시대명사** 지시형용사 this는 단수 명사(semester) 앞에 쓰이므로 this semester가 올바르게 쓰였다.
④ 기출포인트 **원형 부정사를 목적격 보어로 취하는 동사** 사역동사 let은 목적격 보어로 원형 부정사를 취하므로 원형 부정사 know가 올바르게 쓰였다.

해석 당신은 시험을 칠 것인지 10페이지 분량의 에세이를 쓸 것인지를 선택할 수 있는데, 그것은 이번 학기 최종 성적의 40퍼센트를 차지하게 될 것입니다. 시험을 치르려고 계획하는 사람들은 다음 주 후반까지 제게 알려주셔야 합니다.

어휘 take an exam 시험을 치다 account for 차지하다, 설명하다 semester 학기

03 기출포인트 부정대명사: other

정답 ③

해설 '이미 언급된 것(Hardcover books) 이외의 다른 책들'을 의미하는 부정대명사가 쓰여야 하므로 부정대명사 another를 '이미 언급한 것 이외의 다른 몇몇'을 의미하는 부정대명사 others로 고쳐야 한다.

오답분석 ① 기출포인트 **재귀대명사** 목적어가 주어(I)와 같은 사람을 지칭할 때 목적어 자리에 재귀대명사가 올 수 있으므로 동사 found의 목적어 자리에 재귀대명사 myself가 올바르게 쓰였다. 참고로, 지각동사 find(found)는 현재분사를 목적격 보어로 취할 수 있으므로 현재분사 going이 올바르게 쓰였다.

② 기출포인트 **부정대명사: any** 조건문(If you have ~ questions)에서 '조금(의)'이라는 의미로 쓰이는 부정형용사 any가 올바르게 쓰였다.

④ 기출포인트 **재귀대명사** '혼자 힘으로 ~ 조립하다'는 재귀대명사 관용 표현 by oneself를 사용하여 나타낼 수 있으므로 by himself가 올바르게 쓰였다.

어휘 go over 거듭 살피다 incident 사건 tutorial 사용 지침 영상 assemble 조립하다

04 밑줄 친 부분 중 어법상 옳은 것은?

At the last minute, Mr. Barry dropped off ① other box of photographs that Steven would have to go through and arrange for tomorrow's presentation. Steven looked at the box and sighed. How was he going to organize all ② that pictures ③ by itself? He decided to go out for ④ some coffee to clear his head.

05 다음 문장 중 어법상 옳지 않은 것은?

① We should ask him to renovate those old buildings.

② There were a few pieces of fruit in the bowl, but now there are none.

③ It is considered polite when entering a room to hold the door for other.

④ They were reluctant to leave their bags on their seats, so they brought them.

06 우리말을 영어로 잘못 옮긴 것은?

① 내 여동생은 배가 고파서, 그녀 자신에게 샌드위치를 만들어 주었다.
→ My sister was hungry, so she made herself a sandwich.

② 그들의 제안이 승낙을 받았다는 사실 자체만으로 성과였다.
→ The fact that their proposal was accepted was an accomplishment on itself.

③ 그는 자기도 모르게 비싼 코트를 구입했다.
→ He bought the expensive coat in spite of himself.

④ 내 친구 중 한 명은 슬픔으로 이성을 잃었다.
→ One of my friends was beside herself with grief.

04 기출포인트 부정대명사: some

정답 ④

해설 긍정문(He decided ~ his head)에서 '몇몇(의), 약간(의)'라는 의미로 쓰이는 부정형용사 some이 명사 coffee 앞에 올바르게 쓰였다.

오답분석 ① 기출포인트 **부정대명사: other** '이미 언급한 것 이외의 것의'라는 의미의 부정형용사 other는 복수 명사 앞에 쓰이므로 부정형용사 other를 '이미 언급된 것 이외의 또 다른 하나'를 의미하는 부정형용사 another로 고쳐야 한다.

② 기출포인트 **지시대명사** 지시대명사 that은 복수 명사(pictures) 앞에 쓰일 수 없으므로 that을 복수 명사 앞에 쓰이는 지시형용사 these 또는 those로 고쳐야 한다.

③ 기출포인트 **재귀대명사** 문맥상 '그는 혼자 힘으로 ~ 정리하다'라는 의미가 되어야 자연스러우므로 '저절로'라는 의미의 재귀대명사 관용 표현 by itself를 '혼자 힘으로'라는 의미의 재귀대명사 관용 표현 by himself로 고쳐야 한다. '혼자 힘으로'라는 뜻을 갖는 또 다른 재귀대명사 관용 표현 for himself로 고쳐도 맞다.

해석 마지막 순간에, Barry 씨는 Steven이 내일의 발표를 위해 검토하고 정리해야 할 또 다른 사진 상자 하나를 내려놓았다. Steven은 그 상자를 바라보고 한숨을 쉬었다. 그는 어떻게 혼자 힘으로 그 모든 사진들을 정리할 것인가? 그는 머리를 맑게 하기 위해 커피를 좀 마시러 나가기로 했다.

어휘 drop off 내려놓다 go through 검토하다, 살펴보다 arrange 정리하다 sigh 한숨을 쉬다 organize 정리하다

05 기출포인트 부정대명사: other

정답 ③

해설 부정형용사 other(다른)는 명사 없이 전치사(for)의 목적어 자리에 올 수 없고, 문맥상 '다른 사람들을 위해'라는 의미가 되어야 자연스러우므로 other를 '이미 언급한 것 이외의 것들 중 몇몇'을 의미하는 부정대명사 others 또는 '부정형용사 + 명사' 형태의 other people로 고쳐야 한다.

오답분석 ① 기출포인트 **지시대명사** 지시형용사 those는 가산 복수 명사 앞에 쓰이므로 those old buildings가 올바르게 쓰였다.

② 기출포인트 **수량 표현** 문맥상 '하나도 없다'라는 의미가 되어야 자연스러우므로 '하나도 -않다'라는 의미의 none이 be 동사(are)의 보어 자리에 올바르게 쓰였다.

④ 기출포인트 **인칭대명사** 명사(bags, seats) 앞에서 소유의 의미를 나타내기 위해서는 소유격 대명사가 와야 하고, 대명사가 지시하는 명사(They)가 복수이므로 복수 소유격 대명사 their가 올바르게 쓰였다.

해석 ① 우리는 그에게 저 낡은 건물들을 보수해달라고 요청해야 한다.
② 그릇에 과일 몇 조각이 있었지만, 지금은 하나도 없다.
③ 방에 들어갈 때 다른 사람들을 위해 문을 잡고 있는 것은 예의 바르다고 여겨진다.
④ 그들은 자신들의 자리에 가방을 놓고 가는 것이 꺼려져서 가방을 가지고 갔다.

어휘 renovate 보수하다 bowl 그릇 polite 예의 바른 reluctant 꺼리는

06 기출포인트 재귀대명사

정답 ②

해설 '~ 사실 자체만으로'는 재귀대명사 관용 표현 in itself(자체로)를 사용하여 나타낼 수 있으므로 on itself를 in itself로 고쳐야 한다.

오답분석 ① 기출포인트 **재귀대명사** 주어(she)와 목적어가 같은 사람을 지칭하고 있으므로 목적어 자리에 재귀대명사 herself가 올바르게 쓰였다.

③ 기출포인트 **재귀대명사** '그는 자기도 모르게'는 재귀대명사 관용 표현 in spite of oneself(자기도 모르게)를 사용하여 나타낼 수 있으므로 in spite of himself가 올바르게 쓰였다.

④ 기출포인트 **재귀대명사** '이성을 잃고'는 재귀대명사 관용 표현 beside oneself(이성을 잃고)를 사용하여 나타낼 수 있으므로 beside herself가 올바르게 쓰였다.

어휘 proposal 제안 accept 승낙하다 accomplishment 성과 grief 슬픔

07 다음 문장 중 어법상 옳지 않은 것은?

① Inspectors look at the planes to check them for problems.

② The report about the criminals included their photos.

③ These shirts are what I bought at the store yesterday.

④ The scientists created a new type of medicine and tried to sell them.

08 어법상 옳은 것은? [2022년 국가직 9급]

① A horse should be fed according to its individual needs and the nature of its work.

② My hat was blown off by the wind while walking down a narrow street.

③ She has known primarily as a political cartoonist throughout her career.

④ Even young children like to be complimented for a job done good.

07 기출포인트 인칭대명사

정답 ④

해설 대명사가 지시하는 명사(a new type of medicine)가 단수이므로 복수 대명사 them을 단수 대명사 it으로 고쳐야 한다.

오답분석
① 기출포인트 **지시대명사** 대명사가 지시하는 명사(the planes)가 복수이므로 복수 대명사 them이 올바르게 쓰였다.
② 기출포인트 **인칭대명사** 문맥상 '그들의 사진'이라는 의미가 되어야 자연스러우므로 명사(photos) 앞에서 소유의 의미를 나타내는 소유격 대명사가 와야 하는데, 대명사가 지시하는 명사(the criminals)에 수 일치해야 하므로 3인칭 복수 소유격 대명사 their가 올바르게 쓰였다.
③ 기출포인트 **지시대명사** 지시형용사 these는 복수 명사 앞에 쓰이므로 These shirts가 올바르게 쓰였다. 참고로, 목적어가 없는 불완전한 절(I bought ~ yesterday)을 이끌며 be 동사(are)의 보어 자리에 올 수 있는 명사절 접속사 what이 올바르게 쓰였다.

해석
① 조사관들은 문제를 점검하기 위해 비행기들을 살펴본다.
② 그 범죄자들에 관한 보도는 그들의 사진을 포함했다.
③ 이 셔츠들은 내가 어제 상점에서 구입한 것이다.
④ 과학자들은 새로운 종류의 약을 개발했고 그것을 팔려고 했다.

어휘 **inspector** 조사관 **look at** ~을 살피다 **criminal** 범죄자; 범죄의

08 기출포인트 인칭대명사 & 능동태·수동태 구별

정답 ①

해설 대명사가 지시하는 명사(A horse)가 단수이므로 단수 소유격 대명사 its가 올바르게 쓰였다. 또한 주어 A horse와 동사가 '말에게 먹이가 주어지다'라는 의미의 수동 관계이므로 수동태 should be fed가 올바르게 쓰였다.

오답분석
② 기출포인트 **부사절 접속사 1: 시간 | 부사절의 형태** 문맥상 '내가 좁은 길을 걸어 내려가는 동안'이라는 의미가 되어야 자연스러운데, '~하는 동안'은 부사절 접속사 while을 사용하여 나타낼 수 있다. 이때 while이 이끄는 부사절은 '부사절 접속사 + 주어 + 동사'의 형태가 되어야 하므로 while walking down ~을 while I walked ~나 while I was walking down ~으로 고쳐야 한다.
③ 기출포인트 **능동태·수동태 구별** 주어 She와 동사가 '그녀가 알려져 왔다'라는 의미의 수동 관계이므로 현재완료 시제의 능동태 has known을 수동태 has been known으로 고쳐야 한다.
④ 기출포인트 **현재분사 vs. 과거분사 | 부사 자리** 수식받는 명사 a job과 분사가 '일이 행해지다'라는 의미의 수동 관계이므로 과거분사 done이 쓰였는데, 이때 과거분사(done)를 수식할 수 있는 것은 형용사(good)가 아닌 부사(well)이므로 good을 well로 고쳐야 한다.

해석
① 말에게는 그것의 개별적인 욕구와 그것의 일의 특징에 따라 먹이가 주어져야 한다.
② 내 모자는 좁은 길을 걸어 내려가는 동안 바람에 날아갔다.
③ 그녀는 자신의 경력 내내 주로 정치 만화가로 알려져 왔다.
④ 심지어 어린아이들도 잘한 일에 대해 칭찬받는 것을 좋아한다.

어휘 **feed** 먹이를 주다 **individual** 개별적인, 각각의 **nature** 특징, 본성 **blow off** ~을 바람에 날리다 **narrow** 좁은 **primarily** 주로 **compliment** 칭찬하다

Chapter 13

형용사와 부사

BASIC GRAMMAR 기본기 다지기

01 형용사

형용사는 **명사**를 **수식**하는 역할을 하거나, 명사의 성질과 상태를 설명하는 **보어 역할**을 한다.

명사 수식 She spoke in a **gentle** voice. 그녀는 부드러운 목소리로 말했다.

보어 역할 Her voice was **gentle**. 그녀의 목소리는 부드러웠다.

Check-Up

다음 중 형용사를 고르시오.

He bought a big shirt at the store. 그는 그 가게에서 큰 셔츠를 샀다.
ⓐ He ⓑ bought ⓒ big ⓓ shirt

→ 명사 shirt를 수식하여 '큰 셔츠'라는 의미를 만드는 ⓒ big이 형용사이다.

정답: ⓒ

02 부사

부사는 **형용사**, **동사**, **다른 부사** 또는 **문장 전체**를 수식하는 역할을 한다.

형용사 수식 She spoke in a **very** gentle voice. 그녀는 매우 부드러운 목소리로 말했다.

동사 수식 She spoke **gently**. 그녀는 부드럽게 말했다.

다른 부사 수식 She spoke **so** gently. 그녀는 매우 부드럽게 말했다.

문장 전체 수식 **Amazingly**, she spoke so gently. 놀랍게도, 그녀는 매우 부드럽게 말했다.

Check-Up

다음 중 부사를 고르시오.

My friend and I ran quickly. 나의 친구와 나는 빠르게 뛰었다.
ⓐ My friend and I ⓑ ran ⓒ quickly

→ 동사 ran을 수식하여 '빠르게 뛰다'라는 의미를 만드는 ⓒ quickly가 부사이다.

정답: ⓒ

03 형용사와 부사의 형태

형용사는 주로 – able/– ible, – al, – tive, – ous, – ful, – y로 끝나는 형태 또는 '명사+ ly' 형태를 가지며, 부사는 주로 '형용사 + ly' 형태를 가진다.

형용사	probable	magical	active	dangerous	successful	heavy
부사	probably	magically	actively	dangerously	successfully	heavily

–ly로 끝나는 형용사들을 부사로 혼동하지 않도록 주의해야 하며, –ly로 끝나지 않는 부사들도 주의해서 익혀 두어야 한다.

–ly로 끝나는 형용사	costly	deadly	elderly	friendly	likely	lively
–ly로 끝나지 않는 부사	ahead	even	just	right	still	well

Check-Up

다음 중 부사가 아닌 것을 고르시오.

ⓐ probably ⓑ deadly ⓒ dangerously ⓓ heavily

→ ⓑ deadly는 '치명적인'이라는 뜻을 가진 형용사이다.

정답: ⓑ

기출포인트 01

형용사 자리

출제빈도 ★★★

1 형용사는 명사나 대명사를 수식하는 자리에 온다.

(관사 +) (부사 +) 형용사 + 명사 — That's a pretty **good** guess. 그건 꽤 훌륭한 추측이다.
(a: 관사, pretty: 부사, guess: 명사)

형용사 + 복합명사 — Our conductor has **great** leadership skills. 우리 지휘자는 뛰어난 통솔력을 지니고 있다.
(leadership skills: 복합명사)

명사 + 형용사 — The airline had no more seats **available.** 그 항공사에는 더 이상 이용 가능한 좌석이 없었다.
(seats: 명사)

고득점 포인트 -able/-ible로 끝나는 형용사는 명사를 뒤에서 수식할 수 있으며, -where, -thing, -one, -body로 끝나는 명사는 형용사가 항상 뒤에서 수식한다.

The scientist tried every way **possible.** 그 과학자는 가능한 모든 방법을 시도해 보았다.

We need to go somewhere **quiet.** 우리는 조용한 어딘가로 갈 필요가 있다.

2 형용사는 주격 보어나 목적격 보어 자리에 온다.

The sun is **bright.** 태양이 밝다.
(bright: 주격 보어)

They painted the house **brown.** 그들은 집을 갈색으로 칠했다.
(brown: 목적격 보어)

고득점 포인트 'of + 추상명사(interest, importance, help 등)'는 형용사 역할을 하여 주격 보어 자리에 올 수 있다.

He didn't think his research on snails would be (**of interest**, **interesting**) to anyone.

그는 달팽이에 대한 그의 연구가 누군가에게 흥미로울 것이라고 생각하지 못했다.

공무원 영어 실전 문제

01 어법상 옳지 않은 것은? [2019년 지방직 9급 출제경향]

① Residents complained about the rise cost of utilities in the city.
② The professor accused him of plagiarizing his classmate's essay.
③ The purpose of the notice is to inform employees of a schedule change.
④ I thought that the movie was perfect, except that it lasted a little too long.

정답 ① 해설·해석 p.440

기출포인트 02

수량 표현

출제빈도 ★★

1 가산 명사·불가산 명사 앞에 오는 수량 표현

가산 명사 앞			불가산 명사 앞	가산·불가산 명사 앞	
단수 명사 앞	복수 명사 앞				
a / an 하나의 each 각각의 one / a single 하나의 every 모든 another 또다른	one of ~ 중 하나 few 거의 없는 both 둘 다의 several 몇몇의 a number of 많은	a few 약간 fewer 더 적은 each of ~의 각각 many 많은 a variety of 다양한	little 거의 없는 a little 약간 less 더 적은 much 많은	no 어떤 ~도 -아니다 more 더 많은 any 어떤	other 다른 all 모든

There are (**few** / ~~little~~) countries that have not joined the United Nations. UN에 가입하지 않은 나라는 거의 없다.

고득점 포인트 every와 another는 특정한 숫자와 함께 오면 '~마다 한 번씩', '~ 더'라는 뜻으로 복수 명사 앞에 올 수 있다.
We visit our grandmother **every** two weeks. 우리는 2주마다 한 번씩 할머니를 방문한다.

2 수량 표현 + of the + 명사

one / two 하나 / 둘 many / much 다수 none 하나도 ~않다	each 각각 most 대부분 (a) few 거의 없는 (약간)	some / any 몇몇 several 몇몇 (a) little 거의 없는 (약간)	all 전부 both 둘 다 (a / the) half 절반	+ of the + 명사

One (**of the**, ~~of~~, ~~the~~) benefits of solar power is its lack of pollution. 태양열 발전의 이점 중 하나는 오염이 없는 것이다.

고득점 포인트
1. all, both, half는 of 없이 쓰일 수 있다.
   Both (of) the poplar trees in the yard had to be cut down. 정원에 있는 포플러 나무들은 둘 다 베어져야 한다.
2. 명사 앞의 the 대신에 소유격이 올 수 있다.
   She sharpened all of **her** pencils before the exam. 그녀는 시험 전에 그녀의 모든 연필을 깎았다.

3 '수사 + 하이픈(-) + 단위 표현'이 명사를 수식하는 경우, 단위 표현은 단수형이 되어야 한다.

수사 + 하이픈(-) +	story ~층의	meter ~미터의	minute ~분의	kilogram ~킬로그램의	year-old ~세의

A (**30-minute**, ~~30-minutes~~) presentation is scheduled for this afternoon. 오늘 오후에 30분짜리 발표가 예정되어 있다.

고득점 포인트 '수사 + 하이픈(-) + 단위 표현'이 명사로 사용되는 경우, 의미에 따라 단위 표현이 복수형이 될 수 있다.
It is common for **40-year-olds** to settle down and seek stability. 40세의 사람들이 정착하고 안정성을 추구하는 것은 보편적이다.

공무원 영어 실전 문제

02 밑줄 친 부분 중 어법상 가장 옳은 것은? [2018년 서울시 9급]

More than 150 people ① have fell ill, mostly in Hong Kong and Vietnam, over the past three weeks. And experts ② are suspected that ③ another 300 people in China's Guangdong province had the same disease ④ begin in mid-November.

정답 ③ 해설·해석 p.441

기출포인트 03

부사 자리

출제빈도 ★★

1 동사를 수식할 때 부사 자리

• 부사는 '동사 + 목적어'의 앞이나 뒤에 온다.

She **completely** forgot(동사) her wedding anniversary(목적어). 그녀는 결혼 기념일을 완전히 잊어버렸다.

Ben treats(동사) his customers(목적어) **well**. Ben은 그의 손님들을 잘 대한다.

• 진행형·완료형·수동형 동사를 수식할 때, 부사는 '조동사 + -ing/p.p.' 사이나 그 뒤에 온다.

[조동사 + 동사] 사이 The auditorium has(조동사) **clearly** reached(동사) its full capacity. 강당은 명백히 최대 수용 인원에 달했다.

[조동사 + 동사] 뒤 The old car is(조동사) running(동사) **smoothly**. 그 오래된 차는 순조롭게 작동하고 있다.

2 동사 이외의 것을 수식할 때 부사는 수식 받는 것 앞에 온다.

형용사·분사 앞 The tour package is **highly** recommended. 그 여행 패키지는 매우 권장된다.

부사 앞 The new coffee grinder works **really** well. 새 커피 분쇄기는 정말 잘 작동한다.

전치사구 앞 The award ceremony will begin **exactly** at three. 시상식은 정확히 3시에 시작할 것이다.

문장 앞 **Typically**, wild bears will avoid humans. 대체로, 야생 곰은 사람들을 피할 것이다.

3 부사 자리에 형용사는 쓸 수 없다.

We were (**fortunately**, ~~fortunate~~) able to get tickets. 우리는 운 좋게도 표를 구할 수 있었다.

→ 형용사(able)를 수식하기 위해서는 부사(fortunately)가 와야 한다.

공무원 영어 실전 문제

03 밑줄 친 부분 중 어법상 가장 옳지 않은 것은? [2022년 서울시 9급(2월 추가) 출제경향]

For people to practice sustainable travel to protect our planet's fragile ecosystems is ① increasing vital. In ② planning trips in ways that reduce the amount of pollution they produce, travelers can minimize their environmental impact. By choosing accommodations and transportation options ③ that are more eco-friendly, travelers can greatly reduce their carbon footprint while still visiting a variety of destinations. Although this may prove more ④ difficult than simply booking the cheapest available flights and hotels, there are sustainable options that reduce the impact of nearly any trip.

정답 ① 해설·해석 p.441

기출포인트 04

강조 부사

출제빈도 ★

1 강조 부사는 '매우, 너무' 등의 의미를 더해 수식하는 대상을 강조하며, 보통 형용사나 부사를 앞에서 강조한다.

very 매우	much 너무, 많이	so (긍정적·부정적 의미로) 매우, 너무	too (부정적 의미로) 너무
pretty 꽤, 제법	quite 꽤, 상당히	ever 항상, 도대체	
much / even / still / far / a lot / by far (비교급 앞에서) 훨씬			

Thank you **very** much. 매우 대단히 감사합니다.

New laptop computers continue to get **even** smaller. 새로운 노트북 컴퓨터들은 계속 훨씬 더 작아지고 있다.

2 기타 강조 부사

- quite는 'a(n) + 형용사 + 명사'를 앞에서 강조한다.

  My apartment required **quite** a large deposit. 내 아파트는 꽤 많은 보증금을 필요로 했다.

- enough는 동사와 형용사를 뒤에서 강조한다.

  She is smart **enough** to get any job she wants. 그녀는 그녀가 원하는 어떤 직업이든 구할 수 있을 만큼 충분히 똑똑하다.

- well, right, way는 전치사구를 앞에서 강조한다.

  Temperatures tonight will be **well** below zero. 오늘 밤 기온은 영도 훨씬 이하로 떨어질 것이다.

  The bank is located **right** beside the post office. 은행은 우체국 바로 옆에 위치하고 있다.

  My score is **way** above average. 내 점수는 평균을 훨씬 웃돈다.

- even은 명사, 동사, 전치사구를 앞에서 강조한다.

  Even water can be harmful to drink in excessive amounts. 물조차 과도한 양을 마시면 해로울 수 있다.

  The new restaurant **even** offers a 10 percent discount on already discounted items.
  그 새로운 식당은 이미 할인된 품목에 10퍼센트 할인을 제공하기까지 한다.

  In some areas of the Arctic, it's bright **even** at night during summer. 북극의 몇몇 지역에서는 여름 동안 밤에조차 환하다.

- just, only는 명사, 전치사구를 앞에서 강조한다.

  It's **just** a rerun of last week's episode. 그것은 단지 지난주 방영분의 재방송일 뿐이다.

  Breakfast is available **only** until 10 a.m. 아침 식사는 오전 10시까지만 이용 가능하다.

공무원 영어 실전 문제

04 어법상 옳지 않은 것은? [2016년 국가직 9급 출제경향]

Retailers know that price is often consumers' top consideration when deciding ① whether they will purchase a product. Usually, ② the lower the price is, the happier the shopper is. To take advantage of this, retailers place products they want to sell next to ③ much high-priced options. By doing this, they are suggesting that shoppers ④ purchase the lower-priced products.

정답 ③ 해설·해석 p.441

기출포인트 05 빈도 부사

출제빈도 ★

1 빈도 부사는 얼마나 자주 일이 발생하는지를 의미하는 부사이다.

always 항상	often 자주	frequently 종종	usually 보통	sometimes 때때로
hardly / rarely / seldom / scarcely / barely 거의 ~않다			never 결코 ~않다	

When the refrigerator is opened, its light **always** turns on. 냉장고가 열리면, 불빛이 항상 켜진다.

I **usually** go to sleep around 11:30 p.m. 나는 보통 오후 11시 30분쯤에 잔다.

2 빈도 부사는 보통 일반동사 앞, 또는 be 동사나 조동사의 뒤에 온다.

She **often** visits her grandparents. 그녀는 그녀의 조부모님을 자주 방문한다.
(visits: 일반동사)

You are **sometimes** too straightforward. 너는 때때로 너무 솔직하다.
(are: be 동사)

I can **hardly** bear my boss. 나는 상사를 거의 견딜 수 없다.
(can: 조동사, bear: 일반동사(동사원형))

3 hardly, rarely, seldom, scarcely, barely는 부정의 의미로 not과 같은 부정어와 함께 올 수 없다.

He is (**rarely**, ~~not rarely~~) late for his appointments. 그는 약속에 거의 늦지 않는다.
→ 빈도 부사 rarely는 이미 부정의 뜻을 담고 있으므로 부정어 not과 함께 쓰일 수 없다.

공무원 영어 실전 문제

05 밑줄 친 부분 중 어법상 가장 옳지 않은 것은? [2018년 서울시 9급]

His survival ① over the years since independence in 1961 does not alter the fact that the discussion of real policy choices in a public manner has hardly ② never occurred. In fact, there have always been ③ a number of important policy issues ④ which Nyerere has had to argue through the NEC.

정답 ② 해설·해석 p.442

기출포인트 06

혼동하기 쉬운 형용사와 부사

출제빈도 ★★

1 형용사와 부사로 모두 쓰이는 단어

late (형) 늦은 / (부) 늦게	hard (형) 힘든, 단단한 / (부) 열심히, 심하게	near (형) 가까운 / (부) 가까이, 근처에
high (형) 높은 / (부) 높게	most (형) 대부분의, 가장 많은 / (부) 가장 많이	early (형) 이른 / (부) 일찍
fast (형) 빠른 / (부) 빨리	far (형) 먼 / (부) 멀리	long (형) 긴 / (부) 오래, 오랫동안

He hasn't played baseball in a **long** time. 그는 긴 시간 동안 야구를 하지 않았다.
(long: 형용사)

I won't stay very **long**. 나는 아주 오래 머물지 않을 것이다.
(long: 부사)

2 형태가 유사해서 혼동을 주는 부사

late (부) 늦게	hard (부) 열심히, 심하게	near (부) 가까이, 근처에	high (부) 높게	most (부) 가장 많이
lately (부) 최근에	hardly (부) 거의 ~않다	nearly (부) 거의	highly (부) 매우	mostly (부) 대체로, 주로
				almost (부) 거의

During the storm, the rain was coming down (**hard**, ~~hardly~~). 폭풍이 치는 동안에, 비가 심하게 왔다.
→ '비가 심하게 왔다'라는 의미가 되어야 문맥상 자연스러우므로 hard가 와야 한다.

Apes are (**hardly**, ~~hard~~) as intelligent as humans. 유인원은 거의 인간만큼 똑똑하지 않다.
→ '거의 똑똑하지 않다'라는 의미가 되어야 문맥상 자연스러우므로 hardly가 와야 한다.

3 쓰임이 유사해서 혼동을 주는 형용사 such와 부사 so

The singer sang (**such**, ~~so~~) a beautiful song that I cried. 그 가수가 너무 아름다운 노래를 불러서 나는 울었다.

The singer sang (**so**, ~~such~~) beautifully that I cried. 그 가수가 너무 아름답게 노래를 불러서 나는 울었다.

→ 명사구(a beautiful song)를 수식하는 것은 형용사이므로 형용사 such가 와야 하는 반면, 부사(beautifully)를 수식하는 것은 부사이므로 부사 so가 와야 한다.

공무원 영어 실전 문제

06 어법상 옳지 않은 것을 고르시오. [2017년 사회복지직 9급 출제경향]

① The number of employees that arrive on time has declined lately.
② Jason is studying hard for the mid-term exam.
③ The performance was such great that it got only positive reviews.
④ My life has become so convenient with these devices.

정답 ③ 해설·해석 p.442

Hackers Practice

둘 중 어법상 알맞은 것을 고르세요.

01 (Many / Much) time was spent editing the article before it was published.

02 The professor made (helpful / help) comments on the paper.

03 The microwave oven is (next right / right next) to the coffee machine.

04 The mural downtown painted by the young artist is (impressively / impressive).

05 The wedding dress (carefully was / was carefully) sewn by hand.

06 A (thirty-stories / thirty-story) apartment building is the tallest one in the city.

07 I could (hard / hardly) understand what the speaker was saying.

08 The children (go sometimes / sometimes go) to the public library when they have homework to do.

09 The firefighter was (such / so) courageous that he received a medal.

어휘

01 edit 편집하다 publish 발행하다 02 comment 의견, 논평 paper 논문 03 microwave oven 전자레인지 04 mural 벽화 downtown 도심에 있는 impressive 인상적인 05 carefully 정성 들여서, 신중히 sew (바느질로) 만들다, 깁다 08 public library 공공 도서관 09 firefighter 소방관 courageous 용감한, 대담한

01 기출포인트 **수량 표현**

해설 명사 time은 '시간'이라는 의미로 쓰일 때 불가산 명사이므로, 불가산 명사 앞에 오는 수량 표현 Much가 정답이다.

정답 Much

해석 그 기사가 발행되기 전에 편집하는 데 많은 시간이 걸렸다.

02 기출포인트 **형용사 자리**

해설 명사(comments)를 앞에서 수식하는 것은 형용사이므로 형용사 helpful이 정답이다.

정답 helpful

해석 교수님은 논문에 도움이 되는 의견을 주셨다.

03 기출포인트 **강조 부사**

해설 강조 부사 right은 전치사구(next to)를 앞에서 강조하므로 right next가 정답이다.

정답 right next

해석 전자레인지는 커피 머신 바로 옆에 있다.

04 기출포인트 **형용사 자리**

해설 be 동사(is)의 주격 보어 자리이므로 형용사 impressive가 정답이다.

정답 impressive

해석 젊은 예술가에 의해 그려진 도심에 있는 그 벽화는 인상적이다.

05 기출포인트 **부사 자리**

해설 부사(carefully)가 수동형 동사(was sewn)를 수식할 때, 부사는 '조동사 + p.p.' 사이에 와야 하므로 was carefully가 정답이다.

정답 was carefully

해석 그 웨딩드레스는 손으로 정성 들여서 바느질해 만들어졌다.

06 기출포인트 **수량 표현**

해설 '수사 + 하이픈(-) + 단위 표현'이 명사(apartment building)를 수식하는 경우 단위 표현은 단수형이 되어야 하므로 thirty-story가 정답이다.

정답 thirty-story

해석 30층 아파트 건물은 그 도시에서 가장 높은 것이다.

07 기출포인트 **혼동하기 쉬운 형용사와 부사**

해설 문맥상 '거의 이해할 수 없었다'라는 의미가 되어야 자연스럽고, '거의 ~않다'는 부사 hardly를 사용하여 나타낼 수 있으므로 hardly가 정답이다.

정답 hardly

해석 나는 발표자가 말하고 있던 것을 거의 이해할 수 없었다.

08 기출포인트 **빈도 부사**

해설 빈도 부사(sometimes)는 보통 일반동사(go) 앞에 와야 하므로 sometimes go가 정답이다.

정답 sometimes go

해석 아이들은 자신들이 해야 할 숙제가 있을 때 가끔 공공 도서관에 간다.

09 기출포인트 **혼동하기 쉬운 형용사와 부사**

해설 형용사(courageous)를 앞에서 수식하는 것은 부사이므로 부사 so가 정답이다.

정답 so

해석 그 소방관은 매우 용감해서 훈장을 받았다.

어법상 옳은 것에는 O, 틀린 것에는 X를 표시하고 틀린 부분을 바르게 고치세요.

10 Increasing, students are going to universities overseas. [ ]

11 The dolphin is a highly intelligent marine animal with a well-developed social system. [ ]

12 She realized she wasn't enough fast to win the race. [ ]

13 It will take another two weeks for my ankle to heal. [ ]

14 We found the flashlight to be of useful in the forest. [ ]

15 Two of employees at the company were promoted last week. [ ]

16 I seldom like not to watch science-fiction movies. [ ]

17 You can catch still the last train if you hurry. [ ]

18 The laundry is nearly done. [ ]

어휘

10 increasingly 점점 더 overseas 해외로 11 highly 매우 intelligent 영리한 marine 해양의 13 ankle 발목 heal 낫다, 치유되다
14 flashlight 손전등 of use 유용한, 쓸모 있는 15 promote 승진시키다 16 science-fiction 공상과학의 17 catch (버스·기차 등을 시간 맞춰) 타다

10 기출포인트 **부사 자리**

해설 문장 전체(students ~ overseas)를 수식할 수 있는 것은 부사이므로 형용사 Increasing을 부사 Increasingly로 고쳐야 한다.

정답 X, Increasing → Increasingly

해석 점점 더, 학생들이 해외로 대학을 가고 있다.

11 기출포인트 **부사 자리**

해설 형용사(intelligent)를 앞에서 수식하는 것은 부사이므로 부사 highly가 올바르게 쓰였다.

정답 O

해석 돌고래는 잘 발달된 사회 체계를 가진 매우 영리한 해양 동물이다.

12 기출포인트 **강조 부사**

해설 강조 부사 enough는 형용사(fast)를 뒤에서 강조하므로 enough fast를 fast enough로 고쳐야 한다.

정답 X, enough fast → fast enough

해석 그녀는 자신이 경주에서 이길 만큼 충분히 빠르지 않다는 것을 깨달았다.

13 기출포인트 **수량 표현**

해설 another는 특정한 숫자(two)와 함께 오면 '~ 더'라는 의미로 복수 명사(weeks) 앞에 올 수 있으므로 another two weeks가 올바르게 쓰였다.

정답 O

해석 나의 발목이 낫는 데는 2주가 더 걸릴 것이다.

14 기출포인트 **형용사 자리**

해설 be 동사(be)는 주격 보어를 취하는 동사인데, 'of + 추상명사'는 형용사 역할을 하여 주격 보어 자리에 올 수 있으므로 of useful을 of use로 고쳐야 한다.

정답 X, of useful → of use

해석 우리는 숲에서 손전등이 유용하다고 생각했다.

15 기출포인트 **수량 표현**

해설 수량 표현(Two)과 명사(employees) 사이에는 of와 the가 함께 와야 하므로 Two of employees를 Two of the employees로 고쳐야 한다.

정답 X, Two of employees → Two of the employees

해석 그 회사에서 직원 중 두 명은 지난주에 승진했다.

16 기출포인트 **빈도 부사**

해설 빈도 부사 seldom(거의 ~않다)은 부정의 의미로 부정어(not)와 함께 올 수 없으므로 seldom like not을 seldom like로 고쳐야 한다.

정답 X, seldom like not → seldom like

해석 나는 공상 과학 영화들을 보는 것을 거의 좋아하지 않는다.

17 기출포인트 **부사 자리**

해설 부사(still)는 '조동사 + 동사원형' 사이에 와야 하므로 can catch still을 can still catch로 고쳐야 한다.

정답 X, can catch still → can still catch

해석 네가 서두른다면 너는 아직 마지막 열차를 탈 수 있다.

18 기출포인트 **혼동하기 쉬운 형용사와 부사**

해설 문맥상 '거의 완료되었다'라는 의미가 되어야 자연스럽고, 형용사(done)를 앞에서 수식하는 것은 부사이므로 부사 nearly가 올바르게 쓰였다.

정답 O

해석 그 빨래는 거의 완료되었다.

Hackers Test

01 우리말을 영어로 가장 잘 옮긴 것은?

① 최근에 하늘이 약간 흐리다.
→ The sky has been rather cloudy late.

② 그들은 콘서트를 대비해서 열심히 연습해 왔다.
→ They have been practicing hardly for the concert.

③ 나는 주말이 거의 끝나서 슬프다.
→ I'm sad that the weekend is near over.

④ 이른 아침에, 거리는 대체로 비어 있다.
→ Early in the morning, the streets are mostly empty.

02 다음 글을 읽고 어법상 옳지 않은 것을 고르시오.

> A research team visited a ① remote tribe in the Congo that had never seen modern technology. When team members showed ② the tribe a laptop, the natives were ③ such amazed that they regarded the object ④ as a magical spirit.

03 어법상 밑줄 친 곳에 들어갈 말로 가장 적절한 것은?

> Bottled juice is ___(A)___ made of sugar and water, with ___(B)___ fruit juice.

	(A)	(B)
①	most	very few
②	mostly	very few
③	mostly	very little
④	most	very little

01 기출포인트 혼동하기 쉬운 형용사와 부사

정답 ④

해설 '대체로'는 부사 mostly를 사용하여 나타낼 수 있으므로 mostly가 형용사 empty를 앞에서 수식하며 올바르게 쓰였다.

오답분석
① 기출포인트 **혼동하기 쉬운 형용사와 부사** '최근에'는 부사 lately를 사용하여 나타낼 수 있으므로 형용사와 부사로 쓰이는 late(늦은; 늦게)을 부사 lately로 고쳐야 한다.

② 기출포인트 **혼동하기 쉬운 형용사와 부사** '열심히'는 부사 hard를 사용하여 나타낼 수 있으므로 부사 hardly(거의 ~않다)를 부사 hard로 고쳐야 한다.

③ 기출포인트 **혼동하기 쉬운 형용사와 부사** '거의'는 부사 nearly를 사용하여 나타낼 수 있으므로 형용사와 부사로 쓰이는 near(가까운; 가까이)를 부사 nearly로 고쳐야 한다.

어휘 cloudy 흐린, 구름이 잔뜩 낀 mostly 대체로, 주로 empty 빈

02 기출포인트 혼동하기 쉬운 형용사와 부사

정답 ③

해설 형용사(amazed)를 앞에서 수식하는 것은 부사이므로 형용사 such를 부사 so로 고쳐야 한다.

오답분석
① 기출포인트 **형용사 자리** 명사(tribe)를 앞에서 수식하는 것은 형용사이므로 형용사 remote가 올바르게 쓰였다.

② 기출포인트 **4형식 동사** 동사 show는 두 개의 목적어를 '간접 목적어 + 직접 목적어'의 순서로 취하는 4형식 동사이므로 the tribe a laptop이 올바르게 쓰였다.

④ 기출포인트 **목적어 뒤에 as나 to be를 취하는 동사** 동사 regard는 'regard + 목적어 + as + 명사'(~을 -로 여기다)의 형태를 취하므로 목적어(the object) 뒤에 as가 올바르게 쓰였다.

해석 한 연구팀이 현대 기술을 한 번도 본 적이 없는 콩고의 외딴 부족을 찾아갔다. 팀원들이 그 부족에게 노트북 컴퓨터를 보여줬을 때, 그 원주민들은 너무 놀라서 그 물건을 마력이 있는 영혼으로 여겼다.

어휘 remote 외딴, 멀리 떨어진 tribe 부족 native 원주민, 토착민 amazed 놀란 magical 마력이 있는

03 기출포인트 부사 자리 & 수량 표현

정답 ③

해설 (A) 빈칸은 '조동사 + p.p.' 사이에 와서 수동형 동사(is made)를 수식하는 부사 자리이고, '대체로 설탕과 물로 이루어져 있다'라는 의미가 되어야 자연스러우므로 빈칸에는 부사 mostly(대체로)가 들어가야 적절하다.

(B) 빈칸은 불가산 명사(fruit juice) 앞에 와서 명사를 수식하는 수량 표현의 자리이므로 불가산 명사를 수식할 수 있는 수량 표현 very little이 들어가야 적절하다.

따라서 (A) mostly-(B) very little의 순서로 쓰인 ③번이 정답이다.

해석 병에 든 주스는 과즙은 거의 없고, 대체로 설탕과 물로 이루어져 있다.

어휘 bottled 병에 든 fruit juice 과즙

04 우리말을 영어로 옮긴 것 중 가장 어색한 것은?

① 우유는 매우 유익한 영양소와 단백질을 함유하고 있다.
→ Milk has highly beneficial nutrients and proteins.

② 그는 저녁 식사로 먹을 저렴한 무언가를 찾고 있었다.
→ He was looking for cheap something to have for dinner.

③ 그녀는 도서관에서 꽤 흥미로운 책을 발견했다.
→ She found quite an interesting book at the library.

④ 나의 다섯 살배기 딸은 피아노를 잘 친다.
→ My five-year-old daughter plays the piano well.

05 밑줄 친 부분이 어법상 틀린 것을 고르시오.

① Pets can even detect human emotions and feel a sense of empathy.

② He claimed it would take him another three days to complete the project.

③ She felt sleepy enough to put her head down on the table and close her eyes.

④ None the students are finished with their exam yet.

06 밑줄 친 부분이 어법상 옳은 것은?

① Processing a number of information daily can be overwhelming.

② He couldn't barely find anywhere to sit in the stadium.

③ The planet Venus is visibly from earth without the aid of a telescope.

④ A little stress can sometimes be healthy.

04 기출포인트 **형용사 자리** 정답 ②

해설 -thing으로 끝나는 명사(something)는 형용사(cheap)가 뒤에서 수식하므로 cheap something을 something cheap으로 고쳐야 한다.

오답 분석
① 기출포인트 **혼동하기 쉬운 형용사와 부사** 형용사(beneficial)를 앞에서 수식하는 것은 부사이므로 부사 highly가 올바르게 쓰였다.
③ 기출포인트 **강조 부사** 부사 quite는 'a(n) + 형용사 + 명사'를 앞에서 강조하므로 quite an interesting book이 올바르게 쓰였다.
④ 기출포인트 **수량 표현** '수사 + 하이픈(-) + 단위 표현'이 명사(daughter)를 수식하는 경우 단위 표현은 단수형이 되어야 하므로 five-year-old가 올바르게 쓰였다.

어휘 beneficial 유익한, 이로운 nutrient 영양소 protein 단백질

05 기출포인트 **수량 표현** 정답 ④

해설 수량 표현(None)과 명사(students) 사이에는 of와 the가 함께 와야 하므로 None the students를 None of the students로 고쳐야 한다.

오답 분석
① 기출포인트 **강조 부사** 강조 부사 even(심지어 ~까지도)은 동사를 앞에서 강조할 수 있으므로 even detect가 올바르게 쓰였다.
② 기출포인트 **수량 표현** another는 특정한 숫자(three)와 함께 오면 '~ 더'라는 의미로 복수 명사(days) 앞에 올 수 있으므로 another three days가 올바르게 쓰였고, 동사 take는 '(~만큼의 시간/노력 등이) 걸리다'라는 의미를 나타낼 때 'it + take + 사람 + 시간'의 형태로 쓰이므로 it would take him another three days가 올바르게 쓰였다.
③ 기출포인트 **강조 부사** 부사 enough는 형용사(sleepy)를 뒤에서 수식하므로 sleepy enough가 올바르게 쓰였다.

해석
① 반려동물들은 심지어 사람의 감정까지도 감지하고 공감할 수 있다.
② 그는 프로젝트를 완료하는 데 3일이 더 걸릴 것이라고 주장했다.
③ 그녀는 머리를 책상에 대고 눈을 감을 만큼 충분히 졸렸다.
④ 시험을 마친 학생은 아직 아무도 없다.

어휘 pet 반려동물 detect 감지하다 empathy 공감 claim 주장하다

06 기출포인트 **빈도 부사** 정답 ④

해설 빈도 부사(sometimes)는 조동사(can) 뒤에 와야 하므로 can sometimes be가 올바르게 쓰였다. 참고로, be 동사(be)의 주격 보어 자리에 형용사 healthy가 올바르게 쓰였다.

오답 분석
① 기출포인트 **수량 표현** 명사 information은 불가산 명사이므로, 가산 명사 앞에 오는 수량 표현 a number of를 불가산 명사 앞에 올 수 있는 수량 표현 much 등으로 고쳐야 한다.
② 기출포인트 **빈도 부사** 빈도 부사 barely(거의 ~않다)는 부정의 의미로 부정어(not)와 함께 올 수 없으므로 couldn't barely를 could barely로 고쳐야 한다.
③ 기출포인트 **형용사 자리** be 동사(is)의 주격 보어 자리에는 형용사 역할을 하는 것이 와야 하므로 부사 visibly를 형용사 visible로 고쳐야 한다.

해석
① 매일 많은 정보를 처리하는 것은 압박적일 수 있다.
② 그는 경기장 어디에서도 앉을 곳을 거의 찾을 수가 없었다.
③ 금성은 망원경의 도움 없이도 지구에서 보인다.
④ 약간의 스트레스는 때때로 건강에 좋을 수 있다.

어휘 a number of 많은 overwhelming 압박적인, 압도적인 Venus 금성 visibly 눈에 띄게 aid 도움 telescope 망원경

07 밑줄 친 부분이 어법상 옳은 것은?

① I had to get a stepladder to reach the top shelf because I was not enough tall.

② There were a quite few people waiting in line to buy the new smartphone.

③ Every artist should express their creativity bold and without constraints.

④ She said it is much cheaper to buy a train ticket on the Internet than at the station.

08 어법상 가장 옳지 않은 것은? [2022년 서울시 9급(2월 추가)]

① An ugly, old, yellow tin bucket stood beside the stove.

② It is the most perfect copier ever invented.

③ John was very frightening her.

④ She thought that he was an utter fool.

07 기출포인트 강조 부사

정답 ④

해설 비교급(cheaper) 앞에서 '훨씬'이라는 의미를 더해 수식하는 대상을 강조하는 강조 부사 much가 올바르게 쓰였다.

오답분석
① **기출포인트** **강조 부사** 강조 부사 enough는 형용사(tall)를 뒤에서 강조하므로 enough tall을 tall enough로 고쳐야 한다.
② **기출포인트** **강조 부사** 강조 부사 quite는 'a + 형용사 + 명사'를 앞에서 강조하므로 a quite few people을 quite a few people로 고쳐야 한다.
③ **기출포인트** **부사 자리** 동사(express)를 수식할 때 부사는 '동사(express) + 목적어(their creativity)'의 앞이나 뒤에 와야 하는데, 부사 자리에 형용사 bold는 쓸 수 없으므로 형용사 bold를 부사 boldly로 고쳐야 한다.

해석
① 나는 키가 충분히 크지 않아서, 선반의 맨 위 칸에 닿기 위해 발판 사다리를 구해야 했다.
② 새로운 스마트폰을 사기 위해 줄을 서서 기다리는 사람들이 꽤 있었다.
③ 모든 예술가는 그들의 창조성을 과감하고 제약 없이 표현해야 한다.
④ 그녀는 기차표를 역에서보다 인터넷에서 사는 것이 훨씬 더 싸다고 말했다.

어휘 **stepladder** 발판 사다리 **shelf** 선반 **constraint** 제약, 제한

08 기출포인트 강조 부사

정답 ③

해설 동사 frighten(겁먹게 하다)은 전치사 없이 목적어(her)를 바로 취하는 타동사인데, 부사 very는 보통 형용사나 부사를 앞에서 강조하므로 동사(frightening) 앞의 부사 very를 삭제해야 한다.

오답분석
① **기출포인트** **전치사 3: 위치** 문맥상 '난로 옆에 서 있었다'라는 의미가 되어야 자연스러운데, '난로 옆에'는 전치사 beside(~ 옆에)로 나타낼 수 있으므로 beside the stove가 올바르게 쓰였다.
② **기출포인트** **최상급** 문맥상 '발명된 것 중 가장 완벽한 복사기'라는 의미가 되어야 자연스러운데, '가장 ~한'은 최상급 표현 'the + 최상급'의 형태를 사용하여 나타낼 수 있으므로 the most perfect copier가 올바르게 쓰였다.
④ **기출포인트** **명사절 접속사 1: that** 동사 think(thought)의 목적어 자리에는 명사 역할을 하는 것이 와야 하므로 명사절 접속사 that이 이끄는 명사절(that he was an utter fool)이 올바르게 쓰였다.

해석
① 못생기고, 오래되고, 노란 양철통 하나가 난로 옆에 서 있었다.
② 이것은 지금까지 발명된 것 중 가장 완벽한 복사기이다.
③ John은 그녀를 겁먹게 하고 있었다.
④ 그녀는 그가 완전히 바보라고 생각했다.

어휘 **tin** 양철 **stove** 난로 **frighten** 겁먹게 하다, 놀라게 하다 **utter** 완전한

Chapter 14

전치사

최근 5개년 출제 비율
'20~'24 국·지·서·법·국회(2024.04.기준)
5%

BASIC GRAMMAR 기본기 다지기

01 전치사

전치사는 명사나 대명사 앞에 와서 **장소, 시간, 위치, 방향** 등을 나타낸다.

I met him **at** the bus stop. 나는 버스 정류장에서 그를 만났다.

She usually gets up early **in** the morning. 그녀는 대개 아침에 일찍 일어난다.

→ 첫 번째 문장의 at은 '~에서'라는 장소의 의미를 나타내고, 두 번째 문장의 in은 '~에'라는 시간의 의미를 나타낸다. 이때 전치사 뒤에 있는 명사 the bus stop, the morning을 전치사의 목적어라고 하며 '전치사 + 전치사의 목적어'의 덩어리를 '전치사구'라고 한다.

Check-Up

다음 중 전치사를 고르시오.

He went for a walk at night. 그는 밤에 산책하러 갔다.

→ 명사의 앞에 와서 '~에'라는 시간의 의미를 나타내고 있는 ⓒ at이 전치사이다.

정답: ⓒ

02 전치사구의 역할

전치사구는 명사를 수식하는 **형용사 역할**이나 동사를 수식하는 **부사 역할**을 한다.

The book **on the desk** is mine. 책상 위의 그 책은 내 것이다.

He slept **for two hours.** 그는 2시간 동안 잤다.

Check-Up

다음 밑줄 친 것의 역할을 고르시오.

The boy in the room is my brother. 그 방에 있는 소년은 나의 남자 형제이다.

ⓐ 형용사 역할　　　ⓑ 부사 역할

→ 전치사구 in the room이 앞에 있는 명사 The boy를 수식하고 있으므로 ⓐ 형용사 역할을 한다.

정답: ⓐ

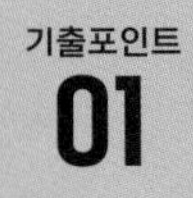

전치사 자리

출제빈도 ★

1 전치사는 명사 역할을 하는 것 앞에 온다.

명사 They took many pictures **in** Singapore. 그들은 싱가포르에서 많은 사진을 찍었다.

대명사(목적격) I offered to pay **for** them. 나는 그들을 위해 비용을 지불할 것을 제안했다.

동명사 He excels **at** debating others. 그는 다른 이들과 토론하는 것에 뛰어나다.

명사절 She's not positive **about** what I suggested. 그녀는 내가 제안했던 것에 대해 긍정적이지 않다.

고득점 포인트 전치사와 명사 사이에 관사나 형용사, 부사가 오는 경우도 있다.
The lawyer slyly answered the question in **a very vague** manner. 변호사는 질문에 매우 애매한 태도로 교묘하게 대답했다.

2 전치사는 의문사절과 관계대명사절에서 의문사와 관계대명사 앞에 올 수 있다.

To whom are you mailing this package? 누구에게 이 소포를 보내십니까?
(whom: 의문사)
(= Who(m) are you mailing this package **to**?)

Please follow the guidelines **about** which you've been instructed. 당신이 지시 받았던 지침을 따라 주세요.
(which: 관계대명사)
(= Please follow the guidelines which you've been instructed **about**.)

3 형용사적 용법으로 쓰여 명사를 수식하는 to 부정사 뒤에 전치사가 올 수 있다.

I need a sofa (**to sit on**, ~~to sit~~) in my living room. 나는 거실에 앉을 소파가 필요하다.

공무원 영어 실전 문제

01 어법상 옳지 않은 것을 고르시오. [2022년 지방직 9급]

① You can write on both sides of the paper.
② My home offers me a feeling of security, warm, and love.
③ The number of car accidents is on the rise.
④ Had I realized what you were intending to do, I would have stopped you.

정답 ② 해설·해석 p.442

기출포인트 02

전치사 1: 시간과 장소 in/at/on

출제빈도 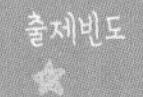

1 시간을 나타내는 전치사

in	월·연도 계절·세기 시간(~후에)·아침/오후/저녁	**in** January 1월에 / **in** 2022 2022년에 / **in** five hours 5시간 후에 **in** spring 봄에 / **in** the twenty-first century 21세기에 **in** three days 3일 후에 / **in** the morning / **in** the afternoon / **in** the evening 아침 / 오후 / 저녁에
at	시각·시점	**at** 3 o'clock 3시에 / **at** the beginning of class 수업 시작에
at	정오/밤/새벽	**at** noon / **at** night / **at** dawn 정오에 / 밤에 / 새벽에
on	날짜·요일·특정일	**on** May 1 5월 1일에 / **on** Monday 월요일에 / **on** Independence Day 독립 기념일에

고득점 포인트 next, last, this, that, one, every, each, some, any, all 등을 포함한 시간 표현 앞에는 전치사가 오지 않는다.
See you (**next**, ~~on next~~) Friday. 다음 주 금요일에 보자.
I stayed up (**all**, ~~at all~~) night. 나는 밤새 깨어 있었다.

2 장소를 나타내는 전치사

in	큰 공간 내의 장소	**in** the world / country 세계 / 국가에서	**in** the city / room / town 도시 / 방 / 마을에서
at	지점·번지	**at** the intersection 교차로에서 **at** the station 역에서	**at** the bust stop 버스 정류장에서 **at** Park Avenue Park가에서
on	표면 위·일직선상의 지점	**on** the table 테이블에 **on** the first floor 1층에	**on** the Han River 한강에 **on** the wall 벽에

3 in/at/on 숙어 표현

in	**in** time 제때에 **in** advance 사전에	**in** place 제자리에 **in** order 정돈되어	**in** reality 실제로는 **in** effect 효력을 발휘하여	**in** one's opinion ~의 의견으로는
at	**at** once 즉시 **at** times 때때로 **at** least 적어도	**at** a 형 pace ~한 속도로 **at** 형 speed ~한 속도로 **at** a 형 price ~한 가격으로	**at** the rate of ~의 비율로 **at** the age of ~의 나이로 **at** a charge of ~의 비용 부담으로	**at** the latest 늦어도 **at** one's convenience ~가 편한 때에 **at** one's expense ~의 비용으로
on	**on** time 정시에	**on** the list of ~의 목록에	**on** a regular basis 정기적으로, 규칙적으로	

We arrived **in time** to get the train. 우리는 기차를 타기 위해 제때에 도착했다.

Airlines allocate a few tickets **at a** low **price.** 항공사들은 약간의 표를 낮은 가격으로 할당한다.

Running **on a regular basis** can slow the aging process. 정기적으로 달리는 것은 노화 과정을 늦출 수 있다.

공무원 영어 실전 문제

02 밑줄 친 부분 중 문법적으로 옳지 않은 것은? [2014년 지방직 7급 출제경향]

Neither Dan ① nor his wife expected to be able to buy a house any time soon. But ② on just two years, they ③ got a financial windfall from ④ investing in a stock that increased significantly.

정답 ② 해설·해석 p.442

기출포인트 03

전치사 2: 시점·기간

출제빈도 ★★

1 시점을 나타내는 전치사

since ~ 이래로 / from ~부터 until / by ~까지 / before / prior to ~ 전에 after / following ~ 후에	+ 시점	since 2000 2000년 이래로 / from March 3월부터 until 11 / by 11 11시까지 / before Friday / prior to Friday 금요일 전에 after / following this week 이번 주 후에

고득점 포인트 until은 '특정 시점까지 어떤 행동이나 상황이 계속되는 것'을, by는 '정해진 시점까지 어떤 행동이나 상황이 완료되는 것'을 의미한다.

The lunch special is available (**until**, ~~by~~) two o'clock. 점심 특선은 2시까지 이용 가능합니다.

Make sure to give me a call (**by**, ~~until~~) noon. 정오까지 반드시 내게 전화를 해라.

2 기간을 나타내는 전치사

for / during ~ 동안 over / throughout ~ 동안, ~ 내내 within ~ 이내에	+ 기간	for a week 일주일 동안 / during holidays 휴일 동안 over the summer 여름 동안, 여름 내내 / throughout the year 1년 동안, 1년 내내 within 10 days 10일 이내에

고득점 포인트 for와 during은 둘 다 '~ 동안'을 뜻하지만 for는 숫자를 포함한 시간 표현 앞에 와서 '얼마나 오래 지속되는가'를 나타내고, during은 명사 앞에 와서 '언제 일어나는가'를 나타낸다.

I will be volunteering in India (**for**, ~~during~~) five weeks. 나는 5주 동안 인도에서 자원봉사를 하고 있을 것이다.

The Pope will be visiting London (**during**, ~~for~~) August. 교황이 8월 동안에 런던을 방문할 것이다.

공무원 영어 실전 문제

03 어법상 옳은 것을 고르시오. [2017년 국가직 9급(10월 추가) 출제경향]

① She was stuck at the airport for four hours.
② The whole world is endured a prolonged economic crisis.
③ He never such much as looked at me when I entered the room.
④ The new student in class is unusual intelligent.

정답 ① 해설·해석 p.443

기출포인트 04

전치사 3: 위치·방향

출제빈도 ★

1 위치를 나타내는 전치사

above / over ~ 위에	below / under / underneath ~ 아래에	beside / next to ~ 옆에
between / among ~ 사이에	near ~ 근처에	within ~ 내에
around ~의 여기저기에, ~ 주위에		

He felt like he was flying (**above**, **over**) the clouds. 그는 구름 위로 날고 있는 것처럼 느꼈다.

A yearly barbecue is held **within** the community. 매년 바비큐 파티가 지역사회 내에서 개최된다.

고득점 포인트

1. between은 '둘 사이'에 쓰여서 위치와 시간의 '사이'를 의미하고, among은 '셋 이상'의 그룹 '사이'를 의미한다.
   His car was parked (**between**, ~~among~~) two vans. 그의 차는 두 대의 밴 사이에 주차되어 있었다.
   → '두 대의 밴 사이'를 의미하므로 between이 와야 한다.
   Weeds sprouted (**among**, ~~between~~) the many flowers. 잡초들이 많은 꽃들 사이에서 자라났다.
   → '셋 이상의 꽃들 사이'를 의미하므로 among이 와야 한다.
2. besides(~ 외에)를 beside(~ 옆에)와 혼동하지 않도록 주의한다.
   (**Besides**, ~~Beside~~) the introduction, the book is 175 pages long. 서문 이외에, 그 책은 175페이지 길이이다.
   → '서문 이외에'를 의미하므로 beside가 아니라 besides가 와야 한다.

2 방향을 나타내는 전치사

from ~로부터, ~에서	to ~에게, ~으로	for ~을 향해	toward ~쪽으로	up ~ 위로
down ~ 아래로	across ~을 가로질러	along ~을 따라	into ~ 안으로	out of ~ 밖으로

With binoculars she could see **across** the lake. 쌍안경으로 그녀는 호수를 가로질러 볼 수 있었다.

Andrew drove **out of** the parking lot. Andrew는 주차장 밖으로 운전해 나갔다.

3 위치·방향을 나타내는 전치사 관용 표현

across the world 전 세계적으로	under discussion 토론 중인	under control 통제 하에 있는
all over the world 전 세계적으로	under consideration 고려 중인	under pressure 압력을 받고 있는
around the world 전 세계적으로	under way 진행 중인	under the name of ~의 이름으로

There are riots by people seeking freedom (**across the world**, **all over the world**, **around the world**).
전 세계적으로 자유를 찾는 사람들에 의한 폭동이 일어난다.

공무원 영어 실전 문제

04 밑줄 친 부분 중 어법상 가장 옳지 않은 것은? [2016년 서울시 9급 출제경향]

① During the planning phase, she made decisions ② consistent with her values ③ beside considering ④ a number of practical constraints.

정답 ③ 해설·해석 p.443

기출포인트 05

전치사 4: 이유·양보·목적, of, ~에 관하여

출제빈도 ★

1 이유·양보·목적을 나타내는 전치사

because of due to owing to	~때문에	The game was canceled **because of** the rain. 그 경기는 비 때문에 취소되었다. There is a 45-minute delay **due to** the heavy traffic. 많은 교통량 때문에 45분의 지연이 있다. The trial was halted **owing to** the defendant's poor health. 피고인의 좋지 않은 건강 때문에 재판은 중지되었다.
despite in spite of	~에도 불구하고	**Despite/In spite of** strong winds, the plane experienced a smooth takeoff. 강한 바람에도 불구하고, 비행기는 부드럽게 이륙했다.
for	~을 위해	The couple went to Hawaii **for** their honeymoon. 그 커플은 신혼여행을 위해 하와이에 갔다.

2 전치사 of

의미상 A가 동사, B가 주어	the graduation **of** our daughter 우리 딸의 졸업 (← 우리 딸이 졸업하다) the spinning **of** the earth 지구의 회전 (← 지구가 회전하다)
의미상 A가 동사, B가 목적어	the planning **of** a new project 새 프로젝트의 계획 (← 새 프로젝트를 계획하다) the renovation **of** a house 집의 개조 (← 집을 개조하다)
A와 B가 동격	the hope **of** meeting his idol 그의 우상을 만난다는 희망 (← 희망 = 그의 우상을 만나는 것) the land **of** China 중국 대륙 (← 대륙 = 중국)
A가 B의 부분·소속	the point **of** the argument 논쟁의 요점 (← 그 논쟁 중 중요한 점) the center **of** town 도시의 중심 (← 도시에 속한 중심 지역)

3 '~에 관하여'라는 의미의 전치사

about	of	as to	regarding	with / in regard to	with respect to
over	on	as for	concerning	with / in reference to	

We have never heard **of** that institute. 우리는 그 단체에 관하여 들어본 적이 없다.

Canada takes no position **with respect to** the constitutional status of the Indian reservation.
캐나다는 인디언 보호 구역의 헌법상의 지위에 관하여 아무 입장도 취하지 않는다.

공무원 영어 실전 문제

05 밑줄 친 부분 중 어법상 옳은 것을 고르시오. [2022년 국회직 9급 출제경향]

Homework plays a crucial role ① regarding developing skills for life after school. In the process of completing assignments, students can pick up practical knowledge. In addition, homework instills ② valuing competencies, such as time management and self-discipline, in students. Students who do homework on their own also ③ develops resilience and problem-solving abilities. All of these capabilities ④ cultivating through self-directed learning prepare students to ⑤ handling professional assignments when they start their careers.

정답 ① 해설·해석 p.443

기출포인트 06

기타 전치사

출제빈도 ★★★

1 기타 전치사

except (for) ~을 제외하고	but ~외에	by ~에 의해(주체) / ~을 타고 / ~만큼
through ~을 통해 / ~을 통과하여	with ~을 가지고(도구) / ~와 함께	without ~ 없이, ~ 없는
as ~로서	like ~처럼	unlike ~와 달리
against ~에 반대하여	beyond ~을 넘어	for ~치고는, ~에 비해서

Everyone was able to attend **except (for)** Craig. Craig를 제외하고 모두가 참석할 수 있었다.

The company's stock dropped **by** 15 percent. 그 회사의 주식은 15퍼센트만큼 떨어졌다.

2 전치사 숙어 표현

by through	by telephone / fax / mail 전화 / 팩스 / 우편으로 by land 육로로 through the use of ~의 사용을 통해서	by cash / check / credit card 현금 / 수표 / 신용카드로 by law 법에 의해 through cooperation 협력을 통해
with without	with no doubt 의심할 바 없이 with the aim of ~을 목적으로 with regularity 규칙대로 dispense with ~을 필요 없이 하다 exchange A with B A를 B와 교환하다	with no exception 예외 없이 with emphasis 강조하여 without approval 승인 없이 consistent with ~와 일치하는 associate A with B A를 B에 연관시키다
against	against the law 불법인, 법에 저촉되는	act against one's will ~의 의지에 반하여 행동하다
beyond	beyond repair 수리가 불가능한	beyond one's capacity ~의 능력 밖인
기타	appeal to ~에 호소하다 identical to ~와 똑같은 exposure to ~에의 노출 consist of ~로 구성되다 add A to B A를 B에 더하다	renowned for ~으로 유명한 sensitive to ~에 민감한 absent from ~에 결석한 transform A into B A를 B로 변화시키다 attribute A to B A를 B의 결과로 보다

공무원 영어 실전 문제

06 밑줄 친 부분 중 어법상 가장 옳지 않은 것은? [2019년 서울시 9급(6월 시행)]

Inventor Elias Howe attributed the discovery of the sewing machine ① for a dream ② in which he was captured by cannibals. He noticed as they danced around him ③ that there were holes at the tips of spears, and he realized this was the design feature he needed ④ to solve his problem.

정답 ① 해설·해석 p.443

Hackers Practice

둘 중 어법상 알맞은 것을 고르세요.

01 The risk of (bankrupted / bankruptcy) is greater for individuals with credit card debt.

02 Free samples will be available (during / until) the end of the day.

03 The United Nations issued a statement with respect (to / for) the refugee crisis.

04 The speaker arrived (in / at) time to deliver his speech.

05 (Beside / Besides) the conclusion, the report on the campaign is complete.

06 Industry knowledge can be partly obtained (through / throughout) an internship.

07 Breathing deeply (on / in) a regular basis can calm the heart.

08 Whether the project proposal will be implemented is now (on / under) discussion.

09 Staring at screens all day can have an effect (on / to) one's eyesight.

어휘

01 risk 위험 bankruptcy 파산 individual 사람, 개인 debt 빚, 채무 02 sample 견본품 03 statement 성명서 refugee 난민 crisis 위기 04 deliver (연설을) 하다 speech 연설 05 conclusion 결론 06 partly 어느 정도, 부분적으로 obtain 얻다, 획득하다 07 calm 진정시키다 08 implement 시행하다 09 eyesight 시력

01 기출포인트 **전치사 자리**

해설 전치사(of)는 명사 역할을 하는 것 앞에 와야 하므로 명사 bankruptcy가 정답이다.

정답 bankruptcy

해석 파산의 위험은 신용 카드 빚이 있는 사람들에게 더 크다.

02 기출포인트 **전치사 2: 시점**

해설 문맥상 '오늘이 끝날 무렵까지'라는 의미가 되어야 자연스러우므로, '특정 시점까지 어떤 상황이 계속되는 것'을 나타내는 전치사 until(~까지)이 정답이다.

정답 until

해석 무료 견본품들은 오늘이 끝날 무렵까지 이용할 수 있을 것이다.

03 기출포인트 **전치사 4: ~에 관하여**

해설 문맥상 '난민 위기에 관하여'라는 의미가 되어야 자연스러운데, '~에 관하여'를 나타내는 전치사는 with respect to이므로 to가 정답이다.

정답 to

해석 국제연합은 난민 위기에 관하여 성명서를 발표했다.

04 기출포인트 **전치사 1: 시간과 장소 in**

해설 문맥상 '제때에 도착했다'라는 의미가 되어야 자연스러운데, '제때에'를 나타내는 숙어 표현은 in time이므로 전치사 in이 정답이다.

정답 in

해석 그 연설자는 그의 연설을 하기 위해 제때에 도착했다.

05 기출포인트 **전치사 3: 위치**

해설 문맥상 '결론 외에'라는 의미가 되어야 자연스러우므로, '~외에' 를 나타내는 전치사 Besides가 정답이다.

정답 Besides

해석 결론 외에, 그 캠페인에 대한 보고서는 완료되었다.

06 기출포인트 **기타 전치사**

해설 문맥상 '인턴직을 통해'라는 의미가 되어야 자연스러우므로, '~을 통해'를 나타내는 전치사 through가 정답이다.

정답 through

해석 산업 지식은 인턴직을 통해 어느 정도 얻어질 수 있다.

07 기출포인트 **전치사 1: 시간과 장소 on**

해설 '정기적으로'를 나타내는 숙어 표현은 on a regular basis이므로 전치사 on이 정답이다.

정답 on

해석 정기적으로 심호흡을 하는 것은 심장을 진정시킬 수 있다.

08 기출포인트 **전치사 3: 위치**

해설 '논의 중인'을 나타내는 전치사 관용 표현은 under discussion이므로 전치사 under가 정답이다.

정답 under

해석 그 프로젝트 제의가 시행될지 여부는 현재 논의 중이다.

09 기출포인트 **전치사 4: ~에 관하여**

해설 문맥상 '시력에 관련된 영향'이라는 의미가 되어야 자연스러우므로, '~에 관한'을 나타내는 전치사 on이 정답이다.

정답 on

해석 하루 종일 화면을 응시하는 것은 한 사람의 시력에 관련된 영향을 미칠 수 있다.

어법상 옳은 것에는 O, 틀린 것에는 X를 표시하고 틀린 부분을 바르게 고치세요.

10 Dr. Smith advised his patient to take the medicine during two weeks. [ ]

11 Nowadays, very few people watch television shows about historical. [ ]

12 The documentary will be aired on this Saturday. [ ]

13 Without the support of the law, the migrants would have little alternative for action. [ ]

14 The new international trade taxes have caused dismay around the world. [ ]

15 A memo announced the promotion from an employee. [ ]

16 All contributed articles are proofread and edited prior publication. [ ]

17 With medication, the patient's high blood pressure is on control. [ ]

18 The examination was difficult for a beginner's course. [ ]

어휘

10 patient 환자 medicine 약 11 historical 역사적인 12 air 방송하다, 발표하다 13 support 지원, 지지 migrant 이주자 alternative 대안
14 dismay 절망, 낙담 15 promotion 승진, 진급 16 contribute 기고하다 proofread 교정하다 edit 편집하다
17 medication 약물 치료, 약제 high blood pressure 고혈압 18 course 과정, 강의

10 기출포인트 **전치사 2: 기간**

해설 숫자를 포함한 시간 표현(two weeks) 앞에 와서 '얼마나 오래 지속되는가'를 나타내는 전치사는 for이므로 전치사 during을 for로 고쳐야 한다.

정답 X, during → for

해석 Dr. Smith는 그의 환자에게 2주 동안 약을 복용하라고 조언했다.

11 기출포인트 **전치사 자리**

해설 전치사(about)는 명사 역할을 하는 것 앞에 와야 하므로 형용사 historical을 명사 history로 고쳐야 한다.

정답 X, historical → history

해석 요즘에는 역사에 대한 텔레비전 프로그램을 시청하는 사람이 거의 없다.

12 기출포인트 **전치사 1: 시간과 장소 on**

해설 this를 포함한 시간 표현(this Saturday) 앞에는 전치사가 오지 않으므로 on this Saturday를 this Saturday로 고쳐야 한다.

정답 X, on this Saturday → this Saturday

해석 그 다큐멘터리는 이번 주 토요일에 방송될 것이다.

13 기출포인트 **기타 전치사**

해설 문맥상 '법의 지원이 없으면'이라는 의미가 되어야 자연스러우므로 '~없이'를 의미하는 전치사 Without이 올바르게 쓰였다.

정답 O

해석 법의 지원이 없으면, 그 이주자들은 행동을 위한 대안이 거의 없을 것이다.

14 기출포인트 **전치사 3: 위치**

해설 '전 세계적으로'를 나타내는 전치사 관용 표현 around the world가 올바르게 쓰였다.

정답 O

해석 그 새로운 국제 무역 세금은 전 세계적으로 절망감을 유발했다.

15 기출포인트 **전치사 4: of**

해설 문맥상 '직원의 승진'이라는 의미가 되어야 자연스럽고, 의미상 promotion이 동사, an employee가 주어(직원이 승진하다)일 때 전치사 of를 사용하여 'A of B'의 형태로 나타내므로 전치사 from을 전치사 of로 고쳐야 한다.

정답 X, from → of

해석 메모는 한 직원의 승진을 발표했다.

16 기출포인트 **전치사 2: 시점**

해설 문맥상 '발행 전에'라는 의미가 되어야 자연스러운데, '~ 전에'는 전치사 prior to로 나타낼 수 있으므로 형용사 prior를 전치사 prior to로 고쳐야 한다.

정답 X, prior → prior to

해석 모든 기고된 기사들은 발행 전에 교정되고 편집된다.

17 기출포인트 **전치사 3: 위치**

해설 '통제 하에 있는'을 나타내는 전치사 관용 표현은 under control이므로 전치사 on을 under로 고쳐야 한다.

정답 X, on → under

해석 약물 치료로 그 환자의 고혈압은 통제 하에 있다.

18 기출포인트 **기타 전치사**

해설 문맥상 '초보자 과정치고는 어려웠다'라는 의미가 되어야 자연스러우므로, '~치고는'을 의미하는 전치사 for가 올바르게 쓰였다.

정답 O

해석 그 시험은 초보자 과정치고는 어려웠다.

Hackers Test

01 우리말을 영어로 옮긴 것 중 가장 어색한 것은?

① 그 자동차는 이전 모델과 똑같아 보인다.
→ The car seems identical to the previous model.

② 당신이 편한 때에 부담 없이 저희 집에 들러주세요.
→ Feel free to drop by my house in your convenience.

③ 이번 달의 지출은 지난달과 일치한다.
→ This month's spending is consistent with last month's.

④ 그는 지도 교사와의 면담 때문에 수학 수업에 결석했다.
→ He was absent from math class because of a meeting with his counselor.

02 다음 문장 중 어법상 옳지 않은 것은?

① The flight was delayed for 30 minutes due to fog.

② The concert will take place at Merriam Hall on July 7.

③ They'll attend the party to which they were invited.

④ The chessboard consists with many black and white squares.

03 우리말을 영어로 가장 잘 옮긴 것은?

① 나는 한 시간 이내에 공항에서 친구를 만나기로 되어있다.
→ I'm supposed to meet my friend at the airport for an hour.

② 식료품 목록에 달걀과 우유 1리터를 추가하세요.
→ Add eggs and a liter of milk at the grocery list.

③ 나는 압력을 받으면서 일을 잘하지 못해서 실수를 하는 경향이 있다.
→ I don't work well during pressure and tend to make mistakes.

④ 나는 프랑스 외에도 유럽에 있는 많은 국가들을 방문했다.
→ I have visited many countries in Europe besides France.

01 기출포인트 **전치사 1: 시간과 장소 at** 정답 ②

해설 '당신이 편한 때에'는 전치사 숙어 표현 at one's convenience(~가 편한 때에)를 사용하여 나타낼 수 있으므로 in your convenience를 at your convenience로 고쳐야 한다.

오답 분석 ① 기출포인트 **기타 전치사** '이전 모델과 똑같다'는 전치사 숙어 표현 identical to(~와 똑같은)의 형태로 나타낼 수 있으므로 identical to the previous model이 올바르게 쓰였다.

③ 기출포인트 **기타 전치사** '지난달과 일치한다'는 전치사 숙어 표현 consistent with(~와 일치하는)의 형태로 나타낼 수 있으므로 consistent with last month's 가 올바르게 쓰였다.

④ 기출포인트 **기타 전치사** '수업에 결석하다'는 전치사 숙어 표현 absent from(~에 결석한)의 형태로 나타낼 수 있으므로 absent from math class 가 올바르게 쓰였다.

어휘 identical to ~와 똑같은 previous 이전의 drop by ~에 들르다 consistent with ~와 일치하는 counselor 지도 교사

02 기출포인트 **기타 전치사** 정답 ④

해설 동사 consist는 전치사 숙어 표현 consist of(~로 구성되다)의 형태로 쓰이므로 consists with를 consists of로 고쳐야 한다.

오답 분석 ① 기출포인트 **전치사 2: 기간** 숫자를 포함한 시간 표현(30 minutes) 앞에 와서 '얼마나 오래 지속되는가'를 나타내는 전치사는 for이므로 for 30 minutes가 올바르게 쓰였다.

② 기출포인트 **전치사 1: 시간과 장소 on** 날짜(July 7) 앞에 쓰이는 전치사는 on이므로 on July 7이 올바르게 쓰였다.

③ 기출포인트 **전치사 자리** 전치사는 관계대명사절에서 관계대명사 앞에 올 수 있고, 문맥상 '파티에 초대되다'라는 의미가 되어야 자연스러우므로 전치사 to(~에)가 관계대명사 which 앞에 와서 to which가 올바르게 쓰였다.

해석 ① 비행기는 안개로 인해 30분 동안 지연되었다.
② 콘서트는 Merriam 홀에서 7월 7일에 열릴 것이다.
③ 그들은 자신들이 초대받은 파티에 참석할 것이다.
④ 체스판은 많은 검은색과 흰색 정사각형으로 구성된다.

어휘 delay 지연시키다 square 정사각형

03 기출포인트 **전치사 3: 위치** 정답 ④

해설 '프랑스 외에도'는 전치사 besides(~ 외에도)를 사용하여 나타낼 수 있으므로 전치사 besides가 올바르게 쓰였다.

오답 분석 ① 기출포인트 **전치사 2: 기간** '한 시간 이내에'는 기간을 나타내는 전치사 within(~ 이내에)을 사용하여 나타낼 수 있으므로 전치사 for(~ 동안)를 within으로 고쳐야 한다.

② 기출포인트 **기타 전치사** '식료품 목록에 ~를 추가하세요'는 전치사 숙어 표현 add A to B(A를 B에 더하다)의 형태로 나타낼 수 있으므로 Add eggs ~ at the grocery list를 Add eggs ~ to the grocery list로 고쳐야 한다.

③ 기출포인트 **전치사 3: 위치** '압력을 받으면서'는 위치를 나타내는 전치사 관용 표현 under pressure(압력을 받고 있는)를 사용하여 나타낼 수 있으므로 전치사 during을 under로 고쳐야 한다.

어휘 grocery 식료품

04 다음 글의 밑줄 친 부분 중 문법적으로 옳지 않은 것은?

Royal jelly is so named ① because the way it transforms common worker bees ② into queen bees if they are fed it continually when they are young. Since it causes such a startling transformation in bees, royal jelly has always ③ been highly regarded ④ among those who use alternative medicine practices.

05 다음 문장을 영어로 옮긴 것으로 가장 적절한 것은?

그는 자원 봉사를 하는 데 약간의 시간을 쏟아붓기로 결정했다.

① Some time by him was put with volunteering.
② Some time was decided to put with volunteer.
③ He decided to put some time into volunteering.
④ He decided to put some time into volunteer.

06 밑줄 친 부분 중 어법상 옳지 않은 것을 고르시오.

① Due to the growing number of projects she was in charge of, she felt exhausted almost ② every night. Unfortunately, the inexperience of her assistants meant that she was usually up ③ for midnight double-checking ④ their work.

04 기출포인트 전치사 4: 이유

정답 ①

해설 명사(the way) 앞에 올 수 있는 것은 전치사이므로 접속사 because를 전치사 because of(~ 때문에)로 고쳐야 한다.

오답분석
② 기출포인트 **기타 전치사** 동사 transform은 전치사 숙어 표현 transform A into B(A를 B로 변화시키다)의 형태로 쓰이므로 전치사 into가 올바르게 쓰였다.

③ 기출포인트 **능동태·수동태 구별** 주어(royal jelly)와 동사가 '로열젤리가 평가되다'라는 의미의 수동 관계이므로 수동태 has been ~ regarded가 올바르게 쓰였고, 수동형 동사를 수식할 때 부사(highly)는 '조동사 + p.p.' 사이에 올 수 있으므로 been highly regarded가 올바르게 쓰였다.

④ 기출포인트 **전치사 3: 위치** 문맥상 '~ 이용하는 사람들 사이에서'라는 의미가 되어야 자연스러우므로 '셋 이상의 그룹 사이'를 의미하는 전치사 among이 올바르게 쓰였다.

해석 로열젤리는 일반 일벌이 어릴 적에 이것을 계속해서 먹으면 이것이 일벌들을 여왕벌로 변화시키기 때문에 그렇게 이름 붙여졌다. 로열젤리는 벌들에게 아주 놀라운 변화를 일으키기 때문에, 대체 의학 요법을 이용하는 사람들 사이에서 매우 높이 평가받아 왔다.

어휘 transform 변화시키다 continually 계속해서 startling 아주 놀라운 regard 평가하다 alternative 대체의, 대안이 되는

05 기출포인트 전치사 자리

정답 ③

해설 제시된 문장의 '자원봉사를 하는 데 약간의 시간을 쏟아붓기로'는 put A into B(A를 B에 쏟아붓다)의 형태를 사용하여 나타낼 수 있으므로 put some time into로 나타낸 ③, ④번이 정답 후보이다. 전치사(into) 뒤에는 명사 역할을 하는 것이 와야 하므로 전치사 into 뒤에 동명사 volunteering을 사용하여 put ~ into volunteering으로 나타낸 ③번이 정답이다. 참고로, volunteer를 명사로 볼 경우 '자원봉사자에 쏟아붓다'라는 어색한 의미가 되므로 ④번은 정답이 될 수 없다.

어휘 volunteer 자원봉사를 하다; 자원봉사자

06 기출포인트 전치사 2: 시점

정답 ③

해설 문맥상 '자정까지 깨어있다'라는 의미가 되어야 자연스러우므로 전치사 for를 '특정 시점까지 어떤 상황이 계속되는 것'을 나타내는 전치사 until(~까지)로 고쳐야 한다.

오답분석
① 기출포인트 **전치사 4: 이유** 이유를 나타내는 전치사 Due to(~ 때문에)가 명사구(the growing ~ projects) 앞에 올바르게 쓰였다.
② 기출포인트 **수량 표현** 단수 명사(night) 앞에 오는 수량 표현 every가 올바르게 쓰였다.
④ 기출포인트 **지시대명사** 대명사가 지시하는 명사(her assistants)가 복수이므로 복수 소유대명사 their가 올바르게 쓰였다.

해석 그녀가 담당하고 있는 프로젝트의 수가 점점 늘어났기 때문에, 그녀는 거의 매일 밤 기진맥진했다. 안타깝게도, 그녀의 조수들의 경험 부족은 그녀가 그들의 일을 다시 확인하면서 대개 자정까지 깨어있었다는 것을 의미했다.

어휘 be in charge of ~을 담당하다 exhausted 기진맥진한 midnight 자정 double-check 다시 확인하다

07 밑줄 친 부분이 어법상 틀린 것을 고르시오.

① With regard of the new anti-smoking laws, most people are supportive.

② He had been working as a bartender prior to beginning graduate school.

③ For when would you like to schedule an appointment?

④ On Fridays, I visit the bakery from which I get my bread.

08 우리말을 영어로 잘못 옮긴 것은? [2023년 국가직 9급]

① 내 고양이 나이는 그의 고양이 나이의 세 배이다.
→ My cat is three times as old as his.

② 우리는 그 일을 이번 달 말까지 끝내야 한다.
→ We have to finish the work until the end of this month.

③ 그녀는 이틀에 한 번 머리를 감는다.
→ She washes her hair every other day.

④ 너는 비가 올 경우에 대비하여 우산을 갖고 가는 게 낫겠다.
→ You had better take an umbrella in case it rains.

07 기출포인트 전치사 4: ~에 관하여

정답 ①

해설 문맥상 '~ 법규에 관하여'라는 의미가 되어야 자연스러운데, '~에 관하여'를 나타내는 전치사는 with regard to이므로 With regard of를 With regard to로 고쳐야 한다.

오답 분석 ② 기출포인트 **기타 전치사** 문맥상 '대학원을 시작하기 전에'라는 의미가 되어야 자연스러우므로 시점을 나타내는 전치사 prior to(~전에)가 명사 역할을 하는 동명사(beginning) 앞에 올바르게 쓰였다.

③ 기출포인트 **전치사 자리** 전치사는 의문사절에서 의문사 앞에 올 수 있고, 문맥상 '언제~'라는 의미가 되어야 자연스러우므로 전치사 for가 의문사 when 앞에 와서 For when이 올바르게 쓰였다.

④ 기출포인트 **전치사 자리** 전치사는 관계대명사절에서 관계대명사 앞에 올 수 있고, 문맥상 '내가 그 빵집에서 빵을 산다'라는 의미가 되어야 자연스러우므로 전치사 from(~에서)이 관계대명사 which 앞에 와서 from which가 올바르게 쓰였다.

해석 ① 흡연에 반대하는 새로운 법규에 관하여, 대부분의 사람들은 지지한다.
② 그는 대학원을 시작하기 전에 바텐더로 일을 했었다.
③ 언제로 약속을 잡고 싶으신가요?
④ 금요일마다, 나는 내가 빵을 사는 빵집에 방문한다.

어휘 supportive 지지하는 graduate school 대학원

08 기출포인트 전치사 2: 시점

정답 ②

해설 '이번 달 말까지 끝내야 한다'라는 정해진 시점(이번 달 말)까지 완료되는 상황을 나타내고 있으므로, '특정 시점까지 어떤 행동이나 상황이 계속되는 것'을 의미하는 전치사 until을 '정해진 시점까지 어떤 행동이나 상황이 완료되는 것'을 의미하는 전치사 by(~까지)로 고쳐야 한다.

오답 분석 ① 기출포인트 **원급** '세 배이다'는 '배수사 + as + 원급 + as'의 형태로 나타낼 수 있으므로 three times as old as가 올바르게 쓰였다.

③ 기출포인트 **현재 시제** '이틀에 한 번 머리를 감는다'라는 반복되는 동작을 표현하고 있으므로 현재 시제 washes가 올바르게 쓰였다. 참고로, every other day는 '이틀에 한 번'이라는 의미이다.

④ 기출포인트 **조동사 관련 표현** 조동사처럼 쓰이는 표현 had better(~하는 게 좋겠다) 뒤에는 동사원형이 와야 하므로 동사원형 take가 올바르게 쓰였다.

어휘 every other day 이틀에 한 번 in case ~할 경우에 대비해서

Section Test

01 다음 빈칸에 들어갈 말로 가장 적절한 것을 고르시오.

> Because they were living in a ______________ house, they needed approval to make any changes to it.

① 100-year-olds ② 100-years-olds
③ 100-year-old ④ 100-years-old

02 다음 글의 밑줄 친 부분 중 옳지 않은 것을 고르시오.

> A workshop will be held next month to teach employees how to create graphics, ① among other skills. Those who are ② thinking of attending should contact their department heads for ③ assistances signing up. Employees must be ④ familiar enough with basic design programs to attend.

03 어법상 옳지 않은 것은?

① Economics concern the creation of goods and services that are sold and consumed.
② The employee was hired as a proofreader but is now a well-known author.
③ Having a complete entertainment system at home, we seldom go out these days.
④ She is tall enough to reach the overhead bins in an airplane.

04 어법상 옳은 것은?

① The pull of gravity is weaker on moon.
② I often listen to rock music, but there are very little bands that I like.
③ It was not of importance to attend the meeting.
④ She was wearing same dress as another girl at the party.

01 기출포인트 수량 표현

정답 ③

해설 빈칸은 명사 house를 수식하는 것의 자리이고, '수사 + 하이픈(-) + 단위 표현'이 명사를 수식하는 경우 단위 표현은 단수형이 되어야 하므로 ③ 100-year-old가 정답이다.

해석 그들은 100년 된 저택에 살고 있었기 때문에, 집에 어떠한 변화를 주기 위해서는 승인이 필요했다.

어휘 approval 승인

02 기출포인트 불가산 명사

정답 ③

해설 불가산 명사(assistance)는 복수형으로 쓸 수 없으므로 assistances를 assistance로 고쳐야 한다.

오답분석 ① 기출포인트 **전치사 3: 위치** 문맥상 '다른 기술들 사이에서도'라는 의미가 되어야 자연스러우므로 '셋 이상의 그룹 사이'를 의미하는 전치사 among을 쓴 among other skills가 올바르게 쓰였다.

② 기출포인트 **전치사 자리** 전치사(of) 뒤에 명사 역할을 하는 동명사 attending이 올바르게 쓰였다. 참고로, 동사 think는 자동사와 타동사로 모두 쓰일 수 있는 동사이므로 전치사(of)와 함께 thinking of의 형태로 올바르게 쓰였다.

④ 기출포인트 **강조 부사** 강조 부사 enough는 형용사(familiar)를 뒤에서 강조하므로 familiar enough가 올바르게 쓰였다.

해석 직원들에게 다른 기술들 사이에서도 그래픽을 만드는 방법을 가르치기 위한 연수회가 다음 달에 개최될 것이다. 참석할 것을 생각 중인 사람들은 등록 지원을 위해 부장에게 연락해야 한다. 직원들은 참석하기 위해 기초 디자인 프로그램에 충분히 익숙해야 한다.

어휘 skill 기술 department head 부장 assistance 지원, 도움

03 기출포인트 불가산 명사

정답 ①

해설 학문 이름인 Economics(경제학)는 불가산 명사로 단수 동사와 함께 쓰이므로 복수 동사 concern을 단수 동사 concerns로 고쳐야 한다.

오답분석 ② 기출포인트 **형용사 자리** 형용사는 명사를 수식하는 자리에 올 수 있으므로 명사(author)를 수식하는 자리에 형용사 well-known이 올바르게 쓰였다.

③ 기출포인트 **빈도 부사** 빈도 부사는 보통 일반동사 앞에 와야 하므로 빈도 부사 seldom(거의 ~않다)이 일반동사 go 앞에 올바르게 쓰였다.

④ 기출포인트 **강조 부사** 강조 부사 enough는 형용사를 뒤에서 강조하므로 형용사(tall) 뒤에 강조 부사 enough가 올바르게 쓰였다.

해석 ① 경제학은 판매되고 소비되는 상품과 서비스의 창출에 관한 것이다.
② 그 직원은 교정자로 채용됐지만 지금은 유명한 작가이다.
③ 집에 완벽한 오락 시스템이 있기 때문에, 오늘날 우리는 거의 밖에 나가지 않는다.
④ 그녀는 비행기의 머리 위 짐칸에 닿을 만큼 키가 크다.

어휘 concern (무엇에) 관한 것이다 consume 소비하다 proofreader 교정자 well-known 유명한 overhead bin (여객기의) 머리 위 짐칸

04 기출포인트 형용사 자리

정답 ③

해설 'of + 추상 명사'는 형용사 역할을 하여 be동사(was)의 주격 보어 자리에 올 수 있으므로 of importance가 올바르게 쓰였다.

오답분석 ① 기출포인트 **정관사 the** 유일한 것(moon)은 정관사 the와 함께 쓰이므로 moon을 the moon으로 고쳐야 한다.

② 기출포인트 **수량 표현** little은 불가산 명사 앞에 쓰이는 수량 표현으로 가산 복수 명사(bands) 앞에 올 수 없으므로, little을 가산 복수 명사 앞에 쓰이는 수량 표현 few로 고쳐야 한다.

④ 기출포인트 **정관사 the** same은 정관사 the와 함께 쓰여 'the + same + 명사'의 형태를 취하므로 same dress를 the same dress로 고쳐야 한다.

해석 ① 중력의 끌어당기는 힘은 달에서 더욱 약하다.
② 나는 록 음악을 자주 듣지만, 좋아하는 밴드는 거의 없다.
③ 그 회의에 참석하는 것은 중요하지 않았다.
④ 그 파티에서 그녀는 다른 소녀가 입은 것과 같은 드레스를 입고 있었다.

어휘 pull 끌어당기는 힘 gravity 중력

05 밑줄 친 부분 중 어법상 가장 옳지 않은 것은?

In many cases, a bone that ① is broken may be able to heal by itself as long as its position tends to be immobile. But broken bones ② can require sometimes a means of stabilization. This can come in the form of a sling or, for more serious fractures, a full plaster cast. In the latter case, the fracture ③ does heal eventually, but the cast has to be worn for months at a time. This is to make sure there is no movement in the affected area. ④ Finally, the cast is removed after X-rays show the fracture to be fully repaired.

06 우리말을 영어로 잘못 옮긴 것을 고르시오.

① 사람들은 오늘 아침 일찍부터 줄을 서서 기다리고 있었다.
→ People have been waiting in line since early this morning.

② 극장은 First Avenue와 Main Street 사이의 Broadway Avenue에 위치해 있다.
→ The theater is located on Broadway Avenue between First Avenue and Main Street.

③ 집에 머물렀던 Bill을 제외하고 모두가 오늘 아침 회의에 참석했다.
→ Everyone attended this morning's meeting except for Bill who stayed home.

④ 게시된 제한 속도보다 빠르게 운전하는 것은 불법이다.
→ It is beside the law to drive faster than the posted speed limit.

07 다음 중 우리말을 영어로 잘못 옮긴 것을 고르시오.

① 모든 객실은 완전히 새로운 가구들로 재설계되었다.
→ Every room was redesigned with completely new furnishings.

② 난민의 수는 전시 동안 증가한다.
→ The number of refugees increases during wartime.

③ 그 기자는 대통령의 답변에 대해 열심히 생각해야 했다.
→ The reporter had to think hard about the president's answer.

④ 그녀는 자신의 새 남자 친구에게 그녀의 친구를 소개하고 싶어했다.
→ She wanted to introduce a her friend to her new boyfriend.

⑤ 앞으로 24시간 동안 허리케인의 눈은 플로리다 지역을 지나가고 있을 것이다.
→ The eye of the hurricane will be passing over Florida during the next 24 hours.

05 기출포인트 빈도 부사

정답 ②

해설 빈도 부사(sometimes)는 보통 조동사(can) 뒤, 일반동사(require) 앞에 와야 하므로 can require sometimes를 can sometimes require로 고쳐야 한다.

오답분석 ① 기출포인트 **능동태·수동태 구별** 주격 관계절(that is broken)의 선행사(a bone)와 동사가 '뼈가 부러지다'라는 의미의 수동 관계이므로 수동태를 써야 하며, 주격 관계절의 동사는 선행사에 수 일치해야 하므로 단수 수동태 is broken이 올바르게 쓰였다.

③ 기출포인트 **조동사 do** do 동사가 동사 앞에서 동사(heal)의 의미를 강조할 때 do 동사는 자신이 속한 절의 주어(the fracture)와 수·시제를 일치시키고 do 동사가 강조하는 동사는 동사원형으로 써야 하므로, 동사원형 heal 앞에 does가 올바르게 쓰였다.

④ 기출포인트 **부사 자리** 부사(Finally)는 동사 이외의 것을 수식할 때 수식 받는 것 앞에 오는데, Finally(최종적으로)가 문장 전체(the cast ~ repaired)를 수식하므로 문장 앞에 부사 Finally가 올바르게 쓰였다.

해석 많은 경우에, 부러진 뼈는 그것의 위치가 움직이지 않는 경향이 있는 한 저절로 치유될 수 있을수도 있다. 하지만 부러진 뼈들은 때때로 고정 수단을 필요로 할 수 있다. 이것은 팔걸이 붕대 혹은, 더 심각한 골절의 경우, 깁스의 형태를 띨 수 있다. 후자의 경우, 언젠가는 그 골절이 정말로 치유되지만, 깁스는 한 번 할 때 수개월에 걸쳐서 착용되어야 한다. 이것은 환부에 움직임이 확실히 없도록 하기 위해서이다. 최종적으로, 깁스는 엑스레이가 그 골절이 완전히 회복되었다는 것을 보여준 후에 떼어진다.

어휘 immobile 움직이지 않는, 고정된 means 수단, 방법 stabilization 고정, 안정 sling 팔걸이 붕대 fracture 골절 plaster cast 깁스 affected area 환부 repair 회복하다

06 기출포인트 기타 전치사

정답 ④

해설 '불법인'은 전치사 숙어 표현 against the law(불법인)를 사용하여 나타낼 수 있으므로 beside the law를 against the law로 고쳐야 한다.

오답분석 ① 기출포인트 **전치사 2: 시점** '오늘 아침 일찍부터'는 시점을 나타내는 전치사 since(~ 이래로)를 사용하여 나타낼 수 있으므로 since early this morning이 올바르게 쓰였다.

② 기출포인트 **전치사 3: 위치** 'First Avenue와 Main Street 사이의'는 '둘 사이'를 의미하는 between(~ 사이에)을 사용하여 나타낼 수 있으므로 betwen First ~ Street가 올바르게 쓰였다.

③ 기출포인트 **기타 전치사** 'Bill을 제외하고'는 except for(~을 제외하고)를 사용하여 나타낼 수 있으므로 except for Bill이 올바르게 쓰였다.

어휘 attend 참석하다 speed limit 제한 속도

07 기출포인트 인칭대명사

정답 ④

해설 명사(friend)가 a와 함께 쓰여 소유의 의미를 나타낼 때는 'a + 명사 + of + 소유대명사'의 형태로 쓰여야 하므로 a her friend를 a friend of hers로 고쳐야 한다. 참고로, 부정관사 a를 삭제하고 introduce her friend로도 쓸 수 있다.

오답분석 ① 기출포인트 **수량 표현의 수 일치** 주어 자리에 단수 취급하는 수량 표현 'every + 단수 명사(room)'가 왔으므로 단수 동사 was가 올바르게 쓰였다. 참고로, 형용사를 수식할 수 있는 것은 부사이므로 형용사(new) 앞에 부사 completely가 올바르게 쓰였다.

② 기출포인트 **수량 표현의 수 일치** '난민의 수'는 수량 표현 the number of(~의 수)를 사용하여 나타낼 수 있고, 주어 자리에 단수 취급하는 수량 표현 'the number of + 명사'가 왔으므로 단수 동사 increases가 올바르게 쓰였다.

③ 기출포인트 **혼동하기 쉬운 형용사와 부사** '열심히 생각하다'는 부사 hard(열심히)를 사용하여 나타낼 수 있으므로 think hard가 올바르게 쓰였다.

⑤ 기출포인트 **전치사 2: 기간** '앞으로 24시간 동안'은 기간을 나타내는 전치사 during(~ 동안)을 사용하여 나타낼 수 있으므로 during the next 24 hours가 올바르게 쓰였다.

어휘 redesign 재설계하다 furnishing 가구 refugee 난민 increase 증가하다 wartime 전시 hard 열심히 introduce 소개하다

08 우리말을 영어로 옮긴 것 중 가장 어색한 것은?

① 그들이 가진 동전의 일부는 외화였다.
→ Some of the coins they had were foreign currency.

② 할인은 토요일에 끝난다.
→ The sale ends on Saturday.

③ 신입사원들은 보통 8주간의 교육을 받는다.
→ New employees usually receive eight weeks of training.

④ 그녀는 배가 불렀음에도 불구하고, 또 다른 파이 한 조각을 원했다.
→ Even though she was full, she wanted other piece of pie.

09 다음 중 어법상 틀린 것을 고르시오.

① The land being sold is owned by a lady that I know.

② In the United States, gasoline is measured by the gallon.

③ He called his friend with whom he would have lunch.

④ The maintenance man could not fix the air conditioner by his tools.

10 다음 문장 중 어법상 옳은 것은?

① The average earnings of almost families are well over $250,000 a year.

② She worked by herself all day because her boss was on a business trip.

③ He has been acting as an overseas reporter during six years.

④ When Jessica looked at the picture, it brought back a memorize from her childhood.

08 기출포인트 부정대명사: another

정답 ④

해설 other는 복수 명사 앞에 쓰이는 부정형용사이므로, other를 '이미 언급한 것 이외의 또 다른 하나'를 의미하며 단수 명사(piece) 앞에 쓰일 수 있는 부정형용사 another로 고쳐야 한다.

오답분석 ① 기출포인트 **수량 표현** 수량 표현(Some)과 명사(coins) 사이에는 of와 the가 함께 와야 하므로 Some of the coins가 올바르게 쓰였다. 참고로, 선행사(coins) 뒤에 목적격 관계대명사 that 또는 which가 생략된 관계절(that/which) they had가 올바르게 쓰였다.

② 기출포인트 **전치사 1: 시간과 장소 on** 요일 앞에 쓰이는 전치사 on이 Saturday 앞에 올바르게 쓰였다.

③ 기출포인트 **빈도 부사** 빈도 부사(usually)는 보통 일반동사(receive) 앞에 와야 하므로 usually receive가 올바르게 쓰였다.

어휘 foreign currency 외화 sale 할인 receive 받다

09 기출포인트 기타 전치사

정답 ④

해설 문맥상 '그의 연장을 가지고'라는 의미가 되어야 자연스러우므로 전치사 by를 전치사 with(~을 가지고)로 고쳐야 한다.

오답분석 ① 기출포인트 **관계대명사** 선행사 The land가 사물이고, 관계절 내에서 동사의 주어 역할을 하므로 '주격 관계대명사(which/that) + be 동사'가 생략되어 The land (which/that is) being sold가 올바르게 쓰였다. 참고로, 주어와 동사가 '판매되고 있는 그 땅'이라는 의미로 진행 수동 관계이므로 (is) being sold가 쓰였다.

② 기출포인트 **불가산 명사 | 정관사 the** 불가산 명사(gasoline)는 앞에 부정관사(a/an)를 쓰거나 복수형으로 쓸 수 없으므로 gasoline이 올바르게 쓰였다. 또한, 단위 표현은 정관사 the를 사용하여 'by the + 단위 표현'의 형태로 쓰이므로 by the gallon이 올바르게 쓰였다.

③ 기출포인트 **전치사 자리** 전치사는 관계대명사절에서 관계대명사 앞에 올 수 있고, 문맥상 '그가 친구와 함께 점심을 먹다'라는 의미가 되어야 자연스러우므로, 전치사 with(~와)가 관계대명사 whom 앞에 올바르게 쓰였다.

해석 ① 판매되고 있는 그 땅은 내가 아는 여자가 소유하고 있다.
② 미국에서는 휘발유가 갤런 단위로 측정된다.
③ 그는 점심을 함께 먹을 만한 친구를 불렀다.
④ 정비공은 그의 연장을 가지고 에어컨을 고칠 수 없었다.

어휘 measure 측정하다 maintenance man 정비공

10 기출포인트 재귀대명사

정답 ②

해설 문맥상 '그녀는 혼자 일했다'라는 의미가 되어야 자연스러우므로 '홀로'라는 의미를 나타내는 재귀대명사 관련 관용 표현 by oneself를 사용하여 by herself가 올바르게 쓰였다.

오답분석 ① 기출포인트 **혼동하기 쉬운 형용사와 부사** 명사(families)를 앞에서 수식하는 것은 형용사이므로 부사 almost(거의)를 형용사 most(대부분의)로 고쳐야 한다.

③ 기출포인트 **전치사 2: 기간** 문맥상 '6년 동안'이라는 의미가 되어야 자연스러운데, '~동안'이라는 의미로 숫자를 포함한 시간 표현(six years) 앞에 와서 '얼마나 오래 지속되는가'를 나타내는 전치사는 for이므로 전치사 during을 for로 고쳐야 한다.

④ 기출포인트 **목적어 자리** 동사구(brought back)의 목적어 자리에는 명사 역할을 하는 것이 와야 하므로 동사 memorize를 명사 memory로 고쳐야 한다.

해석 ① 이곳의 가정 대부분의 평균 소득은 연간 250,000달러를 훨씬 웃돈다.
② 그녀의 상사가 출장 중이었기 때문에 그녀는 하루 종일 혼자 일했다.
③ 그는 6년 동안 해외통신원으로서의 역할을 다해왔다.
④ Jessica가 그 사진을 봤을 때, 그것은 그녀의 유년기로부터의 기억을 상기시켰다.

어휘 average earnings 평균 소득 bring back ~을 상기시키다

gosi.Hackers.com

공부하다 보면 계속 반복하고 봤던 것을 까먹고 다시 암기하는 것이 반복됩니다.
이 과정은 어떻게 보면 굉장히 단순해 보이지만 의구심이 들기도 했습니다.
"내가 하는 것이 맞는 것인가?"라는 생각을 하다 보면 부정적인 생각에만 사로잡힐 수 있습니다.
그래서 저는 이럴 때는 기분 전환을 위해서 산책하거나,
친구와 통화 등 다양한 방법을 통해서 마음을 다잡고 다시 공부에 전념하였습니다.
수험생활은 장기적인 것이기 때문에 건강관리, 정신력 관리 등 관리가 중요합니다.
저는 하루 30분 정도는 걷기운동을 하였습니다.
그리고 앉아있는 시간이 많기 때문에 공부하는 중간에 스트레칭을 자주 해주면 좋습니다.
저는 수험생활이 길었지만, 끝까지 포기하지 않고 긍정적인 생각을 하면서 시험 날까지 버텼습니다.
공부를 시작하시는 분들과 진행 중인 분들 모두 자신감을 가지시고 끝까지 완주하셔서 합격하시길 바랍니다.
파이팅!!

- 서울시 9급 합격자 박*영

Section 5
접속사와 절

Chapter 15 | 등위접속사와 상관접속사
Chapter 16 | 명사절
Chapter 17 | 부사절
Chapter 18 | 관계절

등위접속사와 상관접속사

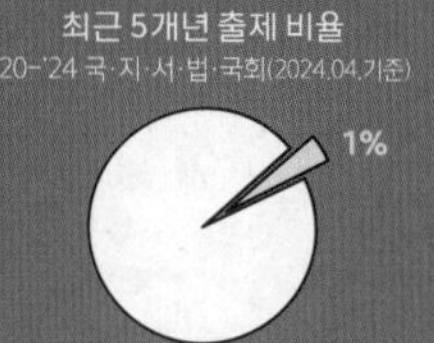

BASIC GRAMMAR 기본기 다지기

01 등위접속사

등위접속사는 같은 품사와 구조를 취하는 것을 대등하게 연결하는 접속사로, 단어와 단어, 구와 구, 절과 절을 **대등하게 연결**한다.

Fruit is delicious **and** healthy. 과일은 맛있고 건강에 좋다.
(delicious: 단어(형용사), healthy: 단어(형용사))

You should read this article **and** write a review. 너는 이 기사를 읽고 평론을 써야 한다.
(read this article: 구, write a review: 구)

He cleaned the room **and** she did the dishes. 그는 방을 청소했고 그녀는 설거지를 했다.
(He cleaned the room: 절, she did the dishes: 절)

→ 등위접속사 and가 첫 번째 문장에서는 단어와 단어를 연결하여 같은 품사를 대등하게 연결하고, 두 번째 문장에서는 구와 구를, 세 번째 문장에서는 절과 절을 연결하여 같은 구조를 취하는 것을 대등하게 연결한다.

Check-Up

다음 밑줄 친 등위접속사 and가 연결하고 있는 것을 고르시오.

He bought cups and plates. 그는 컵들과 접시들을 샀다.

ⓐ bought cups - plates ⓑ cups - plates

→ 등위접속사 and가 복수 명사 cups와 복수 명사 plates를 대등하게 연결하고 있으므로, ⓑ가 정답이다.

정답: ⓑ

02 상관접속사

상관접속사는 둘 이상의 단어가 짝을 이루어 쓰이는 접속사로 단어와 단어, 구와 구, 절과 절을 **대등하게 연결**한다.

Both you **and** I should attend the meeting. 너와 나 둘 다 그 모임에 참석해야 한다.
단어(명사) 단어(명사)

You can come here **either** by bus **or** on foot. 너는 여기에 버스를 타거나 걸어서 올 수 있다.
구 구

→ 상관접속사(both A and B, either A or B)가 첫 번째 문장에서는 단어와 단어를, 두 번째 문장에서는 구와 구를 연결하여 같은 품사와 구조를 취하는 것을 대등하게 연결한다.

Check-Up

다음 중 빈칸에 들어갈 것을 고르시오.

Both the boy _____ the girl like to watch movies. 그 소년과 소녀는 둘 다 영화를 보는 것을 좋아한다.

ⓐ and ⓑ or ⓒ nor ⓓ but

→ 상관접속사 Both와 짝을 이루어 쓰이는 ⓐ and가 와서 the boy와 the girl을 대등하게 연결해야 한다.

정답: ⓐ

기출포인트 01

등위접속사

출제빈도 ★★

1 등위접속사의 종류

and 그리고	or 또는	but 그러나	yet 그러나	so 그래서	for 왜냐하면 (~기 때문에)

The newly designed glasses are light **but** expensive. 새롭게 디자인된 안경은 가벼우나 비싸다.

My cat knocked over a vase, **so** I had to clean up the pieces. 내 고양이가 꽃병을 넘어뜨려서, 나는 파편들을 치워야 했다.

고득점 포인트

1. 3개의 단어나 구, 절은 'A, B, + 등위접속사 + C' 형태로 연결해야 한다.
   The doctor specializes in problems with the foot, ankle, **and** leg. 그 의사는 발, 발목, 그리고 다리에 생기는 문제를 전문으로 한다.
2. 등위접속사로 연결된 구나 절에서 반복되는 단어는 생략할 수 있다.
   This new windbreaker is perfect for rainy (weather) **or** windy weather. 이 새 점퍼는 비가 오거나 바람이 부는 날씨에 완벽하다.
   For good oral hygiene, be sure to brush, (to) floss, **and** (to) use mouthwash.
   청결한 구강 위생을 위해, 반드시 양치하고, 치실질을 하고, 구강 청결제를 사용해라.

2 등위접속사 없이 단어와 단어, 구와 구가 바로 연결될 수 없다.

After the semester is finished, students **and** professors should complete the survey.
학기가 끝난 후에, 학생들과 교수들은 설문 조사를 작성해야 한다.

The hostel offers lodging **and** provides meals. 그 호스텔은 숙박을 제공하고 식사를 준다.

3 주어가 and로 연결되면 복수 동사를 쓰고, or로 연결되면 마지막 주어에 수를 일치시킨다.

My brother **and** sister are going to visit me this afternoon. 나의 남자 형제와 여자 형제는 오늘 오후에 나를 방문할 것이다.
(are: 복수 동사)

The employees **or** the manager has to contact the authorities in case of an emergency.
(the manager: 마지막 주어 / has: 단수 동사)
직원들 또는 경영자는 비상시에 당국에 연락해야 한다.

공무원 영어 실전 문제

01 어법상 옳은 것은? [2021년 지방직 9급]

① My sweet-natured daughter suddenly became unpredictably.
② She attempted a new method, and needless to say had different results.
③ Upon arrived, he took full advantage of the new environment.
④ He felt enough comfortable to tell me about something he wanted to do.

정답 ② 해설·해석 p.444

기출포인트 02

상관접속사

출제빈도 ★★★

1 상관접속사의 종류

both A and B A와 B 둘 다	either A or B A 또는 B 중 하나
not A but B A가 아니라 B	neither A nor B A도 B도 아닌
not only A but (also) B A뿐만 아니라 B도	A as well as B B뿐만 아니라 A도

She studied **not** math **but** English. 그녀는 수학이 아니라 영어를 공부했다.

The movie was **neither** scary **nor** funny. 그 영화는 무섭지도 웃기지도 않았다.

2 상관접속사는 짝이 맞는 것끼리 쓰여야 한다.

Both the buses (**and**, ~~or~~) the trains are running late. 버스와 기차 둘 다 늦고 있다.

Not only wine (**but**, **but also**, ~~and~~) cocktails are available. 와인뿐만 아니라 칵테일도 이용 가능하다.

고득점 포인트 접속사 nor는 neither뿐만 아니라 부정을 나타내는 부사 not, no, never 등과 짝을 이루어 사용되는데, 이때 nor 뒤에 오는 주어와 동사는 도치된다.
I **never** wear glasses, **nor** do I use contacts. 나는 안경도 콘택트렌즈도 착용하지 않는다.

3 상관접속사로 연결된 주어와 동사의 수 일치

항상 복수 동사를 쓰는 주어	both A and B			
동사를 B에 일치시키는 주어	either A or B	not A but B	neither A nor B	not only A but (also) B

* A as well as B는 A에 수 일치 시킨다.

Both paper **and** plastic items need to be recycled. 종이와 플라스틱 물품들은 모두 재활용될 필요가 있다.
(need: 복수 동사)

Either credit cards **or** cash is an acceptable form of payment. 신용카드 또는 현금이 받아들여지는 결제 수단이다.
(credit cards: A / cash: B(단수) / is: 단수 동사)

공무원 영어 실전 문제

02 우리말을 영어로 잘못 옮긴 것은? [2016년 국가직 9급]

① 나의 이모는 파티에서 그녀를 만난 것을 기억하지 못했다.
→ My aunt didn't remember meeting her at the party.

② 나의 첫 책을 쓰는 데 40년이 걸렸다.
→ It took me 40 years to write my first book.

③ 학교에서 집으로 걸어오고 있을 때 강풍에 내 우산이 뒤집혔다.
→ A strong wind blew my umbrella inside out as I was walking home from school.

④ 끝까지 생존하는 생물은 가장 강한 생물도, 가장 지적인 생물도 아니고, 변화에 가장 잘 반응하는 생물이다.
→ It is not the strongest of the species, nor the most intelligent, or the one most responsive to change that survives to the end.

정답 ④ 해설·해석 p.444

Hackers Practice

둘 중 어법상 알맞은 것을 고르세요.

01 It is his most popular album, (yet / or) I haven't seen a copy of it in stores.

02 Drive carefully, (so / for) the roads are very slippery today.

03 Neither my cousin Eddie nor his parents (has / have) ever been to Chicago.

04 Jake and Noah (is / are) moving to Australia this summer.

05 They will learn (neither / either) French or Spanish during the semester.

06 Not newspapers but the Internet (is / are) the biggest source of news today.

07 Both my mother and my father (is / are) involved in the medical field.

08 The defendant or his attorneys (give / gives) an update on the case every afternoon.

09 She never called up, (or / nor) did she send a message.

어휘

01 **popular** 인기 있는 02 **carefully** 조심스럽게 **slippery** 미끄러운 03 **cousin** 사촌 05 **semester** 학기 06 **source** (자료의) 출처, 소식통
07 **involve** 종사시키다, 참가시키다 08 **defendant** 피고 **attorney** 변호사 **update** 최신 정보 09 **call up** 전화를 걸다

01 기출포인트 **등위접속사**

정답 yet

해설 문맥상 '그것은 가장 인기 있는 음반이지만 ~ 본 적이 없다'라는 의미가 되어야 자연스러우므로 yet(그러나)이 정답이다.

해석 그것은 그의 가장 인기 있는 음반이지만, 나는 상점에서 그것을 한 장도 본 적이 없다.

02 기출포인트 **등위접속사**

정답 for

해설 문맥상 '길이 미끄럽기 때문에 조심해서 운전하세요'라는 의미가 되어야 자연스러우므로 for(왜냐하면 ~기 때문에)가 정답이다.

해석 오늘 도로가 매우 미끄럽기 때문에, 조심해서 운전하세요.

03 기출포인트 **상관접속사**

정답 have

해설 주어 자리에 상관접속사 neither A nor B(Neither ~ Eddie nor his parents)가 오면 동사는 B(his parents)에 수 일치시켜야 하므로 복수 동사 have가 정답이다.

해석 내 사촌 Eddie도 그의 부모님도 시카고에 가 본 적이 없다.

04 기출포인트 **등위접속사**

정답 are

해설 두 개의 주어(Jake, Noah)가 접속사 and로 연결되면 복수 동사를 써야 하므로 복수 동사 are이 정답이다.

해석 Jake와 Noah는 이번 여름에 호주로 이사할 것이다.

05 기출포인트 **상관접속사**

정답 either

해설 문맥상 '프랑스어 또는 스페인어를 배울 것이다'라는 의미가 되어야 자연스럽고, or와 짝을 이루어 쓰이는 것은 either이므로 either가 정답이다.

해석 그들은 학기 중에 프랑스어 또는 스페인어를 배울 것이다.

06 기출포인트 **상관접속사**

정답 is

해설 주어 자리에 상관접속사 not A but B(Not newspapers but the Internet)가 오면 동사는 B(the Internet)에 수 일치시켜야 하므로 단수 동사 is가 정답이다.

해석 오늘날에는 신문이 아니라 인터넷이 가장 큰 뉴스의 출처이다.

07 기출포인트 **상관접속사**

정답 are

해설 상관접속사 both A and B로 연결된 주어(Both my mother and my father)는 항상 복수 동사와 함께 쓰이므로 복수 동사 are가 정답이다.

해석 나의 어머니와 아버지께서는 둘 다 의료 분야에 종사하신다.

08 기출포인트 **등위접속사**

정답 give

해설 두 개의 주어(The defendant, his attorneys)가 접속사 or로 연결되면 마지막 주어(his attorneys)에 수 일치시켜야 하므로 복수 동사 give가 정답이다.

해석 피고 또는 그의 변호사들이 매일 오후에 그 소송에 대한 최신 정보를 제공한다.

09 기출포인트 **상관접속사**

정답 nor

해설 부정을 나타내는 부사 never는 접속사 nor과 짝을 이루어 사용되므로 nor가 정답이다.

해석 그녀는 전화를 걸지도 않았고, 문자도 보내지 않았다.

어법상 옳은 것에는 O, 틀린 것에는 X를 표시하고 틀린 부분을 바르게 고치세요.

10 The apple or the carrots seems to be a healthy snack choice. [ ]

11 My friend and her boyfriend is attending the basketball game this evening. [ ]

12 The bus was very crowded, so I took the subway instead. [ ]

13 The man was only a successful artist but also an outstanding inventor. [ ]

14 The truck's tires are designed for use on unpaved or gravel roads. [ ]

15 The boy never paid attention in class, and he always scored highly on exams. [ ]

16 The restaurant has unisex bathrooms for use by both men women. [ ]

17 The teachers and students is going to have the day off tomorrow. [ ]

18 The politician has not only the required experience but also the leadership skills needed to unite the country. [ ]

어휘

10 healthy 건강에 좋은 11 attend a game 시합 구경을 가다 12 crowded 혼잡한, 붐비는 instead 대신에 13 successful 성공한 outstanding 뛰어난, 걸출한 14 unpaved 포장되지 않은 gravel 자갈 15 attention 집중, 주의 score 점수를 받다 16 unisex 남녀 공용의 17 have the day off 쉬다 18 politician 정치인 required 필수인 leadership 지도(력), 통솔(력) unite 단결시키다, 결속시키다

10 기출포인트 **등위접속사**

해설 두 개의 주어(The apple, the carrots)가 접속사 or로 연결되면 마지막 주어(the carrots)에 수 일치시켜야 하므로 단수 동사 seems를 복수 동사 seem으로 고쳐야 한다.

정답 X, seems → seem

해석 사과 또는 당근은 건강에 좋은 간식 선택인 것 같다.

11 기출포인트 **등위접속사**

해설 두 개의 주어(My friend, her boyfriend)가 접속사 and로 연결되면 복수 동사를 써야 하므로 단수 동사 is를 복수 동사 are로 고쳐야 한다.

정답 X, is → are

해석 내 친구와 그녀의 남자친구는 오늘 저녁에 농구 시합 구경을 갈 것이다.

12 기출포인트 **등위접속사**

해설 문맥상 '버스가 혼잡해서 대신에 지하철을 탔다'라는 의미가 되어야 자연스러우므로 등위접속사 so(그래서)가 올바르게 쓰였다.

정답 O

해석 버스가 매우 혼잡해서, 대신에 나는 지하철을 탔다.

13 기출포인트 **상관접속사**

해설 문맥상 '성공한 예술가일 뿐만 아니라 뛰어난 발명가였다'라는 의미가 되어야 자연스럽고, but also와 짝을 이루어 쓰이는 것은 not only이므로 only를 not only로 고쳐야 한다.

정답 X, only → not only

해석 그 남자는 성공한 예술가일 뿐만 아니라 뛰어난 발명가였다.

14 기출포인트 **등위접속사**

해설 등위접속사(or)로 연결된 구에서 반복되는 단어는 생략할 수 있으므로 unpaved 뒤에 명사 roads가 생략된 unpaved or gravel roads가 올바르게 쓰였다.

정답 O

해석 그 트럭의 타이어는 포장되지 않은 길 또는 자갈길 위에서의 사용을 위해 만들어졌다.

15 기출포인트 **등위접속사**

해설 문맥상 '수업에 집중하지 않았지만 언제나 높은 점수를 받았다'라는 의미가 되어야 자연스러우므로 접속사 and를 yet(그러나) 또는 but(그러나)으로 고쳐야 한다.

정답 X, and → yet/but

해석 그 소년은 수업에 집중하지 않았지만, 언제나 시험에서 높은 점수를 받았다.

16 기출포인트 **상관접속사**

해설 접속사 없이 단어(men)와 단어(women)가 바로 연결될 수 없고, both와 짝을 이루어 쓰이는 것은 접속사 and 이므로 men women을 men and women으로 고쳐야 한다.

정답 X, men women → men and women

해석 그 식당은 남자들과 여자들 모두의 사용을 위한 남녀 공용의 화장실이 있다.

17 기출포인트 **등위접속사**

해설 두 개의 주어(The teachers, students)가 접속사 and로 연결되면 복수 동사를 써야 하므로 단수 동사 is를 복수 동사 are로 고쳐야 한다.

정답 X, is → are

해석 교사들과 학생들은 내일 쉴 것이다.

18 기출포인트 **상관접속사**

해설 문맥상 '필수 경력뿐만 아니라 지도력도'라는 의미가 되어야 자연스러우므로, 짝을 이루어 쓰이는 상관접속사 not only A but also B(~뿐만 아니라 -도)를 사용하여 not only ~ experience but also ~ skills가 올바르게 쓰였다.

정답 O

해석 그 정치인은 필수 경력뿐만 아니라 나라를 단결시키는 데 필요한 지도력도 지니고 있다.

Hackers Test

01 다음 빈칸에 들어갈 말로 가장 적절한 표현은?

The technician said that the elevator was stalling, ______________ to shut it down and check it.

① he wanted
② yet he wanted
③ so as
④ so he wanted

02 다음 중 우리말을 영어로 잘못 옮긴 것은?

① 우리는 북유럽 국가의 역사에 관한 책이 필요했으나 그 도서관에는 없었다.
→ We needed a book about Nordic history, but there weren't any in the library.

② 노인들과 학생들 모두 그 박물관에서 할인을 받는다.
→ Both the elderly and students get a discount at the museum.

③ 당신은 토요일 또는 일요일에 전시회를 방문할 수 있습니다.
→ You can visit the exhibition either on Saturday and on Sunday.

④ 나는 매우 피곤했지만, 잠들기까지 오래 걸렸다.
→ I was really tired, yet it took me a long time to fall asleep.

03 밑줄 친 부분에 들어갈 말로 가장 적절한 것을 고르시오.

We took a taxi from the airport because neither the subway ________ the bus line was running when we arrived.

① or
② but
③ and
④ nor

01 기출포인트 등위접속사

정답 ④

해설 빈칸은 두 개의 절을 연결하는 것의 자리이다. 절과 절은 접속사 없이 연결될 수 없으므로 접속사가 없는 ① he wanted는 정답이 될 수 없고, ③ so as는 빈칸 뒤의 to 부정사 to shut과 짝을 이루어 '폐쇄하고 점검하기 위해서 엘리베이터가 멈추었다'라는 문맥상 어색한 의미가 되므로 정답이 될 수 없다. 문맥상 '엘리베이터가 작동을 멈추어서 ~ 점검하기를 원한다'라는 의미가 되어야 자연스러우므로 등위접속사 so(그래서)를 사용하여 나타낸 ④ so he wanted가 정답이다.

해석 그 기술자는 엘리베이터가 작동이 멈추어서, 그것을 폐쇄하고 점검하기를 원한다고 말했다.

어휘 technician 기술자 stall 멈추다, 시동이 꺼지다 shut down 폐쇄하다, 정지하다

02 기출포인트 상관접속사

정답 ③

해설 '토요일 또는 일요일'은 상관접속사 either A or B(A 또는 B 중 하나)를 사용하여 나타낼 수 있으므로 and를 or로 고쳐야 한다.

오답분석
① 기출포인트 등위접속사 두 개의 절(We needed ~ history, there ~ library)을 대등하게 연결해 주는 등위접속사 but이 올바르게 쓰였다.
② 기출포인트 상관접속사 both A and B(A와 B 둘 다)로 연결된 주어(Both the elderly and students)는 항상 복수 동사와 함께 쓰이므로 복수 동사 get이 올바르게 쓰였다.
④ 기출포인트 등위접속사 두 개의 절(I was ~ tired, it took ~ fall asleep)을 대등하게 연결해 주는 등위접속사 yet이 올바르게 쓰였다.

어휘 Nordic 북유럽 국가의 discount 할인 exhibition 전시회 fall asleep 잠들다

03 기출포인트 상관접속사

정답 ④

해설 문맥상 '지하철도 버스 노선도 운행되지 않았다'라는 의미가 되어야 자연스러운데, 'A도 B도 아닌'은 상관접속사 neither A nor B의 형태를 사용하여 나타낼 수 있으므로 ④ nor가 정답이다.

해석 우리가 도착했을 때 지하철도 버스 노선도 운행하지 않았기 때문에 우리는 공항에서 택시를 탔다.

어휘 run 운행하다, 운영하다

04 밑줄 친 부분 중 문법적으로 옳지 않은 것은?

I ① highly recommend our full-course dinner, which includes a green salad for an appetizer ② and the roast duck with vegetables for the main dish. Also, coffee or tea ③ are served along with our ④ famous cheesecake afterwards.

05 우리말을 영어로 바르게 옮긴 것은?

① 날씨는 흐렸으나, 해변은 아름다웠다.
→ The weather was cloudy, so the beach was beautiful.

② 나는 호흡 곤란을 겪고 있었어서, 담배 피는 것을 끊었다.
→ I was having trouble breathing, but I quit smoking.

③ 식당이 이제 문을 닫는 것처럼 보이기 때문에, 우리는 가야겠다.
→ We ought to get going, for the restaurant seems to be closing now.

④ 철도는 한국 정부와 서울 시청 둘 다에 의해 공동으로 소유되고 있다.
→ The railroad is jointly owned by either the Korean government or the Seoul Metropolitan Government.

06 밑줄 친 부분 중 문법적으로 옳지 않은 것은?

There ① is a belief that employees change jobs because they are dissatisfied with their pay. However, not a low wage but more insignificant matters ② becomes the reasons why some leave. Many a worker, for instance, ③ states bad coworker relationships as a factor. Others quit due to a long commute or an unappealing environment, proving that day-to-day things have the biggest impact on ④ maintaining job contentment.

04 기출포인트 등위접속사

정답 ③

해설 두 개의 주어(coffee, tea)가 접속사 or로 연결되면 마지막 주어에 수 일치시켜야 하는데, 마지막 주어(tea)가 불가산 명사이므로 복수 동사 are served를 단수 동사 is served로 고쳐야 한다.

오답분석 ① 기출포인트 **혼동하기 쉬운 형용사와 부사** 동사(recommend)를 앞에서 수식하는 것은 부사이므로 '매우'를 의미하는 부사 highly가 올바르게 쓰였다.

② 기출포인트 **등위접속사** 두 개의 명사구(a green salad ~ appetizer, the roast duck ~ the main dish)를 대등하게 연결해 주는 등위접속사 and가 올바르게 쓰였다.

④ 기출포인트 **형용사 자리** 명사(cheesecake)를 앞에서 수식하는 형용사 famous가 올바르게 쓰였다.

해석 저는 채소 샐러드가 전채로 나오고 야채를 곁들인 구운 오리가 주 요리로 나오는 저희의 저녁 정식을 매우 추천합니다. 또한, 그 뒤에 커피 또는 차가 우리의 유명한 치즈케이크와 함께 제공됩니다.

어휘 recommend 추천하다 appetizer 전채 afterwards 그 뒤에, 나중에

05 기출포인트 등위접속사

정답 ③

해설 '문을 닫는 것처럼 보이기 때문에'는 등위접속사 for(~기 때문에)를 사용하여 나타낼 수 있으므로 for the restaurant ~ now가 올바르게 쓰였고, 접속사 앞에 주어와 동사를 갖춘 절(We ought to get going)이 왔으므로 for 뒤에도 주어와 동사를 갖춘 절(the restaurant ~ closing now)이 올바르게 쓰였다.

오답분석 ① 기출포인트 **등위접속사** '날씨는 흐렸으나, 해변은 아름다웠다'는 등위접속사 but(그러나)을 사용해서 나타낼 수 있으므로 so를 but으로 고쳐야 한다.

② 기출포인트 **등위접속사** '호흡 곤란을 겪고 있었어서 ~ 끊었다'는 등위접속사 so(그래서)를 사용해서 나타낼 수 있으므로 but을 so로 고쳐야 한다.

④ 기출포인트 **상관접속사** '한국 정부와 서울 시청 둘 다'는 상관접속사 both A and B(A와 B 둘 다)를 사용하여 나타낼 수 있으므로 either ~ or ~ Government를 both ~ and ~ Government로 고쳐야 한다.

어휘 quit 끊다 jointly 공동으로 government 정부

06 기출포인트 상관접속사

정답 ②

해설 주어 자리에 상관접속사 not A but B(not a low wage but more ~ matters)가 오면 동사는 B(more ~ matters)에 수 일치시켜야 하므로 단수 동사 becomes를 복수 동사 become으로 고쳐야 한다.

오답분석 ① 기출포인트 **가짜 주어 구문** 가짜 주어 there 구문 'there + 동사 + 진짜 주어'에서 동사는 진짜 주어(a belief)에 수 일치시켜야 하므로 단수 동사 is가 올바르게 쓰였다.

③ 기출포인트 **수량 표현의 수 일치** 복수 취급하는 수량 표현 many가 'many a + 단수 명사(Many a worker)'의 형태로 쓰이면 뒤에 단수 동사가 와야 하므로 단수 동사 states가 올바르게 쓰였다.

④ 기출포인트 **전치사 자리** 전치사(on) 뒤에 명사 역할을 하는 동명사 maintaining이 올바르게 쓰였다.

해석 직원들이 월급에 만족하지 않기 때문에 직업을 바꾼다는 믿음이 있다. 하지만, 저임금이 아니라 더 대수롭지 않은 문제가 몇몇 사람들이 그만두는 이유가 된다. 예를 들어, 많은 직장인들은 동료 간의 나쁜 관계를 하나의 요인으로 언급한다. 다른 사람들은 장거리 통근이나 매력 없는 환경 때문에 그만 두는데, 이는 일상의 일들이 직장 만족을 유지하는 데 가장 큰 영향을 미친다는 것을 보여준다.

어휘 dissatisfied 만족하지 않은 wage 임금 insignificant 대수롭지 않은, 하찮은 long commute 장거리 통근 unappealing 매력 없는 contentment 만족

07 밑줄 친 부분 중 어법상 옳지 않은 것은?

Though my parents normally did everything together, ① they surprised me this year when my father decided ② to go golfing in Singapore for his vacation, ③ my mother settled on ④ visiting her sister in New York.

08 어법상 옳은 것은? [2017년 국가직 9급 (4월 시행)]

① They didn't believe his story, and neither did I.

② The sport in that I am most interested is soccer.

③ Jamie learned from the book that World War I had broken out in 1914.

④ Two factors have made scientists difficult to determine the number of species on Earth.

07 기출포인트 **등위접속사** 정답 ③

해설 접속사 없이 절(my father ~ his vacation)과 절(my mother ~ New York)을 연결할 수 없으므로 접속사가 절과 절 사이에 와야 한다. 문맥상 '아버지께서는 ~ 골프를 치러 가기로 하고/했지만, 어머니께서는 ~ 방문하기로 했다'라는 의미가 되어야 자연스러우므로 접속사 and(그리고)나 yet (그러나) 등을 사용하여 my mother를 and my mother 또는 yet my mother 등으로 고쳐야 한다.

오답분석
① 기출포인트 **인칭대명사** 대명사가 대신하는 명사(my parents)가 복수이므로 복수 대명사 they가 올바르게 쓰였다.
② 기출포인트 **to 부정사를 취하는 동사** 동사 decide는 to 부정사를 목적어로 취하는 동사이므로 to 부정사 to go가 올바르게 쓰였다.
④ 기출포인트 **전치사 자리** 전치사(on) 뒤에 명사 역할을 하는 동명사 visiting이 올바르게 쓰였다.

해석 나의 부모님들은 보통 모든 것을 함께 했는데, 올해 아버지께서는 휴가 때 싱가포르로 골프를 치러 가기로 결정하고, 어머니께서는 뉴욕에 있는 그녀의 여자 형제를 방문하기로 결정해서 나를 놀라게 했다.

어휘 normally 보통 settle on ~을 결정하다

08 기출포인트 **등위접속사** 정답 ①

해설 문맥상 '그들은 믿지 않았고, 나도 그랬다'라는 의미이고, 절(They ~ his story)과 절(neither ~ I)은 접속사 없이 연결될 수 없으므로 '그리고'의 의미를 갖는 등위접속사 and가 올바르게 쓰였다.

오답분석
② 기출포인트 **전치사 + 관계대명사** 선행사(The sport)가 사물이고 관계절 내에서 전치사 in의 목적어 역할을 하고 있으므로 목적격 관계대명사 which나 that이 올 수 있는데, 전치사 in 뒤에 관계대명사 that은 올 수 없으므로 that을 which로 고치거나, 전치사 in을 관계절 맨 뒤로 보내 in that I am most interested를 that I am most interested in으로 고쳐야 한다.
③ 기출포인트 **과거 시제** 역사적 사실을 표현할 때는 과거 시제를 사용하므로 제1차 세계대전이 1914년에 발발했다는 사실을 나타내기 위해 과거완료 시제 had broken out을 과거 시제 broke out으로 고쳐야 한다.
④ 기출포인트 **5형식 동사 | 가짜 목적어 it** 동사 make는 5형식 동사로 쓰일 때 'make(have made) + 목적어 + 목적격 보어(difficult)' 형태를 취하며, '~이 -하게 만들다'라는 의미를 나타낸다. 문맥상 두 가지 요소가 '과학자들을' 어렵게 만드는 것이 아니라 과학자들이 '지구상에 있는 종의 개수를 밝히는 것을' 어렵게 만드는 것이므로, 목적어 자리에는 scientists(과학자들)가 아닌 to 부정사구(to determine ~ Earth)가 와야 한다. 그런데 to 부정사구 목적어가 목적격 보어와 함께 오면 진짜 목적어를 목적격 보어 뒤로 보내고, 목적어가 있던 자리에 가짜 목적어 it을 써야 한다. to 부정사구의 의미상 주어는 'for + 명사'(for scientists)의 형태로 to 부정사 앞에 써야 하므로 have made scientists difficult to determine을 have made it difficult for scientists to determine으로 고쳐야 한다.

해석
① 그들은 그의 이야기를 믿지 않았고, 나 역시 그랬다.
② 내가 가장 관심 있는 스포츠는 축구이다.
③ Jamie는 그 책에서 제1차 세계대전이 1914년에 발발했다는 것을 배웠다.
④ 두 가지 요소가 과학자들이 지구상에 있는 종의 개수를 밝히는 것을 어렵게 만들었다.

어휘 break out 발발하다 factor 요소 determine 밝히다, 결정하다

Chapter 16

명사절

최근 5개년 출제 비율
'20~'24 국·지·서·법·국회(2024.04.기준)
3%

BASIC GRAMMAR 기본기 다지기

01 명사절

명사절은 문장 내에서 **명사 역할**을 하는 절이다.

Whether it will rain tomorrow is important. 내일 비가 올지가 중요하다.

I heard **that you got a new job.** 나는 네가 새 직장을 얻었다는 것을 들었다.

That is **what I need.** 그것이 내가 필요한 것이다.

→ 첫 번째 문장에서 명사절 Whether it will rain tomorrow는 주어 역할을, 두 번째 문장에서 명사절 that you got a new job은 목적어 역할을 하고 있으며, 세 번째 문장에 쓰인 명사절 what I need는 보어 역할을 하고 있다. 이와 같이 명사절은 명사처럼 문장의 필수 성분인 주어, 목적어, 보어로 쓰인다.

Check-Up

다음 밑줄 중 명사절을 고르시오.

Whether he trusts me(ⓐ) is(ⓑ) not the main issue(ⓒ). 그가 나를 믿는지는 주요 쟁점 사항이 아니다.

→ 동사 is의 주어 역할을 하고 있는 ⓐ Whether he trusts me(그가 나를 믿는지)가 명사절이다.

정답: ⓐ

02 명사절의 형태

① 명사절은 '명사절 접속사 (+ 주어) + 동사'로 이루어진다.

I don't know **if I can help you.** 내가 널 도울 수 있을지 모르겠다.

The problem is **that it is too expensive.** 문제는 그것이 너무 비싸다는 것이다.

→ 첫 번째 문장에서 목적어로 쓰인 명사절은 명사절 접속사(if) + 주어(I) + 동사(can help)로 이루어져 있다. 두 번째 문장에서 주격 보어로 쓰인 명사절은 명사절 접속사(that) + 주어(it) + 동사(is)로 이루어져 있다.

② 명사절 접속사의 종류

명사절 접속사에는 that(~인 것, ~한 것), if(~인지 아닌지), whether(~인지 아닌지), 의문사, 복합관계대명사 등이 있다.

의문사	who 누가 ~하는지	why 왜 ~하는지	how 어떻게(얼마나) ~하는지
	when 언제 ~하는지	where 어디서 ~하는지	what 무엇이(을) ~하는지, ~한 것
	which 어느 것이(을) ~하는지		
복합관계대명사	whoever 누구든	whatever 무엇이든	whichever 어느 것이든

Check-Up

다음 문장에서 명사절 접속사를 고르시오.

I forgot when the deadline was. 나는 마감일이 언제였는지 잊어버렸다.
ⓐ forgot ⓑ when ⓒ the deadline ⓓ was

→ 목적어 자리에 온 명사절(when the deadline was)을 이끄는 ⓑ when이 명사절 접속사이다.

정답: ⓑ

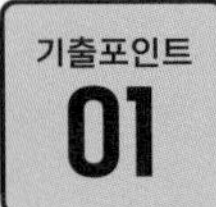

명사절 자리와 쓰임

출제빈도 ★

1 명사절은 명사처럼 주어, 목적어, 보어 자리에 온다.

주어	**That we recycle plastic** is helpful. 우리가 플라스틱을 재활용하는 것은 도움이 된다.
동사의 목적어	He heard **that we planned a surprise party for him.** 그는 우리가 그를 위한 깜짝 파티를 계획했다는 것을 들었다.
전치사의 목적어	The police looked into **what had started the fire.** 경찰은 무엇이 화재를 일으켰는지 주의 깊게 살펴봤다.
보어	Today's topic is **how one should invest in the stock market.** 오늘의 주제는 어떻게 주식 시장에 투자해야 하는지에 대한 것이다.

2 명사절 접속사 자리에 대명사는 올 수 없다.

She reported (**that**, ~~them~~) the date for the meeting would have to be adjusted.
그녀는 회의 날짜가 조정되어야 할 것이라고 보고했다.

→ 대명사(them)는 절(the date ~ adjusted)을 이끌 수 없으므로 접속사가 와야 한다. 동사(reported)의 목적어가 될 수 있는 명사절을 이끌기 위해서는 명사절 접속사(that)가 와야 한다.

3 명사절 내의 동사 자리에 to 부정사, 동명사, 분사와 같은 준동사는 올 수 없다.

The teacher suggested that they (**check**, ~~to check~~, ~~checking~~) over their answers.
선생님은 그들이 그들의 답을 확인할 것을 제안했다.

→ 명사절(that they ~ answers) 내의 동사 자리에 준동사는 올 수 없으므로, 동사(check)가 와야 한다.

공무원 영어 실전 문제

01 밑줄 친 부분 중 어법상 가장 옳은 것은? [2017년 법원직 9급 출제경향]

Most people believe that plants ① require soil to grow because it contains necessary nutrients. However, many benefits of the soil ② being able to be provided through hydroponics. Farmers who use this method ③ have design water-based systems that provide plants the nutrients that soil normally provides. Hydroponic agriculture has great potential for environments where plants cannot get ④ which they need from the soil, such as in future space settlements.

정답 ① 해설·해석 p.444

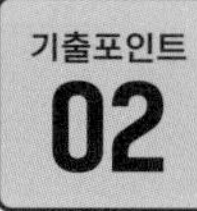

명사절 접속사 1: that

1 that이 이끄는 명사절은 문장에서 주어, 동사의 목적어, 보어, 동격절로 쓰인다.

주어 **That the home team lost** didn't upset us much. 홈팀이 졌다는 것이 우리를 많이 화나게 하지는 않았다.

동사의 목적어 They believed **that she was innocent.** 그들은 그녀가 결백하다고 믿었다.

보어 The first rule of bicycle safety is **that you should always wear a helmet.**
자전거 안전에 관한 첫 번째 수칙은 항상 헬멧을 써야 한다는 것이다.

동격절 The idea **that other galaxies exist** is accepted today. (The idea = other galaxies exist)
또 다른 은하계들이 존재한다는 생각은 오늘날 받아들여진다.

고득점 포인트
1. that이 이끄는 명사절은 전치사의 목적어로는 쓰일 수 없다.
We did not know (**that**, ~~about that~~) the products had defects. 우리는 제품에 결함이 있었다는 것을 몰랐다.
2. '말하다, 보고하다, 생각하다, 알다' 등을 의미하는 동사의 목적어로 쓰인 that절의 that은 생략될 수 있다. 그러나 주어나 동격으로 쓰인 that절의 that은 생략될 수 없다.
We understand **(that) she didn't have enough time.** 우리는 그녀가 충분한 시간이 없었다는 것을 이해한다.
The fact **that our record player still works** is amazing. 우리의 전축이 아직 작동한다는 사실이 놀랍다.

2 that절을 취하는 형용사

be aware that ~을 알고 있다	be sorry that ~해서 유감이다	be glad / happy that ~해서 기쁘다
be convinced that ~을 확신하다	be sure that ~을 확신하다	be afraid that 미안하지만 ~이다

She **is aware that** the conference is this afternoon. 그녀는 회의가 오늘 오후라는 것을 알고 있다.

The guard **was sure that** he had locked the door. 경비원은 그가 문을 잠갔다고 확신했다.

3 동격절을 취하는 명사

fact that ~라는 사실	statement that ~라는 언급	opinion that ~라는 의견	truth that ~라는 사실
news that ~라는 소식	report that ~라는 보도, 소문	idea that ~라는 의견, 생각	claim that ~라는 주장

The reporter announced **the news that** the bank would be expanding. 기자는 그 은행이 확장할 것이라는 소식을 알렸다.

Residents were surprised by **the report that** the mayor would resign sooner than expected.
주민들은 그 시장이 예상보다 빨리 사임할 것이라는 보도에 놀랐다.

공무원 영어 실전 문제

02 밑줄 친 부분 중 어법상 가장 옳은 것은? [2019년 서울시 9급 출제경향]

Elisha Otis recognized ① that early elevators were dangerous. So, he wanted to ② designing a safer model. To do this, he added a safety brake ③ with the elevator. His new system allowed the construction of high-rise buildings ④ of which upper floors could be reached safely and easily.

정답 ① 해설·해석 p.445

기출포인트 03

명사절 접속사 2: if와 whether

출제빈도 ★

1 if나 whether가 이끄는 명사절은 '~인지 (아닌지)'를 의미하며, 문장에서 주어, 목적어, 보어로 쓰인다.

주어 **Whether it's going to snow (or not)** is my concern. 눈이 올지(안 올지)가 내 관심사이다.

동사의 목적어 I don't know **if she ever got my message.** 그녀가 내 메시지를 받았는지 나는 모른다.

전치사의 목적어 The couple argued about **whether they should move out of the city (or not).**
그 부부는 그들이 도시 밖으로 이사를 해야 할지(말아야 할지)에 관해 논쟁을 했다.

보어 My worry is **if this vehicle is safe.** 나의 걱정거리는 이 차가 안전한지이다.

고득점 포인트
1. if가 이끄는 명사절은 주어나 전치사의 목적어로는 쓰일 수 없다.
(**Whether**, ~~If~~) I pass this interview (or not) is crucial. 내가 이 면접을 통과할 수 있을지 없을지가 중요하다.
2. if는 '만약 ~라면'이라는 뜻의 부사절 접속사로, whether는 '~이든지 아니든지'라는 뜻의 부사절 접속사로도 쓰인다.
I will take a taxi home **if it's still raining.** 만약 여전히 비가 오면 나는 택시를 타고 집에 가겠다.
Whether it's feasible or not, we're going ahead with the project. 그것이 가능하든 불가능하든지 간에, 우리는 그 프로젝트를 진행할 것이다.

2 whether는 whether A or B, whether or not으로 자주 쓰인다.

The officer asked the residents **whether** they saw **or** heard anything strange this morning.
경찰관은 주민들에게 오늘 아침에 이상한 것을 보거나 들었는지 물었다.

The homeowner questioned **whether** the remodeling job would finish on time **or not.**
집주인은 리모델링 작업이 제시간에 끝날 것인지 아닌지를 물었다.

고득점 포인트
whether or not은 쓸 수 있지만, if or not은 쓸 수 없다.
Tommy isn't sure (**whether**, ~~if~~) **or not** Charlotte likes him. Tommy는 Charlotte이 그를 좋아하는지 아닌지 확신할 수 없다.

공무원 영어 실전 문제

03 우리말을 영어로 잘못 옮긴 것을 고르시오. [2016년 지방직 7급]

① 당신이 그것을 더 잘 이해할 수 있게 제가 도표를 만들었습니다.
→ I made a chart so that you can understand it better.
② 제가 사무실에 없을지도 모르니까 제 휴대전화 번호를 알려드릴게요.
→ In case I'm not in my office, I'll let you know my mobile phone number.
③ 선거에 대해서 말하자면 아직까지 누구에게 투표할지 못 정했어.
→ Speaking of the election, I haven't decided who I'll vote for yet.
④ 네가 여기에 오나 내가 거기에 가나 마찬가지다.
→ It's the same that you come here or I go there.

정답 ④ 해설·해석 p.445

기출포인트 04

명사절 접속사 3: 의문사

출제빈도 ★

1 who, whom, whose, what, which는 의문대명사로 명사절을 이끌며, 그 자체가 명사절 내의 주어나 목적어, 보어 역할을 하므로 뒤에는 불완전한 절이 온다.

Who the person set fire to the house hasn't been determined. [X]

Who set fire to the house hasn't been determined. [O] 누가 그 집에 불을 질렀는지는 밝혀지지 않았다.

→ 의문대명사(Who)가 그것이 이끄는 명사절 내에서 주어 역할을 하므로, 뒤에 주어가 없는 불완전한 절(set fire to the house)이 온다.

2 whose, what, which는 의문형용사로 뒤에 나온 명사를 꾸미면서 명사절을 이끌며, '의문형용사 + 명사' 형태로 명사절 내의 주어나 목적어, 보어 역할을 하므로 뒤에는 불완전한 절이 온다.

Please tell me **which color** suits me better. 어떤 색깔이 내게 더 잘 어울리는지 말해 주세요.

→ '의문형용사 + 명사'(which color)가 그것이 이끄는 명사절 내에서 주어 역할을 하므로, 뒤에 주어가 없는 불완전한 절(suits me better)이 온다.

3 when, where, how, why는 의문부사로 명사절을 이끌며, 의문부사 뒤에는 빠지는 것이 없는 완전한 절이 온다.

The professor couldn't remember **where** he left his keys. 그 교수는 그가 어디에 열쇠를 뒀는지 기억할 수 없었다.

→ 의문부사(where)는 그것이 이끄는 명사절 내에서 부사 역할을 하므로, 뒤에 완전한 절(he left his keys)이 온다.

4 '의문사 + to 부정사'는 명사절 자리에 오며, '의문사 + 주어 + should + 동사원형'으로 바꿀 수 있다.

He didn't know **what to write(= what he should write)** for his report. 그는 그의 보고서에 무엇을 써야 할지 알지 못했다.

고득점 포인트 'whether + to 부정사'도 명사절 자리에 올 수 있다.
You need to choose **whether to apply for a loan.** 너는 대출을 신청할지 말지 결정할 필요가 있다.

공무원 영어 실전 문제

04 우리말을 영어로 잘못 옮긴 것을 고르시오. [2022년 국가직 9급 출제경향]

① 그녀는 기말고사를 위해 지금 공부하는 것보다 더 열심히 공부해 본 적이 없다.
→ She has never studied harder than she is studying for the final exam.

② 탁자 위의 꽃병을 누가 깨뜨렸는지 확실하지 않다.
→ It's uncertain who the person broke the vase on the table.

③ 경찰관이 누가 사고를 일으켰는지 밝히는 것은 어려웠다.
→ It was difficult for the police officer to determine who had caused the accident.

④ 네가 마지막 케이크 한 조각을 먹는 편이 더 낫겠다.
→ You might as well have the last piece of cake.

정답 ② 해설·해석 p.445

기출포인트 05

명사절 접속사 4: 복합관계대명사

출제빈도 ★

1 복합관계대명사가 이끄는 명사절은 문장에서 주어, 목적어, 보어로 쓰이며, 이때 복합관계대명사는 '대명사 + 관계대명사' 역할을 한다.

주어 **Whatever(= Anything that) you suggest** is fine with me. 당신이 제안하는 무엇이든 나는 좋다.

목적어 You may select **whichever(= anything that) you prefer.** 너는 네가 선호하는 어느 것이든 고를 수 있다.

보어 You can become **whoever(= anyone who) you want to be.** 너는 네가 되고 싶은 누구든 될 수 있다.

2 복합관계대명사는 그 자체가 명사절 내의 주어나 목적어, 보어 역할을 하므로, 뒤에는 불완전한 절이 온다.

Whichever costs the least is the one I will buy. 가장 싼 것이 어느 것이든 내가 살 것이다.

Review the applicants and choose **whomever** you want. 지원자들을 검토하고 네가 원하는 누구든 선택해라.

3 복합관계대명사의 선택

	주격		목적격	
사람	whoever 누구든		who(m)ever 누구든	
사물	whatever 무엇이든	whichever 어느 것이든	whatever 무엇이든	whichever 어느 것이든

We can have (**whatever**, ~~whoever~~) you're in the mood for. 우리는 네가 마음 내켜 하는 무엇이든 먹을 수 있다.
→ '무엇이든'이라는 의미가 되어야 하므로 사물을 가리키는 whatever가 와야 한다.

고득점 포인트 복합관계대명사가 주격인지 목적격인지는 복합관계대명사가 이끄는 명사절 내에서 그것이 하는 역할에 따라 결정된다.
A T-shirt will be given to (**whoever**, ~~whomever~~) participates in the race. 경주에 참여하는 누구에게나 티셔츠가 주어질 예정이다.
→ 명사절 내에서 동사 participate의 주어 역할을 하므로 주격 복합관계대명사 whoever를 쓴다.

4 복합관계대명사/복합관계형용사를 쓸지 의문사를 쓸지는 문맥에 따라 결정된다.

We can go to (**whichever**, ~~which~~) conference room is free. 우리는 비어 있는 어느 회의실이든 갈 수 있다.
→ '어느 회의실이든'이라는 의미가 되어야 하므로, 복합관계형용사(whichever)가 와야 한다.

He figured out (~~whichever~~, **which**) parking space was his. 그는 어느 주차 공간이 그의 것인지 알아냈다.
→ '어느 주차 공간'이라는 의미가 되어야 하므로, 의문형용사(which)가 와야 한다.

공무원 영어 실전 문제

05 다음 글의 밑줄 친 부분 중, 어법상 가장 틀린 것은? [2022년 법원직 9급 출제경향]

It is crucial for students to choose the study methods ① that are most suitable for the specific subject. They should identify the learning objectives and requirements for ② which subject they are tackling. Students who ③ follow this advice will find their comprehension improving significantly. Also, tailoring their approach to the subject's demands ④ allows students to optimize their learning experience.

정답 ② 해설·해석 p.445

기출포인트 06

what vs. that

출제빈도 ★★★

1 what절은 문장 내에서 명사 역할만 하지만, that절은 명사, 형용사, 부사 역할을 모두 할 수 있다.

• 명사 역할을 하는 what절

He misunderstood **what I said.** 그는 내가 말한 것을 오해했다.
→ what절이 동사(misunderstood)의 목적어 자리에 온 명사절이다.

• 명사, 형용사, 부사 역할을 하는 that절

명사 역할 She said **that she could help me paint my apartment.**
그녀는 내가 나의 아파트를 페인트칠 하는 것을 도울 수 있다고 말했다.
→ that절이 동사(said)의 목적어 자리에 온 명사절이다.

형용사 역할 Jupiter is the largest planet **that orbits the sun.** 목성은 태양 주위를 도는 가장 큰 행성이다.
→ that절이 명사(planet)를 뒤에서 수식하는 형용사절(관계절)이다.

부사 역할 The governor was so firm **that no one could dissuade him.**
지사는 너무나 확고해서 아무도 그를 단념시킬 수 없었다.
→ that절이 so 뒤에 와서 문장 내에서 부사 역할을 하는 부사절이다.

2 what절과 that절이 명사절로 쓰일 때, what 뒤에는 불완전한 절이 오지만, that 뒤에는 완전한 절이 온다.

(**What**, ~~That~~) is included in the prize is a seven-day vacation to the Bahamas. 상품에 포함된 것은 바하마로의 7일간의 휴가이다.
→ 접속사 뒤에 주어가 없는 불완전한 절(is included in the prize)이 이어지고 있으므로, What이 와야 한다.

It seems (**that**, ~~what~~) the garage door needs to be fixed. 차고 문은 수리될 필요가 있는 것 같다.
→ 접속사 뒤에 완전한 절(the garage door needs to be fixed)이 이어지고 있으므로, that이 와야 한다.

공무원 영어 실전 문제

06 어법상 옳지 않은 것은? [2017년 지방직 9급(6월 시행)]

① You might think that just eating a lot of vegetables will keep you perfectly healthy.
② Academic knowledge isn't always that leads you to make right decisions.
③ The fear of getting hurt didn't prevent him from engaging in reckless behaviors.
④ Julie's doctor told her to stop eating so many processed foods.

정답 ② 해설·해석 p.446

Hackers Practice

둘 중 어법상 알맞은 것을 고르세요.

01 The most amazing part of the story is (it / what) happened to him after he met the president.

02 The lawyers are wondering (which / when) the judge will decide on the case.

03 (Whatever / Whoever) decorated your home deserves praise for their elegant taste.

04 It seems (that / what) the café is going out of business.

05 The flight attendant didn't know (when / what) the plane would take off.

06 I'm going to watch (which / whichever) sports game is on TV.

07 The student worked on (what / that) she had trouble with.

08 (If / Whether) the paper has a few errors doesn't matter.

09 We are aware (that / what) the new attendance policy takes effect on Monday.

어휘

01 amazing 놀라운 president 대통령 02 lawyer 변호사 judge 판사 decide 판결을 내리다, 결정하다 case 사건 03 decorate 장식하다 deserve ~받을 만하다 elegant 고상한 04 go out of business 폐업하다 05 flight attendant (기내) 승무원 take off 이륙하다 06 game 경기, 시합 07 work on 착수하다 08 error 오류 09 attendance 출석 policy 정책, 규정 take effect 시행되다

01 기출포인트 **명사절 자리와 쓰임**

해설 주어가 없는 불완전한 절(happened ~ the president)을 이끌면서 be 동사(is)의 보어 자리에 올 수 있는 명사절 접속사 what이 정답이다.

정답 what

해석 그 이야기의 가장 놀라운 부분은 그가 대통령을 만난 후에 그에게 무슨 일이 벌어졌는가이다.

02 기출포인트 **명사절 접속사 3: 의문사**

해설 완전한 절(the judge ~ the case)을 이끌 수 있는 의문부사 when이 정답이다.

정답 when

해석 변호사들은 판사가 사건에 대해 언제 판결을 내릴지를 궁금해 하고 있다.

03 기출포인트 **명사절 접속사 4: 복합관계대명사**

해설 문맥상 '누구든'이라는 의미가 되어야 하므로 사람을 가리키는 복합관계대명사 Whoever(누구든)가 정답이다.

정답 Whoever

해석 당신의 집을 장식한 사람이 누구든 그의 고상한 취향에 대해 칭찬 받을 만하다.

04 기출포인트 **what vs. that**

해설 완전한 절(the café ~ business)을 이끌면서 동사(seems)의 보어 자리에 올 수 있는 명사절 접속사 that이 정답이다.

정답 that

해석 그 카페는 폐업할 것 같다.

05 기출포인트 **명사절 접속사 3: 의문사**

해설 완전한 절(the plane would take off)을 이끌 수 있는 의문부사 when이 정답이다.

정답 when

해석 그 승무원은 비행기가 언제 이륙할지 몰랐다.

06 기출포인트 **명사절 접속사 4: 복합관계대명사**

해설 문맥상 'TV에 방송되는 스포츠 경기가 어느 것이든'이라는 의미가 되어야 하므로 복합관계대명사 whichever(어느 것이든)가 정답이다.

정답 whichever

해석 TV에 방송되는 스포츠 경기가 어느 것이든 나는 볼 것이다.

07 기출포인트 **what vs. that**

해설 불완전한 절(she had trouble with)을 이끌 수 있는 명사절 접속사 what이 정답이다.

정답 what

해석 그 학생은 그녀가 어려움을 겪었던 것에 착수했다.

08 기출포인트 **명사절 접속사 2: whether**

해설 명사절 접속사 if가 이끄는 명사절은 주어 자리에 쓰일 수 없으므로, 명사절 접속사 Whether가 정답이다.

정답 Whether

해석 그 논문에 소수의 오류들이 있는지 없는지는 중요하지 않다.

09 기출포인트 **명사절 접속사 1: that**

해설 형용사 aware는 that절을 취하므로 명사절 접속사 that이 정답이다.

정답 that

해석 우리는 그 새로운 출석 정책이 월요일에 시행된다는 것을 알고 있다.

어법상 옳은 것에는 O, 틀린 것에는 X를 표시하고 틀린 부분을 바르게 고치세요.

10 What concerns doctors about the medicine is that it has too many side effects. [ ]

11 The coach wanted to know what scored the goal. [ ]

12 I'm not sure whoever used the coffee maker last. [ ]

13 Translators now understand that the ancient scroll says. [ ]

14 The visitors requested that they being woken up promptly at 8 a.m. [ ]

15 Let me know which day you prefer for the meeting. [ ]

16 Whatever guests need will be provided to them. [ ]

17 He thinks of that he should lose a little weight. [ ]

18 The class was unsure about if their teacher would be late. [ ]

어휘

10 concern 염려하다, 걱정하다 side effect 부작용 11 score 득점하다; 득점 12 last 가장 최근에 13 translator 번역가 scroll 족자, 두루마리
14 promptly 정확히, 민첩하게 15 prefer 선호하다 16 provide 제공하다 17 lose weight 살을 빼다 18 unsure 확신이 없는

10 기출포인트 **what vs. that**

정답 O

해설 주어가 없는 불완전한 절(concerns ~ the medicine)을 이끌면서 주어 자리에 올 수 있는 명사절 접속사 What이 올바르게 쓰였고, 완전한 절(it ~ side effects)을 이끌면서 be 동사(is)의 보어 자리에 올 수 있는 명사절 접속사 that이 올바르게 쓰였다.

해석 그 약에 대해 의사들을 염려시키는 것은 그것에 너무 많은 부작용이 있다는 점이다.

11 기출포인트 **명사절 접속사 3: 의문사**

정답 X, what → who

해설 문맥상 '누가 득점했는지'라는 의미가 되어야 하므로 의문대명사 what을 who로 고쳐야 한다.

해석 코치는 누가 득점했는지 알고 싶어 했다.

12 기출포인트 **명사절 접속사 3: 의문사**

정답 X, whoever → who

해설 문맥상 '누가 커피 메이커를 사용했는지'라는 의미가 되어야 하므로 복합관계대명사 whoever를 의문대명사 who로 고쳐야 한다.

해석 나는 가장 최근에 누가 커피 메이커를 사용했는지 확실히 모른다.

13 기출포인트 **what vs. that**

정답 X, that → what

해설 명사절 접속사 that은 목적어가 없는 불완전한 절(the ancient scroll says)을 이끌 수 없으므로 that을 불완전한 절을 이끄는 명사절 접속사 what으로 고쳐야 한다.

해석 번역가들은 이제 그 오래된 족자가 무엇을 말하는지 이해한다.

14 기출포인트 **명사절 자리와 쓰임**

정답 X, being woken → be woken

해설 명사절(that they ~ at 8 a.m.) 내의 동사 자리에 준동사는 올 수 없고, 주절에 요청을 나타내는 동사(request)가 오면 종속절에는 '(should +) 동사원형'이 와야 하므로 being woken을 be woken으로 고쳐야 한다.

해석 그 방문객들은 그들이 정확히 오전 8시에 깨워질 것을 요청했다.

15 기출포인트 **명사절 접속사 3: 의문사**

정답 O

해설 '의문형용사 + 명사'가 자신이 이끄는 명사절 내에서 목적어 역할을 하므로, which day 뒤에 목적어가 없는 불완전한 절(you prefer ~ the meeting)이 올바르게 쓰였다.

해석 회의를 위해 어떤 날을 더 선호하는지 제게 알려주세요.

16 기출포인트 **명사절 접속사 4: 복합관계대명사**

정답 O

해설 복합관계대명사 Whatever가 자신이 이끄는 절 내에서 동사 need의 목적어 역할을 하고 있으므로 뒤에 목적어가 없는 불완전한 절(guests need)이 올바르게 쓰였고, 주어 자리에 복합관계대명사가 이끄는 명사절(Whatever ~ need)이 올바르게 쓰였다.

해석 손님들이 필요로 하는 것이 무엇이든 그들에게 제공될 것이다.

17 기출포인트 **명사절 접속사 1: that**

정답 X, of that → that

해설 that이 이끄는 명사절(that he ~ weight)은 전치사(of)의 목적어로 쓰일 수 없으므로 of that을 that으로 고쳐야 한다.

해석 그는 그가 살을 약간 빼야 한다고 생각한다.

18 기출포인트 **명사절 접속사 2: whether**

정답 X, if → whether

해설 if가 이끄는 명사절(if ~ late)은 전치사(about)의 목적어로 쓰일 수 없으므로 if를 whether로 고쳐야 한다.

해석 그 반은 선생님이 늦을지 늦지 않을지 확신이 없었다.

Hackers Test

01 다음 문장 중 어법상 옳지 않은 것은?

① I learned the process of what butter is made from milk at my uncle's farm.

② They tried to figure out what the baby wanted.

③ Who left the door unlocked should be scolded.

④ They still don't know where the next meeting will be held.

02 다음 빈칸에 들어갈 것으로 알맞은 표현은?

The documentary on NASA employees showed their training, daily routines, the way they check the stability of shuttles, and __________ they go about sterilizing them before they can be launched.

① like
② what
③ how
④ which

03 밑줄 친 부분 중 어법상 옳지 않은 것은?

Many individuals are uncertain about ① if to invest in cryptocurrency because they are unsure of ② what makes the digital asset valuable. To some, the price of this virtual money ③ seems arbitrary, raising fears ④ that the market could collapse.

01 기출포인트 **명사절 접속사 3: 의문사** 정답 ①

해설 문맥상 '버터가 어떻게 ~ 만들어지는지에 관한 과정'이라는 의미가 되어야 자연스럽고, 명사절 접속사 what은 완전한 절(butter is made from milk)을 이끌 수 없으므로 what을 완전한 절을 이끌며 전치사의 목적어 자리에 올 수 있는 의문부사 how로 고쳐야 한다.

오답 분석 ② 기출포인트 **명사절 접속사 3: 의문사** 목적어가 없는 불완전한 절(the baby wanted)을 이끌며 동사(figure out)의 목적어 자리에 올 수 있는 명사절 접속사 what이 올바르게 쓰였다.

③ 기출포인트 **명사절 접속사 3: 의문사** 주어가 없는 불완전한 절(left ~ unlocked)을 이끌며 문장의 주어 자리에 올 수 있는 명사절 접속사 Who가 올바르게 쓰였다.

④ 기출포인트 **명사절 접속사 3: 의문사** 완전한 절(the next ~ will be held)을 이끌며 동사(know)의 목적어 자리에 올 수 있는 의문부사 where가 올바르게 쓰였다.

해석 ① 나는 삼촌의 농장에서 버터가 어떻게 우유로부터 만들어지는지에 관한 과정을 배웠다.
② 그들은 아이가 원하는 것을 알아내려고 노력했다.
③ 문을 잠그지 않은 채로 둔 사람은 혼나야 한다.
④ 그들은 다음 회의가 어디에서 열릴지 아직 모른다.

어휘 figure out 알아내다, 이해하다 scold 혼내다, 꾸짖다

02 기출포인트 **명사절 접속사 3: 의문사** 정답 ③

해설 빈칸은 동사 show의 목적어 자리에서 등위접속사(and)로 연결된 것의 자리이다. 목적어 자리에는 명사 역할을 하는 것이 와야 하므로 전치사 ① like는 정답이 될 수 없다. 명사절 접속사 ② what과 의문대명사 ④ which는 완전한 절을 이끌 수 없으므로 완전한 절(they go about ~ them)을 이끌며 목적어 자리에 올 수 있는 의문부사 ③ how가 정답이다.

해석 NASA 직원들에 관한 다큐멘터리는 그들의 훈련, 일상 업무, 그들이 우주 왕복선의 안정성을 점검하는 방법, 그리고 그것이 발사될 수 있기 전에 그것들을 살균하는 것을 시작하는 방법을 보여 준다.

어휘 stability 안정성 go about ~을 시작하다 sterilize 살균하다, 소독하다 launch 발사하다

03 기출포인트 **명사절 접속사 2: if와 whether** 정답 ①

해설 명사절 접속사 if가 이끄는 명사절은 전치사(about)의 목적어로 쓰일 수 없으므로 명사절 접속사 if를 명사절 접속사 whether로 고쳐야 한다.

오답 분석 ② 기출포인트 **what vs. that** 주어가 없는 불완전한 절(makes the digital asset valuable)을 이끌며 문장에서 전치사(of)의 목적어 자리에 올 수 있는 명사절 접속사 what이 올바르게 쓰였다.

③ 기출포인트 **주어와 동사의 수 일치** 주어 자리에 단수 명사 the price가 왔으므로 단수 동사 seems가 올바르게 쓰였다. 참고로 주어와 동사 사이의 수식어 거품(of this virtual money)은 동사의 수 결정에 영향을 주지 않는다.

④ 기출포인트 **명사절 접속사 1: that** 완전한 절(the market could collapse)을 이끌면서 명사 fears와 동격을 나타내는 명사절 접속사 that이 올바르게 쓰였다.

해석 많은 개인들은 무엇이 디지털 자산을 가치 있게 만드는지 확신하지 못하기 때문에 암호화폐에 투자할지에 대해 주저하고 있다. 일부 사람들에게는 이 가상화폐의 가격이 제멋대로인 것으로 보여 시장이 붕괴될 수 있다는 두려움을 불러일으킨다.

어휘 uncertain 주저하고 있는, 불확실한 invest 투자하다 cryptocurrency 암호화폐 unsure 확신하지 못하는 asset 자산 virtual 가상의 arbitrary 제멋대로인, 임의적인 collapse 붕괴하다

04 밑줄 친 부분이 어법상 옳지 않은 것은?

① Whether customers are satisfied is his main concern.

② They listened to the man whose voice sounded sad.

③ The company prefers that we parking our cars near the back entrance.

④ The landlord said that restoring heat to the apartment would take two hours.

05 우리말을 영어로 잘 옮긴 것은?

① 호텔 직원은 당신이 필요한 것이 무엇이든 가져다 드릴 것입니다.
→ The hotel staff will bring what you need.

② 그녀는 집을 구입할지 말지 주저했다.
→ She was reluctant about how to buy the house.

③ 그가 자신의 코트를 가지러 갔을 때, 그는 어느 것이 그의 것인지 구별할 수 없었다.
→ When he went to pick up his coat, he couldn't tell which one was his.

④ 나는 그가 이 동물에 대해 전혀 들어보지 못했을 것을 상상도 못했다.
→ I never imagined what he might not have heard about this animal.

06 밑줄 친 부분이 어법상 틀린 것을 고르시오.

① We will consider whichever suggestions you have.

② What is necessary at work is teamwork and a strong effort.

③ That the performance was canceled disappointed many fans.

④ Whomever is playing the piano has incredible talent.

04 기출포인트 명사절 자리와 쓰임

정답 ③

해설 명사절(that we ~ entrance) 내의 동사 자리에 준동사(parking)는 올 수 없으므로 parking을 동사 park로 고쳐야 한다.

오답 분석 ① 기출포인트 **명사절 접속사 2: whether** 문맥상 '고객이 만족하는지 아닌지'라는 의미가 되어야 자연스러우므로 문장의 주어 자리에 명사절(Whether customers are satisfied)을 이끄는 명사절 접속사 Whether(~인지 아닌지)가 올바르게 쓰였다.

② 기출포인트 **관계대명사** 관계대명사의 선행사(the man)가 사람이고, 관계절 내에서 목소리(voice)가 누구의 것인지 나타내므로, 소유격 관계대명사 whose가 올바르게 쓰였다.

④ 기출포인트 **3형식 동사의 수동태** 동사(said)의 목적어 자리에는 명사 역할을 하는 것이 와야 하므로, said 뒤에 명사절 that restoring ~ hours가 올바르게 쓰였다.

해석 ① 고객이 만족하는지 아닌지가 그의 주된 관심사이다.
② 그들은 목소리가 슬프게 들리는 남자에게 귀를 기울였다.
③ 회사는 우리가 차를 후문 근처에 주차하는 것을 선호한다.
④ 집주인은 아파트에 난방을 복구하는 데 2시간이 걸릴 것이라고 말했다.

어휘 satisfy 만족시키다 concern 관심사, 우려 entrance 문, 입구 landlord 집주인 restore 복구하다, 회복하다

05 기출포인트 명사절 접속사 3: 의문사

정답 ③

해설 '어느 것이 그의 것인지'는 의문형용사 which(어느 ~)를 사용하여 '의문형용사 + 명사' 형태로 나타낼 수 있으므로 which one was his가 올바르게 쓰였다.

오답 분석 ① 기출포인트 **명사절 접속사 4: 복합관계대명사** '필요한 것이 무엇이든'은 복합관계대명사 whatever(무엇이든)나 whichever(어느 것이든)를 사용하여 나타낼 수 있으므로 의문사 what을 복합관계대명사 whatever나 whichever로 고쳐야 한다.

② 기출포인트 **명사절 접속사 2: whether** '구입할지 말지'는 불확실한 사실을 나타내는 명사절 접속사 whether(~인지 아닌지)로 나타낼 수 있으므로 how를 whether로 고쳐야 한다.

④ 기출포인트 **what vs. that** 명사절 접속사 what은 완전한 절(he ~ this animal)을 이끌 수 없으므로 what을 완전한 절을 이끄는 명사절 접속사 that으로 고쳐야 한다.

어휘 reluctant 주저하는 imagine 상상하다

06 기출포인트 명사절 접속사 4: 복합관계대명사

정답 ④

해설 목적격 복합관계대명사 whomever(누구든)는 자신이 이끄는 절(is playing the piano) 내에서 주어 역할을 할 수 없으므로 목적격 복합관계대명사 Whomever를 주어 역할을 할 수 있는 주격 복합관계대명사 Whoever(누구든)로 고쳐야 한다.

오답 분석 ① 기출포인트 **명사절 접속사 4: 복합관계대명사** 뒤에 나오는 명사(suggestions)를 수식하면서 '어느 의견이든'이라는 의미가 되어야 하므로, 복합관계형용사 whichever이 올바르게 쓰였다.

② 기출포인트 **명사절 자리와 쓰임** 문장의 주어 자리에 명사 역할을 하는 명사절(What is ~ work)이 올바르게 쓰였다.

③ 기출포인트 **명사절 자리와 쓰임** 문장의 주어 자리에 명사 역할을 하는 명사절(That the performance was canceled)이 올바르게 쓰였다.

해석 ① 우리는 당신이 가지고 있는 어느 의견이든 고려할 것이다.
② 직장에서 필요한 것은 팀워크와 맹렬한 노력이다.
③ 공연이 취소된 것은 많은 팬들을 실망시켰다.
④ 피아노를 연주하고 있는 사람이 누구든 놀라운 재능을 지니고 있다.

어휘 suggestion 의견, 제안 necessary 필요한 effort 노력 cancel 취소하다 disappoint 실망시키다 incredible 놀라운, 믿기 힘든

07 다음 중 어법상 옳지 않은 것은?

① We think that he is capable of handling the job by himself.

② What she showed everyone was her conviction that the project would be a success.

③ What the committee has to discuss is how to reduce production costs.

④ Be aware of applications must be received by the end of the month.

08 밑줄 친 부분 중 어법상 옳지 않은 것은? [2023년 지방직 9급]

> One reason for upsets in sports—① <u>in which</u> the team ② <u>predicted</u> to win and supposedly superior to their opponents surprisingly loses the contest—is ③ <u>what</u> the superior team may not have perceived their opponents as ④ <u>threatening</u> to their continued success.

07 기출포인트 명사절 접속사 1: that

정답 ④

해설 형용사 aware는 that절을 취하는 형용사이고, 전치사(of)는 절(applications ~ the month)을 이끌 수 없으므로 전치사 of를 명사절 접속사 that으로 고쳐야 한다.

오답 분석
① **기출포인트 명사절 접속사 1: that** 동사 think는 전치사 없이 목적어를 바로 취할 수 있는 타동사이고, 명사절 접속사 that은 완전한 절(he is ~ himself)을 이끌 수 있으므로 think that이 올바르게 쓰였다.
② **기출포인트 what vs. that** 목적어가 없는 불완전한 절(she showed everyone)을 이끌며 문장의 주어 자리에 올 수 있는 것은 명사절 접속사 what이므로 What she showed everyone이 올바르게 쓰였다.
③ **기출포인트 주어와 동사의 수 일치** 명사절 주어(What ~ discuss)는 단수 취급하므로 단수 동사 is가 올바르게 쓰였다.

해석
① 우리는 그가 혼자서 그 일을 처리할 수 있는 능력이 있다고 생각한다.
② 그녀가 모두에게 보여준 것은 그 프로젝트가 성공할 것이라는 그녀의 확신이었다.
③ 위원회가 논의해야 하는 것은 어떻게 생산비를 낮추는가이다.
④ 지원서는 이달 말까지 접수되어야 한다는 점을 숙지해 주세요.

어휘 capable ~할 수 있는 handle 처리하다 conviction 확신 committee 위원회 application 지원서

08 기출포인트 what vs. that

정답 ③

해설 완전한 절(the superior team ~ success)을 이끌며 be동사(is)의 보어 자리에 올 수 있는 것은 명사절 접속사 that이므로, 불완전한 절을 이끄는 명사절 접속사 what을 완전한 절을 이끄는 명사절 접속사 that으로 고쳐야 한다.

오답 분석
① **기출포인트 전치사 + 관계대명사** 관계사 뒤에 완전한 절(the team ~ the contest)이 왔으므로 '전치사 + 관계대명사' 형태가 올 수 있다. '전치사 + 관계대명사'에서 전치사는 선행사 또는 관계절의 동사에 따라 결정되는데, 문맥상 '스포츠에서 승리할 것으로 예상되는 팀'이라는 의미가 되어야 자연스러우므로 전치사 in(~에서)이 관계대명사 which 앞에 온 in which가 올바르게 쓰였다.
② **기출포인트 현재분사 vs. 과거분사** 수식받는 명사(the team)와 분사가 '팀이 승리할 것으로 예상되다'라는 의미의 수동 관계이므로, 과거분사 predicted가 올바르게 쓰였다.
④ **기출포인트 현재분사 vs. 과거분사** 감정을 나타내는 분사(threatening)가 보충 설명하는 대상이 감정을 일으키는 주체인 경우 현재분사를 쓰고, 감정을 느끼는 대상인 경우 과거분사를 쓰는데, their opponents가 '그들의 상대 팀을 그들의 성공을 위협하는 것으로 인식하다'라는 의미로 감정을 일으키는 주체이므로 현재분사 threatening이 올바르게 쓰였다.

해석 스포츠에서의 뜻밖의 패배, 즉 승리할 것으로 예상되고 상대 팀보다 아마 우세할 것이라고 생각되는 팀이 예상외로 시합에서 지는 경우에 대한 한 가지 이유는, 더 우세한 팀이 그들의 상대 팀을 그들의 지속적인 성공을 위협하는 것으로 인식하지 않았을 수도 있다는 것이다.

어휘 upset 뜻밖의 패배 supposedly 아마 opponent 상대 surprisingly 예상외로 superior 더 우세한 perceive 인식하다

Chapter 17

부사절

최근 5개년 출제 비율
'20~'24 국·지·서·법·국회(2024.04.기준)
4%

BASIC GRAMMAR 기본기 다지기

01 부사절

부사절은 문장 내에서 **시간**, **조건** 등을 나타내는 **부사 역할**을 하는 절이다.

I was not at home **when she visited me.** 그녀가 나를 방문했을 때 나는 집에 없었다.

If you have time, let's play chess. 만약 네가 시간이 있다면, 체스를 하자.

→ 부사절 when she visited me와 If you have time은 문장에서 각각 시간과 조건을 나타내며, 부사 역할을 하는 수식어 거품이므로 없어도 문장이 성립된다.

Check-Up

다음 중 부사절을 고르시오.

I was short(ⓐ) when I was young(ⓑ). 내가 어렸을 때 나는 작았다.

→ 문장 내에서 시간을 나타내고 있는 ⓑ when I was young(내가 어렸을 때)이 부사절이다.

정답: ⓑ

02 부사절의 형태

부사절은 '**부사절 접속사 + 주어 + 동사**'로 이루어진다.

Because he is diligent, his boss raised his pay. 그가 근면하기 때문에, 그의 사장은 그의 봉급을 올려줬다.

→ 위 문장의 부사절은 '부사절 접속사(Because) + 주어(he) + 동사(is)'로 이루어져 있다. 부사절 접속사로는 when, if, although, because, whatever 등이 있다.

Check-Up

다음 문장에서 부사절 접속사를 고르시오.

Although(ⓐ) she apologized(ⓑ), he was(ⓒ) still(ⓓ) angry. 비록 그녀가 사과했지만, 그는 여전히 화가 나 있다.

→ 부사절(Although she apologized)을 이끄는 ⓐ Although가 부사절 접속사이다.

정답: ⓐ

기출포인트 01

부사절 자리와 쓰임

출제빈도 ★

1 부사절은 수식어 거품 역할을 하므로, 주로 필수 성분 앞이나 뒤에 온다.

While she was on a flight to Germany, she read a book. 독일행 비행기를 타고 가는 동안에, 그녀는 책을 읽었다.
(she read a book: 필수 성분(주어 + 동사 + 목적어))

She read a book **while she was on a flight to Germany**.
(She read a book: 필수 성분(주어 + 동사 + 목적어))

2 부사절 접속사 자리에 전치사는 올 수 없다.

I did it (**because**, ~~because of~~) he told me to. 그가 나에게 그렇게 하라고 해서 나는 그것을 했다.
→ 부사절 접속사 자리에 전치사(because of)는 올 수 없으므로 because가 와야 한다.

고득점 포인트 부사절 접속사는 절 앞에 오는 것이 원칙이지만, 분사구문 앞에 오기도 한다.
The machine stopped making noises (**when**, ~~with~~) switched off. 그 기계가 꺼졌을 때 잡음을 내는 것을 멈추었다.
(switched off: 분사구문)

3 부사절 접속사 자리에 부사는 올 수 없다.

(**Although**, ~~Nevertheless~~) he is old, he is quite strong. 비록 그는 늙었지만, 꽤 강하다.
→ 부사절 접속사 자리에 부사(Nevertheless)는 올 수 없으므로 Although가 와야 한다.

고득점 포인트 아래와 같은 접속부사는 절을 이끌 수 없으므로 부사절 접속사 대신 쓰일 수 없다.

besides 게다가	moreover 더욱이	therefore/thus 그러므로	that is 말하자면
otherwise 그렇지 않으면	however 그러나	nevertheless 그럼에도 불구하고	nonetheless 그럼에도 불구하고

공무원 영어 실전 문제

01 다음 문장 중 어법상 옳은 것은? [2013년 국가직 9급 출제경향]

① After I woke up, I realized that I had forgotten to set my alarm clock.
② It will take at least another week prior to the draft is ready.
③ She enjoys classical music, whereas doesn't like pop songs.
④ Wherever your career to take you, I'm sure you will be doing something you enjoy.

정답 ① 해설·해석 p.446

기출포인트 02

부사절 접속사 1: 시간·조건

출제빈도 ★★

1 시간을 나타내는 부사절 접속사

when ~일 때, ~할 때	as ~함에 따라, ~할 때	while ~하는 동안
before ~하기 전에	until ~할 때까지	after ~한 후에
since ~한 이래로	as soon as ~하자마자 (= no sooner A than B)	

She slowed the car down **before** she pulled into the driveway. 차도로 진입하기 전에 그녀는 차의 속도를 낮추었다.

I've been practicing golf **since** I first played it. 나는 처음으로 골프를 친 이래로 골프 연습을 해오고 있다.

I will shut off the TV **as soon as** the program ends. 나는 그 프로그램이 끝나자마자 TV를 끌 것이다.

고득점 포인트 부사절 접속사 until을 사용하여 'B할 때까지는 A하지 못하다(B하고 나서야 비로소 A하다)'라는 의미를 만드는 not A until B(=not until B ~ A, it was not until B that A) 구문을 함께 알아둔다.

I did **not** realize the importance of money **until** I needed it. 나는 돈이 필요할 때까지 돈의 중요성을 깨닫지 못했다.(= 돈이 필요하고 나서야 돈의 중요성을 깨달았다.)

= **Not until** I needed it did I realize the importance of money.

= **It was not until** I needed it **that** I realized the importance of money.

2 조건을 나타내는 부사절 접속사

if 만약 ~이라면	unless 만약 ~이 아니라면 (= if ~ not)	provided / providing (that) 오직 ~하는 경우에 (= only if)
as long as ~하는 한, ~하면	once 일단 ~하자, 일단 ~하면	in case ~(의 경우)에 대비하여

If you wear a swimsuit, you can enter the pool. 만약 네가 수영복을 입으면, 너는 그 수영장에 들어갈 수 있다.

Unless you wear a swimsuit, you can't enter the pool. 만약 네가 수영복을 입지 않으면, 너는 그 수영장에 들어갈 수 없다.

I brought two pens **in case** you forgot to bring one. 네가 가져오는 것을 잊었을 경우에 대비해서 펜을 두 개 가져왔다.

공무원 영어 실전 문제

02 어법상 가장 옳은 것은? [2022년 서울시 9급(2월 추가) 출제경향]

① She can walk straight with her eyes close.
② The chef was renowned to his updated version of classic recipes.
③ I missed my stop while I was daydreaming on the bus.
④ We asked the landlord to have the apartment painting before we moved in.

정답 ③ 해설·해석 p.446

기출포인트 03

부사절 접속사 2: 양보·이유·기타

출제빈도 ★★★

1 양보를 나타내는 부사절 접속사

although, though, 비록 ~이지만 even if, even though	**Though** it may seem childish, I still watch cartoons. 비록 유치해 보일지도 모르지만, 나는 여전히 만화를 본다.
whereas, while 반면에	She loves spending money, **whereas** he tries to save every penny. 그녀는 돈 쓰는 것을 좋아하는 반면에, 그는 한 푼이라도 아끼려고 노력한다.
whether ~이든지 -이든지 (간에)	**Whether** large or small, all bags need to be checked by security. 크든지 작든지 간에, 모든 가방은 경비에 의해 확인되어야 한다.

고득점 포인트 as/though는 '비록 ~이지만'이라는 의미의 양보를 나타내는 부사절 접속사로 쓰일 때 '(As +) 보어(명사·형용사·분사)/부사 + as[though] + 주어 + 동사' 의 어순으로 쓰이기도 한다. 이때 명사가 as/though 앞에 오면 관사(a/an/the) 없이 쓰인다.

Young as[though] Charlie is, he's very mature. 비록 Charlie는 어리지만, 그는 매우 성숙하다.
보어(형용사) as 주어 동사

2 이유를 나타내는 부사절 접속사

because, as, since ~기 때문에	We buy bottled water **because** the tap water is not fit to drink. 수돗물이 마시기에 적합하지 않기 때문에, 우리는 생수를 산다.
now (that) ~이니까	**Now that** winter is coming, we should plan a ski trip. 겨울이 오고 있으니까, 우리는 스키 여행을 계획해야 한다.
in that ~라는 점에서	The story is an abridged version **in that** some scenes have been removed. 몇 장면들이 제거되었다는 점에서 그 이야기는 요약된 형태이다.

3 기타 접속사

so that ~ can/may/will, ~하도록 in order that ~ can/may/will	Please keep the window open **so that** the room **can** cool down. 방이 서늘해질 수 있도록 창문을 계속 열어 두세요.
so that (~해서 그 결과) ~하다	They woke up early, **so that** they could see the sunrise. 그들은 일찍 일어나서, (그 결과) 일출을 볼 수 있었다.
so/such ~ that 매우 ~해서 -하다	The sponge was **so** dirty **that** it had to be replaced. 그 스펀지는 매우 더러워서 교체되어야 했다.
as if, as though 마치 ~처럼	He felt **as if** everyone on the train was watching him. 그는 마치 기차의 모든 사람들이 그를 보고 있는 것처럼 느꼈다.
(just) as, (just) like ~처럼	They went to the park **(just) like** they do every day. 그들은 매일 하는 것처럼 공원에 갔다.
except that, but that ~을 제외하고	These new glasses are nice **except that** they're too expensive. 이 새 안경은 너무 비싼 것을 제외하고는 좋다.
lest ~하지 않도록	I exercise **lest** I (should) gain weight. 나는 몸무게가 늘지 않도록 꾸준히 운동한다.
for fear (that) ~할까 (두려워서)	I ran **for fear (that)** I would be late for school. 나는 학교에 늦을까 봐 뛰었다.

공무원 영어 실전 문제

03 밑줄 친 부분 중 어법상 가장 옳지 않은 것은? [2017년 서울시 9급 출제경향]

Even though ① the moon is constantly moving, it appears stationary to people ② viewing it because it experiences motion ③ synchronized with Earth's. Essentially, the moon's rotation is invisible to the naked eye ④ despite it moves continuously.

정답 ④ 해설·해석 p.447

기출포인트 04

부사절 접속사 3: 복합관계부사와 복합관계대명사

출제빈도
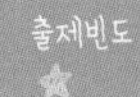

1 복합관계부사가 이끄는 부사절은 문장 내에서 부사 역할을 한다.

whenever (= no matter when) 언제 ~하더라도 언제 ~하든 상관없이 (=at any time when)	Guests can help themselves to refreshments **whenever(= no matter when)** they wish. 손님들은 원할 때는 언제라도 다과를 먹을 수 있다.
wherever (= no matter where) 어디로/어디에서 ~하더라도 어디로/어디에 ~하든 상관없이 (=at any place where)	I saw someone I knew **wherever(= at any place where)** I went during the trade fair. 나는 무역 박람회 동안 어디로 가든지 내가 아는 누군가를 봤다.
however (= no matter how) 아무리 ~하더라도	**However(= No matter how)** carefully I plan my trips, I always forget something. 내가 아무리 신중하게 여행을 계획하더라도, 나는 항상 무언가를 잊어버린다.

2 복합관계대명사 whoever, whatever, whichever도 부사절을 이끌 수 있다.

whoever (= no matter who) 누가 ~하더라도	**Whoever(= No matter who)** is at the door, ask them to come back later. 현관에 누가 있더라도, 나중에 다시 오라고 요청해 주세요.
whatever (= no matter what) 무엇이/무엇을 ~하더라도	**Whatever(= No matter what)** happens, I will support you. 무슨 일이 일어나더라도, 나는 너를 지지할 것이다.
whichever (= no matter which) 어느 것이/어느 것을 ~하더라도	**Whichever(= no matter which)** you choose, it will be the best choice. 당신이 어느 것을 선택하더라도, 그것은 최선의 선택일 것이다.

고득점 포인트 복합관계대명사 whatever, who(m)ever, whichever는 문장 내에서 주어, 목적어, 보어 역할을 하는 명사절도 이끌 수 있다.
Whatever she suggests always helps me a lot. 그녀가 무엇을 제안하든 항상 내게 많은 도움이 된다.
→ Whatever가 문장에서 주어 역할을 하는 명사절(Whatever ~ suggests)을 이끌고 있다.

3 however는 형용사나 부사를 수식하며, 주로 'however + 형용사/부사 + 주어 + 동사' 형태로 쓴다.

I can always find a seat on the bus, **however crowded it may be.** 버스가 얼마나 붐비든, 나는 항상 버스에서 좌석을 찾을 수 있다.
(crowded: 형용사, it: 주어, may be: 동사)

공무원 영어 실전 문제

04 어법상 옳은 것은? [2014년 국가직 9급]

① While worked at a hospital, she saw her first air show.
② However weary you may be, you must do the project.
③ One of the exciting games I saw were the World Cup final in 2010.
④ It was the main entrance for that she was looking.

정답 ② 해설·해석 p.447

Hackers Practice

둘 중 어법상 알맞은 것을 고르세요.

01 Scott and I went to the park (after / unless) we left the office.

02 Most penguins live in the southern hemisphere, (while / nevertheless) polar bears only reside near the north pole.

03 (Unless / As) I had a cold, I decided not to go swimming.

04 (Whatever / Whoever) the committee members say, we are prepared to respond.

05 The meal was delicious (so that / except that) it was a little salty for me.

06 You cannot vote in this country (once / unless) you are a citizen.

07 (Whether / Whereas) you are a new driver or an experienced one, you should always drive safely.

08 No matter (how / what) anybody thinks, he always tries to do the right thing.

09 I couldn't hear him (because / because of) the loud music.

어휘

02 southern hemisphere 남반구 reside 살다, 거주하다 north pole 북극 03 have a cold 감기에 걸리다 04 committee 위원회 respond 대답하다 05 salty 짠, 짭짤한 06 vote 투표하다 07 experienced 노련한, 경험이 풍부한

01 기출포인트 **부사절 접속사 1: 시간**

해설 문맥상 '퇴근한 후에'라는 의미가 되어야 자연스러우므로 시간을 나타내는 부사절 접속사 after(~한 후에)가 정답이다.

정답 after

해석 Scott과 나는 퇴근한 후에 공원에 갔다.

02 기출포인트 **부사절 자리와 쓰임**

해설 절(Most penguins ~ hemisphere)과 절(polar bears ~ the north pole)을 연결할 수 있는 것은 접속사이므로 부사절 접속사 while(반면에)이 정답이다.

정답 while

해석 대부분의 펭귄들은 남반구에 사는 반면, 북극곰들은 북극 근처에만 산다.

03 기출포인트 **부사절 접속사 2: 이유**

해설 문맥상 '감기에 걸렸기 때문에'라는 의미가 되어야 자연스러우므로 이유를 나타내는 부사절 접속사 As(~ 때문에)가 정답이다.

정답 As

해석 나는 감기에 걸렸기 때문에, 수영을 하러 가지 않기로 결정했다.

04 기출포인트 **부사절 접속사 3: 복합관계대명사**

해설 문맥상 '무엇을 말하든 상관없이'라는 의미가 되어야 자연스러우므로 사물을 가리키는 복합관계대명사 Whatever(무엇을 ~하든 상관없이)가 정답이다.

정답 Whatever

해석 위원회 위원들이 무엇을 말하든 상관없이 우리는 대답할 준비가 되었다.

05 기출포인트 **부사절 접속사 2: 기타**

해설 문맥상 '조금 짰다는 것을 제외하고는 맛있었다'라는 의미가 되어야 자연스러우므로 부사절 접속사 except that(~을 제외하고)이 정답이다.

정답 except that

해석 그 식사는 나에게는 조금 짰다는 것을 제외하고는 맛있었다.

06 기출포인트 **부사절 접속사 1: 조건**

해설 문맥상 '만약 시민이 아니라면'이라는 의미가 되어야 자연스러우므로 조건을 나타내는 부사절 접속사 unless(만약 ~이 아니라면)가 정답이다.

정답 unless

해석 만약 당신이 시민이 아니라면 당신은 이 나라에서 투표를 할 수 없다.

07 기출포인트 **부사절 접속사 2: 양보**

해설 문맥상 '당신이 미숙한 운전자이든 노련한 운전자이든'이라는 의미가 되어야 자연스러우므로 양보를 나타내는 부사절 접속사 Whether(~이든 -이든)가 정답이다.

정답 Whether

해석 당신이 미숙한 운전자이든 노련한 운전자이든, 당신은 언제나 안전하게 운전해야 한다.

08 기출포인트 **부사절 접속사 3: 복합관계대명사**

해설 문맥상 '무엇이라고 생각하든 상관없이'라는 의미가 되어야 자연스러우므로 no matter what (무엇을 ~하든 상관없이)을 완성하는 what이 정답이다.

정답 what

해석 누가 무엇이라고 생각하든 상관없이, 그는 언제나 옳은 일을 하려고 노력한다.

09 기출포인트 **부사절 자리와 쓰임**

해설 부사절 접속사 because 뒤에는 주어와 동사를 갖춘 절이 와야 하므로, 명사구(the loud music) 앞에 올 수 있는 전치사 because of(~ 때문에)가 정답이다.

정답 because of

해석 나는 시끄러운 음악 때문에 그의 목소리를 들을 수 없었다.

어법상 옳은 것에는 O, 틀린 것에는 X를 표시하고 틀린 부분을 바르게 고치세요.

10 He always finds time to exercise, however tired he is. [ ]

11 Tourists like Seoul lest it has great shopping and nightlife. [ ]

12 She worked part-time at a convenience store as she went to school. [ ]

13 Large though is the snake, it is not dangerous to humans. [ ]

14 Employees brought their families to the company picnic, as they do every year. [ ]

15 You can upgrade to First Class provide you have enough mileage points. [ ]

16 Our class made a time capsule in order that future generations may learn about us. [ ]

17 During it was still light outside, we finished painting the fence. [ ]

18 Take a jacket with you in case of it gets cold at night. [ ]

어휘

11 nightlife 밤 문화, 밤의 유흥 12 convenience store 편의점 15 upgrade (등급을) 올리다 16 generation 세대 learn 알다, 알게 되다
17 fence 울타리

10 기출포인트 **부사절 접속사 3: 복합관계부사**

해설 복합관계부사 however가 이끄는 절은 'however + 형용사 + 주어 + 동사'의 형태가 되어야 하므로 however tired he is가 올바르게 쓰였다.

정답 O

해석 그가 얼마나 피곤하든 상관없이, 그는 항상 운동할 시간을 마련한다.

11 기출포인트 **부사절 접속사 2: 이유**

해설 문맥상 '멋진 쇼핑과 밤 문화가 있기 때문에'라는 의미가 되어야 자연스러우므로 부사절 접속사 lest(~하지 않도록)를 이유를 나타내는 부사절 접속사 because/as/since(~기 때문에) 중 하나로 고쳐야 한다.

정답 X, lest → because/as/since

해석 서울에 멋진 쇼핑과 밤 문화가 있기 때문에 관광객들은 서울을 좋아한다.

12 기출포인트 **부사절 접속사 1: 시간**

해설 문맥상 '학교를 다닐 때 시간제로 일했다'라는 의미가 되어야 자연스러우므로 시간을 나타내는 부사절 접속사 as(~할 때)가 올바르게 쓰였다.

정답 O

해석 그녀는 학교를 다닐 때 편의점에서 시간제로 일했다.

13 기출포인트 **부사절 접속사 2: 양보**

해설 양보를 나타내는 부사절 접속사 though는 보어(large)가 though 앞에 와서 '보어 + though + 주어 + 동사'의 어순으로 쓸 수 있으므로 is the snake를 the snake is로 고쳐야 한다.

정답 X, is the snake → the snake is

해석 비록 그 뱀은 거대하지만, 인간에게 위험하지 않다.

14 기출포인트 **부사절 접속사 2: 기타**

해설 문맥상 '그들(직원들)이 매년 그러는 것처럼'이라는 의미가 되어야 자연스러우므로 부사절 접속사 as(~처럼)가 올바르게 쓰였다.

정답 O

해석 직원들은 매년 그러는 것처럼, 회사 야유회에 그들의 가족을 데리고 왔다.

15 기출포인트 **부사절 접속사 1: 조건**

해설 절(You ~ First Class)과 절(you ~ mileage points)을 연결할 수 있는 것은 접속사이고, 문맥상 '당신에게 충분한 포인트가 있다면'이라는 의미가 되어야 자연스러우므로 동사 provide를 부사절 접속사 provided (that) 또는 providing (that) 중 하나로 고쳐야 한다.

정답 X, provide → provided (that)/providing (that)

해석 당신에게 충분한 마일리지 포인트가 있다면 당신은 일등석으로 등급을 올릴 수 있다.

16 기출포인트 **부사절 접속사 2: 기타**

해설 문맥상 '미래의 세대들이 알 수 있도록'이라는 의미가 되어야 하므로 부사절 접속사 in order that(~하도록)이 올바르게 쓰였다.

정답 O

해석 우리 반은 미래의 세대들이 우리에 대해 알 수 있도록 타임캡슐을 만들었다.

17 기출포인트 **부사절 자리와 쓰임**

해설 절(it was ~ outside)과 절(we ~ fence)을 연결하는 부사절 접속사 자리에 전치사는 올 수 없으므로 전치사 During(~ 동안)을 부사절 접속사 While(~하는 동안)로 고쳐야 한다.

정답 X, During → While

해석 바깥이 아직 밝던 동안에, 우리는 울타리를 칠하는 것을 마쳤다.

18 기출포인트 **부사절 자리와 쓰임**

해설 절(Take ~ you)과 절(it ~ night)을 연결하는 부사절 접속사 자리에 전치사는 올 수 없으므로, 전치사구 in case of(~의 경우에는)를 부사절 접속사 in case(~의 경우에 대비하여)로 고쳐야 한다.

정답 X, in case of → in case

해석 밤에 추워질 경우에 대비하여 재킷을 가지고 가라.

Hackers Test

01 다음 문장 중 어법상 옳은 것은?

① Since your essay full of mistakes, you had better have it edited.

② I'll lend you my textbook as long as you promising to return it.

③ Many people came here so that they could watch the parade.

④ She left school early because of she felt sick.

02 우리말을 영어로 잘못 옮긴 것은?

① 무료 티셔츠를 받고 싶은 사람은 누구든 손을 들어주세요.
→ Whoever wants to receive a free T-shirt, please raise your hand.

② 그 개는 가끔 그곳에 아무도 없어도 짖는다.
→ The dog sometimes barks, even if no one is there.

③ 대부분의 식물들은 자주 물을 줘야 하는 반면에, 선인장은 그렇지 않다.
→ Most plants need to be watered often, while cactuses don't.

④ 비가 올 경우를 대비해서, 나는 차에 우산을 가져갈 것이다.
→ Once it rains, I'll bring an umbrella to the car.

03 어법상 밑줄 친 곳에 가장 적절한 것은?

____________________, you must try to act accordingly.

① Now that your an adult

② Now that you're an adult

③ In that you're an adult

④ In that your an adult

01 기출포인트 부사절 접속사 2: 기타

정답 ③

해설 문맥상 '많은 사람들이 이곳에 왔는데, (그 결과) 행진을 볼 수 있었다'라는 의미가 되어야 자연스럽고, 절(Many people came here)과 절(they ~ the parade)을 연결하면서 '(~해서 그 결과) ~하다'를 의미하는 것은 부사절 접속사 so that이므로, Many people ~ so that ~이 올바르게 쓰였다.

오답분석 ① 기출포인트 **Chapter 17 부사절 BASIC GRAMMAR** 부사절은 '부사절 접속사(Since) + 주어 + 동사'의 형태가 되어야 하므로 주어 your essay 뒤에 동사 is가 와야 한다. 따라서 your essay full of ~를 your essay is full of ~로 고쳐야 한다.

② 기출포인트 **Chapter 17 부사절 BASIC GRAMMAR** 부사절은 '부사절 접속사(as long as) + 주어 + 동사'의 형태가 되어야 하므로, 주어 you 뒤의 동명사 promising을 동사 promise로 고쳐야 한다.

④ 기출포인트 **부사절 접속사 2: 이유** 절(She ~ early)과 절(she felt sick)을 연결하는 부사절 접속사 자리에 전치사는 올 수 없으므로 전치사 because of(때문에)를 부사절 접속사 because(~기 때문에)로 고쳐야 한다.

해석 ① 당신의 에세이는 오류투성이므로, 당신은 그것을 교정 받게 하는 것이 좋겠다.
② 네가 돌려주겠다고 약속하면 나는 내 교과서를 너에게 빌려줄 것이다.
③ 많은 사람들이 이곳에 와서 행진을 볼 수 있었다.
④ 그녀는 아팠기 때문에 학교를 일찍 떠났다.

어휘 edit 교정하다, 수정하다 lend 빌려주다 promise 약속하다

02 기출포인트 부사절 접속사 1: 조건

정답 ④

해설 '비가 올 경우를 대비해서'는 조건을 나타내는 부사절 접속사 in case(~에 대비하여)를 사용하여 나타낼 수 있으므로 부사절 접속사 Once(일단 ~하면)를 In case로 고쳐야 한다.

오답분석 ① 기출포인트 **부사절 접속사 3: 복합관계대명사** '무료 티셔츠를 받고 싶은 사람은 누구든'은 복합관계대명사 whoever(누가 ~하든 상관없이)를 사용하여 나타낼 수 있으므로 Whoever wants ~ T-shirt가 올바르게 쓰였다.

② 기출포인트 **부사절 접속사 2: 양보** '아무도 없어도'는 양보를 나타내는 부사절 접속사 even if(~라 하더라도)를 사용하여 나타낼 수 있으므로 even if no one is there가 올바르게 쓰였다.

③ 기출포인트 **부사절 접속사 2: 양보** '~하는 반면에, 선인장은 그렇지 않다'는 양보를 나타내는 부사절 접속사 while(반면에)을 사용하여 나타낼 수 있으므로 while cactuses don't가 올바르게 쓰였다.

어휘 bark (개가) 짖다 water 물을 주다 cactus 선인장

03 기출포인트 부사절 자리와 쓰임

정답 ②

해설 빈칸은 필수 성분을 모두 갖춘 완전한 절(you must ~ accordingly) 앞에 올 수 있는 부사절의 자리이고, 부사절은 '부사절 접속사 + 주어 + 동사'의 형태가 되어야 하므로 동사가 없는 ①, ④번은 정답이 될 수 없다. 이유를 나타내는 부사절 접속사 in that(~라는 점에서)은 문장의 맨 앞에 쓰일 수 없으므로 부사절 접속사 now that(~이니까)이 쓰인 ② Now that you're an adult가 정답이다.

해석 너는 성인이니까, 그에 알맞게 행동하려고 해야 한다.

어휘 accordingly 그에 알맞게 adult 성인

04 우리말을 영어로 잘 옮긴 것은?

① 할인 판매가 있을 때마다 많은 사람들이 상점을 가득 메운다.
→ Many people crowd the store whoever there is a sale.

② 무엇이 필요하든지 상관없이, 그는 자신 소유의 레스토랑을 열 계획을 하고 있다.
→ No matter how it takes, he is planning to open his own restaurant.

③ 감기를 낫게 하기 위해 어느 것을 복용하든지 상관없이, 반드시 적절한 복용량을 먼저 점검해라.
→ Which you take to cure your cold, be sure to check the correct dosage first.

④ 판사가 무엇을 결정하든 상관없이 사람들을 화나게 할 것이다.
→ Whatever the judge decides will make people angry.

05 밑줄 친 부분 중 어법상 옳은 것은?

> Mr. Parsons, I am writing to inform you that your flight reservations have ① recent changed. You are now booked for the flight departing on Saturday at 2 p.m., ② as the later flight that day has been canceled. Please ③ contact to me to request a refund lest this change ④ caused you inconvenience. Thank you.

06 우리말을 영어로 잘못 옮긴 것은?

① 일단 임대가 승인되면, 너는 새 아파트로 이사할 수 있을 거야.
→ Once the lease is approved, you will be able to move into the new apartment.

② 상황이 진행되면서 추가 발표가 날 것이다.
→ Further announcements will be made as the situation develops.

③ 오직 당신이 영수증 원본을 가지고 있는 경우에 전액환불을 위해 상품이 반환될 수 있습니다.
→ Items may be returned for a full refund that provided you have the original receipt.

④ 다음 항공편이 다 차지 않는 한, 항공편 예약을 변경할 수 있습니다.
→ You can change your flight reservation as long as the later flight isn't full.

04 기출포인트 부사절 접속사 3: 복합관계대명사 & 명사절 접속사 4: 복합관계대명사

정답 ④

해설 '판사가 무엇을 결정하든 상관없이'는 복합관계대명사 whatever(무엇을 ~하든 상관없이)를 사용하여 나타낼 수 있는데, 복합관계대명사 whatever는 명사 역할을 하는 명사절도 이끌 수 있으므로 whatever가 이끄는 명사절 Whatever the judge decides가 주어 자리에 올바르게 쓰였다.

오답 분석 ① 기출포인트 **부사절 접속사 3: 복합관계부사** '할인 판매가 있을 때마다'는 복합관계부사 whenever(언제~하든 상관없이)를 사용하여 나타낼 수 있으므로 복합관계대명사 whoever(누가 ~하든 상관없이)를 whenever로 고쳐야 한다.

② 기출포인트 **부사절 접속사 3: 복합관계대명사** '무엇이 필요하든지 상관없이'는 복합관계대명사 whatever(무엇을 ~하든 상관없이)를 사용하여 나타낼 수 있는데, 복합관계대명사 whatever는 no matter what의 형태로 바꾸어 쓸 수 있으므로 No matter how를 No matter what으로 고쳐야 한다.

③ 기출포인트 **부사절 접속사 3: 복합관계대명사** '어느 것을 복용하든지 상관없이'는 복합관계대명사 whichever(어느 것을 ~하든 상관없이)를 사용하여 나타낼 수 있으므로 Which를 복합관계대명사 Whichever로 고쳐야 한다.

어휘 crowd 가득 메우다, 붐비다 cure 낫게 하다 dosage 복용량

05 기출포인트 부사절 접속사 2: 이유

정답 ②

해설 문맥상 '그 날의 더 늦은 항공편이 취소되었기 때문에'라는 의미가 되어야 자연스러우므로 이유를 나타내는 부사절 접속사 as(~기 때문에)가 올바르게 쓰였다.

오답 분석 ① 기출포인트 **부사 자리** 동사(changed)를 앞에서 수식하는 것은 부사이므로 형용사 recent를 부사 recently로 고쳐야 한다.

③ 기출포인트 **타동사** 동사 contact는 전치사 없이 목적어(me)를 바로 취하는 타동사이므로 contact to me를 contact me로 고쳐야 한다.

④ 기출포인트 **부사절 접속사 2: 기타** '이러한 변동이 당신에게 불편을 끼치지 않도록'은 부사절 접속사 lest(~하지 않도록)를 사용하여 나타낼 수 있고, 접속사 lest가 이끄는 절의 동사는 '(should) + 동사원형'의 형태를 취하므로 caused를 (should) cause로 고쳐야 한다.

해석 Parsons씨, 저는 당신의 항공편 예약이 최근에 변경되었다는 것을 당신에게 알리기 위해 글을 씁니다. 현재 당신은 토요일 오후 2시에 출발하는 항공편으로 예약되어 있는데, 이는 그날의 더 늦은 항공편이 취소되었기 때문입니다. 이러한 변동이 당신에게 불편을 끼치지 않도록 환불 요청을 하기 위해서는 저에게 연락해 주시기 바랍니다. 감사합니다.

어휘 inform 알리다 later 더 늦은 inconvenience 불편

06 기출포인트 부사절 접속사 1: 조건

정답 ③

해설 '오직 당신이 영수증 원본을 가지고 있는 경우에'는 조건을 나타내는 부사절 접속사 provided/providing (that)(오직 ~하는 경우에)으로 나타낼 수 있으므로 that provided를 provided (that) 또는 providing (that) 중 하나로 고쳐야 한다.

오답 분석 ① 기출포인트 **부사절 접속사 1: 조건** '일단 임대가 승인되면'은 조건을 나타내는 부사절 접속사 once(일단 ~하면)를 사용하여 나타낼 수 있고, 조건을 나타내는 부사절에서는 미래를 나타내기 위해 현재 시제를 사용하는데, 주어(the lease)와 동사가 '임대가 승인되다'라는 의미의 수동 관계이므로 Once the lease is approved가 올바르게 쓰였다.

② 기출포인트 **부사절 접속사 1: 시간** '상황이 진행되면서'는 시간을 나타내는 부사절 접속사 as(~ 하면서)를 사용하여 나타낼 수 있고, 시간을 나타내는 부사절에서는 미래를 나타내기 위해 현재 시제를 사용하므로 as the situation develops가 올바르게 쓰였다.

④ 기출포인트 **부사절 접속사 1: 조건** '다음 항공편이 다 차지 않는 한'은 조건을 나타내는 부사절 접속사 as long as(~하는 한)를 사용하여 나타낼 수 있고, 조건을 나타내는 부사절에서는 미래를 나타내기 위해 현재 시제를 사용하므로 as long as the later flight isn't full이 올바르게 쓰였다.

어휘 lease 임대 approve 승인하다 further 추가의 announcement 발표 receipt 영수증 reservation 예약

07 밑줄 친 부분 중 어법상 옳지 않은 것은?

One thing that can be said for certain about Mr. Davis is ① <u>that</u> he is a great father. He always manages ② <u>to find</u> time to spend with his two boys before they go to bed, however ③ <u>tired may he be</u> after work. Usually he ④ <u>tells them</u> bedtime stories about pirates or scary monsters, which the boys love.

08 다음 글의 밑줄 친 부분 중, 어법상 <u>틀린</u> 것은? [2019년 법원직 9급]

The wave of research in child language acquisition led language teachers and teacher trainers to study some of the general findings of such research with a view to drawing analogies between first and second language acquisition, and even to ① <u>justifying</u> certain teaching methods and techniques on the basis of first language learning principles. On the surface, it is entirely reasonable to make the analogy. All children, ② <u>given</u> a normal developmental environment, acquire their native languages fluently and efficiently. Moreover, they acquire them "naturally," without special instruction, ③ <u>despite</u> not without significant effort and attention to language. The direct comparisons must be treated with caution, however. There are dozens of salient differences between first and second language learning; the most obvious difference, in the case of adult second language learning, ④ <u>is</u> the tremendous cognitive and affective contrast between adults and children.

07 기출포인트 부사절 접속사 3: 복합관계부사

정답 ③

해설 복합관계부사 however(얼마나 ~하든 상관없이)가 이끄는 절은 'however + 형용사 + 주어 + 동사'의 형태가 되어야 하므로 tired may he be를 tired he may be로 고쳐야 한다.

오답 분석 ① 기출포인트 **명사절 접속사 1: that** be 동사(is)의 주격 보어 자리에 완전한 절(he is ~ father)을 이끌면서 보어 자리에 올 수 있는 명사절 접속사 that이 올바르게 쓰였다.

② 기출포인트 **to 부정사를 취하는 동사** 동사 manage는 to 부정사를 목적어로 취하는 동사이므로 to find가 올바르게 쓰였다.

④ 기출포인트 **타동사** 동사 tell은 전치사 없이 목적어(them)를 바로 취하는 타동사이고, 복수 대명사 them이 복수 명사 two boys를 대신하고 있으므로 tells them이 올바르게 쓰였다.

해석 Davis 씨에 대해 확실히 말할 수 있는 한 가지는 그가 훌륭한 아버지라는 것이다. 그는 퇴근 후에 얼마나 피곤하든 상관없이 자신의 두 아들이 잠자리에 들기 전에 항상 그들과 함께 보낼 시간을 낸다. 보통 그는 그들에게 해적이나 무서운 괴물에 대한 동화를 들려주는데, 그것을 아이들이 좋아한다.

어휘 for certain 확실히 pirate 해적 scary 무서운

08 기출포인트 부사절 자리와 쓰임

정답 ③

해설 전치사(despite)의 목적어 자리에는 명사 역할을 하는 것이 와야 하는데, 뒤에 전치사구(not without significant effort ~ language)가 왔으므로 전치사 despite를 전치사구 앞에 올 수 있는 부사절 접속사 although 또는 though로 고쳐야 한다.

오답 분석 ① 기출포인트 **병치 구문** 접속사(and)로 연결된 병치 구문에서는 같은 구조끼리 연결되어야 하는데, and 앞에 전치사구(to drawing ~ acquisition)가 왔으므로, and 뒤에도 전치사구 to justifying ~ principles가 올바르게 쓰였다. 참고로, 전치사(to) 뒤에는 명사 역할을 하는 것이 와야 하므로 동명사 drawing과 justifying이 쓰였다.

② 기출포인트 **분사구문의 형태** 주절의 주어(All children)와 분사구문이 '모든 아이들이 주어지다'라는 의미의 수동 관계이므로 과거분사 given이 올바르게 쓰였다.

④ 기출포인트 **주어와 동사의 수 일치** 주어 자리에 단수 명사 the most obvious difference가 왔으므로 단수 동사 is가 올바르게 쓰였다. 참고로, 주어와 동사 사이의 수식어 거품(in ~ learning)은 동사의 수 결정에 영향을 주지 않는다.

해석 아동 언어 습득에 대한 연구의 물결은 제1언어와 제2언어 습득 사이의 유사점을 도출하고, 심지어 제1언어 학습 원리에 근거한 특정 교수법과 기술들을 정당화할 목적으로 언어교사와 교사 교육 담당자들이 이러한 연구의 일반적인 결과들 중 일부를 연구하도록 이끌었다. 표면적으로는, 유추를 하는 것은 전적으로 타당하다. 모든 아이들은 정상적인 발달 환경이 주어지면 그들의 모국어를 유창하고 효율적으로 습득한다. 게다가, 그들이 언어에 대한 상당한 노력과 집중이 없는 것은 아니지만, 그것들을 특별한 교육 없이 '자연스럽게' 습득한다. 그러나, 직접적인 비교는 신중하게 다루어져야 한다. 제1언어와 제2언어 학습 사이에는 많은 두드러진 차이가 있는데, 성인의 제2언어 학습의 경우 가장 분명한 차이는 어른과 아이들 사이의 엄청난 인지적인 그리고 정서적인 대조이다.

어휘 acquisition 습득 general 일반적인 finding 결과 with a view to ~할 목적으로 draw 도출하다 analogy 유사점, 유추 justify 정당화하다 principle 원리 surface 표면 entirely 전적으로 reasonable 타당한 environment 환경 fluently 유창하게 attention 집중 salient 두드러진, 눈에 띄는 tremendous 엄청난 cognitive 인지적인 affective 정서적인

Chapter 18

관계절

최근 5개년 출제 비율
'20~'24 국·지·서·법·국회(2024.04.기준)
8%

BASIC GRAMMAR 기본기 다지기

01 관계절

관계절은 문장 내에서 관계절 앞의 **명사를 꾸며 주는 형용사** 역할을 하는 절이다.

The man **that you saw yesterday** is my brother. 네가 어제 보았던 그 남자는 내 남자 형제이다.

→ 위 문장의 that you saw yesterday는 형용사 역할을 하며 앞에 있는 명사 The man을 수식하는 수식어 거품이다. 이렇게 형용사 역할을 하는 절을 '관계절'이라고 하고, 관계절의 수식을 받는 명사를 '선행사'라고 부른다.

Check-Up

다음 밑줄 친 부분 중 관계절을 고르시오.

ⓐ I know the girl who is wearing a hat. 나는 모자를 쓰고 있는 그 소녀를 안다.

ⓑ I know that the girl is wearing a hat. 나는 그 소녀가 모자를 쓰고 있다는 것을 안다.

→ 문장 내에서 선행사(the girl)를 수식하는 형용사 역할을 하고 있는 ⓐ who is wearing a hat이 관계절이다. 참고로, ⓑ의 that the girl is wearing a hat은 동사 know의 목적어 역할을 하는 명사절이다.

정답: ⓐ

02 관계절의 형태

관계절을 이끄는 것은 관계대명사와 관계부사이다. 이때 관계절은 '**관계대명사 (+ 주어) + 동사**', '**관계부사 + 주어 + 동사**'로 이루어진다.

Your parents are the people **who love you most.** 네 부모님은 너를 가장 사랑하는 사람들이다.

I remember the day **when my daughter was born.** 나는 내 딸이 태어난 날을 기억한다.

→ 첫 번째 문장에서 선행사 the people을 수식하는 관계절은 '관계대명사(who) + 동사(love)'로 이루어져 있고, 두 번째 문장에서 선행사 the day를 수식하는 관계절은 '관계부사(when) + 주어(my daughter) + 동사(was born)'로 이루어져 있다.

Check-Up

다음 문장에서 관계대명사를 고르시오.

I know(ⓐ) the boy(ⓑ) who(ⓒ) is reading(ⓓ) a book. 나는 책을 읽고 있는 그 소년을 안다.

→ 선행사(the boy)를 수식하는 관계절(who is reading)을 이끄는 ⓒ who가 관계대명사이다.

정답: ⓒ

03 관계절의 용법

관계절은 앞의 명사를 한정하는 **한정적 용법**과, 앞의 명사에 대해 부가 설명을 하는 **계속적 용법**으로 쓰인다.

한정적 용법 He has a dog **which is six months old.** 그는 6개월 된 개 한 마리가 있다.

계속적 용법 He has a dog, **which is six months old.** 그는 개가 한 마리 있는데, 이 개는 6개월이 되었다.

→ 한정적 용법으로 쓰인 첫 번째 문장의 경우 관계절(which is six months old)이 선행사(a dog)를 한정하고, 계속적 용법으로 쓰인 두 번째 문장의 경우 관계절이 선행사에 대한 부가 설명을 한다. 첫 번째 문장의 경우 그에게 개 한 마리 외에 다른 개가 더 있을 수 있는 반면, 두 번째 문장의 경우 그가 기르는 개는 단 한 마리뿐이라는 의미 차이가 있다.

Check-Up

다음 문장을 통해 알 수 있는 것을 고르시오.

He has a little sister, who is a lawyer.

ⓐ 그는 여러 명의 여동생들이 있고, 그 중 한 명이 변호사이다.

ⓑ 그는 한 명의 여동생이 있고, 그 여동생은 변호사이다.

→ 콤마(,) 뒤에 관계절(who is a laywer)이 온 계속적 용법이므로, 관계절이 선행사(a little sister)에 대해 부가 설명하여 그에게 한 명의 여동생이 있고 그 여동생이 변호사임을 알 수 있다.

정답: ⓑ

기출포인트 01

관계절 자리와 쓰임

출제빈도 ★

1 관계절은 선행사를 꾸며주는 수식어 거품 역할을 하며, 선행사 뒤에 온다.

The man **who delivers our mail** comes at the same time every day. 우리의 우편물을 배달하는 남자는 매일 같은 시간에 온다.
(The man: 선행사)

She got on the midtown bus, **which goes to the airport.** 그녀는 도심지의 버스를 탔는데, 그것은 공항으로 간다.
(the midtown bus: 선행사)

2 형용사 역할을 하며 관계절을 이끄는 관계사와 명사 역할을 하며 명사절을 이끄는 명사절 접속사를 구별해야 한다.

Many people are looking for the treasure (**that**, ~~what~~) was hidden by pirates. 많은 사람들이 해적들이 숨겨둔 보물을 찾는 중이다.
→ 명사(the treasure)를 꾸미기 위해 형용사 역할을 하는 관계절이 와야 하므로, 관계사(that)가 와야 한다.

The technician knows (**what**, ~~that~~) went wrong with the phone network. 그 기술자는 전화 통신망에 무엇이 잘못되었는지 안다.
→ 동사(knows)의 목적어 자리에는 명사 역할을 하는 명사절이 와야 하므로, 명사절 접속사(what)가 와야 한다.

3 관계절의 동사 자리에 동사가 아닌 형태(준동사, 명사, 부사)는 올 수 없다.

The university will contact those who (**pass**, ~~passing~~) the entrance exam. 그 대학은 입학 시험에 합격한 사람들에게 연락할 것이다.
→ 관계절(who ~ exam)의 동사 자리에는 준동사(passing)가 올 수 없고 동사(pass)가 와야 한다.

고득점 포인트 관계절의 동사 자리에는 선행사와 수, 태가 맞는 동사가 와야 한다.

The company is in need of an accountant who (**has**, ~~have~~) certification. 그 회사는 자격증을 가지고 있는 회계사를 필요로 하고 있다.
→ 선행사(an accountant)가 단수이므로, 관계절에는 단수 동사(has)를 써야 한다.

We received two tickets for a jazz concert, which (**was recommended**, ~~recommended~~) by a colleague.
우리는 재즈 음악회 티켓 두 장을 받았는데, 그 음악회는 한 동료에 의해 추천된 것이었다.
→ 선행사(a jazz concert)와 관계절의 동사가 '음악회가 추천되다'라는 의미의 수동 관계이므로, 관계절에는 수동태 동사(was recommended)를 써야 한다.

공무원 영어 실전 문제

01 어법상 옳은 것은? [2017년 지방직 9급 (6월 시행) 출제경향]

① Damaged by the storm was the windows and roof of the home.
② The greenhouse stays warm enough growing tropical plants during the winter.
③ The suspect knew some facts about the case that were not previously revealed to the public.
④ The solar panels have been reduced the homeowner's energy bills since they were installed.

정답 ③ 해설·해석 p.447

기출포인트 02

관계대명사

출제빈도 ★★★

1 **관계대명사는 선행사의 종류와 관계절 내에서 그것이 하는 역할에 따라서 선택해야 한다.**

선행사 \ 격	주격	목적격	소유격
사람	who	whom, who	whose
사물·동물	which	which	of which / whose
사람·사물·동물	that	that	-

I carpool with two women (**who, that**) work near my office. 나는 내 사무실 근처에서 일하는 두 여성과 카풀한다.
선행사(사람) 주격 관계대명사

He will lend me the CD (**which, that**) I requested. 그는 내가 요청했던 CD를 나에게 빌려줄 것이다.
선행사(사물) 목적격 관계대명사

I read a book, (the topic **of which, whose** topic) was World War II. 나는 책을 읽었는데, 그것의 주제는 제2차 세계 대전이었다.
선행사(사물) 소유격 관계대명사

고득점 포인트
1. 목적격 관계대명사와 '주격 관계대명사 + be 동사'는 생략할 수 있다.
   She bought the camera **(which/that)** she saw at the store. 그녀는 상점에서 봤던 카메라를 샀다.
   The location **(which was)** selected for the construction is downtown. 건설 공사를 위해 선정된 장소는 도심지이다.
2. 선행사가 부정어나 의문사인 경우 but이 관계대명사로 쓰일 수 있다. 이때 but은 'that not'(~가 아닌)의 의미를 가진다.
   There is no one **but**(= that not) loves their own children. 자신의 아이들을 사랑하지 않는 사람은 없다.

2 **관계대명사 바로 뒤에 '주어 + know/say/think/feel/hope' 등의 어구가 삽입될 수 있으며, 이는 관계대명사의 격 선택에 아무런 영향을 미치지 않는다.**

He is the person (**who**, ~~whom~~) I think used your computer. 내 생각에는 그가 네 컴퓨터를 사용했던 사람이다.
선행사 삽입절

→ 선행사(the person)가 관계절 내에서 동사(used)의 주어 역할을 하므로 목적격 관계대명사가 아니라 주격 관계대명사가 와야 한다. I think는 삽입된 절로 관계대명사의 격을 결정하는 데 아무런 영향을 미치지 않는다.

공무원 영어 실전 문제

02 밑줄 친 부분 중 어법상 옳은 것은? [2018년 국가직 9급 출제경향]

Most people dislike ① having their opinions questioning. They feel it challenges their integrity. However, I think such inquiries present significant opportunities for introspection. By welcoming questions ② that challenge me, I can more deeply reflect upon and refine my own ideas. Rather than feeling threatened by differing viewpoints, I ③ practice to embrace the chance to learn about the perspectives of others. Doing so strengthens my knowledge, so I don't ④ let questions put off me.

정답 ② 해설·해석 p.448

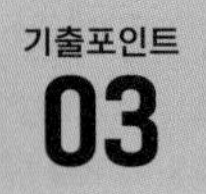

관계대명사 that

출제빈도 ★★

1 관계대명사 that은 소유격 관계대명사를 제외한 모든 관계대명사를 대신해서 쓸 수 있다.

The woman (**who**, **that**) lives next door is an athlete. 옆집에 사는 그 여자는 운동선수이다.
선행사(사람) 주격

I read the e-mail (**which**, **that**) you sent. 나는 네가 보낸 이메일을 읽었다.
선행사(사물) 목적격

He is the man (**whom**, **that**) I mentioned. 그가 내가 언급한 남자이다.
선행사(사람) 목적격

고득점 포인트

1. 계속적 용법으로 쓰인 관계절에는 관계대명사 that이 올 수 없다.
   The restaurant, (**which**, ~~that~~) closed last year, has been turned into a bookstore. 지난 해에 문을 닫은 식당은 서점으로 바뀌었다.
2. 전치사+관계대명사로 쓰인 경우, 전치사 뒤에는 관계대명사 that이 올 수 없다.
   She introduced her friends to the man (**to whom**, ~~to that~~) she was engaged. 그녀는 그녀와 약혼한 남자에게 그녀의 친구들을 소개했다.

2 선행사에 다음이 포함되는 경우, 관계대명사 that을 사용한다.

최상급 / 서수	David is the tallest boy **that** I have seen. David는 내가 봤던 사람 중에 가장 키가 큰 소년이다.
the same / the only / the very	This is the same umbrella **that** we lost. 이것은 우리가 잃어버린 것과 동일한 우산이다.
-body, -thing으로 끝나는 대명사	I know somebody **that** moved to your town. 나는 너희 동네로 이사 간 어떤 사람을 안다.
all, no, little, much 등	This is all the information **that** I have. 이것이 내가 갖고 있는 모든 정보이다.

공무원 영어 실전 문제

03 다음 밑줄 친 부분 중 어법상 옳지 않은 것은? [2020년 국회직 9급]

When we start to lift weights, our muscles do not strengthen and change at first, but our nervous systems ① do, according to a fascinating new study in animals of the cellular effects of resistance training. The study, ② that involved monkeys performing the equivalent of multiple one-armed pull-ups, suggests ③ that strength training is more physiologically intricate than most of us might have imagined and ④ that our conception of ⑤ what constitutes strength might be too narrow.

정답 ② 해설·해석 p.448

전치사 + 관계대명사/수량 표현 + 관계대명사

출제빈도

1 앞 문장과 공통의 명사가 뒤 문장에서 전치사의 목적어일 때 관계대명사 앞에 전치사가 온다.

She introduced her friends to **the man to whom** she was engaged. 그녀는 그녀와 약혼한 남자에게 그녀의 친구들을 소개했다.
→ She introduced her friends to **the man**. + She was engaged **to him**.
그녀는 친구들을 그 남자에게 소개했다. + 그녀는 그와 약혼했다.

→ 앞 문장의 the man을 가리키는 him이 전치사(to)의 목적어이므로, 관계대명사(whom) 앞에 전치사가 와서 to whom이 된다.

2 '전치사 + 관계대명사'에서 전치사는 선행사 또는 관계절의 동사에 따라 결정된다.

We attended a convention **at which** everyone exchanged business cards.
(= **at the convention**)
우리는 모든 사람들이 명함을 교환했던 컨벤션에 참석했다.

This is the examination **for which** I've been preparing. 이것은 내가 준비해오고 있는 시험이다.
(= **for the examination** I've been preparing)
(= **the examination** I've been preparing **for**)

3 '전치사 + 관계대명사' 뒤에는 완전한 절이 온다.

This is the suspect **to whom** the police asked many questions. 이 사람은 경찰이 많은 질문을 했던 용의자이다.
→ '전치사 + 관계대명사'(to whom) 뒤에 '주어(the police) + 동사(asked) + 목적어(many questions)'로 이루어진 완전한 절이 왔다.

4 수량 표현 + 관계대명사

one/each all/both	some/any several	many/much/most half/the rest	+ of	+ 관계대명사(whom / which / whose + 명사)

The play has wonderful actors. **All** of the actors are students. 그 연극에는 훌륭한 배우들이 있다. + 배우들 모두가 학생들이다.
→ The play has wonderful actors, **and all of them** are students.
→ The play has wonderful actors, **all** of whom are students. 그 연극에는 훌륭한 배우들이 있는데, 그들 모두는 학생들이다.

공무원 영어 실전 문제

04 밑줄 친 부분 중 어법상 가장 옳지 않은 것은? [2017년 서울시 9급 출제경향]

The Bingley Arms, located on ① the edge of Bardsey, England, is advertised as both the oldest pub ② and oldest surviving business in the United Kingdom, two ③ disputed claims ④ which there is little hard evidence.

정답 ④ 해설·해석 p.448

Chapter 18 관계절 해커스공무원 영어 문법

기출포인트 05
관계부사

출제빈도 ★★

1 선행사의 종류에 따라 관계부사를 선택해야 한다.

선행사	관계부사
시간 (time, day, week, year 등)	when
장소 (place, park, house 등)	where
이유 (the reason)	why
방법 (the way)	how

March is the time **when** flowers start to bloom. 3월은 꽃이 피기 시작하는 시기이다.
(the time: 시간)

The island **where** they spent their vacation was very beautiful. 그들이 휴가를 보냈던 섬은 매우 아름다웠다.
(The island: 장소)

고득점 포인트 관계부사 whereby는 '~에 의한(by which)' 등의 의미로 선행사의 종류에 관계없이 관계절에 쓰인다.
We set up a plan **whereby(= by which)** we can increase our sales. 우리는 판매를 증가시킬 수 있는 계획을 세웠다.

2 관계부사와 함께 쓰이는 선행사

• 관계부사 when, where, why는 선행사와 관계부사를 모두 쓰거나, 둘 중 하나를 생략할 수 있다.

The architect explained (**the reason**, **why**, **the reason why**) the bridge had become unstable.
건축가는 그 다리가 불안정해진 이유를 설명했다.

• 관계부사 how의 경우 선행사 the way와 관계부사 how 중 하나는 반드시 생략한다.

She knows (**the way**, **how**, ~~the way how~~) we can get uptown quickly. 그녀는 어떻게 우리가 주택가로 빨리 갈 수 있는지 안다.

공무원 영어 실전 문제

05 다음 밑줄 친 부분 중 어법상 옳은 것은? [2019년 법원직 9급 출제경향]

Celebrities often compete in television competitions ① where they raise awareness of charities. These programs, such as *Celebrity Jeopardy*, ② allows the charities to earn money as well. Celebrities committed to ③ support certain causes can earn windfalls for the charities. For instance, the one million dollars actor Michael McKean won for the International Myeloma Foundation on *Celebrity Jeopardy* in 2010 ④ remained the charity's largest donation ever.

정답 ① 해설·해석 p.449

기출포인트 06

관계부사와 관계대명사 비교

출제빈도 ★

1 관계부사는 '전치사 + 관계대명사'로 바꾸어 쓸 수 있다.

관계부사	전치사 + 관계대명사
where	in/on/at/to + which
when	in/on/at/during + which
why	for + which
how	in + which

The truck driver missed the moment **when(= at which)** he could have made a left turn.
트럭 운전사는 좌회전할 수 있었던 순간을 놓쳤다.

I want to know the reason **why(= for which)** she didn't come. 나는 그녀가 오지 않은 이유를 알고 싶다.

2 관계부사 뒤에는 완전한 절이 오는 반면, 관계대명사 뒤에는 불완전한 절이 온다.

Tuesday is the only day (**when**, ~~which~~) I visit the city. 화요일은 내가 그 도시를 방문하는 유일한 날이다.
→ 뒤에 주어(I), 동사(visit), 목적어(the city)를 갖춘 완전한 절이 왔으므로, 관계부사(when)가 와야 한다.

We visited the house (**which**, **that**, ~~where~~) he bought. 우리는 그가 구매한 집에 방문했다.
→ 뒤에 타동사(bought)의 목적어가 없는 불완전한 절이 왔으므로, 목적격 관계대명사(which/that)가 와야 한다.

공무원 영어 실전 문제

06 밑줄 친 부분 중 어법상 옳지 않은 것을 고르시오. [2022년 국회직 9급]

The whole issue about life on other worlds ① begs the question: What is life, and how would we recognize it? Certainly, living things are made of cells (or a cell) and share three critical processes that make them ② alive. They ingest energy, excrete waste energy, and pass on their genes through reproduction. But they also respond ③ to their environments. They maintain homeostasis, or internal balance. They evolve and adapt. Some living things even have evolved to the point ④ which they can walk and think about the universe that surrounds them. We are literally products of the universe. Most of the atoms and molecules in our bodies were created in the engines of stars, and the energy we receive that enables life ⑤ comes from our star: the Sun.

정답 ④ 해설·해석 p.449

Hackers Practice

둘 중 어법상 알맞은 것을 고르세요.

01 I have two brothers (who / whom) are accountants.

02 He gave a lecture, the subject (which / of which) was alternative energy sources.

03 Visitors were impressed by the new paintings (whose / that) the museum acquired.

04 No one knew (to whom / whom) the award would be presented during the ceremony.

05 The couple returned to the city (how / where) they met for their honeymoon.

06 The witness told the investigator (that / what) he had seen during the burglary.

07 The package can only be delivered to the person to (that / whom) it is addressed.

08 The home (where / which) the president grew up was turned into a museum.

09 Japanese cars are more fuel-efficient than American automobiles, (that / which) tend to have larger engines.

어휘

01 accountant 회계사 02 lecture 강의 alternative energy 대체 에너지 03 acquire 습득하다, 얻다 04 present 수여하다 ceremony 식, 의식
05 honeymoon 신혼 여행 06 witness 목격자 investigator 수사관 burglary 강도사건, 빈집털이 07 package 소포 address 보내다
08 grow up 성장하다 turn into ~으로 변하다, ~이 되다 09 fuel-efficient 연료 효율이 좋은

01 기출포인트 **관계대명사**

해설 선행사(two brothers)가 사람이고, 관계절 내에서 주어 역할을 하므로 주격 관계대명사 who가 정답이다.

정답 who

해석 나는 회계사인 남자 형제 두 명이 있다.

02 기출포인트 **관계대명사**

해설 선행사(a lecture)가 사물이고, 관계절 내에서 the subject가 무엇의 주제인지 나타내므로, 사물을 가리키는 소유격 관계대명사 of which가 정답이다.

정답 of which

해석 그는 강의를 했는데, 그것의 주제는 대체 에너지원이었다.

03 기출포인트 **관계대명사 that**

해설 선행사(the new paintings)가 사물이고, 관계절 내에서 동사 acquire의 목적어 역할을 하므로 목적격 관계대명사 that이 정답이다.

정답 that

해석 방문객들은 그 박물관이 습득한 새로운 그림들에 감명받았다.

04 기출포인트 **전치사 + 관계대명사**

해설 완전한 절(the award ~ the ceremony) 앞에는 '전치사 + 관계대명사'가 와야 하고, 문맥상 '누구에게'라는 의미가 되어야 자연스러우므로 전치사 to(~에게)가 와야 한다. 따라서 to whom이 정답이다.

정답 to whom

해석 그 상이 식 동안 누구에게 수여될 것인지 아무도 알지 못했다.

05 기출포인트 **관계부사**

해설 선행사(the city)가 장소를 나타내고, 관계사 뒤에 완전한 절(they met)이 왔으므로 관계부사 where가 정답이다.

정답 where

해석 그 부부는 신혼 여행을 위해 그들이 만났던 도시로 되돌아갔다.

06 기출포인트 **관계절 자리와 쓰임**

해설 동사(told)의 목적어 자리에는 명사 역할을 하는 명사절이 와야 하므로 관계대명사 that은 올 수 없고, 뒤에 동사(had seen)의 목적어가 없는 불완전한 절이 왔으므로 명사절 접속사 what이 정답이다.

정답 what

해석 그 목격자는 그가 그 강도사건 동안 무엇을 봤었는지 수사관에게 말했다.

07 기출포인트 **전치사 + 관계대명사**

해설 선행사(the person)가 사람이고, 관계절 내에서 전치사(to)의 목적어이므로 '전치사 + 관계대명사'가 와야 하는데, 전치사 뒤에 관계대명사 that은 올 수 없으므로 whom이 정답이다.

정답 whom

해석 그 소포는 그것이 보내진 사람에게만 배달될 수 있다.

08 기출포인트 **관계부사**

해설 선행사(The home)가 장소를 나타내고, 관계사 뒤에 완전한 절(the president grew up)이 왔으므로 관계부사 where가 정답이다.

정답 where

해석 그 대통령이 성장했던 집은 박물관으로 변했다.

09 기출포인트 **관계대명사 that**

해설 관계대명사 that은 콤마(,) 뒤에서 계속적 용법으로 쓰일 수 없으므로 which가 정답이다.

정답 which

해석 일본 자동차들은 미국 자동차들보다 더 연료 효율이 좋은데, 그것들은 더 큰 엔진을 갖는 경향이 있다.

어법상 옳은 것에는 O, 틀린 것에는 X를 표시하고 틀린 부분을 바르게 고치세요.

10 She knows a photographer that specializes in weddings. [ ]

11 Sunday afternoon is the only time which I can meet you. [ ]

12 I forgot to visit the doctor's office at where I was scheduled to have a medical checkup yesterday. [ ]

13 The designer won an award for the building where she designed. [ ]

14 No one can name the song currently playing. [ ]

15 A free gift will be given to everyone who attend the event this weekend. [ ]

16 There are several ways at which counseling can help people. [ ]

17 Parker couldn't remember the name of the man to what he was talking. [ ]

18 Clients who purchasing a massage package will receive a free aromatherapy candle. [ ]

어휘

10 specialize in ~을 전문으로 하다 12 medical checkup 건강 검진 14 name ~의 이름을 대다 currently 지금, 현재 16 counseling 상담, 조언
18 aromatherapy 방향 요법 candle 양초

10 기출포인트 **관계대명사 that**

해설 선행사(a photographer)가 사람이고, 관계절 내에서 주어 역할을 하므로 주격 관계대명사 that이 올바르게 쓰였다.

정답 O

해석 그녀는 결혼식을 전문으로 하는 사진작가를 알고 있다.

11 기출포인트 **관계부사**

해설 선행사(the only time)가 시간을 나타내고, 관계사 뒤에 완전한 절(I can meet you)이 왔으므로 관계대명사 which를 관계부사 when으로 고쳐야 한다.

정답 X, which → when

해석 일요일 오후는 내가 너를 만날 수 있는 유일한 시간이다.

12 기출포인트 **관계부사와 관계대명사 비교**

해설 선행사(the doctor's office)가 장소를 나타내고, 관계사 뒤에 완전한 절(I was scheduled ~ yesterday)이 왔으므로 at where를 관계부사 where 또는 '전치사 + 관계대명사' 형태인 at which로 고쳐야 한다.

정답 X, at where → where/at which

해석 나는 어제 건강 검진을 받기로 예정되어 있었던 병원을 방문하는 것을 잊어버렸다.

13 기출포인트 **관계대명사**

해설 관계사 뒤에 타동사(design)의 목적어가 없는 불완전한 절(she designed)이 왔고, 선행사(the building)가 사물이므로 관계부사 where를 목적격 관계대명사 which 또는 that으로 고쳐야 한다.

정답 X, where → which/that

해석 그 설계자는 그녀가 설계한 건물로 상을 받았다.

14 기출포인트 **관계대명사**

해설 선행사(the song)가 사물이고, 관계절 내에서 동사의 주어 역할을 하므로 '주격 관계대명사(which/that) + be 동사'가 생략되어 the song (which/that is) currently playing이 올바르게 쓰였다.

정답 O

해석 누구도 지금 나오는 노래 제목을 댈 수 없다.

15 기출포인트 **관계절 자리와 쓰임**

해설 관계절의 동사 자리에는 선행사와 수가 맞는 동사가 와야 하는데, 선행사(everyone)가 단수이므로 복수 동사 attend를 단수 동사 attends로 고쳐야 한다.

정답 X, attend → attends

해석 이번 주말에 행사에 참석하는 모든 사람에게 무료 선물이 주어질 것이다.

16 기출포인트 **전치사 + 관계대명사**

해설 '전치사 + 관계대명사'에서 전치사는 선행사에 따라 결정되는데, 선행사(several ways)가 전치사 in과 짝을 이루어 '여러 방식으로'라는 의미로 사용되므로 전치사 at을 in으로 고쳐야 한다.

정답 X, at → in

해석 상담이 사람들을 도울 수 있는 여러 방식이 있다.

17 기출포인트 **관계대명사**

해설 선행사(the man)가 사람이고, 관계절 내에서 전치사 to의 목적어 역할을 하므로 명사절 접속사 what을 목적격 관계대명사 whom 또는 who으로 고쳐야 한다.

정답 X, what → whom/who

해석 Parker는 그가 이야기하고 있었던 그 남자의 이름을 기억할 수 없었다.

18 기출포인트 **관계절 자리와 쓰임**

해설 관계절(who ~ a massage package)의 동사 자리에는 준동사(purchasing)가 올 수 없으므로 동명사 purchasing을 동사 purchase로 고쳐야 한다.

정답 X, purchasing → purchase

해석 마사지 패키지를 구매하는 고객들은 무료 방향 요법 양초를 받을 것이다.

Hackers Test

01 밑줄 친 부분이 어법상 옳은 것은?

① They visited the town which they had grown up.

② Many people read the novel on which the film was based.

③ He is a Spanish author whom I think is famous for his polished writing style.

④ It will be good if we can find a hotel where has a room for four and allows pets.

02 어법상 밑줄 친 곳에 들어갈 가장 적절한 것을 고르시오.

> All ____________________ is an acceptable set of rules and principles.

① what is asked for

② which is asked for

③ the things asked for

④ that is asked for

03 다음 중 어법상 올바른 문장은?

① This is the movie to which fans have been waiting for a long time.

② He reviewed the answers of the teenagers whom he had given a survey.

③ They located the part what caused the car's engine problem.

④ The person who arranges the in-flight meals is being replaced soon.

01 기출포인트 전치사 + 관계대명사

정답 ②

해설 '전치사 + 관계대명사'에서 전치사는 관계절의 동사에 따라 결정되는데, 관계절의 동사 was based가 전치사 on과 짝을 이루어 '~의 기반이 되었다'라는 의미로 사용되므로 on which가 올바르게 쓰였다.

오답분석 ① 기출포인트 **관계부사와 관계대명사 비교** 선행사(the town)가 장소를 나타내고, 관계사 뒤에 완전한 절(they had grown up)이 왔으므로 which를 관계부사 where 또는 '전치사 + 관계대명사' 형태인 in which로 고쳐야 한다.

③ 기출포인트 **관계대명사** 선행사(a Spanish author)가 사람이고, 관계절 내에서 주어 역할을 하므로 목적격 관계대명사 whom을 주격 관계대명사 who로 고쳐야 한다. 참고로, 관계대명사 바로 뒤에 삽입된 어구 I think는 관계대명사의 격 선택에 아무런 영향을 미치지 않는다.

④ 기출포인트 **관계대명사** 관계사 뒤에 주어가 없는 불완전한 절(has a room ~ pets)이 왔으므로 관계대명사가 와야 하는데, 선행사(a hotel)가 사물이고, 관계절 내에서 주어 역할을 하므로 관계부사 where를 주격 관계대명사 which 또는 that으로 고쳐야 한다.

해석 ① 그들은 자신들이 자랐던 마을을 방문했다.
② 많은 사람들이 그 영화의 기반이 된 소설을 읽었다.
③ 내가 생각하기에 그는 세련된 문체로 유명한 스페인 작가이다.
④ 우리는 4인실이 있고 반려동물을 허용하는 호텔을 찾을 수 있다면 좋을 것이다.

어휘 **be based on** ~에 기반을 둔 **author** 작가 **polished** 세련된 **writing style** 문체 **allow** 허용하다

02 기출포인트 관계대명사 that

정답 ④

해설 빈칸은 대명사 All을 수식하는 것의 자리인데, 선행사 내에 all이 포함되는 경우 관계대명사 that이 와야 하므로 관계대명사 that이 쓰인 ④ that is asked for가 정답이다. 참고로, All이 수량 표현으로 명사 the things 앞에 쓰인 형태가 되는 ③ the things asked for는 주어가 복수 명사 the things가 되는데 빈칸 뒤에 단수 동사 is가 왔으므로 정답이 될 수 없다.

해석 요구되는 모든 것은 받아들일 수 있는 일련의 법칙과 원칙이다.

어휘 **acceptable** 받아들일 수 있는 **principle** 원칙

03 기출포인트 관계절 자리와 쓰임

정답 ④

해설 선행사 The person 뒤에 선행사를 꾸며주는 관계절(who ~ meals)이 올바르게 쓰였고, 관계절의 동사 자리에 동사 arranges가 올바르게 쓰였다.

오답분석 ① 기출포인트 **전치사 + 관계대명사** '전치사 + 관계대명사'에서 전치사는 관계절의 동사에 따라 결정되는데, 관계절의 동사 wait(have been waiting)은 전치사 for와 짝을 이루어 '~을 기다리다'라는 의미로 쓰이므로 to which를 for which로 고쳐야 한다.

② 기출포인트 **전치사 + 관계대명사** 완전한 절(he had given a survey) 앞에는 '전치사 + 관계대명사'가 와야 하고, 관계절의 동사 give(had given)는 3형식으로 쓰일 때 'give + 직접 목적어 + 전치사 to + 간접 목적어'의 형태를 취하므로 whom을 to whom으로 고쳐야 한다.

③ 기출포인트 **관계대명사** 명사(the part)를 수식하는 형용사 역할을 하는 관계절이 와야 하는데, 선행사(the part)가 사물이고 관계절 내에서 주어 역할을 하므로 명사절 접속사 what을 관계절을 이끄는 주격 관계대명사 which 또는 that으로 고쳐야 한다.

해석 ① 이것은 팬들이 오랫동안 기다려온 영화이다.
② 그는 자신이 설문조사를 한 십 대들의 답변을 검토했다.
③ 그들은 자동차 엔진 문제를 일으킨 부분을 찾아냈다.
④ 기내식을 준비하는 사람은 곧 교체될 것이다.

어휘 **survey** 설문조사 **locate** (~의 위치를) 찾아내다 **arrange** 준비하다 **in-flight meal** 기내식 **replace** 교체하다

04 다음 글의 밑줄 친 부분 중 옳지 않은 것을 고르시오.

Last week, the writer ① when received the Nobel Prize in poetry remarked that she had ② been inspired greatly not only by Edgar Allen Poe's works, ③ but also by his tragic life and death, ④ which had been a major loss for his fans.

05 밑줄 친 부분이 어법상 옳지 않은 것을 고르시오.

① She never had a camera that could take such clear pictures.

② This is the world's longest river, the length of which is 6,650 kilometers.

③ They see the way how the puzzle can be solved easily.

④ Luck favors those who believe they are already lucky.

06 다음 문장 중 어법상 옳은 것을 고르시오.

① The last applicant is the person who I feel is the best candidate for the job.

② However it may take long, the benefits of regular exercise are worth all the effort.

③ Unemployment is a problem for many citizens, and some of whom have given up looking for jobs.

④ They drove to the beach to show their children where the ocean was like.

04 기출포인트 **관계부사와 관계대명사 비교**

정답 ①

해설 관계사 뒤에 주어가 없는 불완전한 절(received the Nobel Prize in poetry)이 왔으므로 관계대명사가 와야 하는데, 선행사(the writer)가 사람이고 관계절 내에서 주어 역할을 하므로 관계부사 when을 주격 관계대명사 who 또는 that으로 고쳐야 한다.

오답분석 ② 기출포인트 **능동태·수동태 구별** 동사 뒤에 목적어가 없고 주어(she)와 동사가 '영감을 받다'라는 의미의 수동 관계이므로 수동태 been inspired가 올바르게 쓰였다.

③ 기출포인트 **상관접속사** 앞에 not only가 왔고, '작품뿐만 아니라 그의 비극적인 삶과 죽음에서도'는 상관접속사 not only A but also B(A뿐만 아니라 B도)로 나타낼 수 있으므로 but also가 올바르게 쓰였다.

④ 기출포인트 **관계대명사** 선행사(death)가 사물이고, 관계절 내에서 주어 역할을 하므로 주격 관계대명사 which가 올바르게 쓰였다.

해석 지난주에, 시 부문에서 노벨상을 받은 그 작가는 그녀가 Edgar Allen Poe의 작품뿐만 아니라, 그의 비극적인 삶, 그리고 팬들에게 커다란 상실이었던 그의 죽음에서도 크게 영감을 받았다고 언급했다.

어휘 poetry 시 remark 언급하다 inspire 영감을 주다 work 작품 tragic 비극적인 loss 상실, 분실

05 기출포인트 **관계부사**

정답 ③

해설 관계부사 how는 선행사 the way와 같이 쓸 수 없으므로 the way how를 the way 또는 how로 고쳐야 한다.

오답분석 ① 기출포인트 **관계대명사** 선행사(a camera)가 사물이고, 관계절 내에서 주어 역할을 하므로 사물을 가리키는 주격 관계대명사 that이 올바르게 쓰였다.

② 기출포인트 **관계대명사** 선행사(the world's longest river)가 사물이고, 관계절 내에서 the length가 무엇의 길이인지 나타내므로, 소유격 관계대명사 of which가 올바르게 쓰였다.

④ 기출포인트 **관계대명사** 선행사(those)가 사람이고, 관계절 내에서 주어 역할을 하므로 주격 관계대명사 who가 올바르게 쓰였다.

해석 ① 그녀는 그렇게 선명한 사진을 찍을 수 있는 카메라를 한 번도 가져보지 못했다.
② 이것은 세계에서 가장 긴 강으로, 그 길이는 6,650킬로미터이다.
③ 그들은 어떻게 퍼즐이 쉽게 풀릴 수 있는지 안다.
④ 행운은 이미 운이 좋다고 믿는 사람들을 돕는다.

어휘 favor 돕다

06 기출포인트 **관계대명사**

정답 ①

해설 선행사(the person)가 사람이고, 관계절 내에서 주어 역할을 하므로 주격 관계대명사 who가 올바르게 쓰였다. 참고로, 관계대명사 바로 뒤에 삽입된 I feel의 어구는 관계대명사의 격 선택에 아무런 영향을 미치지 않는다.

오답분석 ② 기출포인트 **부사절 접속사 3: 복합관계부사** 복합관계부사 however(얼마나 ~하든 상관없이)는 'however + 부사 + 주어 + 동사'의 어순이 되어야 하므로 However it may take long을 However long it may take로 고쳐야 한다.

③ 기출포인트 **전치사 + 관계대명사** 절(Unemployment is ~ citizens)과 절(some ~ jobs)은 접속사(and)를 사용하여 연결하거나, 접속사 없이 전치사 of와 관계대명사를 사용하여(some of whom) 연결할 수 있다. 따라서 관계대명사 whom을 목적격 대명사 them으로 고치거나 접속사 and를 삭제해야 한다.

④ 기출포인트 **명사절 접속사 3: 의문사** 동사 show의 직접 목적어 자리에 올 수 있는 명사절을 이끄는 명사절 접속사가 와야 하는데, 뒤에 불완전한 절(the ocean was like)이 왔고 문맥상 '아이들에게 바다가 어떤지를 보여주다'라는 의미가 되어야 자연스러우므로 where를 명사절 접속사 what으로 고쳐야 한다.

해석 ① 내가 느끼기에는 마지막 지원자가 이 직책에 최적격인 사람이다.
② 얼마나 오래 걸리든 상관없이, 꾸준한 운동의 이점은 그 모든 노력을 할 만한 가치가 있다.
③ 실업은 많은 시민들의 문제이고, 그중 일부는 구직 활동을 하는 것을 포기했다.
④ 그들은 자신들의 아이들에게 바다가 어떤지를 보여주기 위해 해변으로 운전해 갔다.

어휘 applicant 지원자 benefit 이점 worth 할 만한 가치가 있다 unemployment 실업 citizen 시민 give up 포기하다

07 밑줄 친 부분 중 어법상 옳지 않은 것을 고르시오.

The difference ① between white sugar and brown sugar ② is in ③ how it is processed. While both sugars come from sugar cane ④ and sugar beets, brown sugar is sprayed with molasses after it is refined, ⑤ of which gives it its color and moisture.

08 밑줄 친 부분 중 어법상 옳지 않은 것은? [2018년 지방직 9급]

I am writing in response to your request for a reference for Mrs. Ferrer. She has worked as my secretary ① for the last three years and has been an excellent employee. I believe that she meets all the requirements ② mentioned in your job description and indeed exceeds them in many ways. I have never had reason ③ to doubt her complete integrity. I would, therefore, recommend Mrs. Ferrer for the post ④ what you advertise.

07 기출포인트 관계대명사

정답 ⑤

해설 선행사(molasses)가 사물이고, 관계절 내에서 주어 역할을 하므로 주격 관계대명사 which 또는 that을 써야 하는데, 관계대명사 that은 콤마(,) 뒤에서 계속적 용법으로 쓰일 수 없으므로 소유격 관계대명사 of which를 주격 관계대명사 which로 고쳐야 한다.

오답 분석

① 기출포인트 **전치사 3: 위치** 문맥상 '백설탕과 흑설탕 사이의 차이'라는 의미가 되어야 자연스러우므로, 둘 사이(white sugar, brown sugar)를 나타낼 때 쓰이는 전치사 between이 올바르게 쓰였다.

② 기출포인트 **주어와 동사의 수 일치** 주어 자리에 단수 명사 The difference가 왔으므로 단수 동사 is가 올바르게 쓰였다. 참고로, 주어와 동사 사이의 수식어 거품(between ~ brown sugar)은 동사의 수 결정에 영향을 주지 않는다.

③ 기출포인트 **명사절 접속사 3: 의문사** 전치사 in의 목적어 자리에 명사절(how ~ processed)을 이끄는 의문사 how가 올바르게 쓰였다.

④ 기출포인트 **등위접속사** '사탕수수와 사탕무'는 등위접속사 and(그리고)를 사용해서 나타낼 수 있으므로 sugar cane and sugar beets가 올바르게 쓰였다.

해석 백설탕과 흑설탕 사이의 차이점은 그것이 가공되는 방법에 있다. 두 설탕 모두 사탕수수와 사탕무에서 오기는 하지만, 흑설탕은 정제된 후에 당밀이 뿌려지는데, 이는 흑설탕에 색깔과 수분을 준다.

어휘 process 가공하다 sugar cane 사탕수수 sugar beet 사탕무 molasses 당밀 refine 정제하다 moisture 수분

08 기출포인트 관계대명사

정답 ④

해설 선행사(the post)가 사물이고, 관계절 내에서 동사 advertise의 목적어 역할을 하므로 명사절 접속사 what을 목적격 관계대명사 which 또는 that으로 고쳐야 한다.

오답 분석

① 기출포인트 **전치사 2: 기간** 숫자를 포함한 시간 표현(the last three years) 앞에 와서 '얼마나 오래 지속되는가'를 나타내는 전치사 for(~ 동안)가 올바르게 쓰였다.

② 기출포인트 **현재분사 vs. 과거분사** 수식받는 명사(all the requirements)와 분사가 '직무기술서에 언급되다'라는 의미의 수동 관계이므로 과거분사 mentioned가 올바르게 쓰였다.

③ 기출포인트 **to 부정사의 역할** '의심할 이유'라는 의미를 표현하기 위해 형용사처럼 명사(reason)를 수식할 수 있는 to 부정사 to doubt이 올바르게 쓰였다.

해석 나는 Ferrer 씨의 추천서에 대한 당신의 요청에 응하여 씁니다. 그녀는 내 비서로 지난 3년간 일해 왔고 훌륭한 직원이었습니다. 나는 그녀가 당신의 직무기술서에 언급된 모든 요건들을 충족시키고 실제로 여러 방면으로 그것들을 능가한다고 믿습니다. 나는 그녀의 완벽한 성실을 의심할 이유가 결코 없었습니다. 그러므로 나는 Ferrer 씨를 당신이 광고하는 그 직책에 추천합니다.

어휘 in response to ~에 응하여 reference 추천서 secretary 비서 meet 충족시키다 requirement 요건 job description 직무기술서 integrity 성실, 정직 post 직책, 일자리

Section Test

01 빈칸에 들어갈 말은?

Mary thought that visiting the site _______ the accident took place would help her to get closure on the unfortunate event.

① which ② that
③ where ④ what

02 다음 문장 중 어법상 옳지 않은 것은?

① Everyone in class must do which I say.
② As complex as the question was, the professor tried hard to answer it.
③ You are never too old to think about the areas in which you can gain more knowledge.
④ He is the man who the police believe is responsible for the robbery.

03 빈칸에 들어갈 말로 알맞은 것은?

The client wondered about _______ she could meet her real estate agent.

① what ② that
③ if ④ whether

01 기출포인트 관계부사와 관계대명사 비교

정답 ③

해설 빈칸은 완전한 절(the accident took place)을 이끌며 장소를 나타내는 선행사(the site)를 뒤에서 수식할 수 있는 관계절을 이끄는 것의 자리인데, ① 관계대명사 which, ② 관계대명사 that, ④ 명사절 접속사 what은 완전한 절을 이끌 수 없으므로 정답이 될 수 없다. 따라서 장소를 나타내는 선행사와 함께 쓰이면서 완전한 절을 이끄는 ③ 관계부사 where가 정답이다. 참고로, ② that을 완전한 절을 이끌 수 있는 명사절 접속사로 보더라도, 명사절은 명사(the site)를 뒤에서 수식할 수 없으므로 답이 될 수 없다.

해석 Mary는 그 사고가 일어났던 장소를 방문하는 것이 그녀가 그 불행한 사건을 종결짓는 데 도움이 될 것이라고 생각했다.

어휘 take place 일어나다 closure 종결, 종료 unfortunate 불행한

02 기출포인트 명사절 접속사 3: 의문사

정답 ①

해설 목적어가 없는 불완전한 절(I say)을 이끌며 동사(do)의 목적어 자리에 올 수 있는 것은 명사절 접속사 what이므로 관계대명사 which를 what으로 고쳐야 한다.

오답 분석 ② 기출포인트 부사절 접속사 2: 양보 양보를 나타내는 부사절 접속사 as는 부사절 내의 보어(complex)가 as 앞에 와서 'As + 보어 + as + 주어 + 동사'의 어순으로 쓸 수 있으므로, As complex as the question was가 올바르게 쓰였다.

③ 기출포인트 관계부사 선행사(the areas)가 장소이고, 관계사 뒤에 완전한 절(you can gain more knowledge)이 왔으므로 관계부사 where가 와야 하는데, 관계부사 where는 '전치사 + 관계대명사' 형태로 바꾸어 쓸 수 있으므로 in which가 올바르게 쓰였다. 참고로, '생각하기에 결코 늙지 않았다'는 to 부정사 관용 표현 'too ~ to'(너무 ~해서 -할 수 없다)를 사용하여 나타낼 수 있으므로 never too old to think가 올바르게 쓰였다.

④ 기출포인트 관계대명사 선행사(the man)가 사람이고, 관계절 내에서 주어 역할을 하므로 주격 관계대명사 who가 올바르게 쓰였다. 참고로, 관계대명사 바로 뒤에 삽입된 어구 the police believe는 관계대명사의 격 선택에 아무런 영향을 미치지 않는다.

해석 ① 교실에 있는 모든 사람은 내가 말하는 것을 해야 한다.
② 비록 질문이 복잡했지만, 교수는 그것에 대답하기 위해 열심히 노력했다.
③ 당신은 더 많은 지식을 얻을 수 있는 분야에 대해 생각하기에 결코 늙지 않았다.
④ 경찰이 생각하기에는 그 남자가 그 강도 사건에 책임이 있는 사람이다.

어휘 area 분야 responsible 책임이 있는 robbery 강도 (사건)

03 기출포인트 명사절 접속사 2: whether

정답 ④

해설 빈칸은 전치사(about)의 목적어 자리에 와서 완전한 절(she could ~ agent)을 이끌 수 있는 것의 자리이다. ① 명사절 접속사 what은 완전한 절을 이끌 수 없고, ② 명사절 접속사 that, ③ 명사절 접속사 if는 전치사(about)의 목적어 자리에 올 수 없으므로 정답이 될 수 없다. 따라서, 완전한 절을 이끌면서 전치사(about)의 목적어 자리에 올 수 있는 ④ 명사절 접속사 whether가 정답이다.

해석 그 고객은 부동산 중개인을 만날 수 있는지 궁금해했다.

어휘 client 고객 real estate agent 부동산 중개인

04 밑줄 친 부분 중 어법상 옳지 않은 것을 고르시오.

Achilles was a hero from Greek mythology ① whose fighting skills were said to be unequaled. As a baby, his mother dipped him in the River Styx, making him nearly ② invincible. His only weak spot was his left heel, ③ what his mother had held him when she dipped him in the river. Achilles was later felled by an arrow ④ that struck this very spot.

05 다음 글의 밑줄 친 부분 중 옳지 않은 것을 고르시오.

① Although lower back pain causes many people to rest in bed, you can actually prolong the symptoms by remaining inactive. Doctors and back specialists agree ② that exercise, ③ as long as is done in moderation, helps to alleviate the pain and will help you recover more quickly. Difficult as it is to move around ④ when your back hurts, it will ultimately be better for you in the long run.

06 밑줄 친 부분 중 어법상 가장 옳지 않은 것을 고르시오.

The manager ① was told to assign the project to ② whomever she thought had ③ capable leadership skills in the department and a creative way of ④ thinking.

04 기출포인트 관계부사

정답 ③

해설 관계사 뒤에 완전한 절(his mother had held him)이 왔으므로 관계부사가 와야 하는데, 선행사(his left heel)가 신체 부위(장소)를 나타내므로 불완전한 절을 이끄는 명사절 접속사 what을 장소를 나타내는 관계부사 where로 고쳐야 한다. 참고로 관계부사를 '전치사 + 관계대명사' 형태인 by which로 바꾸어 쓸 수 있다.

오답 분석
① 기출포인트 **관계대명사** 선행사(Achilles)가 사람이고, 관계절 내에서 fighting skills가 누구의 것인지를 나타내므로 사람을 가리키는 소유격 관계대명사 whose가 올바르게 쓰였다.
② 기출포인트 **5형식 동사** 동사 make(making)는 목적격 보어로 형용사를 취하는 5형식 동사이므로 목적격 보어 자리에 형용사 invincible이 올바르게 쓰였다.
④ 기출포인트 **관계대명사 that** 선행사(an arrow)가 사물이고, 관계절 내에서 주어 역할을 하므로 주격 관계대명사 that이 올바르게 쓰였다.

해석 아킬레스는 그리스 신화에 나오는 영웅으로 그의 전투 실력은 필적할 것이 없었다고 한다. 아기였을 때, 그의 어머니는 스틱스 강에 그를 담갔고, 이는 그를 거의 천하무적으로 만들었다. 그의 유일한 약점은 왼쪽 발뒤꿈치로, 그의 어머니가 그를 강에 담갔을 때 잡았었던 곳이다. 아킬레스는 나중에 바로 그 부분을 찌른 화살에 의해 쓰러졌다.

어휘 hero 영웅 Greek mythology 그리스 신화 unequaled 필적할 것이 없는 dip 담그다 nearly 거의 invincible 천하무적의 fell 쓰러뜨리다

05 Chapter 17 부사절 BASIC GRAMMAR

정답 ③

해설 부사절은 '부사절 접속사 + 주어 + 동사'의 형태가 되어야 하므로, 부사절 접속사(as long as) 뒤에 명사 exercise를 대신하는 대명사 it을 써서 as long as is를 as long as it is로 고쳐야 한다.

오답 분석
① 기출포인트 **부사절 접속사 2: 양보** 문맥상 '하부 요통이 휴식을 취하게 하지만'이라는 의미가 되어야 자연스러우므로 양보의 의미를 나타내는 부사절 접속사 Although(~에도 불구하고)가 올바르게 쓰였다.
② 기출포인트 **명사절 접속사 1: that** 동사 agree의 목적어 자리에 완전한 절(exercise ~ quickly)을 이끌면서 목적어 자리에 올 수 있는 명사절 접속사 that이 올바르게 쓰였다.
④ 기출포인트 **부사절 접속사 1: 시간** 문맥상 '요통이 있을 때'라는 의미가 되어야 자연스러우므로 시간을 나타내는 부사절 접속사 when(~일 때)이 올바르게 쓰였다.

해석 하부 요통은 많은 사람들을 침대에 누워 휴식을 취하게 하지만, 실제로는 활동하지 않은 채로 있는 것이 증상을 장기화할 수 있다. 의사와 등 전문가들은 운동이 적당한 선에서 이루어지는 한 고통을 완화하는 데 도움이 되고, 더 빨리 회복하도록 도울 것이라는 데 동의한다. 요통이 있을 때 움직이는 것은 힘이 들겠지만, 결국 그것은 장기적으로 도움이 될 것이다.

어휘 back pain 요통 prolong 장기화하다 symptom 증상 inactive 활동하지 않는 specialist 전문가 moderation 적당함 alleviate 완화하다 recover 회복하다 ultimately 결국 long run 장기간

06 기출포인트 명사절 접속사 4: 복합관계대명사

정답 ②

해설 복합관계대명사(whomever) 뒤에 주어가 없는 불완전한 절(had ~ thinking)이 왔으므로 목적격 복합관계대명사 whomever를 주격 복합관계대명사 whoever로 고쳐야 한다. 참고로, 복합관계대명사 바로 뒤에 삽입된 어구 she thought은 복합관계대명사의 격 선택에 아무런 영향을 미치지 않는다.

오답 분석
① 기출포인트 **능동태·수동태 구별** 주어(The manager)와 동사가 '관리자가 당부받다'라는 의미의 수동 관계이므로 수동태 동사 was told가 올바르게 쓰였다.
③ 기출포인트 **형용사 자리** 명사 leadership skills를 앞에서 수식하는 형용사 capable이 올바르게 쓰였다.
④ 기출포인트 **동명사 역할** 전치사(of)의 목적어 자리에 명사 역할을 하는 동명사 thinking이 올바르게 쓰였다.

해석 그 관리자는 그녀가 생각하기에 그 부서에서 유능한 통솔력과 창의적인 사고 방식을 가진 사람 누구에게든지 그 프로젝트를 맡길 것을 당부받았다.

어휘 be told to 당부받다 assign 맡기다 capable 유능한 creative 창의적인

07 밑줄 친 부분 중 어법상 가장 옳지 않은 것은?

While there is no proven cure to eliminate the HIV virus from a person's system, progress in developing treatments to suppress its effects ① has come a long way. Specifically, such treatments and therapies have been successful in allowing people with HIV to live longer with less severe symptoms. In fact, young people with HIV have nearly the same life expectancy as the general population ② whether they are diagnosed and treated early. Although their quality of life will improve, they will ultimately still live with the virus, ③ which will always pose a threat. Hopefully, a vaccine ④ that completely eliminates the virus is not far off.

08 다음 우리말을 영작한 것 중 가장 옳은 것은?

① 그는 클레이 테니스 코트를 좋아하는 반면, 나는 잔디 코트를 선호한다.
→ He likes clay tennis courts, in that I prefer grass courts.

② 나는 아직 프랑스에 방문한 적이 없지만, 내년에 그렇게 할 계획이다.
→ I have not visited France yet, I plan to do so next year.

③ 그 소포가 배달될 수 있도록 누군가는 집에 있어야 한다.
→ Someone must be at home so that the package can be delivered.

④ 만약 교통체증이 없다면 그녀의 통근은 보통 40분 정도 걸린다.
→ Her commute typically takes about 40 minutes lest there is traffic congestion.

07 기출포인트 부사절 접속사 1: 조건

정답 ②

해설 문맥상 '만약 그들이 ~ 치료받는다면'이라는 의미가 되어야 자연스러운데, '만약 ~라면'은 부사절 접속사 if를 사용하여 나타낼 수 있으므로 whether를 if로 고쳐야 한다.

오답 분석 ① **기출포인트 주어와 동사의 수 일치** 주어 자리에 불가산 명사(progress)가 왔으므로 단수 조동사 has가 올바르게 쓰였다. 참고로, 주어와 동사 사이의 수식어 거품(in developing ~ its effects)은 동사의 수 결정에 영향을 주지 않는다.

③ **기출포인트 관계대명사** 선행사(the virus)가 사물이고, 관계절 내에서 주어 역할을 하므로 주격 관계대명사 which가 올바르게 쓰였다.

④ **기출포인트 관계대명사 that** 선행사(a vaccine)가 사물이고, 관계절 내에서 주어 역할을 하므로 주격 관계대명사 that이 올바르게 쓰였다.

해석 에이즈 바이러스를 사람의 신체에서 없애는 입증된 치료제가 없긴 하지만, 그것의 영향을 억제하기 위한 치료 약을 개발하는 데 있어서의 진전은 장족의 발전을 해왔다. 구체적으로 말하자면, 그러한 치료 약들과 치료법들은 에이즈 바이러스 보균자들이 덜 심각한 증상들로 더 오래 살도록 하는 것에 성공적이었다. 실제로, 에이즈 바이러스를 보균한 젊은 사람들은 만약 그들이 초기에 진단되어 치료받는다면 일반 대중과 거의 동일한 기대 수명을 갖는다. 비록 그들(에이즈 바이러스 보균자들)의 삶의 질은 향상될 것이지만, 그들은 결국 여전히 그 바이러스를 보균한 채로 살아야 하며, 그것은 항상 위협이 될 것이다. 바라건대, 그 바이러스를 완전히 없애는 백신이 얼마 멀지 않은 곳에 있으면 좋겠다.

어휘 prove 입증하다 eliminate 없애다 system 신체, 체계 suppress 억제하다 have come a long way 장족의 발전을 해왔다
severe 심각한 symptom 증상 life expectancy 기대 수명 diagnose 진단하다 pose a threat 위협이 되다 not far off 얼마 멀지 않은 곳에

08 기출포인트 부사절 접속사 2: 기타

정답 ③

해설 절(Someone ~ at home)과 절(the package ~ delivered)을 연결하며 '~하도록'의 의미를 나타내는 부사절 접속사 so that이 올바르게 쓰였다.

오답 분석 ① **기출포인트 부사절 접속사 2: 양보** '그는 ~ 좋아하는 반면'은 부사절 접속사 while(반면에) 또는 whereas(반면에)를 사용하여 나타낼 수 있으므로 부사절 접속사 in that(~라는 점에서)을 부사절 접속사 while 또는 whereas로 고쳐야 한다.

② **기출포인트 등위접속사** 절(I have ~ yet)과 절(I plan ~ next year)은 접속사 없이 연결될 수 없으므로 접속사 but(그러나)을 써서 but I plan ~ next year로 고쳐야 한다. 참고로, yet은 '아직'이라는 의미로 쓰일 때 부사이다.

④ **기출포인트 부사절 접속사 1: 조건** '만약 교통체증이 없다면'은 부사절 접속사 unless(만약 ~아니라면)를 사용하여 나타낼 수 있으므로 부사절 접속사 lest(~하지 않도록)를 unless로 고쳐야 한다.

어휘 package 소포 commute 통근 traffic congestion 교통체증

09 우리말을 영어로 바르게 옮긴 것은?

① 무엇이든 이 삶에서 할 만한 가치가 있는 것은 빠르게도 쉽게도 오지 않는다.
→ Anything worth doing in this life comes neither quickly nor easily.

② 자신이 모자라다고 생각하는 자가 가장 현명하다.
→ He whom knows that he is a fool is wisest of all.

③ 그 신중한 사람은 자신이 손해를 감당할 수 있는 것만 빌려준다.
→ The prudent man lends only that he can afford to lose.

④ 조언은 항상 늦게 도착하는 경향이 있다.
→ An advice has the habit of always arriving late.

10 밑줄 친 부분 중 어법상 가장 옳지 않은 것은?

People who cope well with daily stress are not only sociable ① but also forgiving. The social circle ② of which we are a part can comfort and support us when we are carrying a heavy burden. But ③ what is most helpful when it seems we like can't do anything right is to be merciful. The way ④ how to receive consolation is to forgive ourselves when we fail or make mistakes.

09 기출포인트 상관접속사

정답 ①

해설 '빠르게도 쉽게도 오지 않는다'는 상관접속사 neither A nor B(A도 B도 아닌)로 나타낼 수 있으므로 neither quickly nor easily가 올바르게 쓰였다.

오답분석 ② 기출포인트 **관계대명사** 선행사(He)가 사람이고, 관계절 내에서 주어 역할을 하므로 목적격 관계대명사 whom을 주격 관계대명사 who로 고쳐야 한다.

③ 기출포인트 **what vs. that** 목적어가 없는 불완전한 절(he can afford to lose)을 이끌 수 있는 것은 명사절 접속사 what이므로, that을 what으로 고쳐야 한다.

④ 기출포인트 **불가산 명사** 불가산 명사(advice)는 부정관사(an)와 함께 쓸 수 없으므로 An advice를 Advice로 고쳐야 한다.

어휘 prudent 신중한 afford 감당하다, 여유가 되다

10 기출포인트 관계부사

정답 ④

해설 관계부사 how의 경우 선행사 the way와 관계부사 how 중 하나는 반드시 생략해야 하는데 관계부사 앞에 선행사 The way가 쓰였으므로 관계부사 how를 생략해야 한다.

오답분석 ① 기출포인트 **상관접속사** 문맥상 '사교적일 뿐만 아니라 관대해야 한다'라는 의미가 되어야 자연스럽고, not only와 짝을 이루어 쓰이는 것은 but also이므로 also 앞에 but이 올바르게 쓰였다.

② 기출포인트 **전치사 + 관계대명사** 관계사 뒤에 완전한 절(we are a part)이 왔으므로 '전치사 + 관계대명사' 형태가 올 수 있다. '전치사 + 관계대명사'에서 전치사는 선행사 또는 관계절의 동사에 따라 결정되는데, 선행사 The social circle이 사물이고, 문맥상 '우리가 일부인 그 사회 집단'이라는 의미가 되어야 자연스러우므로 명사 part와 함께 '~의 일부'라는 의미로 쓰이는 전치사 of(~의)가 와야 한다. 따라서 of which가 올바르게 쓰였다.

③ 기출포인트 **what vs. that** 주어가 없는 불완전한 절(is most helpful)을 이끌며 문장의 주어 자리에 올 수 있는 명사절 접속사 what이 올바르게 쓰였다.

해석 일상의 스트레스에 잘 대처하는 사람들은 사교적일 뿐만 아니라 관대하기도 하다. 우리가 일부인 그 사회 집단은 우리가 무거운 짐을 지고 있을 때 우리를 위로하고 지지해 줄 수 있다. 하지만 우리가 옳은 일을 아무것도 할 수 없을 것 같을 때 가장 도움이 되는 것은 자비로워지는 것이다. 위로를 받는 방법은 실패하거나 실수했을 때 자신을 용서하는 것이다.

어휘 cope with ~에 대처하다 sociable 사교적인 forgiving 관대한, 너그러운 comfort 위로하다, 달래다 support 지지하다, 지원하다 merciful 자비로운 consolation 위로, 위안

Section 6

어순과 특수구문

Chapter 19 | 어순
Chapter 20 | 비교 구문
Chapter 21 | 병치·도치·강조 구문

Chapter 19

어순

최근 5개년 출제 비율
'20-'24 국·지·서·법·국회(2024.04.기준)
3%

BASIC GRAMMAR 기본기 다지기

01 어순

문장 성분이나 여러 가지 품사들이 **일정한 순서대로 나열**되어야 바른 문장이 된다.

주어 + 동사 +목적어 — He wrote a letter. 그는 편지를 썼다.
(He: 주어, wrote: 동사, a letter: 목적어)

관사 + 부사 + 형용사 + 명사 — She's reading a very thick book. 그녀는 매우 두꺼운 책을 읽고 있다.
(a: 관사, very: 부사, thick: 형용사, book: 명사)

Check-Up

다음 중 올바른 어순으로 쓰인 문장을 고르시오.

ⓐ She read a book. ⓑ She English studied.

→ '주어(She) + 동사(read) + 목적어(a book)' 순으로 쓰여 '그녀는 책을 읽었다'라는 의미를 나타내는 ⓐ가 바른 문장이다.

정답: ⓐ

02 평서문과 명령문의 어순

평서문은 '주어 + 동사'를 기본 어순으로 하며, **명령문**은 주어 없이 동사원형으로 시작한다.

평서문 **I live** in San Francisco. 나는 샌프란시스코에 산다.

명령문 (You) **Do** your homework now. 지금 네 숙제를 해라.

Check-Up

다음 중 올바른 어순으로 쓰인 문장을 고르시오.

ⓐ Wash your hands. ⓑ Your hands wash.

→ 주어(You)를 생략하고 동사원형(Wash)으로 시작하는 명령문으로 '손을 씻어라'라는 의미를 나타내는 ⓐ가 바른 문장이다.

정답: ⓐ

03 의문문과 감탄문의 어순

① **의문문**은 조동사가 있는 경우 '(의문사 +) 조동사 + 주어 + 동사' 순으로 오고, 조동사가 없는 경우 '(의문사 +) 동사 + 주어'의 어순으로 온다.

Did she go for a walk? 그녀는 산책을 갔니?

When did she go for a walk? 그녀는 언제 산책을 갔니?

Is she likely to agree with us? 그녀가 우리에게 동의할 것 같니?

② **간접 의문문**은 다른 문장 안에 포함된 의문문으로 '의문사 + 주어 + 동사' 순으로 온다. think, believe, imagine, suppose, suggest 등이 동사로 쓰인 의문문에 간접 의문문이 포함되면 의문사가 그 문장의 맨 앞으로 온다.

I heard **why the professor quit**. 나는 그 교수가 그만둔 이유를 들었다.

Tell me **which courses you will take**. 네가 어떤 수업을 들은 건지 내게 말해줘.

What do you think **they are planning**? 당신은 그들이 무엇을 계획하고 있다고 생각하나요?

③ **부가 의문문**은 확인을 위해 평서문 뒤에 오는 의문문으로 '동사 + 주어' 순으로 온다.

긍정문	She went for a walk, **didn't she**? 그녀는 산책을 하러 갔어, 그렇지 않니?
부정문	She didn't go for a walk, **did she**? 그녀는 산책을 하러 가지 않았어, 그렇지?
평서문(be 동사/조동사)	She is going for a walk, **isn't she**? 그녀는 산책을 하러 갈 예정이야, 그렇지 않니?

→ 평서문이 긍정문이면 부정 부가 의문문이, 부정문이면 긍정 부가 의문문이 오며, 평서문에 일반동사가 오면 부가 의문문에는 do 동사가, 평서문에 be 동사/조동사가 오면 부가 의문문에도 동일하게 be 동사/조동사가 온다.

④ **감탄문**은 'How + 형용사/부사 (+ 주어 + 동사)', 'What + (a/an +) 형용사 + 명사 (+ 주어 + 동사)' 순으로 온다.

How tall he is! 그는 키가 크구나!

What a tall guy he is! 그는 정말 키가 크군요!

Check-Up

다음 중 우리말을 영어로 가장 잘 옮긴 것을 고르시오.

그는 사진을 찍는 것을 좋아하나요?

ⓐ Does like he to take pictures?

ⓑ Does he like to take pictures?

→ '조동사 do(does) + 주어(he) + 동사(like)' 순으로 의문문의 어순이 올바르게 쓰인 ⓑ가 정답이다.

정답: ⓑ

기출포인트 01 명사를 수식하는 여러 요소들의 어순

출제빈도 ★

1 여러 품사가 함께 명사를 수식하는 경우의 어순

관사 (+ 부사) + 형용사 + 명사

She took **a very long trip**. 그녀는 매우 긴 여행을 했다.
관사 부사 형용사 명사

소유격 (+ 부사) + 형용사 + 명사

I am envious of **his particularly interesting job**.
소유격 부사 형용사 명사
나는 그의 특히 흥미로운 직업을 부러워한다.

지시형용사/수량 표현 (+ 부사) + 형용사 + 명사

I don't want to stand in **that absurdly long line**.
지시형용사 부사 형용사 명사
나는 저 터무니없이 긴 줄에 서 있고 싶지 않다.

2 명사 앞에 명사를 수식하는 형용사가 여러 개 올 경우의 어순

순서	수	판단·태도	크기·길이·형태	색깔·원료
서수, last, next	three, ten	beautiful, remarkable	big, long, round	red, leather

Take the **first two small blue** pills in the packet before you go to sleep tonight.
순서 수 크기 색깔
오늘 밤 자기 전에 꾸러미에서 첫 번째 두 개의 작은 파란색 알약을 먹어라.
→ 4개의 형용사가 순서(first), 수(two), 크기(small), 색깔(blue) 순으로 명사(pills)를 수식한다.

고득점 포인트 명사를 수식하는 형용사가 여러 개일 경우에도 지시형용사/수량 표현이 맨 앞에 온다.
We looked at **those** beautiful ceramic vases. 우리는 그 아름다운 도자기 꽃병들을 보았다.
지시형용사 판단 원료

3 -thing, -body, -one으로 끝나는 명사는 형용사가 뒤에서 수식한다.

Everything **recyclable** should be separated from the trash. 재활용할 수 있는 모든 것은 쓰레기로부터 분리되어야 한다.

I've never met anybody **unfriendly** here. 나는 여기서 불친절한 누구도 만난 적이 없다.

I need someone **reliable**. 나는 믿을 만한 누군가가 필요하다.

공무원 영어 실전 문제

01 밑줄 친 부분 중 어법상 옳지 않은 것은? [2021년 국회직 9급 출제경향]

People ① prefer supporting politicians ② whose campaigns they believe will have a positive impact on society, and thus ultimately ③ push it forward. However, communicating ④ unique their ideas for office forces candidates ⑤ to discuss the problems with their opponents' views and actions, which can come across as negative, thereby risking turning off potential voters.

정답 ④ 해설·해석 p.449

기출포인트 02 혼동하기 쉬운 어순

출제빈도 ★★★

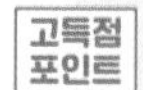

1 enough는 명사 앞에 오거나, 형용사나 부사 뒤에 온다.

enough + 명사	He didn't have **enough** money. 그는 충분한 돈을 갖고 있지 않았다.
형용사/부사 + enough	You aren't being careful **enough**. 너는 충분히 신중을 기하지 않고 있다.
	He has prepared well **enough** for the job interview. 그는 입사 면접을 위해 충분히 잘 준비했다.
형용사 + enough + 명사	She didn't have a long **enough** résumé. 그녀는 충분히 긴 이력서를 갖고 있지 않았다.

고득점 포인트 enough는 '형용사/부사 + enough + to 부정사' 순으로 와서 '~하기에 충분히 -하다'라는 의미로 쓰인다.
He is **tall enough to reach** the basketball hoop. 그는 농구 골대에 닿을 만큼 충분히 키가 크다.

2 so는 'so + 형용사 + a/an + 명사' 순으로, such는 'such + a/an + 형용사 + 명사' 순으로 와야 한다.

We picked (**so**, ~~such~~) perfect a day for hiking. 우리는 하이킹하기에 아주 완벽한 날을 골랐다.
(형용사 + a + 명사)

I've never seen (**such**, ~~so~~) a beautiful sunset. 나는 그렇게 아름다운 일몰을 본 적이 없다.
(a + 형용사 + 명사)

고득점 포인트 as, that, too는 'as/that/too + 형용사 + a/an + 명사' 순으로, quite는 'quite + a/an + 형용사 + 명사' 순으로 쓴다.
It's **as brilliant a plan** as any. 그것은 어느 것 못지않게 멋진 계획이다.
It was **quite an educational seminar**. 그것은 꽤 교육적인 세미나였다.

3 '동사 + 부사'로 이루어진 구동사의 경우, 목적어가 대명사이면 '동사 + 대명사 + 부사' 순으로 와야 한다.

put on 입다, 걸치다	put off 연기하다	catch on 알아듣다, 이해하다	catch up 따라잡다
push on 서두르다	push forward 요구하다	give in 굴복하다	bring about 야기하다

He took sunglasses with him and (**put them on**, ~~put on them~~) at the beach. 그는 선글라스를 가져와서 해변에서 썼다.

고득점 포인트 구동사의 목적어가 명사인 경우 '동사 + 부사 + 명사' 혹은 '동사 + 명사 + 부사' 순으로 모두 쓸 수 있다.
He (**put on sunglasses, put sunglasses on**). 그는 선글라스를 썼다.

공무원 영어 실전 문제

02 다음 문장 중 어법상 옳지 않은 것은? [2018년 국회직 9급 출제경향]

① Attached is the current schedule of events for the conference.
② Had you not acted so quickly, we wouldn't have gotten such a deal.
③ Hardly ever have the symptoms developed this rapidly before.
④ Being told I wouldn't succeed gave me the motivation to try harder.
⑤ In all my time visiting the cinema, I have never seen such a movie appealing.

정답 ⑤ 해설·해석 p.450

Hackers Practice

둘 중 어법상 알맞은 것을 고르세요.

01 Normally I like his movies, but his (three last / last three) films have been disappointing.

02 We didn't get to the theater (enough early / early enough), so we had to sit in the back.

03 I like to eat (spicy anything / anything spicy).

04 People know that changes are needed, and we shall (bring them about / bring about them).

05 That was (a very funny / very a funny) book.

06 My aunt is (such / so) a generous person.

07 The musicians played (loudly enough / enough loudly) in the concert hall to be heard across the street.

08 People are advised to make exercise a part of (their daily routine / daily their routine).

09 The student read (interesting something / something interesting) in her textbook.

어휘

01 normally 보통 disappointing 실망스러운 02 get to ~에 도착하다 03 spicy 매운 04 bring about ~을 야기하다, ~을 일으키다
06 generous 너그러운, 관대한 07 across 건너편에, 맞은 편으로 08 advise 권고하다 daily 매일의 routine 일과 09 textbook 교과서

01 기출포인트 **명사를 수식하는 여러 요소들의 어순**

해설 명사 앞에 명사를 수식하는 형용사가 여러 개 올 경우 '순서 + 수'의 어순이 되어야 하므로 last three가 정답이다.

정답 last three

해석 나는 보통 그의 영화를 좋아하지만, 그의 최근 세 편의 영화들은 실망스러웠다.

02 기출포인트 **혼동하기 쉬운 어순**

해설 enough는 부사(early) 뒤에 와야 하므로 early enough가 정답이다.

정답 early enough

해석 우리는 극장에 충분히 일찍 도착하지 못해서, 뒤쪽에 앉아야 했다.

03 기출포인트 **명사를 수식하는 여러 요소들의 어순**

해설 -thing으로 끝나는 명사(anything)는 형용사(spicy)가 뒤에서 수식하므로 anything spicy가 정답이다.

정답 anything spicy

해석 나는 매운 무엇이든 먹고 싶다.

04 기출포인트 **혼동하기 쉬운 어순**

해설 '동사(bring) + 부사(about)'로 이루어진 구동사의 경우, 목적어가 대명사(them)이면 '동사 + 대명사 + 부사'의 어순이 되어야 하므로 bring them about이 정답이다.

정답 bring them about

해석 사람들은 변화가 필요하다는 것을 알고, 우리는 그것들을 야기해야 한다.

05 기출포인트 **명사를 수식하는 여러 요소들의 어순**

해설 여러 품사가 함께 명사를 수식하는 경우 '관사 + 부사 + 형용사 + 명사'의 어순이 되어야 하므로 a very funny가 정답이다.

정답 a very funny

해석 그것은 매우 재미있는 책이었다.

06 기출포인트 **혼동하기 쉬운 어순**

해설 such나 so가 형용사(generous)와 함께 올 때 such는 'such + a + 형용사 + 명사'의 어순이 되어야 하고, so는 'so + 형용사 + a + 명사'의 어순이 되어야 하므로 such가 정답이다.

정답 such

해석 나의 이모는 아주 너그러운 사람이다.

07 기출포인트 **혼동하기 쉬운 어순**

해설 enough는 부사(loudly) 뒤에 와야 하므로 loudly enough가 정답이다.

정답 loudly enough

해석 그 음악가들은 길 건너편에서 들릴만큼 콘서트홀에서 충분히 크게 연주했다.

08 기출포인트 **명사를 수식하는 여러 요소들의 어순**

해설 여러 품사가 함께 명사를 수식하는 경우 '소유격 + 형용사 + 명사'의 어순이 되어야 하므로 their daily routine이 정답이다.

정답 their daily routine

해석 사람들은 운동을 그들의 매일의 일과로 만들도록 권고된다.

09 기출포인트 **명사를 수식하는 여러 요소들의 어순**

해설 -thing으로 끝나는 명사(something)는 형용사(interesting)가 뒤에서 수식하므로 something interesting이 정답이다.

정답 something interesting

해석 그 학생은 그녀의 교과서에서 흥미로운 무언가를 읽었다.

어법상 옳은 것에는 O, 틀린 것에는 X를 표시하고 틀린 부분을 바르게 고치세요.

10 Do not put off it anymore, or there will be more work tomorrow. [ ]

11 Judging by the sound your car is making, there's probably something wrong with the engine. [ ]

12 I've never seen so beautiful a sunset before. [ ]

13 You can pick the five first large green cucumbers from the garden. [ ]

14 I have plenty enough experience for the position. [ ]

15 The director wanted someone unique for the role in his film. [ ]

16 He will catch up me in a few minutes. [ ]

17 She was enough nice to lend me her laptop. [ ]

18 Everyone thought his wholly blue eyes were beautiful. [ ]

어휘

10 put off 미루다 11 judge 판단하다 probably 아마도 12 sunset 석양 13 cucumber 오이 14 plenty 풍부한 position 직위, (일)자리
15 director 감독 unique 특별한, 독특한 16 catch up 따라잡다 17 nice 친절한 laptop 노트북 18 wholly 완전히

10 기출포인트 **혼동하기 쉬운 어순**

해설 '동사(put) + 부사(off)'로 이루어진 구동사의 경우, 목적어가 대명사(it)이면 '동사 + 대명사 + 부사'의 어순이 되어야 하므로 put off it을 put it off로 고쳐야 한다.

정답 X, put off it → put it off

해석 그것을 더 미루지 마라, 그러지 않으면 내일 일이 더 많을 것이다.

11 기출포인트 **명사를 수식하는 여러 요소들의 어순**

해설 -thing으로 끝나는 명사(something)는 형용사(wrong)가 뒤에서 수식하므로 something wrong이 올바르게 쓰였다.

정답 O

해석 네 차가 내는 소음으로 판단하건대, 아마도 엔진에 뭔가 문제가 있는 것 같다.

12 기출포인트 **혼동하기 쉬운 어순**

해설 so는 'so + 형용사 + a + 명사'의 어순이 되어야 하므로 so beautiful a sunset이 올바르게 쓰였다.

정답 O

해석 나는 이렇게 아름다운 석양을 이제껏 본 적이 없다.

13 기출포인트 **명사를 수식하는 여러 요소들의 어순**

해설 명사 앞에 명사를 수식하는 형용사가 여러 개 올 경우 '순서 + 수 + 크기 + 색깔'의 어순이 되어야 하므로 the five first를 the first five로 고쳐야 한다.

정답 X, the five first → the first five

해석 너는 정원에서 첫 번째 다섯 개의 큰 녹색 오이를 딸 수 있다.

14 기출포인트 **혼동하기 쉬운 어순**

해설 enough는 '형용사 + enough + 명사'의 어순으로 써야 하므로 plenty enough experience가 올바르게 쓰였다.

정답 O

해석 나는 그 직위를 위한 충분히 풍부한 경력을 갖고 있다.

15 기출포인트 **명사를 수식하는 여러 요소들의 어순**

해설 -one으로 끝나는 명사(someone)는 형용사(unique)가 뒤에서 수식하므로 someone unique가 올바르게 쓰였다.

정답 O

해석 그 감독은 그의 영화에서 그 역할을 위한 특별한 어떤 사람을 원했다.

16 기출포인트 **혼동하기 쉬운 어순**

해설 '동사(catch) + 부사(up)'로 이루어진 구동사의 경우, 목적어가 대명사(me)이면 '동사 + 대명사 + 부사'의 어순이 되어야 하므로 catch up me를 catch me up으로 고쳐야 한다.

정답 X, catch up me → catch me up

해석 그는 몇 분 후에 나를 따라잡을 것이다.

17 기출포인트 **혼동하기 쉬운 어순**

해설 enough는 '~하기에 충분히 -하다'라는 의미를 나타낼 때 '형용사 + enough + to 부정사'의 어순으로 써야 하므로 enough nice를 nice enough로 고쳐야 한다.

정답 X, enough nice → nice enough

해석 그녀는 나에게 그녀의 노트북을 빌려줄 만큼 충분히 친절했다.

18 기출포인트 **명사를 수식하는 여러 요소들의 어순**

해설 여러 품사가 함께 명사를 수식하는 경우 '소유격 + 부사 + 형용사 + 명사'의 어순이 되어야 하므로 his wholly blue eyes가 올바르게 쓰였다.

정답 O

해석 모두가 그의 완전히 푸른 눈이 아름답다고 생각했다.

Hackers Test

01 밑줄 친 부분 중 어법상 옳지 않은 것은?

Though pit bulls ① have a reputation for ② being vicious attack dogs, they are a ③ faithful breed surprisingly that can be good pets with ④ the right training.

02 어법상 옳은 것은?

① Displayed everything in the cases is offered at a 30 percent discount.

② The customers called the waiter over to ask why their meals were late.

③ Does the label say how much is the CD?

④ I didn't expect you to make a such big issue out of this small problem.

03 다음 글의 밑줄 친 부분 중 어법상 옳지 않은 것을 고르시오.

She ① walked slowly through the store, ② pausing by the Classics section to browse through ③ old those books. Running her fingers along a few ④ of the bindings, she felt the history behind the stories.

01 기출포인트 명사를 수식하는 여러 요소들의 어순

정답 ③

해설 문맥상 '놀랄 만큼 충직한 품종'이라는 의미가 되어야 자연스러운데, 여러 품사가 함께 명사를 수식하는 경우 '부사 + 형용사 + 명사'의 어순이 되어야 하므로 faithful breed surprisingly를 surprisingly faithful breed로 고쳐야 한다.

오답 분석
① **기출포인트 주어와 동사의 수 일치** 부사절의 주어 자리에 복수 명사 pit bulls가 왔으므로 복수 동사 have가 올바르게 쓰였다.
② **기출포인트 동명사 자리** 전치사(for)의 목적어 자리에 명사 역할을 하는 동명사 being이 올바르게 쓰였다.
④ **기출포인트 명사를 수식하는 여러 요소들의 어순** 여러 품사가 함께 명사를 수식하는 경우 '관사 + 형용사 + 명사'의 어순이 되어야 하므로 the right training이 올바르게 쓰였다.

해석 핏불은 사나운 전투견으로 유명하지만, 그들은 제대로 된 훈련으로 좋은 반려동물이 될 수 있는 놀랄 만큼 충직한 품종이다.

어휘 have a reputation for ~로 유명하다 vicious 사나운 attack dog 전투견 faithful 충직한 breed 품종 surprisingly 놀랄 만큼

02 기출포인트 혼동하기 쉬운 어순

정답 ②

해설 '동사(called) + 부사(over)'로 이루어진 구동사의 경우, 목적어가 명사이면 '동사 + 명사 + 부사'의 어순으로 쓸 수 있고, 간접 의문문은 '의문사 + 주어 + 동사'의 어순을 사용하여 나타낼 수 있으므로 called the waiter over ~ why their meals were late가 올바르게 쓰였다.

오답 분석
① **기출포인트 명사를 수식하는 여러 요소들의 어순** -thing으로 끝나는 명사(everything)는 형용사 역할을 하는 분사(displayed)가 뒤에서 수식하므로 Displayed everything을 Everything displayed로 고쳐야 한다.
③ **Chapter 19 어순 BASIC GRAMMAR** 간접 의문문은 '의문사 + 주어 + 동사'의 어순이 되어야 하므로 how much is the CD를 how much the CD is로 고쳐야 한다.
④ **기출포인트 혼동하기 쉬운 어순** such는 'such + a + 형용사 + 명사'의 어순이 되어야 하므로 a such big issue를 such a big issue로 고쳐야 한다.

해석 ① 상자 안에 진열된 모든 것은 30퍼센트 할인하여 제공된다.
② 손님들은 왜 그들의 식사가 늦게 나오는지 묻기 위해 웨이터를 불렀다.
③ 그 상표에 CD가 얼마인지 적혀 있나요?
④ 나는 당신이 이런 사소한 문제로 그렇게 큰 문제를 만들 줄 예상하지 못했다.

어휘 display 진열하다 at a discount 할인하여 call over 부르다, 점호하다 issue 문제

03 기출포인트 명사를 수식하는 여러 요소들의 어순

정답 ③

해설 문맥상 '그 오래된 책들'이라는 의미가 되어야 자연스러운데, 여러 품사가 함께 명사를 수식하는 경우 '지시형용사 + 형용사 + 명사'의 어순이 되어야 하므로 old those books를 those old books로 고쳐야 한다.

오답 분석
① **기출포인트 부사 자리** 부사(slowly)는 동사(walked)를 뒤에서 수식할 수 있으므로 walked slowly가 올바르게 쓰였다.
② **기출포인트 분사구문의 형태** 주절의 주어(She)와 분사구문이 '그녀가 멈추다'라는 의미의 능동 관계이므로 현재분사 pausing이 올바르게 쓰였다.
④ **기출포인트 수량 표현** 수량 표현(a few)과 명사(bindings) 사이에는 of와 the가 함께 와서 '수량 표현 + of the + 명사'의 형태가 되어야 하므로 수량 표현 a few 뒤에 of the bindings가 올바르게 쓰였다.

해석 그녀는 가게 안으로 천천히 걸어 들어가다가 그 오래된 책들을 훑어보기 위해 고전 서적 구역에서 멈췄다. 몇몇 표지를 자신의 손가락으로 쓸어내려 가면서, 그녀는 책의 이면에 있는 역사를 느꼈다.

어휘 pause 멈추다; 정지 browse 훑어보다 binding 표지

04 밑줄 친 부분이 어법상 옳지 않은 것은?

① Scientists are not certain why hair turns gray.

② She brought some round red tomatoes to include in the salad.

③ The lawyer stated that his client would need some time to think over it.

④ What do you believe the meeting will be about?

05 밑줄 친 부분 중 어법상 옳지 않은 것을 고르시오.

> The scorpion is regarded by many ① as deadly something and an animal ② to be avoided at all costs. However, contrary to popular belief, the venom of most scorpions is not ③ usually fatal to humans, although it is extremely potent and ④ can cause painful muscle spasms.

06 밑줄 친 부분이 어법상 틀린 것을 고르시오.

① The flashlight was not enough bright to illuminate the cave.

② It was so moving a film that nearly everyone cried.

③ He was such a wealthy man that he owned three houses.

④ The blaring television was giving me a headache, so I turned it off.

04 기출포인트 혼동하기 쉬운 어순

정답 ③

해설 '동사(think) + 부사(over)'로 이루어진 구동사의 경우, 목적어가 대명사(it)이면 '동사 + 대명사 + 부사'의 어순이 되어야 하므로 think over it을 think it over로 고쳐야 한다.

오답분석 ① **Chapter 19 어순 BASIC GRAMMAR** 간접 의문문은 '의문사 + 주어 + 동사'의 어순이 되어야 하므로 why hair turns gray가 올바르게 쓰였다.

② **기출포인트 명사를 수식하는 여러 요소들의 어순** 명사 앞에 명사를 수식하는 형용사가 여러 개 올 경우 '수 + 형태 + 색깔'의 어순이 되어야 하므로 some round red tomatoes가 올바르게 쓰였다.

④ **Chapter 19 어순 BASIC GRAMMAR** believe가 동사로 쓰인 의문문에 간접 의문문(what the meeting will be about)이 포함되면 의문사(what)가 문장의 맨 앞으로 와야 하므로 What do you believe ~가 올바르게 쓰였다.

해석 ① 과학자들은 머리카락이 세는 이유를 확신하지 못한다.
② 그녀는 샐러드에 넣기 위해 둥근 빨간 토마토를 몇 개 가져왔다.
③ 변호사는 그의 고객이 충분히 심사숙고할 시간이 필요할 것이라고 말했다.
④ 당신은 그 회의가 무엇에 관한 것일 거라고 생각하시나요?

어휘 certain 확신하는 turn gray (머리카락이) 세다, 하얘지다 include 넣다, 포함시키다 think over ~을 심사숙고하다

05 기출포인트 명사를 수식하는 여러 요소들의 어순

정답 ①

해설 -thing으로 끝나는 명사(something)는 형용사(deadly)가 뒤에서 수식하므로 as deadly something을 as something deadly로 고쳐야 한다.

오답분석 ② **Chapter 08 to 부정사 BASIC GRAMMAR** to 부정사(to be avoided) 뒤에 목적어가 없고, to 부정사가 가리키는 명사(an animal)와 to 부정사가 '동물이 피해지다'라는 의미의 수동 관계이므로 to 부정사의 수동형 to be avoided가 올바르게 쓰였다.

③ **기출포인트 부사 자리** 부사(usually)는 형용사(fatal)를 앞에서 수식하므로 usually fatal이 올바르게 쓰였다.

④ **Chapter 06 조동사 BASIC GRAMMAR** 조동사(can) 다음에는 동사원형(cause)이 와야 하므로 can cause가 올바르게 쓰였다.

해석 전갈은 많은 사람들로부터 무언가 치명적이고 무슨 수를 써서라도 피해져야 하는 동물로 여겨진다. 하지만, 일반적인 믿음과는 반대로, 비록 대부분의 전갈의 독이 극히 강력하고 괴로운 근 경련을 초래할 수는 있지만, 인간에게는 보통 치명적이지 않다.

어휘 deadly 치명적인 at all costs 무슨 수를 써서라도 contrary to ~와 반대로 venom 독 fatal 치명적인 potent 강력한 muscle spasm 근 경련

06 기출포인트 혼동하기 쉬운 어순

정답 ①

해설 enough는 '형용사 + enough + to 부정사' 순으로 와서 '~하기에 충분히 -하다'라는 의미로 쓰이므로 enough bright to illuminate를 bright enough to illuminate로 고쳐야 한다.

오답분석 ② **기출포인트 혼동하기 쉬운 어순** so는 'so + 형용사 + a + 명사'의 어순이 되어야 하므로 so moving a film이 올바르게 쓰였다.

③ **기출포인트 혼동하기 쉬운 어순** such는 'such + a + 형용사 + 명사'의 어순이 되어야 하므로 such a wealthy man이 올바르게 쓰였다.

④ **기출포인트 혼동하기 쉬운 어순** '동사(turned) + 부사(off)'로 이루어진 구동사의 경우, 목적어가 대명사(it)이면 '동사 + 대명사 + 부사'의 어순이 되어야 하므로 turned it off가 올바르게 쓰였다.

해석 ① 그 손전등은 동굴을 밝히기에 충분히 밝지 않았다.
② 그것은 매우 감동적인 영화여서 거의 모든 사람이 울었다.
③ 그는 매우 부유한 남자여서 세 채의 집을 소유했다.
④ 크게 울리는 텔레비전이 두통이 나게 해서, 나는 그것을 껐다.

어휘 flashlight 손전등 illuminate 밝히다, 비추다 cave 동굴 moving 감동적인 blare 크게 울리다, 요란하게 울리다

07 어법상 가장 옳은 것은?

① He could remember the time which he was happiest in his life.

② It was not until I first encountered failure and I decided I needed a new approach.

③ The roller coaster looked enough dangerous to scare off most passengers.

④ The meal was good, but there was nothing exceptional about it, overall.

08 우리말을 영어로 가장 잘 옮긴 것을 고르시오. [2021년 국가직 9급]

① 당신이 부자일지라도 당신은 진실한 친구들을 살 수는 없다.
→ Rich as if you may be, you can't buy sincere friends.

② 그것은 너무나 아름다운 유성 폭풍이어서 우리는 밤새 그것을 보았다.
→ It was such a beautiful meteor storm that we watched it all night.

③ 학위가 없는 것이 그녀의 성공을 방해했다.
→ Her lack of a degree kept her advancing.

④ 그는 사형이 폐지되어야 하는지 아닌지에 대한 에세이를 써야 한다.
→ He has to write an essay on if or not the death penalty should be abolished.

07 기출포인트 명사를 수식하는 여러 요소들의 어순

정답 ④

해설 -thing으로 끝나는 명사(nothing)는 형용사(exceptional)가 뒤에서 수식하므로 nothing exceptional이 올바르게 쓰였다.

오답분석
① **기출포인트 관계부사와 관계대명사 비교** 관계사 뒤에 완전한 절(he was ~ life)이 왔으므로, 관계대명사 which를 완전한 절을 이끄는 관계부사 when으로 고치거나 '전치사 + 관계대명사' 형태의 in which로 고쳐야 한다.
② **기출포인트 부사절 접속사 1: 시간** '실패에 직면했을 때에서야 비로소 ~ 결심했다'는 부사절 접속사 until을 사용하여 It was not until B that A(B 하고 나서야 비로소 A하다)의 형태로 나타낼 수 있으므로 not until I ~ and I ~를 not until I ~ that I ~로 고쳐야 한다.
③ **기출포인트 혼동하기 쉬운 어순** enough는 '~하기에 충분히 -하다'라는 의미로 쓰일 때 '형용사 + enough + to 부정사'의 어순이 되어야 하므로 enough dangerous to scare off를 dangerous enough to scare off로 고쳐야 한다.

해석
① 그는 인생에서 가장 행복했던 시간을 기억할 수 있었다.
② 내가 처음으로 실패에 직면했을 때에서야 비로소 새로운 접근법이 필요하다고 결심했다.
③ 그 롤러코스터는 대부분의 탑승자들을 겁주기에 충분히 위험해 보였다.
④ 식사는 좋았지만, 전체적으로 특출한 것은 없었다.

어휘 **encounter** 직면하다 **approach** 접근법 **scare off** ~에게 겁을 주다 **exceptional** 특출한

08 기출포인트 혼동하기 쉬운 어순 & 부사절 접속사 2: 기타

정답 ②

해설 부사절 접속사 such ~ that(매우 ~해서 -하다)은 'such + 형용사/부사 + that + 주어(we) + 동사(watched)'의 형태로 쓰이고, such 뒤의 형용사가 명사를 수식할 때는 'such + a/an + 형용사(beautiful) + 명사(meteor storm)'의 어순으로 나타낼 수 있으므로 such a beautiful meteor storm that we watched가 올바르게 쓰였다.

오답분석
① **기출포인트 부사절 접속사 2: 양보** 문맥상 '부자일지라도'는 양보의 부사절 접속사 as(비록 ~이지만)를 사용하여 나타낼 수 있으므로, as if를 부사절 접속사 as로 고쳐야 한다. 참고로, 양보의 부사절 내의 보어가 강조되어 as 앞에 나오면 '(As +) 보어(Rich) + as + 주어(you) + 동사(may be)'의 어순으로 쓰인다.
③ **기출포인트 전치사 숙어 표현** 문맥상 '그녀의 성공을 방해했다(그녀가 성공하는 것을 방해했다)'는 목적어 뒤에 특정 전치사구와 함께 쓰이는 숙어 표현 'keep + 목적어(her) + from'(~을 -으로부터 막다)으로 나타낼 수 있으므로, kept her advancing을 kept her from advancing으로 고쳐야 한다. 참고로, 전치사 from 뒤에는 명사 역할을 하는 것이 와야 하므로 동명사 advancing이 쓰였다.
④ **기출포인트 명사절 접속사 2: if와 whether** 명사절 접속사 if와 whether 모두 '~인지 아닌지'라는 의미이지만, if는 'if or not'의 형태로 쓰일 수 없고, if가 이끄는 명사절은 전치사 on의 목적어 자리에 올 수 없으므로 if를 whether로 고쳐야 한다.

어휘 **as if** 마치 ~인 것처럼 **sincere** 진실한, 성실한 **meteor storm** 유성 폭풍 **degree** 학위 **advance** 성공을 돕다 **death penalty** 사형 제도 **abolish** 폐지하다

비교 구문

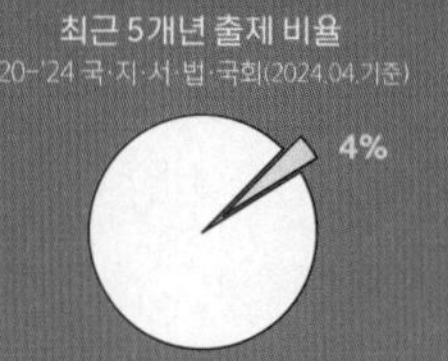

BASIC GRAMMAR 기본기 다지기

01 비교 구문

비교 구문은 둘 이상의 대상을 **비교**하는 구문이며, 다음 세 가지로 나뉜다.

① **원급**은 두 대상이 동등함을 나타낸다.

Amy is **as tall as** Brad. Amy는 Brad만큼 키가 크다.

② **비교급**은 두 대상 중 하나가 우월함을 나타낸다.

Connor is **taller than** Brad. Connor는 Brad보다 키가 더 크다.

③ **최상급**은 셋 이상의 대상 중 하나가 가장 우월함을 나타낸다.

Connor is **the tallest** one in the group. Connor는 그 집단에서 가장 키가 큰 사람이다.

Check-Up

다음 중 비교급 구문을 고르시오.

ⓐ She is the smartest student in the class.

ⓑ She is smarter than him.

→ 두 대상(She, him) 중 하나(She)가 우월함(smarter)을 나타내는 ⓑ가 비교급 구문이다. 참고로, ⓐ는 셋 이상의 대상 중 하나가 가장 우월함을 나타내는 최상급 구문이다.

정답: ⓑ

02 원급, 비교급, 최상급 형태

원급, **비교급**, **최상급**에서 형용사와 부사는 각각 **다른 형태**를 가진다.

① 1음절 단어 또는 -er, -y, -ow, -some으로 끝나는 2음절 단어

원급(일반형태)	비교급(원급 + er)	최상급(원급 + est)
tall	taller	tallest
easy	easier	easiest

② -able, -ful, -ous, -ive로 끝나는 2음절 단어 또는 3음절 이상의 단어

원급(일반형태)	비교급(more + 원급)	최상급(most + 원급)
useful	more useful	most useful
dangerous	more dangerous	most dangerous

③ 불규칙한 형태를 가지는 단어

원급	비교급	최상급
good / well	better	best
bad / ill	worse	worst
many / much	more	most
little	less	least
late	later / latter	latest / last
far	farther / further	farthest / furthest

Check-Up

다음 비교급 단어 중 옳은 것은?.

ⓐ gooder　ⓑ activer　ⓒ dangerouser　ⓓ wiser

→ 2음절 단어 wise 뒤에 '-r'을 붙인 ⓓ wiser가 올바른 비교급 단어이다. 참고로, good의 비교급은 better, active의 비교급은 more active, dangerous의 비교급은 more dangerous이다.

정답: ⓓ

기출포인트 01

원급

출제빈도 ★★

1 'as + 형용사/부사의 원급 + as'는 '~만큼 -하게'이라는 의미로 두 대상의 동등함을 나타낸다.

His skin was **as cold as** ice. 그의 피부는 얼음만큼 차가웠다.

Chris held the baby **as carefully as** he could. Chris는 그가 할 수 있는 한 조심스럽게 아기를 안았다.

고득점 포인트

1. as ~ as 사이가 형용사 자리인지 부사 자리인지는 as, as를 지우고 구별한다.
   The house was as (**quiet**, ~~quietly~~) as could be. 그 집은 더없이 조용했다. ← The house was (**quiet**, ~~quietly~~).
   She sang as (**beautifully**, ~~beautiful~~) as she could. 그녀는 할 수 있는 한 아름답게 노래했다. ← She sang (**beautifully**, ~~beautiful~~).
2. '~만큼 -하지 않은'을 의미하는 경우 'not + as[so] ~ as'로 쓴다.
   Your commute is **not as long as** mine is. 너의 통근 거리는 내 통근 거리만큼 멀지 않다.

2 'as + many/much/few/little + 명사 + as'는 '~만큼 많은/적은 -'을 나타낸다.

She buys **as many CDs as** she can listen to. 그녀는 그녀가 들을 수 있는 만큼 많은 CD를 산다.

She uses **as little heat as** she can during the winter. 그녀는 겨울 동안 할 수 있는 한 적은 난방을 사용한다.

고득점 포인트

as ~ as 사이의 수량 형용사는 뒤의 명사가 가산 명사인지 불가산 명사인지에 유의하여 쓴다.

They had as (**many**, ~~much~~) children as their parents did. 그들은 그들의 부모님이 낳았던 만큼 많은 아이들을 낳았다.
(children: 가산 명사)

We bought as (**much**, ~~many~~) food as we could for the feast. 우리는 연회를 위해 살 수 있는 만큼 많은 음식을 샀다.
(food: 불가산 명사)

3 '배수사 + as + 원급 + as'는 '~배만큼 -하다'라는 의미를 나타낸다.

The second room is **twice as big as** the first one. 두 번째 방은 첫 번째 방의 두 배만큼 크다.

고득점 포인트

배수사 자리에 퍼센트, 분수 등의 '부분'을 나타내는 표현이 올 수 있다.

This speaker costs 120 **percent** as much as that one. 이 스피커는 저것보다 120퍼센트만큼 비용이 든다.

공무원 영어 실전 문제

01 어법상 옳은 것은? [2017년 지방직 7급]

① She was noticeably upset by how indignant he responded to her final question.
② Obviously, this state of affairs is known to the ambassadors, who reacts unfavorably to it.
③ I walked on as briskly as the heat would let me until I reached the road which led to the village.
④ Although there are some similarities in the platforms of both candidates, the differences among them are wide.

정답 ③ 해설·해석 p.450

기출포인트 02

비교급

출제빈도 ★★★

1 '형용사/부사의 비교급 + than'은 '~보다 더 -한'이라는 의미로 두 대상 중 한쪽이 우월함을 나타낸다.

The new cell phone model is **more expensive than** the last one. 신형 휴대전화 모델은 지난 번 것보다 더 비싸다.

She spoke **louder than** the other guests. 그녀는 다른 손님들보다 더 크게 말했다.

고득점 포인트 '~보다 덜 -한'을 의미하는 경우 'less + 형용사/부사 + than'을 쓴다.
My new laptop is **less bulky than** my old one. 나의 새 노트북 컴퓨터는 예전 것보다 부피가 더 작다.

2 'the + 비교급 + 주어 + 동사 ~, the + 비교급 + 주어 + 동사 -'는 '더 ~할수록, 더 -하다'라는 의미를 나타낸다.

The healthier you are, **the longer** you will live. 네가 더 건강할수록, 더 오래 살 것이다.
the + 비교급 + 주어 + 동사 the + 비교급 + 주어 + 동사

3 하나의 사람이나 사물이 가진 두 가지 성질이나 성격을 비교할 때는 'more + 원급 + than + 원급'을 쓴다.

She is (**more sly**, ~~slier~~) than wise. 그녀는 현명하다기보다는 교활하다.
→ 한 사람(She)의 성격에 대해 현명한지 교활한지를 비교하고 있으므로 'more + 원급'인 more sly가 와야 한다.

4 than대신 to를 쓰는 비교 표현

superior to ~보다 뛰어난	inferior to ~보다 열등한	senior to ~보다 더 나이 든	junior to ~보다 더 어린
prior to ~보다 이전에	prefer A to B B보다 A를 선호하다		

She is **senior to** her coworkers. 그녀는 그녀의 동료들보다 더 나이 들었다.

I **prefer** an e-book **to** a paper book. 나는 종이책보다 전자책을 더 선호한다.

공무원 영어 실전 문제

02 어법상 밑줄 친 곳에 가장 적절한 것은? [2016년 국가직 9급 출제경향]

The longer she waited for her turn to give her presentation, the __________ she became.

① nervous
② more nervous
③ most nervous
④ nervouser

정답 ② 해설·해석 p.451

기출포인트 03

최상급

출제빈도 ★

1 '형용사/부사의 최상급 + of ~/in ~/that절'은 '~ 중에 가장 -한'이라는 의미로 셋 이상의 대상 중 하나가 가장 우월함을 나타낸다.

Abraham Lincoln is often considered **the greatest of all the US presidents**.
에이브러햄 링컨은 종종 역대 미 대통령 중에 가장 훌륭한 대통령으로 간주된다.

The Anderson House is **the oldest building in St. John's.** Anderson House는 St.John에서 가장 오래된 건물이다.

This is **the cheapest apartment that I have found**. 이것은 내가 발견한 아파트 중에 가장 싼 아파트이다.

1. 최상급 뒤에 오는 명사가 무엇인지 명확할 경우, 명사를 생략할 수 있다.
   He is **the tallest (player)** of all the players on his team. 그는 자기 팀 선수 중에서 가장 키가 큰 선수이다.
2. 최상급 뒤의 that절에는 주로 현재완료 시제가 온다.
   The SR-71 is the fastest jet that the pilots **have ever flown**. SR-71은 조종사들이 비행해 본 제트기 중에 가장 빠른 제트기이다.

2 '최상급 + 명사' 앞에는 반드시 the나 소유격을 쓴다.

Hitting a homerun was **the** greatest achievement. 홈런을 친 것은 가장 큰 성취였다.

The new car is the **company's** fastest model. 그 새로운 자동차는 그 회사의 가장 빠른 모델이다.

3 하나의 사람이나 사물이 가진 성격·성질에 대한 최상급 표현의 경우 최상급 앞에 the가 생략될 수 있다.

This mountain is **the highest** in the country. 이 산은 그 나라에서 가장 높다.
→ 그 나라의 여러 산 중에서 이 산(This mountain)이 가장 높다는 의미이므로 최상급 표현 앞에 the가 와야 한다.

This mountain is **(the) highest** at that peak. 이 산은 저 봉우리에서 가장 높다.
→ 하나의 사물인 이 산(This mountain)에서 가장 높은 봉우리가 저 봉우리라는 의미이므로 최상급 표현 앞에 the가 생략될 수 있다.

4 '~ 번째로 가장 -한'이라는 의미를 나타내기 위해서는 'the + 서수 + 최상급'을 쓴다.

Pad Thai **is the fifth most popular** dish among people in Thailand. 팟타이는 태국인들 사이에서 다섯 번째로 인기 있는 요리이다.

공무원 영어 실전 문제

03 다음 밑줄 친 부분 중 어법상 옳지 않은 것은? [2020년 국회직 9급 출제경향]

Since some have obvious symptoms and ① others don't, there are people ② who live for years with type-2 diabetes without knowing they have the disease. Unfortunately, the longer the disease goes undiagnosed, ③ the worse it can be. Left untreated, the disease can cause serious complications. As a result, doctors recommend that patients with a predisposition to the disease have regular screenings ④ scheduled for it. ⑤ Quickest diagnosis will allow the disease to be treated more effectively.

정답 ⑤ 해설·해석 p.451

기출포인트 04

원급·비교급 형태로 최상급 의미를 만드는 표현

출제빈도 ★

1 원급 형태로 최상급 의미를 만드는 표현

no other + 단수 명사/nothing ~ as[so] + 원급 + as 다른 어떤 -도 ~만큼 ~하지 않다	**No other subject** is **as boring** to him **as** history. 다른 어떤 과목도 그에게 역사만큼 지루하지는 않다.

2 비교급 형태로 최상급 의미를 만드는 표현

no other + 단수 명사/nothing ~ 비교급 + than 다른 어떤 -도 ~보다 더 ~하지 않다	**Nothing** is **more boring** to him **than** history. 다른 어떤 것도 그에게 역사보다 더 지루하지는 않다.
비교급 + than any other + 단수 명사 다른 어떤 -보다 더 ~한	History is **more boring** to him **than any other subject**. 역사는 그에게 다른 어떤 과목보다 더 지루하다.
have + never/hardly/rarely + p.p. + 비교급 더 ~해 본 적이 없다	I **have rarely been busier than** I am this week. 나는 이번 주보다 더 바빠 본 적이 없다.

공무원 영어 실전 문제

04 우리말을 영어로 잘못 옮긴 것은? [2018년 국가직 9급 출제경향]

① 가능한 한 빨리 저를 도와달라고 친구 몇 명에게 부탁할게요.
→ I'll ask some friends to come help me as soon as possible.

② 그녀는 역도 훈련을 열심히 해왔기 때문에 대회가 시작되었을 때 대비가 되어 있었다.
→ She had been training hard at weightlifting, so she was prepared when the competition began.

③ 그 질병 진단을 받은 사람들은 종종 잠시 우울증에 빠진다.
→ People who have been diagnosed with the disease are often briefly depressed.

④ 필리핀의 수도 마닐라만큼 조밀하게 인구를 형성하는 도시는 없다.
→ No other cities is as densely populated as Manila, the capital of the Philippines.

정답 ④ 해설·해석 p.451

기출포인트 05

원급·비교급·최상급 관련 표현

출제빈도 ★★★

1 원급 관련 표현

as ~ as can be 더없이	as ~ as any 무엇에게도/누구에게도 못지않게
not so much A as B A라기보다는 B인	never[not] so much as ~조차도 하지 않다

This is **as** good a restaurant **as any.** 이곳은 여느 식당 못지않게 좋은 식당이다.

It's **not so much** the cost **as** the quality that matters. 중요한 것은 가격이라기보다는 품질이다.

2 비교급 관련 표현

more than / less than 이상 / 이하	all the more 더욱 더
much[still] less 하물며 ~아닌	no later than ~까지는
no longer 더 이상 ~ 않다	no more than 단지 ~밖에 안 되는
other than ~외에, ~말고, ~않은	more often than not 대개, 자주
no sooner ~ than – ~하자마자 –하다	
A no 비교급 than B(=A not any more than B) B가 ~않은 만큼 A도 ~않은(= as 반대 의미의 원급 as)	

They didn't finish their homework, **still less** study for the test. 그들은 숙제를 끝내지 않았고, 하물며 시험을 위한 공부도 안 했다.

No sooner did we start driving **than** the engine failed. 우리가 출발하자마자 엔진이 고장 났다.

She is **no taller than(=as short as)** me. 그녀도 나만큼 키가 크지 않다.(= 나만큼 키가 작다.)

3 최상급 관련 표현

at (the) least 적어도	at (the) best 잘해야, 기껏해야	at (the) most 많아야, 기껏해야
the world's + 최상급 세계에서 가장 ~한	one of the + 최상급 가장 ~한 –중 하나	

Your car will only run for three more years **at best.** 네 차는 잘해야 3년 남짓 운행할 수 있을 것이다.

He is **one of the greatest** poets. 그는 가장 위대한 시인 중 한 명이다.

공무원 영어 실전 문제

05 밑줄 친 부분이 어법상 옳지 않은 것은? [2024년 국가직 9급]

① They are not interested in reading poetry, still more in writing.
② Once confirmed, the order will be sent for delivery to your address.
③ Provided that the ferry leaves on time, we should arrive at the harbor by morning.
④ Foreign journalists hope to cover as much news as possible during their short stay in the capital.

정답 ① 해설·해석 p.451

기출포인트 06

비교급·최상급 강조 표현

출제빈도 ★

1 비교급 표현 앞에 써서 비교급을 강조하는 표현

much 매우	even 훨씬	still 훨씬, 더욱	far 훨씬, 아주	a lot 상당히	by far 훨씬, 단연코

My daughter is **much** taller than she was a year ago. 내 딸은 일 년 전보다 훨씬 더 키가 크다.
→ 비교급(taller)을 강조하여 '훨씬'이란 의미를 나타내기 위해 부사 much가 쓰였다.

고득점 포인트
1. 부사 any는 보통 부정문과 의문문, 조건절에서 '조금도', '조금은'이란 의미로 비교급을 강조한다.
   He doesn't feel **any** better today. 그는 오늘 기분이 조금도 더 나아지지 않았다.
2. 부사 still은 비교급을 뒤에서도 수식할 수 있다.
   The pool is nice, but the sauna is better **still**. 수영장이 멋지지만, 사우나가 훨씬 더 좋다.

2 비교급을 강조하는 표현으로 쓸 수 없는 부사

very 매우	too 너무	so 너무	that 그만큼

Eating moderately is (**much**, **even**, **still**, ~~very~~) better than eating a lot. 적당히 먹는 것은 많이 먹는 것보다 훨씬 더 좋다.
→ 비교급(better)을 강조하기 위해서는 very가 아니라 much/even/still 등의 부사가 와야 한다.

3 최상급 표현 앞에 써서 최상급을 강조하는 표현

by far 훨씬, 단연코	quite 꽤, 상당히

It was **by far** the hardest test that I had ever taken. 그것은 내가 치러본 시험 중 단연코 가장 어려운 시험이었다.
→ 최상급(the hardest)을 강조하여 '훨씬'이란 의미를 나타내기 위해 부사 by far가 쓰였다.

공무원 영어 실전 문제

06 밑줄 친 부분 중 어법상 가장 옳지 않은 것은? [2018년 서울시 9급(3월 시행) 출제경향]

Shortly after purchasing my first car, I found that was broken ① beyond repair. After consulting knowledgeable friends, I ② was assured that I could fix it myself. Most importantly, it was clear that fixing it myself would be ③ very cheaper than ④ taking it to someone else. So I got started with learning how to build an engine.

정답 ③ 해설·해석 p.452

Hackers Practice

둘 중 어법상 알맞은 것을 고르세요.

01 We are all hoping for as (little / less) rain as possible during our trip.

02 Today's speaker is one of the (smart / smartest) engineers in the country.

03 No other sport is (more / most) popular than soccer in England.

04 Texas is (more dry / most dry) than humid.

05 This box is (three times as heavy / as heavy three times) as the one over there.

06 She didn't enjoy long flights, still (more / less) long layovers.

07 This mountain is (very / a lot) steeper than other ones.

08 He was (the quite kindest / quite the kindest) man I have ever known.

09 He waited for his late friend as (patiently / patient) as he could.

어휘

03 popular 인기 있는 04 dry 건조한, 마른 humid 습한 05 heavy 무거운 over there 저 쪽에 06 layover 경유, 도중 하차 07 a lot 훨씬 steep 가파른 08 quite 단연코, 더 없이 kind 친절한 09 wait for ~를 기다리다 late 늦은, 지각한 patiently 끈기 있게, 참을성 있게

01 기출포인트 **원급**

정답 little

해설 '~만큼 -한'은 원급 표현 'as + 형용사의 원급 + as'의 형태로 나타낼 수 있으므로 원급 little이 정답이다.

해석 우리 모두는 여행하는 동안 가능한 한 적은 비가 내리기를 바라고 있다.

02 기출포인트 **최상급 관련 표현**

정답 smartest

해설 '가장 똑똑한 기술자 중 한 명'은 최상급 관련 표현 'one of the + 최상급'(가장 ~한 -중 하나)을 사용하여 나타낼 수 있으므로 최상급 smartest가 정답이다.

해석 오늘의 연설자는 나라에서 가장 똑똑한 기술자 중 한 명이다.

03 기출포인트 **비교급 형태로 최상급 의미를 만드는 표현**

정답 more

해설 'no other + 단수 명사 ~ 비교급 + than'(다른 어떤 -도 ~보다 더 ~하지 않다)의 형태를 사용하여 비교급 형태로 최상급 의미를 만들 수 있으므로 형용사 popular의 비교급을 만드는 more가 정답이다.

해석 영국에서는 다른 어떤 스포츠도 축구보다 더 인기 있지 않다.

04 기출포인트 **비교급**

정답 more dry

해설 하나의 사물(Texas)이 가진 두 가지 성질을 비교할 때는 'more + 원급 + than + 원급'의 형태를 사용하여 나타낼 수 있으므로 more dry가 정답이다.

해석 텍사스는 습하다기보다 건조하다.

05 기출포인트 **원급**

정답 three times as heavy

해설 '세 배 만큼 무겁다'는 '배수사 + as + 원급 + as'의 형태로 나타낼 수 있으므로 three times as heavy가 정답이다.

해석 이 상자는 저 쪽에 있는 것보다 세 배만큼 무겁다.

06 기출포인트 **비교급 관련 표현**

정답 less

해설 '하물며 긴 경유도 좋아하지 않았다'는 비교급 관련 표현 'still less'(하물며 ~아닌)를 사용하여 나타낼 수 있으므로 less가 정답이다.

해석 그녀는 장거리 비행을 즐기지 않았고, 하물며 긴 경유도 좋아하지 않았다

07 기출포인트 **비교급 강조 표현**

정답 a lot

해설 비교급을 강조하기 위해 비교급 표현(steeper) 앞에 올 수 있는 강조 표현 a lot이 정답이다.

해석 이 산은 다른 산들보다 훨씬 가파르다.

08 기출포인트 **최상급 강조 표현**

정답 quite the kindest

해설 최상급을 강조하기 위해서는 최상급 표현(the kindest) 앞에 강조 표현 quite이 올 수 있으므로 quite the kindest가 정답이다.

해석 그는 내가 이제껏 알았던 사람 중 단연코 가장 친절한 남자였다.

09 기출포인트 **원급**

정답 patiently

해설 '할 수 있는 한'은 'as + 형용사/부사의 원급 + as'의 형태로 나타낼 수 있고, 동사 waited를 수식할 수 있는 것은 부사이므로 부사 patiently가 정답이다.

해석 그는 할 수 있는 한 끈기 있게 그의 늦은 친구를 기다렸다.

어법상 옳은 것에는 O, 틀린 것에는 X를 표시하고 틀린 부분을 바르게 고치세요.

10 This is by far the best movie I've seen all year. [ ]

11 It won't be any warmest tomorrow. [ ]

12 The ticket registration office is busy at noon than at any other time. [ ]

13 Companies spend 50 percent on marketing as much than on development. [ ]

14 Not sooner did the storm hit than the electricity went out. [ ]

15 More single people than families own cats as pets. [ ]

16 Neptune is the most far planet in our solar system that astronomers have found. [ ]

17 This computer model is not as reliable as the newer one. [ ]

18 The scientist's discovery made him famous all the most. [ ]

어휘

12 registration 등록 13 spend (돈을) 쓰다, 들이다 development 개발 14 storm 폭풍 hit 강타하다 electricity 전기 go out (불·전깃불이) 나가다
15 single 독신의, 미혼의 16 Neptune 해왕성 far 멀리 떨어진 planet 행성 solar system 태양계 astronomer 천문학자 17 reliable 믿을 만한
18 discovery 발견

10 기출포인트 **최상급 강조 표현**

해설 최상급을 강조하기 위해 최상급 표현(the best) 앞에 강조 표현 by far이 올 수 있으므로 by far the best가 올바르게 쓰였다.

정답 O

해석 내가 이번 해에 본 것 중 이것이 단연코 최고의 영화이다.

11 기출포인트 **비교급 강조 표현**

해설 부사 any는 부정문에서 '조금도'라는 의미로 비교급을 강조하므로 최상급 warmest를 비교급 warmer로 고쳐야 한다.

정답 X, warmest → warmer

해석 내일 조금도 더 따뜻해지지 않을 것이다.

12 기출포인트 **비교급 형태로 최상급 의미를 만드는 표현**

해설 '비교급 + than any other + 단수 명사'(다른 어떤 -보다 더 ~한)의 형태로 비교급 형태로 최상급 의미를 만들 수 있으므로 원급 busy를 비교급 busier로 고쳐야 한다.

정답 X, busy → busier

해석 티켓 등록 사무실은 다른 어떤 시간보다 정오에 더 바쁘다.

13 기출포인트 **원급**

해설 '50퍼센트만큼 ~ 쓴다'는 '부분을 나타내는 표현 + as + 원급 + as'의 형태로 나타낼 수 있으므로 than을 as로 고쳐야 한다.

정답 X, than → as

해석 회사들은 개발에 쓰는 돈의 50퍼센트만큼 마케팅에 쓴다.

14 기출포인트 **비교급 관련 표현**

해설 '폭풍이 강타하자마자 전기가 나갔다'는 비교급 관련 표현 'no sooner ~ than -'(~하자마자 -하다)을 사용하여 나타낼 수 있으므로 Not을 No로 고쳐야 한다.

정답 X, Not → No

해석 폭풍이 강타하자마자 전기가 나갔다.

15 기출포인트 **비교급**

해설 '가족들보다 더 많은 독신자들'은 비교급 표현 'more + 명사 + than'(~보다 더 많은)의 형태로 나타낼 수 있으므로 More single people than families가 올바르게 쓰였다.

정답 O

해석 가족들보다 더 많은 독신자들이 반려동물로 고양이를 기른다.

16 기출포인트 **최상급**

해설 '해왕성은 ~ 가장 멀리 떨어진 행성이다'는 최상급 표현 '형용사의 최상급 + that절'의 형태를 사용하여 나타낼 수 있고, far은 불규칙한 형태를 가지는 단어이므로 the most far를 the farthest로 고쳐야 한다.

정답 X, the most far → the farthest

해석 해왕성은 우리의 태양계에서 천문학자들이 발견한 가장 멀리 떨어진 행성이다.

17 기출포인트 **원급**

해설 '새로운 것만큼 믿을 만하지 않은'은 원급 표현 'not + as + 형용사의 원급 + as'의 형태를 사용하여 나타낼 수 있으므로 not as reliable as가 올바르게 쓰였다.

정답 O

해석 이 컴퓨터 모델은 새로운 것(모델)만큼 믿을 만하지 않다.

18 기출포인트 **비교급 관련 표현**

해설 문맥상 '그를 더욱 더 유명하게 만들었다'라는 의미가 되어야 자연스러우므로, all the most를 '더욱 더'를 의미하는 비교급 표현 all the more로 고쳐야 한다.

정답 X, all the most → all the more

해석 그 과학자의 발견은 그를 더욱 더 유명하게 만들었다.

Hackers Test

01 어법상 틀린 것을 고르시오.

① An elephant's average life expectancy is three times as long as a giraffe's.

② The harder you train for the competition, the best you will perform.

③ She felt much healthier after she had completed her exercise program.

④ I don't have enough money to buy a new smartphone, still less a new car.

02 밑줄 친 부분 중 어법상 옳지 않은 것은?

> Though we tend to ① think of the Sahara Desert as ② the driest place on earth, Antarctica actually claims that title, with some parts of it ③ not having seen rain for as ④ longest as two million years.

03 어법상 밑줄 친 곳에 들어갈 가장 적절한 것은?

> She was ______________________ during the performance.

① by far more energetic dancer among cast members

② the most by far energetic dancer of the cast members

③ far the most energetic dancer of cast members

④ by far the most energetic dancer of the cast members

01 기출포인트 비교급

정답 ②

해설 '더 열심히 훈련할수록 더 좋은 성과를 낼 수 있다'는 'the + 비교급(harder) + 주어(you) + 동사(train) ~, the + 비교급 + 주어(you) + 동사(will perform) -'(더 ~할수록, 더 -하다)의 형태로 나타낼 수 있으므로 최상급 best를 비교급 better로 고쳐야 한다.

오답 분석
① **기출포인트 원급** '세 배만큼 길다'는 '배수사 + as + 원급 + as'(~배만큼 -하다)의 형태로 나타낼 수 있으므로 three times as long as가 올바르게 쓰였다. 참고로, a giraffe's 뒤에 반복되는 average life expectancy는 생략되었다.
③ **기출포인트 비교급 강조 표현** 비교급(healthier)을 강조하기 위해 비교급 표현 앞에 강조 표현 much가 올 수 있으므로 much healthier가 올바르게 쓰였다. 참고로, 문맥상 '운동 프로그램을 끝마친' 것이 '더 건강해졌다고 느낀' 특정 과거 시점보다 이전에 일어난 일이므로 과거완료 시제 had completed가 올바르게 쓰였다.
④ **기출포인트 비교급 관련 표현** '하물며 새 차를 살 돈은 더 부족하다'는 비교급 관련 표현 still less(하물며 ~아닌)를 사용하여 나타낼 수 있으므로 still less a new car가 올바르게 쓰였다.

해석
① 코끼리의 평균 수명은 기린의 것보다 세 배만큼 길다.
② 대회를 위해 더 열심히 훈련할수록, 더 좋은 성과를 낼 수 있다.
③ 그녀는 자신의 운동 프로그램을 끝마친 후 훨씬 더 건강해졌다고 느꼈다.
④ 나는 새 스마트폰을 살 충분한 돈이 없는데, 하물며 새 차를 살 돈은 더 없다.

어휘 life expectancy 수명 complete 끝마치다

02 기출포인트 원급

정답 ④

해설 '~만큼 -한'은 원급 표현 'as + 형용사의 원급 + as'의 형태로 나타낼 수 있으므로 최상급 longest를 원급 long으로 고쳐야 한다.

오답 분석
① **기출포인트 목적어 뒤에 as나 to be를 취하는 동사** 동사 think of(~에 대해 -라고 생각하다)는 'think of + 목적어 + as + 명사'의 형태로 나타낼 수 있으므로 think of the Sahara Desert as가 명사(the driest place) 앞에 올바르게 쓰였다.
② **기출포인트 최상급** '최상급 + 명사' 앞에는 the가 와야 하므로 the driest가 올바르게 쓰였다.
③ **기출포인트 분사구문의 형태** 분사의 부정형은 분사(having) 앞에 not이 와야 하므로 not having이 올바르게 쓰였다.

해석 우리는 사하라 사막을 지구상에서 가장 건조한 곳이라고 생각하는 경향이 있지만, 사실은 남극 대륙이 그 타이틀을 차지하고 있는데, 남극 대륙의 몇몇 지역들은 2백만 년만큼 길게 비를 본 적이 없다.

어휘 tend to ~하는 경향이 있다 Antarctica 남극 대륙 claim 차지하다, 주장하다 million 백만

03 기출포인트 최상급

정답 ④

해설 빈칸은 be 동사(was)의 보어 자리이다. '~중에 가장 -한'는 최상급 표현 '형용사의 최상급 + of ~'의 형태로 나타낼 수 있고, 최상급을 강조하기 위해 최상급 표현(the most) 앞에 강조 표현 by far이 올 수 있으므로 ④ by far the most energetic dancer of the cast members가 정답이다. ③ far는 최상급 앞에 올 수 없으므로 정답이 될 수 없으며, 비교급 표현 more energetic이 쓰인 ①번은 두 대상을 비교할 때 쓰이므로 정답이 될 수 없다.

해석 그녀는 공연 동안 배역 중 단연코 가장 힘이 넘치는 무용수였다.

어휘 energetic 힘이 넘치는 cast member 배역

04 밑줄 친 부분 중 어법상 옳지 않은 것은?

> In order to execute a ① more successful attack ② during World War I, generals needed to send as ③ many information as possible to commanding officers stationed around the world. Most of the time, codes ④ were used to prevent the enemy from obtaining any vital clues.

05 우리말을 영어로 잘 옮긴 것은?

① 어둠 속에서는 잡초도 장미만큼 예쁘다.
→ A weed is as prettier as a rose in the dark.

② 잔기침 말고는 저는 괜찮아요.
→ No other than a slight cough, I've been feeling fine.

③ 탄산음료는 커피보다 많은 카페인을 함유하고 있다.
→ Sparkling drinks contain less caffeine than coffee.

④ 나는 차를 샀기 때문에 더 이상 회사까지 걸어갈 필요가 없다.
→ I no longer need to walk to the office since I bought a car.

06 다음 문장 중 어법상 옳은 것을 고르시오.

① Scholars have noted that the auto industry is more competitive than any other businesses.

② He was as frankly as he could be about his decision to leave the group.

③ She heard the mail carrier arrive so earlier than usual that day.

④ No other instrument is as exciting to him as the drums.

04 기출포인트 원급

정답 ③

해설 원급 표현 as ~ as 사이의 수량 형용사는 뒤의 명사에 따라 선택하는데, 뒤에 불가산 명사 information이 왔으므로 가산 명사와 함께 쓰이는 수량 형용사 many를 불가산 명사와 함께 쓰이는 수량 형용사 much로 고쳐야 한다.

오답 분석
① 기출포인트 **비교급** 명사(attack) 앞에 명사를 수식하는 형용사 successful의 비교급 more successful이 올바르게 쓰였다.
② 기출포인트 **전치사 2: 기간** 기간을 나타내는 전치사 during(~ 동안)이 명사 World War I 앞에 올바르게 쓰였다.
④ 기출포인트 **능동태·수동태 구별** 주어(codes)와 동사가 '암호가 사용되다'라는 의미의 수동 관계이므로 수동태 were used가 올바르게 쓰였다.

해석 제1차 세계대전 동안에 더욱 성공적인 공격을 실행하기 위해서, 장군들은 전 세계에 주둔해있는 지휘관들에게 가능한 한 많은 정보를 전달할 필요가 있었다. 대부분, 적들이 어떠한 극히 중대한 단서를 얻는 것을 막기 위해 암호가 사용되었다.

어휘 execute 실행하다 attack 공격 commanding officer 지휘관 station 주둔하다, 배치하다 code 암호 prevent 막다, 예방하다 enemy 적 obtain 얻다 vital 극히 중대한, 필수적인 clue 단서

05 기출포인트 비교급 관련 표현

정답 ④

해설 '더 이상 걸어갈 필요가 없다'는 비교급 관련 표현 no longer(더 이상 ~않다)을 사용하여 나타낼 수 있으므로 I no longer need to walk가 올바르게 쓰였다.

오답 분석
① 기출포인트 **원급** '장미만큼 예쁘다'는 원급 표현 'as + 형용사의 원급 + as'의 형태로 나타낼 수 있으므로 비교급 prettier를 원급 pretty로 고쳐야 한다.
② 기출포인트 **비교급 관련 표현** '잔기침 말고는'은 비교급 관련 표현 other than(~말고)을 사용하여 나타낼 수 있으므로 No other than을 Other than으로 고쳐야 한다.
③ 기출포인트 **비교급** '커피보다 많은 카페인'은 비교급 표현 'more + 명사 + than'(~보다 더 많은)을 사용하여 나타낼 수 있으므로 less caffeine을 more caffeine으로 고쳐야 한다.

어휘 cough 기침 contain 함유하다

06 기출포인트 원급 형태로 최상급 의미를 만드는 표현

정답 ④

해설 'no other + 단수 명사 ~ as + 원급 + as'(다른 어떤 -도 ~만큼 ~하지 않다)의 형태로 원급 형태로 최상급 의미를 만들 수 있으므로 No other instrument is as exciting ~ as the drums가 올바르게 쓰였다.

오답 분석
① 기출포인트 **비교급 형태로 최상급 의미를 만드는 표현** '비교급 + than any other + 단수 명사'(다른 어떤 -보다 더 ~한)의 형태로 비교급 형태로 최상급 의미를 만들 수 있으므로 복수 명사 businesses를 단수 명사 business로 고쳐야 한다.
② 기출포인트 **원급** '그가 할 수 있는 한 솔직했다'는 'as + 형용사/부사의 원급 + as'의 형태로 나타내며, be 동사(was)의 주격 보어 자리에는 형용사 역할을 하는 것이 와야 하므로 부사 frankly를 형용사 frank로 고쳐야 한다.
③ 기출포인트 **비교급 강조 표현** 비교급(earlier)을 강조하는 표현으로 부사 so는 올 수 없으므로 so를 비교급 표현 앞에 올 수 있는 강조 표현 much/even/still/far/a lot/by far 중 하나로 고치거나 삭제해야 한다.

해석 ① 학자들은 자동차 산업이 다른 어떤 산업보다 더 경쟁적이라고 언급했다.
② 그는 자신이 그 단체를 떠나기로 한 결정에 대해 그가 할 수 있는 한 솔직했다.
③ 그녀는 우체부가 그날 평소보다 더 일찍 도착한 것을 들었다.
④ 그에게 다른 어떤 악기도 드럼만큼 재미있지 않다.

어휘 note 언급하다, ~에 주목하다 industry 산업 competitive 경쟁적인 frankly 솔직하게 mail carrier 우체부 instrument 악기

07 밑줄 친 부분 중 어법상 옳지 않은 것을 고르시오.

> In an interesting study ① conducted by Harvard University, it was observed that students actually studied ② very harder when they ③ were offered a monetary reward for better grades. Basically, the students were paid to go to school and received higher compensation if they achieved higher grades, ④ the same way adults are paid with wages. Therefore, the offer of monetary incentives may be ⑤ better than the promise of potential rewards for motivating students to study.

08 어법상 옳은 것을 고르시오. [2017년 국가직 9급(10월 추가)]

① My father was in the hospital during six weeks.

② The whole family is suffered from the flu.

③ She never so much as mentioned it.

④ She would like to be financial independent.

07 기출포인트 비교급 강조 표현

정답 ②

해설 비교급(harder)을 강조하는 표현으로 부사 very는 올 수 없으므로 very를 비교급 표현 앞에 올 수 있는 강조 표현 much/even/still/far/a lot/by far 중 하나로 고쳐야 한다.

오답분석 ① 기출포인트 **현재분사 vs. 과거분사** 수식 받는 명사(study)와 분사가 '연구가 시행되다'라는 의미의 수동 관계이므로 과거분사 conducted가 올바르게 쓰였다.

③ 기출포인트 **4형식 동사의 수동태** 동사 offer는 4형식으로 쓰일 때 두 개의 목적어를 취하는 동사로, 수동태가 되어 간접 목적어(they)가 주어로 간 경우 직접 목적어(a monetary reward)가 수동태 동사 뒤에 그대로 남으므로 were offered가 직접 목적어 a monetary reward 앞에 올바르게 쓰였다.

④ 기출포인트 **정관사 the** same은 정관사 the와 함께 쓰여 'the + same + 명사'의 형태로 쓰이므로 the same way가 올바르게 쓰였다.

⑤ 기출포인트 **비교급** '약속보다 더 나을 수 있다'는 '형용사의 비교급 + than'(~보다 더 -한)으로 나타낼 수 있고, 형용사 good은 불규칙한 형태를 가지는 단어이므로 good의 비교급 형태 better를 사용하여 better than이 올바르게 쓰였다.

해석 하버드 대학에 의해 시행된 흥미로운 연구에서, 학생들은 더 좋은 성적에 대해 금전적인 보상을 받았을 때 실제로 훨씬 더 열심히 공부를 했다는 것이 관찰되었다. 요컨대, 학생들은 어른들이 임금을 받는 것과 마찬가지로 학교에 가는 것에 대해 돈을 받았고, 더 높은 성적을 달성하면 더 높은 보상을 받았다. 그러므로, 금전적인 장려책은 학생들이 공부하도록 동기를 부여하는 데 있어 잠재적인 보상에 대한 약속보다 더 나을 수 있다.

어휘 **observe** 관찰하다 **monetary** 금전적인 **reward** 보상 **compensation** 보상 **achieve** 달성하다 **wage** 임금 **incentive** 장려책 **potential** 잠재적인 **motivate** 동기를 부여하다

08 기출포인트 원급 관련 표현

정답 ③

해설 '언급조차도 하지 않았다'는 never so much as(~조차도 하지 않다)를 사용하여 나타낼 수 있으므로 never so much as mentioned가 올바르게 쓰였다. 참고로, mention은 뒤에 전치사 없이 목적어를 바로 취하는 타동사이므로 mentioned it이 올바르게 쓰였다.

오답분석 ① 기출포인트 **전치사 2: 기간** '~ 동안'이라는 의미로 숫자를 포함한 시간 표현(six weeks) 앞에 와서 '얼마나 오래 지속되는가'를 나타내는 전치사는 for(~동안)이므로 전치사 during을 for로 고쳐야 한다.

② 기출포인트 **능동태·수동태 구별** 주어(The whole family)와 동사가 '그 가족 전부가 고생하다'라는 의미의 능동 관계이므로 수동태 동사 is suffered를 능동태 동사 suffers 또는 suffered로 고쳐야 한다.

④ 기출포인트 **부사 자리** 형용사(independent)를 앞에서 수식할 수 있는 것은 부사이므로 형용사 financial을 부사 financially로 고쳐야 한다.

해석 ① 내 아버지는 6주 동안 입원해 계셨다.
② 그 가족 전부가 독감으로 고생한(했)다.
③ 그녀는 그것에 대해 언급조차도 하지 않았다.
④ 그녀는 경제적으로 독립하고 싶어 한다.

어휘 **suffer from** ~으로 고생하다 **independent** 독립한

병치·도치·강조 구문

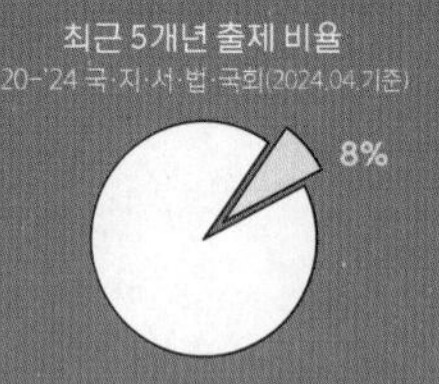

BASIC GRAMMAR 기본기 다지기

01 병치

접속사로 연결된 항목들이 **서로 같은 품사나 구조**를 취해 균형을 이루고 있는 것을 **병치**라고 한다.

The food was **delicious** and **healthy.** 그 음식은 맛있고 건강에 좋았다.

The party will take place either **on Thursday** or **on Friday.** 그 파티는 목요일이나 금요일에 열릴 것이다.

→ 등위접속사(and)로 연결된 첫 번째 문장의 delicious와 healthy는 둘 다 형용사로 균형을 이루고 있고, 상관접속사(either ~ or)로 연결된 두 번째 문장의 on Thursday와 on Friday는 둘 다 전치사구로 균형을 이루고 있다.

Check-Up

다음 중 빈칸에 들어갈 것을 고르시오.

My friends are nice and ______.

ⓐ kindly ⓑ kind

→ 빈칸은 nice와 등위접속사(and)로 연결되었으므로, 형용사 nice와 같은 구조인 형용사 ⓑ kind가 정답이다.

정답: ⓑ

02 도치

주어와 **동사**의 **위치가 바뀌는 현상**을 **도치**라고 하며, 도치는 주로 강조하고자 하는 말을 문장의 맨 앞으로 이동시켰을 때 일어난다.

① 조동사(have/be 동사 포함)가 있는 경우는 조동사가 주어 앞으로 나간다.

You **can** **enter** the library only after 10 a.m. 당신은 오전 10시 이후에만 도서관에 들어올 수 있습니다.
(주어 / 조동사 / 동사)

→ Only after 10 a.m. **can** **you** **enter** the library.
(조동사 / 주어 / 동사)

② 일반동사만 있을 경우에 조동사 역할을 하는 do 동사(do/does/did)가 앞으로 이동하고, 일반동사는 원형으로 바뀐다. 이때 동사의 시제와 수는 do 동사에 맞춘다.

He rarely eats out. 그는 거의 외식하지 않는다.
(eats: 일반동사)

→ Rarely **does** he eat out.
(does: 현재단수동사, eat: 동사원형)

Check-Up

다음 중 아래 문장의 도치가 올바르게 일어난 것을 고르시오.

The key to my room is here. 내 방의 열쇠가 여기에 있다.

ⓐ Here is the key to my room. ⓑ Here the keys to my room is.

→ 강조하는 말(Here)이 문장의 맨 앞으로 이동되었을 때 be 동사(is)와 주어(The key ~ room)의 위치가 바뀐 ⓐ가 정답이다.

정답: ⓐ

03 강조

문장 내에서 문장 요소나 내용을 두드러지게 보이게 하는 것을 **강조**라고 한다.

① 일반동사를 강조할 경우에 일반동사 앞에 조동사 do를 쓰고, 일반동사는 원형으로 바뀐다. 이때 동사의 시제와 수는 do 동사에 맞춘다.

He **does** like cats. 그는 정말 고양이를 좋아한다.

② It - that 강조 구문으로 동사를 제외한 주어, 목적어 등의 문장 요소를 강조할 수 있다.

평서문	George likes cats. (George: 주어, likes: 동사, cats: 목적어)	George는 고양이를 좋아한다.
It - that 강조구문(주어 강조)	**It** is George **that** likes cats.	고양이를 좋아하는 것은 바로 George다.
It - that 강조구문(목적어 강조)	**It** is cats **that** George likes.	George가 좋아하는 것은 바로 고양이다.

Check-Up

다음 중 동사 prefer를 강조하고 있는 것을 고르시오.

The girl(ⓐ) with long hair(ⓑ) does(ⓒ) **prefer** reading books(ⓓ). 긴 머리를 가진 그 소녀는 책을 읽는 것을 선호한다.

→ 조동사 ⓒ does가 동사원형(prefer) 앞에서 일반동사를 강조하고 있다.

정답: ⓒ

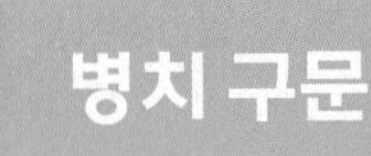

병치 구문

출제빈도 ★★★

1 병치 구문에서는 같은 품사끼리 연결되어야 한다.

명사 His **attitude** and **behavior** are typical of boys of his age. 그의 태도와 행동은 그와 같은 또래의 소년들을 대표한다.

동사 The accountant will **review** and **revise** the financial report. 회계원이 재무 보고서를 검토하고 수정할 것이다.

형용사 Using the mobile phone application is **fast** and **easy**. 휴대폰 애플리케이션을 사용하는 것은 빠르고 쉽다.

부사 The bus allows people to travel around the city **safely** and **efficiently**.
버스는 사람들이 안전하게 그리고 효율적으로 도시를 이동할 수 있게 해준다.

고득점 포인트 동사끼리 연결된 병치 구문에서는 수·시제 일치가 되어 있는지 확인해야 한다.
If Beth works hard and (**saves**, ~~save~~) her money, she will be able to buy her dream house. Beth가 열심히 일하고 돈을 저축한다면, 원하는 집을 살 수 있을 것이다.

2 병치 구문에서는 같은 구조끼리 연결되어야 한다.

동명사구 They spent all their time **working on the project** and **studying theories**.
그들은 그 프로젝트에 착수하고 이론들을 공부하는 데 그들의 시간을 모두 썼다.

전치사구 The company's number is listed **in the brochure** and **on the Internet**.
그 회사의 번호는 안내 책자와 인터넷에 실려있다.

명사절 John told me **what he bought** and **how much he paid**. John은 그가 무엇을 샀고 얼마를 지불했는지를 나에게 말했다.

고득점 포인트 to 부정사구 병치 구문에서 두 번째 나온 to는 생략될 수 있다.
The professor began to speak **and** (to) write notes on the board. 그 교수는 이야기를 하면서 칠판에 필기를 하기 시작했다.

3 원급 또는 비교급 비교 구문에서 비교의 대상은 같은 품사나 구조끼리 연결되어야 한다.

명사 **Love** is more valuable than **money**. 사랑은 돈보다 더 가치 있다.

동사 I would rather **study** than **sleep** all day. 나는 하루 종일 자는 것보다 공부하는 것이 더 낫다.

to 부정사 **To shop** at an online shopping mall is more convenient than **to shop** at a department store.
온라인 쇼핑몰에서 물건을 사는 것은 백화점에서 물건을 사는 것보다 더 편하다.

동명사구 **Having balanced meals** is as important as **exercising regularly**.
균형 잡힌 식사를 하는 것은 꾸준히 운동하는 것만큼 중요하다.

공무원 영어 실전 문제

01 어법상 빈칸에 들어가기에 가장 적절한 것은? [2016년 서울시 9급]

Creativity is thinking in ways that lead to original, practical and meaningful solutions to problems or ________ new ideas or forms of artistic expression.

① that generate ② having generated ③ to be generated ④ being generated

정답 ① 해설·해석 p.452

기출포인트 02

도치 구문: 부사구 도치 1

출제빈도 ★★★

1 부정과 제한을 나타내는 부사(구)가 강조되어 문장의 맨 앞에 나올 때 주어와 조동사가 도치되어 '조동사 + 주어 + 동사'의 어순이 된다.

부정을 나타내는 부사(구)	never 결코 ~않다 not until ~하고 나서야 비로소 -하다 no longer 더 이상 ~않다 at no time 결코 ~않다 on no account 결코 ~않다	hardly / seldom / rarely / little 거의 ~않다 no sooner ~ than - ~하자마자 -하다 nor / neither ~도 역시 -않다 nowhere 어디에서도 ~않다 under no circumstance 어떤 일이 있어도 ~않다
제한을 나타내는 부사구	not only ~일 뿐 아니라	only + 부사구 오직 ~

Immigrants can apply for citizenship only after 10 years. 이민자들은 오직 10년 후에야 시민권을 신청할 수 있다.
(Immigrants: 주어 / can: 조동사 / apply: 동사)

→ Only after 10 years **immigrants can apply** for citizenship. [×]

→ Only after 10 years **can immigrants apply** for citizenship. [○] 오직 10년 후에야 이민자들은 시민권을 신청할 수 있다.
(can: 조동사 / immigrants: 주어 / apply: 동사)

We saw any rest stops nowhere. 우리는 어디에서도 휴게소를 못 봤다.
(We: 주어 / saw: 일반동사)

→ Nowhere **we saw** any rest stops. [×]

→ Nowhere **did we see** any rest stops. [○] 어디에서도 우리는 휴게소를 못 봤다.
(did: 조동사 do / we: 주어 / see: 동사)

2 'so +부사/형용사'가 강조되어 문장의 맨 앞에 나올 때, 조동사와 주어가 도치되어 '조동사 + 주어 + 동사'의 어순이 된다.

So quickly **did she work** that she finished an hour before us. 그녀는 매우 빠르게 일해서 우리보다 한 시간 빨리 마쳤다.
(did: 조동사 / she: 주어 / work: 동사)

고득점 포인트 'so ~ that' 문장에서 'so + 형용사/부사'가 도치되어 문장의 맨 앞으로 가고, 동사 자리에 be동사가 오면, 'so + 형용사/부사' 대신에 형용사 such가 쓰일 수도 있다.

The storm was **so** strong **that** it knocked over a few trees. 그 태풍은 매우 강해서 몇몇 나무들을 넘어뜨렸다.

= **So strong was** the storm that it knocked over a few trees.

= **Such was** the storm that it knocked over a few trees.

공무원 영어 실전 문제

02 어법상 옳지 않은 것은? [2023년 국가직 9급 출제경향]

① We had our new house repainted before we moved in.

② Officials proposed that the new arena be named after the city's founder.

③ Rarely a business does last as long as Japan's 1300-year-old hot springs hotel.

④ Luggage is required to be checked in at least three hours before the departure time.

정답 ③ 해설·해석 p.452

기출포인트 03

도치 구문 : 부사구 도치 2

출제빈도 ★★

1 **장소나 방향 등을 나타내는 부사(구)가 강조되어 문장의 맨 앞에 나올 때, 주어와 동사가 도치되어 '동사 + 주어'의 어순이 된다.**

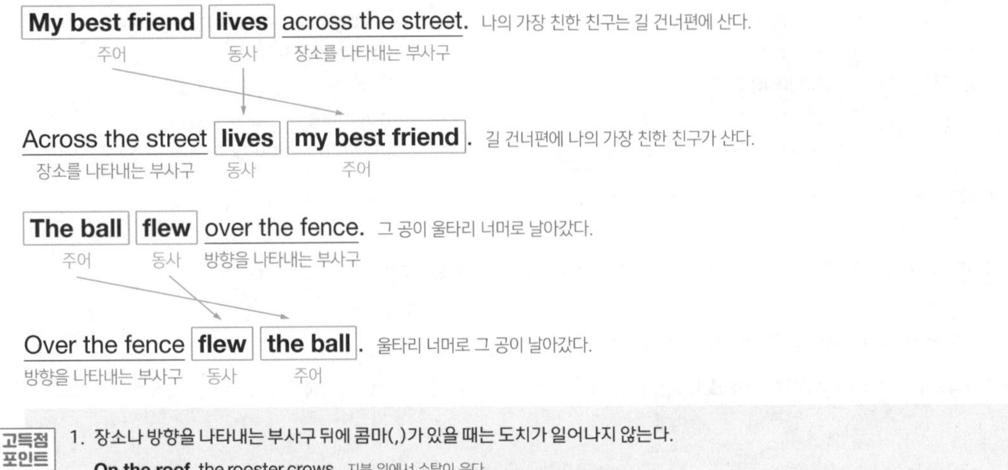

My best friend lives across the street. 나의 가장 친한 친구는 길 건너편에 산다.
주어 동사 장소를 나타내는 부사구
Across the street lives my best friend. 길 건너편에 나의 가장 친한 친구가 산다.
장소를 나타내는 부사구 동사 주어
The ball flew over the fence. 그 공이 울타리 너머로 날아갔다.
주어 동사 방향을 나타내는 부사구
Over the fence flew the ball. 울타리 너머로 그 공이 날아갔다.
방향을 나타내는 부사구 동사 주어

고득점 포인트

1. 장소나 방향을 나타내는 부사구 뒤에 콤마(,)가 있을 때는 도치가 일어나지 않는다.
   On the roof, the rooster crows. 지붕 위에서 수탉이 운다.
2. 시간의 부사구가 강조되어 문장의 맨 앞에 나올 때는 도치가 일어나지 않는다.
   In a few minutes the president(주어) will begin(동사) his speech. 몇 분 후에 대통령이 연설을 시작할 것이다.

공무원 영어 실전 문제

03 어법상 옳지 않은 것은? [2014년 서울시 9급]

① At certain times may this door be left unlocked.
② Eloquent though she was, she could not persuade him.
③ So vigorously did he protest that they reconsidered his case.
④ The sea has its currents, as do the river and the lake.
⑤ Only in this way is it possible to explain their actions.

정답 ① 해설·해석 p.452

도치 구문 : 기타 도치

출제빈도 ★

1 '~역시 그렇다'라는 표현인 so, neither/nor 뒤에는, 주어와 조동사가 도치되어 '조동사 + 주어'의 어순이 된다.

Brian had passed the test and **so had I.** Brian은 시험을 통과했고, 나 역시 그랬다.
(had: 조동사, I: 주어)

My classmates don't know the answer and **neither do I.** 나의 반 친구들은 정답을 모르고, 나 역시 그렇다.
(do: 조동사, I: 주어)

2 접속사 as(~처럼)나 than(~보다) 바로 뒤의 절이 '주어 + 조동사'로 이루어져 있을 때 주어와 조동사가 도치될 수 있다.

Lilacs only bloom for a short time, **as do cherry blossoms. (= as cherry blossoms do)**
(do: 조동사, cherry blossoms: 주어)
벚꽃이 그러는 것처럼, 라일락은 짧은 시간 동안에만 핀다.

He volunteered more hours **than did anyone else. (= than anyone else did)**
(did: 조동사, anyone else: 주어)
그는 다른 누구보다도 더 많은 시간을 자원봉사 했다.

> **고득점 포인트** '~처럼'이라는 뜻으로 쓰인 접속사 as가 절의 맨 앞에 오더라도, 주절과 접속사가 이끄는 절의 주어가 서로 같을 경우 도치가 일어나지 않는다.
> The police assembled to discuss crime rates, as (**it does**, ~~does it~~) each month. 경찰은 매달 그러는 것처럼, 범죄율에 대해 논의하기 위해 모였다.
> → as 바로 뒤의 주어 it이 주절의 주어인 The police department를 의미하므로 도치가 일어나지 않는다.

3 형용사, 분사 보어가 강조되어 문장의 맨 앞에 나올 때, 주어와 동사가 도치되어 '동사 + 주어'의 어순이 된다.

Undisturbed **the temple was** near the construction site. [×]

Undisturbed **was the temple** near the construction site. [O] 공사장 근처의 절은 조용했다.
(Undisturbed: 보어, was: 동사, the temple: 주어)

> **고득점 포인트** be 동사의 경우에는 수동태나 진행 시제를 만드는 조동사로 쓰인 것이 아니라, 2형식 동사로 쓰였을 때도 so, neither, nor 혹은 as, than 뒤에 오면 주어와 be 동사가 도치될 수 있다.
> Nonfiction books are educational, and so **are** documentary films. 비소설 작품들은 교육적이고, 다큐멘터리 영화들 또한 그렇다.
> She was a better fit for the company than **was** her predecessor. 그녀는 그녀의 전임자보다 그 회사에 더 적합한 사람이다.

공무원 영어 실전 문제

04 우리말을 영어로 잘못 옮긴 것을 고르시오. [2019년 국가직 9급 출제경향]

① 수업 중에 선생님이 설명한 내용은 혼란스러웠다.
→ What the teacher explained in the lesson was confusing.

② Jack은 박물관에 방문한 적이 없고, 나 역시 그렇다.
→ Jake hasn't visited the museum, and neither I have.

③ 축구 경기는 악천후로 인해 막바지에 취소되었다.
→ The soccer match was cancelled at the last minute due to bad weather.

④ 아기는 잠에서 깨어난 이후부터 계속 장난감을 가지고 놀고 있다.
→ The baby has been playing with his toys since he woke up.

정답 ② 해설·해석 p.453

기출포인트 05 강조 구문

출제빈도 ★

1 **재귀대명사를 명사·대명사 바로 뒤 또는 문장 맨 뒤에 써서 명사나 대명사를 강조할 수 있다.**

I (**myself**) do not believe that this is true. 내 자신은 이것이 사실이라고 생각하지 않는다.

= I do not believe that this is true (**myself**).

They (**themselves**) wrote all these letters. 그들은 이 모든 편지들을 직접 썼다.

= They wrote all these letters (**themselves**).

2 **일반동사 앞에 do 동사를 써서 일반동사의 의미를 강조할 수 있고, 이때 do 동사는 자신이 속한 절의 주어와 수·시제가 일치해야 한다.**

I **do** want to go home. 나는 집에 정말 가고 싶다.

He **does** like snacks. 그는 과자를 정말 좋아한다.

She **did** look beautiful yesterday. 어제 그녀는 정말 아름다워 보였다.

3 **the very를 명사 앞에 써서 명사를 강조할 수 있다.**

This is **the very** book I read five years ago. 이것은 내가 5년 전에 읽은 바로 그 책이다.

Climate change threatens **the very** survival of humans. 기후 변화는 인간의 생존 그 자체를 위협한다.

공무원 영어 실전 문제

05 밑줄 친 부분 중 어법상 가장 옳은 것은? [2019년 서울시 9급(2월 시행) 출제경향]

Political scientists say that several milestones ① reached in the 2020 presidential election. A record-breaking 160 million votes were cast, as records ② shows, which amounted to a 67-percent turnout, a figure not reached in over a century. ③ Addition, never before have so many American's voted by mail. While analysts ④ did worry that COVID-19 would affect the election, they now think it increased participation.

정답 ④ 해설·해석 p.453

기출포인트 06

It - that 강조 구문

출제빈도 ★★

1 It - that 강조 구문은 '-한 것은 바로 ~이다'의 의미로, 동사를 제외한 문장 요소를 It과 that 사이에서 강조할 수 있다.

I drink tea at noon. 나는 정오에 차를 마신다.
주어 목적어 부사구

주어 강조 **It** is I **that** drink tea at noon. 정오에 차를 마시는 것은 바로 나다.

목적어 강조 **It** is tea **that** I drink at noon. 내가 정오에 마시는 것은 바로 차다.

부사구 강조 **It** is at noon **that** I drink tea. 내가 차를 마시는 때는 바로 정오이다.

2 강조하는 대상에 따라 that 대신 관계대명사나 관계부사를 쓸 수 있다.

사람	**who** **whom**	It was he **who** arrived late last night. 어젯밤 늦게 도착한 사람은 바로 그였다. It was Lisa **whom[who]** he saw. 그가 본 사람은 바로 Lisa였다.
사물, 동물	**which**	It was my cat **which** scratched my face. 내 얼굴을 할퀸 것은 바로 나의 고양이였다.
장소	**where**	It was in the park **where** I took a walk. 내가 산책한 곳은 바로 공원 안이었다.
시간	**when**	It is next Friday **when** she is going to leave for Paris. 그녀가 파리로 떠날 예정인 날은 바로 다음 주 금요일이다.

Chapter 21 병치·도치·강조 구문 해커스공무원 영어 문법

공무원 영어 실전 문제

06 어법상 빈칸에 들어가기에 가장 적절한 것은? [2016년 서울시 9급]

It was when I got support across the board politically, from Republicans as well as Democrats, ________ I knew I had done the right thing.

① who ② whom ③ whose ④ that

정답 ④ 해설·해석 p.453

Hackers Practice

둘 중 어법상 알맞은 것을 고르세요.

01 Members of the running club gathered at the river at 8, as (they have / have they) every week.

02 Nowhere (can you buy / you buy) these records anymore.

03 A deal was (public / publicly) and formally made by the two companies.

04 In the backyard (the party guests are / are the party guests).

05 To clean the garage is harder than (to clean / cleaning) the basement.

06 I couldn't attend the reunion, and neither (my friend could / could my friend).

07 After today (the building will / will the building) be closed for three days.

08 She (does refuse / refuse does) to watch scary movies with the lights off.

09 It was Beth (what / that) discovered the solution to the problem.

어휘

02 record 음반 anymore 더 이상 03 deal 거래 publicly 공개적으로, 공공연하게 formally 공식적으로, 정식으로 04 backyard 뒷마당 guest 손님
05 garage 차고 basement 지하실, 지하층 06 reunion 모임 07 close 폐쇄하다 08 refuse 거부하다 09 discover 발견하다

01 기출포인트 **도치 구문: 기타 도치**

해설 접속사 as가 '~처럼'이라는 의미로 쓰여 절의 맨 앞에 올 때, 두 개의 절의 주어(Members of the running club, they)가 서로 같을 경우 도치가 일어나지 않으므로 they have가 정답이다.

정답 they have

해석 달리기 클럽의 회원들은 그들이 매주 그래왔던 것처럼, 8시에 강가에 모였다.

02 기출포인트 **도치 구문: 부사구 도치1**

해설 부정을 나타내는 부사(Nowhere)가 강조되어 문장의 맨 앞에 나오면 주어와 조동사가 도치되어 '조동사 + 주어 + 동사'의 어순이 되므로 can you buy가 정답이다.

정답 can you buy

해석 너는 어디에서도 더 이상 이 음반들을 살 수 없다.

03 기출포인트 **병치 구문**

해설 접속사(and) 뒤에 부사 formally가 왔으므로 and 앞에도 부사가 와야 한다. 따라서 부사 publicly가 정답이다.

정답 publicly

해석 거래는 두 회사에 의해 공개적이고 공식적으로 성사되었다.

04 기출포인트 **도치 구문: 부사구 도치2**

해설 장소를 나타내는 부사구(In the backyard)가 강조되어 문장의 맨 앞에 나오면 주어와 동사가 도치되어 '동사 + 주어'의 어순이 되므로 are the party guests가 정답이다.

정답 are the party guests

해석 뒷마당에 파티 손님들이 있다.

05 기출포인트 **병치 구문**

해설 비교급 구문에서 주어 자리에 to 부정사인 To clean이 왔으므로 than 뒤에도 to 부정사가 와야 한다. 따라서 to 부정사 to clean이 정답이다.

정답 to clean

해석 차고를 청소하는 것이 지하실을 청소하는 것보다 더 힘들다.

06 기출포인트 **도치 구문: 부사구 도치1**

해설 부사 neither가 '~도 역시 -않다'라는 의미로 쓰여 문장 앞에 오면 주어와 조동사가 도치되어 '조동사 + 주어'의 어순이 되므로 could my friend가 정답이다.

정답 could my friend

해석 나는 그 모임에 참석할 수 없었으며, 나의 친구 역시 참석할 수 없었다.

07 기출포인트 **도치 구문: 부사구 도치2**

해설 시간을 나타내는 부사구(After today)가 강조되어 문장의 맨 앞에 나올 때는 도치가 일어나지 않으므로 the building will이 정답이다.

정답 the building will

해석 오늘 이후로 3일간 그 건물은 폐쇄될 것이다.

08 기출포인트 **강조 구문**

해설 일반동사 앞에 do 동사를 써서 일반동사의 의미를 강조할 수 있는데, 이때 do 동사는 자신이 속한 절의 주어(She)에 수·시제를 일치시키므로 does refuse가 정답이다.

정답 does refuse

해석 그녀는 불을 끈 채로 무서운 영화를 보는 것을 정말 거부한다.

09 기출포인트 **It - that 강조 구문**

해설 '발견한 사람은 바로 Beth였다'는 It - that 강조 구문(-한 것은 바로 ~이다)을 써서 나타낼 수 있으므로 that이 정답이다.

정답 that

해석 문제의 해결책을 발견한 사람은 바로 Beth였다.

어법상 옳은 것에는 O, 틀린 것에는 X를 표시하고 틀린 부분을 바르게 고치세요.

10 Inside their one-person tents, the mountain climbers rested. [ ]

11 Gentle the breeze was as it blew along the coastline of the island. [ ]

12 The view from the hillside was sunny and beauty. [ ]

13 I think do it would be best to start working on this immediately. [ ]

14 Under no circumstances we will allow bullying at school. [ ]

15 It was Margaret which won the prize in the piano contest. [ ]

16 I have never visited England, nor I have been to France. [ ]

17 The clothes on sale are in the back of the store and also to your left. [ ]

18 Not only I will move this weekend, but I also will attend a wedding. [ ]

어휘

10 climber 등반가 11 gentle 부드러운, 온화한 breeze 산들바람 blow 불다 along ~을 따라 coastline 해안선 12 hillside 산 중턱, 언덕 비탈
13 immediately 즉시 14 allow 허용하다 bullying at school 학교 폭력 15 win the prize 상을 타다, 입상하다 17 on sale 할인 중인
18 move 이사하다 attend 참석하다

10 기출포인트 **도치 구문: 부사구 도치2**

해설 장소를 나타내는 부사구(Inside ~ tents)가 강조되어 문장의 맨 앞에 나올 때, 부사구 뒤에 콤마(,)가 있으면 도치가 일어나지 않으므로 the mountain climbers rested가 올바르게 쓰였다.

정답 O

해석 그들의 1인용 텐트 안에서, 산악 등반가들은 휴식을 취했다.

11 기출포인트 **도치 구문: 기타 도치**

해설 형용사 보어(Gentle)가 강조되어 문장의 맨 앞에 나오면 주어와 동사가 도치되어 '동사 + 주어'의 어순이 되므로 the breeze was를 was the breeze로 고쳐야 한다.

정답 X, the breeze was → was the breeze

해석 섬의 해안선을 따라 불어오는 산들바람은 부드러웠다.

12 기출포인트 **병치 구문**

해설 접속사(and) 앞에 형용사 sunny가 왔으므로 and 뒤에도 형용사가 와야 한다. 따라서 명사 beauty를 형용사 beautiful로 고쳐야 한다.

정답 X, beauty → beautiful

해석 산 중턱에서 바라본 전망은 햇살이 눈부시고 아름다웠다.

13 기출포인트 **강조 구문**

해설 일반동사 앞에 do 동사를 써서 일반동사의 의미를 강조할 수 있으므로 think do를 do think로 고쳐야 한다.

정답 X, think do → do think

해석 나는 이것을 즉시 착수하는 것이 가장 좋을 것이라고 정말 생각한다.

14 기출포인트 **도치 구문: 부사구 도치1**

해설 부정을 나타내는 부사구(Under no circumstances)가 강조되어 문장의 맨 앞에 나오면 주어와 조동사가 도치되어 '조동사 + 주어 + 동사'의 어순이 되므로 we will을 will we로 고쳐야 한다.

정답 X, we will → will we

해석 어떤 일이 있어도 우리가 학교 폭력을 허용하지는 않을 것이다.

15 기출포인트 **It - that 강조 구문**

해설 '상을 탄 사람은 바로 Margaret이었다'는 It - that 강조 구문(-한 것은 바로 ~이다)를 써서 나타낼 수 있고, 강조되는 내용이 사람(Margaret)이므로 that 또는 who를 쓸 수 있다. 따라서 which를 that 또는 who로 고쳐야 한다.

정답 X, which → that/who

해석 그 피아노 경연에서 상을 탄 사람은 바로 Margaret이었다.

16 기출포인트 **도치 구문: 부사구 도치1**

해설 부사 nor가 '~도 역시 -않다'라는 의미로 쓰여 문장 앞에 오면 주어와 조동사 역할을 하는 have 동사가 도치되어 '조동사 + 주어'의 어순이 되므로 nor 뒤의 I have를 have I로 고쳐야 한다.

정답 X, I have → have I

해석 나는 영국에 한 번도 가본 적이 없으며, 프랑스에도 가본 적이 없다.

17 기출포인트 **병치 구문**

해설 접속사(and) 앞에 전치사구 in the back of the store가 왔으므로 and 뒤에도 전치사구가 와야 한다. 따라서 and 뒤에 전치사구 to your left가 올바르게 쓰였다.

정답 O

해석 할인 중인 옷은 가게 뒤쪽과 당신의 왼쪽 편에 있다.

18 기출포인트 **도치 구문: 부사구 도치1**

해설 제한을 나타내는 부사구(Not only)가 강조되어 문장의 맨 앞에 나오면 주어와 조동사가 도치되어 '조동사 + 주어 + 동사'의 어순이 되므로 I will을 will I로 고쳐야 한다.

정답 X, I will → will I

해석 나는 이번 주말에 이사를 할 뿐만 아니라, 결혼식에도 참석할 것이다.

Hackers Test

01 다음 문장 중 어법상 옳은 것은?

① Some people prefer grinding their own coffee and brew it at home.

② Hardly you will feel the cold when you start skiing.

③ In the Himalayas, nine of the world's highest mountains can be found.

④ This book gave me a greater understanding and appreciate of the subject.

02 우리말을 영어로 잘못 옮긴 것은?

① 나는 연기 냄새를 맡았을 뿐만 아니라, 소방차가 도착하는 소리도 들었다.
→ Not only I smelled smoke, but I also heard fire engines arrive.

② 정문 가까이에 경비원이 앉아 있다.
→ Near the front entrance sits a security guard.

③ 범선 옆을 따라 헤엄칠 때 돌고래는 빨랐다.
→ Swift was the dolphin as it swam along beside the sailboat.

④ 화려하고 비싼 레스토랑은 예약을 해야 한다.
→ Fancy and costly restaurants require reservations.

03 다음 중 우리말을 영어로 잘못 옮긴 것을 고르시오.

① 그녀가 오늘 산 것은 세일 중이었다.
→ What she bought today was on sale.

② 어젯밤 영화는 늦게 끝났다.
→ The movie last night ended late.

③ 벨소리가 난 것은 바로 내 전화기였다.
→ It was my phone there was ringing.

④ 뒤에서 그에 대해 안 좋게 말하는 것은 무례하다.
→ It is rude to speak ill of him behind his back.

01 기출포인트 도치 구문: 부사구 도치 2

정답 ③

해설 장소를 나타내는 부사구(In the Himalayas)가 강조되어 문장의 맨 앞에 나올 때, 부사구 뒤에 콤마(,)가 있으면 주어와 동사의 도치가 일어나지 않으므로 부사구 뒤에 nine of ~ mountains can be found가 올바르게 쓰였다.

오답 분석 ① 기출포인트 **병치 구문** 접속사(and) 앞에 동사 prefer의 목적어 역할을 하는 동명사 grinding이 왔으므로 and 뒤에도 동명사가 와야 한다. 따라서 동사원형 brew를 동명사 brewing으로 고쳐야 한다.

② 기출포인트 **도치 구문: 부사구 도치 1** 부정을 나타내는 부사(Hardly)가 강조되어 문장 맨 앞에 오면 주어와 조동사가 도치되어 '조동사 + 주어 + 동사'의 어순이 되므로 you will을 will you로 고쳐야 한다.

④ 기출포인트 **병치 구문** 접속사(and) 앞에 명사 understanding이 왔으므로 and 뒤에도 명사 역할을 하는 것이 와야 한다. 따라서 동사 appreciate를 명사 appreciation으로 고쳐야 한다.

해석 ① 어떤 사람들은 집에서 그들만의 커피를 갈고 끓이는 것을 선호한다.
② 스키를 타기 시작하면 추위를 거의 느낄 수 없을 것이다.
③ 히말라야에서는, 세계에서 가장 높은 산 중 9개를 찾을 수 있다.
④ 이 책은 나에게 그 주제에 관한 더 많은 이해와 공감을 주었다.

어휘 prefer 선호하다 grind 갈다 brew 끓이다 appreciate 진가를 알아보다, 고마워하다 appreciation 공감, 감탄

02 기출포인트 도치 구문: 부사구 도치 1

정답 ①

해설 '냄새를 맡았을 뿐만 아니라'는 제한을 나타내는 부사구 not only(~일 뿐 아니라)를 사용하여 나타낼 수 있는데, 제한을 나타내는 부사구가 강조되어 문장의 맨 앞에 오면 주어와 조동사가 도치되어 '조동사(did) + 주어(I) + 동사'의 어순이 되므로 Not only I smelled를 Not only did I smell로 고쳐야 한다.

오답 분석 ② 기출포인트 **도치 구문: 부사구 도치 2** 장소를 나타내는 부사구(Near ~ entrance)가 강조되어 문장의 맨 앞에 오면 주어와 동사가 도치되어 '동사 + 주어'의 어순이 되므로 sits a security guard가 올바르게 쓰였다.

③ 기출포인트 **도치 구문: 기타 도치** 형용사 보어(Swift)가 강조되어 문장의 맨 앞에 나오면 주어와 동사가 도치되어 '동사 + 주어'의 어순이 되므로 was the dolphin이 올바르게 쓰였다.

④ 기출포인트 **병치 구문** 접속사(and) 앞에 형용사 Fancy가 왔으므로 and 뒤에도 형용사 costly가 올바르게 쓰였다.

어휘 fire engine 소방차 swift 빠른 fancy 화려한 costly 비싼 reservation 예약

03 기출포인트 It - that 강조 구문

정답 ③

해설 '벨소리가 난 것은 바로 내 전화기였다'는 It - that 강조 구문(-한 것은 바로 ~이다)을 써서 나타낼 수 있으므로 there을 that으로 고쳐야 한다.

오답 분석 ① 기출포인트 **명사절 접속사 3: 의문사** 주어 자리에 목적어가 없는 불완전한 절(she ~ today)을 이끄는 명사절 접속사 what을 사용하여 명사절 What she bought today가 올바르게 쓰였다.

② 기출포인트 **시제 일치** 과거 시제와 자주 함께 쓰이는 시간 표현(last night)이 왔으므로 과거 시제 ended가 올바르게 쓰였다.

④ 기출포인트 **가짜 주어 구문** to 부정사구(to speak ~ back)와 같이 긴 주어가 오면 진주어인 to 부정사구를 문장 맨 뒤로 보내고 가주어 it이 주어 자리에 대신해서 쓰이므로 It is rude to speak ~ back이 올바르게 쓰였다.

어휘 rude 무례한 speak ill of ~에 대해 안 좋게 말하다

04 밑줄 친 부분에 들어갈 가장 적절한 것은?

> These lights are not only long-lasting but ______________ normal light bulbs.

① also brighter than
② more brightly to
③ also more brighten than
④ also brighter to

05 다음 문장 중 어법상 틀린 것은?

① During the meeting suggestions will be heard.
② So quickly did she respond that the interviewer was surprised.
③ Country music appeals to certain people, as does opera.
④ Only at the end the audience applauded the performers.

06 밑줄 친 부분 중 어법상 옳지 않은 것은?

> Terrible ① the symptoms were of the plague that swept through Europe ② during the 14th century. Without the availability of modern medicine, most of ③ those infected died within four days. The plague took the lives of about 25 million people, ④ killing a third of the world's population.

04 기출포인트 **병치 구문** 정답 ①

해설 빈칸은 상관 접속사 not only A but (also) B에서 B 자리에 올 수 있는 것의 자리이다. not only 뒤의 A 자리에 형용사(long-lasting)가 왔으므로 but (also) 뒤의 B 자리에도 형용사가 와야 하는데, 문맥상 '더 밝다'라는 의미가 되어야 자연스러우므로 비교급 표현 '형용사의 비교급 + than'의 형태를 사용하여 나타낸 ① also brighter than이 정답이다.

해석 이 전등들은 오래 지속될 뿐 아니라 일반 전구보다 더 밝다.

어휘 light 전등 long-lasting 오래 지속되는

05 기출포인트 **도치 구문: 부사구 도치 1** 정답 ④

해설 제한을 나타내는 부사구(Only at the end)가 강조되어 문장 맨 앞에 오면 주어와 조동사가 도치되어 '조동사(did) + 주어(the audience) + 동사'의 어순이 되어야 하므로 the audience applauded를 did the audience applaud로 고쳐야 한다.

오답 분석 ① 기출포인트 **도치 구문: 부사구 도치 2** 시간을 나타내는 부사구(During the meeting)가 강조되어 문장의 맨 앞에 나올 때는 도치가 일어나지 않으므로 suggestions will be heard가 올바르게 쓰였다.

② 기출포인트 **도치 구문: 부사구 도치 1** 'so + 부사'가 강조되어 문장 맨 앞에 오면 주어와 조동사가 도치되어 '조동사(did) + 주어(she) + 동사(respond)'의 어순이 되므로, So quickly did she respond가 올바르게 쓰였다.

③ 기출포인트 **도치 구문: 기타 도치** 접속사 as가 '~처럼'이라는 의미로 쓰여 절의 맨 앞에 오고, as 바로 뒤의 절이 주어와 조동사(does)로 이루어져 있을 때, 주어와 조동사가 도치되어 'as + 조동사 + 주어'의 어순으로 쓰일 수 있으므로 as does opera가 올바르게 쓰였다.

해석 ① 회의 중에 의견들이 들리게 될 것이다.
② 그녀가 매우 빠르게 대답해서 면접관은 놀랐다.
③ 컨트리 음악은 오페라가 그러는 것과 같이, 특정 사람들의 관심을 끈다.
④ 오직 마지막에만 관객은 연주자들에게 박수를 보냈다.

어휘 respond 대답하다 interviewer 면접관 appeal 관심을 끌다, 매력적이다 applaud 박수를 보내다

06 기출포인트 **도치 구문: 기타 도치** 정답 ①

해설 형용사 보어(Terrible)가 강조되어 문장의 맨 앞에 나오면 주어와 동사가 도치되어 '동사 + 주어'의 어순이 되므로 the symptoms were를 were the symptoms로 고쳐야 한다.

오답 분석 ② 기출포인트 **전치사 2: 기간** 명사 앞에 와서 '언제 일어나는가'를 나타내는 전치사 during(~동안)이 시간을 나타내는 명사구 the 14th century 앞에 올바르게 쓰였다.

③ 기출포인트 **지시대명사** '~한 사람들'을 의미하는 those는 뒤에서 수식어(infected)의 꾸밈을 받으므로 those infected가 올바르게 쓰였다.

④ 기출포인트 **분사구문의 형태** 주절의 주어(The plague)와 분사구문이 '흑사병이 ~ 인구의 3분의 1을 죽이다'라는 의미의 능동 관계이므로 현재분사 killing이 올바르게 쓰였다.

해석 14세기 동안에 유럽을 휩쓸고 지나간 흑사병의 증상은 끔찍했다. 현대 의약품을 이용할 수 없어, 감염된 사람들의 대부분은 4일 안에 사망했다. 흑사병은 전 세계 인구의 3분의 1을 죽음으로 내몰면서 약 2,500만 명의 목숨을 앗아갔다.

어휘 symptom 증상 the plague 흑사병 sweep through 휩쓸고 지나가다 availability 이용할 수 있음, 유효성 infected 감염된

07 밑줄 친 부분 중 어법상 옳은 것을 고르시오.

There is a stereotypical baby babble sound that ① used in movies and TV shows. In this case, however, the media ② does portray how babies sound rather accurately. Although babies are not able to say ③ coherent anything, they are experimenting with consonant sounds and tone of voice. Making these seemingly random sounds ④ are an important step toward language acquisition.

08 우리말을 영어로 가장 잘 옮긴 것을 고르시오. [2021년 국가직 9급]

① 나는 너의 답장을 가능한 한 빨리 받기를 고대한다.
→ I look forward to receive your reply as soon as possible.

② 그는 내가 일을 열심히 했기 때문에 월급을 올려 주겠다고 말했다.
→ He said he would rise my salary because I worked hard.

③ 그의 스마트 도시 계획은 고려할 만했다.
→ His plan for the smart city was worth considered.

④ Cindy는 피아노 치는 것을 매우 좋아했고 그녀의 아들도 그랬다.
→ Cindy loved playing the piano, and so did her son.

07 기출포인트 강조 구문

정답 ②

해설 일반동사 앞에 do 동사를 써서 일반동사의 의미를 강조할 수 있는데, 이때 do 동사는 자신이 속한 절의 주어(the media)에 수·시제를 일치시키므로 단수 동사 does가 올바르게 쓰였다.

오답분석 ① 기출포인트 **능동태·수동태 구별** 관계절의 선행사(baby babble sound)와 동사가 '아기 옹알이가 사용되다'라는 의미의 수동 관계이므로 능동태 used를 수동태 is used로 고쳐야 한다.

③ 기출포인트 **명사를 수식하는 여러 요소들의 어순** -thing으로 끝나는 명사(anything)는 형용사가 뒤에서 수식하므로 coherent anything을 anything coherent로 고쳐야 한다.

④ 기출포인트 **주어와 동사의 수 일치** 동명사구 주어(Making these ~ sounds)는 단수 취급하므로 복수 동사 are을 단수 동사 is로 고쳐야 한다.

해석 영화나 TV쇼에서 사용되는 전형적인 아기 옹알이 소리가 있다. 그러나 이 경우, 매체는 아기들이 얼마나 정확하게 들리는지를 묘사한다. 아기들은 논리 정연한 말을 할 수 없지만, 자음 소리와 목소리의 톤을 실험하고 있는 것이다. 이렇게 무작위로 보이는 소리를 내는 것은 언어 습득을 위한 중요한 단계이다.

어휘 stereotypical 전형적인 babble 옹알이 portray 묘사하다 accurately 정확하게 coherent 논리 정연한 experiment 실험하다 consonant 자음 random 무작위의 acquisition 습득

08 기출포인트 도치 구문: 기타 도치

정답 ④

해설 '~역시 그렇다'라는 표현인 so 뒤에는 주어와 조동사가 도치되어 '조동사(did) + 주어(her son)'의 어순이 되어야 하므로 so did her son이 올바르게 쓰였다. 참고로, 동사 love는 to 부정사와 동명사를 모두 목적어로 취할 수 있으므로 동명사를 목적어로 취한 loved playing이 올바르게 쓰였다.

오답분석 ① 기출포인트 **동명사 관련 표현** '답장을 받기를 고대한다'는 동명사 관련 표현 look forward to -ing(-을 고대하다)로 나타낼 수 있으므로 동사원형 receive를 동명사 receiving으로 고쳐야 한다.

② 기출포인트 **혼동하기 쉬운 자동사와 타동사** '월급을 올려주다'는 타동사 raise(올리다)를 써서 나타낼 수 있으므로 자동사 rise를 타동사 raise로 고쳐야 한다.

③ 기출포인트 **동명사 관련 표현** '고려할 만했다'는 동명사 관련 표현 be worth -ing(-할 만하다)로 나타낼 수 있으므로 과거분사 considered를 동명사 considering으로 고쳐야 한다.

어휘 receive 받다 reply 답장 salary 월급

Section Test

01 빈칸에 들어갈 알맞은 말은?

My aunt is not only kinder to people but also ____________ than her husband.

① more considerable
② considerate
③ most considerable
④ more considerate

02 밑줄 친 부분 중 어법상 옳지 않은 것은?

A sudden avalanche in the Rocky Mountains this morning caused a group of local hikers ① to become trapped underneath the snow. Rescue workers moved as ② rapid as possible to remove the snow and debris, ③ though their efforts were ④ severely hindered by the bad weather.

03 밑줄 친 부분 중 가장 어색한 표현을 고르시오.

Two Swedish researchers were forced ① to defend the results of their year-long study ② on cognitive dissonance in social groups ③ due to accusations from the scientific community that the tests were subjective, results-oriented, and ④ inconsistency.

01 기출포인트 병치 구문

정답 ④

해설 빈칸은 상관접속사 not only A but (also) B의 형태에서 B에 올 수 있는 것의 자리이다. not only 뒤의 A 자리에 형용사의 비교급(kinder)이 왔으므로 형용사의 비교급을 사용하여 나타낸 ①, ④번이 정답 후보이다. 문맥상 '나의 이모는 ~ 더 사려 깊다'라는 의미가 되어야 자연스러우므로 형용사 considerable(상당한)이 아닌 형용사 considerate(사려 깊은)를 사용하여 more considerate로 나타낸 ④번이 정답이다.

해석 나의 이모는 그녀의 남편보다 사람들에게 더 친절할 뿐만 아니라 더 사려 깊다.

어휘 considerable 상당한 considerate 사려 깊은

02 기출포인트 원급

정답 ②

해설 '가능한 한 신속하게'는 'as + 형용사/부사의 원급 + as'의 형태로 나타낼 수 있는데, 동사 moved를 수식할 수 있는 것은 부사이므로 형용사 rapid를 부사 rapidly로 고쳐야 한다.

오답분석 ① 기출포인트 **to 부정사를 취하는 동사** 동사 cause는 목적격 보어로 to 부정사를 취하는 동사이므로 목적어(a group ~ hikers) 뒤에 to 부정사 to become이 올바르게 쓰였다.

③ 기출포인트 **부사절 접속사 2: 양보** 절(Rescue workers ~ debris)과 절(their efforts ~ weather)을 연결하면서 양보를 나타내는 부사절 접속사 though(비록 ~이지만)가 올바르게 쓰였다.

④ 기출포인트 **부사 자리** 부사(severely)가 수동형 동사(were hindered)를 수식할 때, 부사는 '조동사 + p.p.' 사이나 그 뒤에 와야 하므로 were와 hindered 사이에 부사 severely가 올바르게 쓰였다.

해석 오늘 아침에 로키 산맥에서 일어난 급작스러운 눈사태는 현지 산악인 무리를 눈 아래에 갇히게 했다. 비록 구조대원들의 노력이 궂은 날씨로 인해 극심하게 방해를 받았지만, 그들은 눈과 잔해를 치우기 위해 가능한 한 신속하게 움직였다.

어휘 avalanche 눈사태 trap 가두다 underneath ~ 아래 rescue worker 구조대원 debris 잔해 severely 극심하게 hinder 방해하다

03 기출포인트 병치 구문

정답 ④

해설 접속사(and) 앞에 형용사 subjective, results-oriented가 왔으므로 and 뒤에도 형용사가 와야 한다. 따라서 명사 inconsistency(모순)를 형용사 inconsistent(모순이 많은)로 고쳐야 한다.

오답분석 ① 기출포인트 **5형식 동사의 수동태** to 부정사를 목적격 보어로 취하는 5형식 동사(force)가 수동태가 되면, to 부정사는 수동태 동사(were forced) 뒤에 그대로 남아야 하므로 were forced 뒤에 to defend가 올바르게 쓰였다.

② 기출포인트 **전치사 4: ~에 관하여** 문맥상 '인지적 불화에 관한 연구'라는 의미가 되어야 자연스러우므로 '~에 관하여'를 나타내는 전치사 on이 올바르게 쓰였다.

③ 기출포인트 **전치사 4: 이유** 문맥상 '비난 때문에'라는 의미가 되어야 자연스러우므로 이유를 나타내는 전치사 due to(~ 때문에)가 명사 accusations 앞에 올바르게 쓰였다.

해석 그 실험이 주관적이고, 결과 지향적이며, 모순이 많다는 과학계로부터의 비난 때문에, 두 명의 스웨덴 연구원은 사회 집단 내에서의 인지적 불화에 관한 그들의 1년 간의 연구 결과를 변호할 수밖에 없었다.

어휘 researcher 연구원 cognitive 인지의 dissonance 불화 accusation 비난 scientific 과학적인 subjective 주관적인 results-oriented 결과 지향적인 inconsistency 모순 inconsistent 모순이 많은

04 밑줄 친 부분 중 어법상 가장 옳지 않은 것은?

> Most people who celebrate Halloween ① remain oblivious to the origins of the word. A ② confusion and rather unhelpful clue is that it was frequently spelled Hallowe'en for much of the 20th century. In truth, the name ③ was abbreviated from *All Hallow's Even*, the latter word being an archaic form of evening. Thus, not only were *All* and the possessive *S* ④ omitted in Halloween, but the *V* near the end was conspicuously dropped, as was any reference to its omission.

05 다음 문장 중 어법상 옳지 않은 것은?

① The Mastiff is larger than the St. Bernard, another gentle dog breed.

② The Pan-American Highway, which accesses 16 countries, is the longest in the world.

③ Guy Savoy is by far the more expensive restaurant in France.

④ We must leave no later than 6 a.m. to avoid missing our flight.

06 우리말을 영어로 잘못 옮긴 것은?

① 그는 우리 반에서 두 번째로 키가 작은 사람이다.
→ He is the second shortest man in my class.

② 나는 무엇을 구매해야 하는지와 비용이 얼마나 들지를 적었다.
→ I wrote down what I need to buy and how much it will cost.

③ 달은 우리가 또렷이 볼 수 있을 만큼 충분히 밝았다.
→ The moon was enough bright to let us see clearly.

④ 그는 지금 두 개의 직업을 가지고 있어서 예전보다 두 배 더 바쁘다.
→ He has two jobs now, so he is twice as busy as he used to be.

⑤ 침대 밑에 기념품을 가져올 여분의 여행 가방 몇 개가 있다.
→ Under the bed are some extra suitcases for carrying souvenirs.

04 기출포인트 병치 구문

정답 ②

해설 접속사(and) 뒤에 형용사 unhelpful이 왔으므로 and 앞에도 형용사가 와야 한다. 따라서 명사 confusion을 형용사 confusing(혼란스러운)으로 고쳐야 한다.

오답 분석 ① 기출포인트 **주어와 동사의 수 일치** 주어 자리에 복수 명사 Most people이 왔으므로 복수 동사 remain이 올바르게 쓰였다. 참고로, 주어와 동사 사이의 수식어 거품(who celebrate Halloween)은 동사의 수 결정에 영향을 주지 않는다.

③ 기출포인트 **능동태·수동태 구별** 동사 뒤에 목적어가 없고, 문맥상 주어(the name)와 동사가 '그 이름은 축약되었다'라는 의미의 수동 관계이므로 수동태 was abbreviated가 올바르게 쓰였다.

④ 기출포인트 **도치 구문: 부사구 도치 1** 제한을 나타내는 부사구(not only)가 강조되어 문장의 맨 앞에 나오면 주어와 조동사가 도치되어 '조동사(were) + 주어 + 동사'의 어순이 되고, 문맥상 주어와 동사가 'All과 소유격 S가 생략되다'라는 의미의 수동 관계가 되어야 자연스러우므로, 수동태 were omitted를 완성하는 omitted가 올바르게 쓰였다.

해석 핼러윈을 기념하는 대부분의 사람들은 그 단어의 기원을 망각하고 있다. 혼란스럽고 다소 도움이 안 되는 단서는 20세기 대부분 동안 그것이 자주 'Hallowe'en'으로 표기되었다는 것이다. 사실, 그 이름은 'All Hallow's Even'에서 축약되었으며, 마지막 단어는 저녁(evening)의 고어 형태였다. 따라서, 핼러윈에서 'All'과 소유격 'S'가 생략되었을 뿐만 아니라, 그것(V)의 생략에 대한 참조 부호가 사라진 것처럼 끝부분 근처의 'V'도 뚜렷하게 빠졌다.

어휘 oblivious 망각하는 origin 기원 clue 단서 abbreviate 축약하다 archaic 고어의, 구식인 possessive 소유격의 omit 생략하다, 제외하다 conspicuously 뚜렷하게, 눈에 띄게 reference 참조 부호, 언급 omission 생략

05 기출포인트 최상급 강조 표현

정답 ③

해설 최상급을 강조하기 위해 최상급 표현 앞에 강조 표현 by far(단연코)가 올 수 있으므로 by far 뒤에 비교급 more를 써서 나타낸 the more expensive를 최상급 most를 쓴 the most expensive로 고쳐야 한다.

오답 분석 ① 기출포인트 **비교급** 문맥상 '마스티프는 세인트버나드보다 더 크다'라는 의미가 되어야 자연스러운데 비교급 표현은 '형용사의 비교급 + than'의 형태로 나타내므로 larger than이 올바르게 쓰였다.

② 기출포인트 **최상급** 문맥상 '팬아메리칸 하이웨이는 세계에서 가장 길다'라는 의미가 되어야 자연스러운데, '가장 ~한'은 최상급 표현 'the + 최상급'의 형태를 사용하여 나타낼 수 있으므로 the longest가 올바르게 쓰였다.

④ 기출포인트 **비교급 관련 표현** '늦어도 오전 6시까지는 출발해야 한다'는 비교급 관련 표현 'no later than'(~까지는)을 사용하여 나타낼 수 있으므로 비교급 관련 표현 no later than이 올바르게 쓰였다.

해석 ① 마스티프는 또 다른 온순한 개 품종인 세인트버나드보다 더 크다.
② 16개국을 연결하는 팬아메리칸 하이웨이는 세계에서 가장 길다.
③ Guy Savoy는 프랑스에서 단연코 가장 비싼 식당이다.
④ 우리는 비행기를 놓치지 않으려면 늦어도 오전 6시까지는 출발해야 한다.

어휘 Mastiff 마스티프(털이 짧고 덩치가 큰 개) St. Bernard 세인트버나드(몸집이 크고 튼튼한 개) breed 품종, 종족 highway 하이웨이, 고속도로

06 기출포인트 혼동하기 쉬운 어순

정답 ③

해설 enough는 형용사(bright) 뒤에 와야 하므로 enough bright을 bright enough로 고쳐야 한다.

오답 분석 ① 기출포인트 **최상급** '~번째로 가장 -한'이라는 의미를 나타내는 표현은 'the + 서수 + 최상급'의 형태를 사용하여 나타낼 수 있으므로 the second shortest가 올바르게 쓰였다.

② **Chapter 19 어순 BASIC GRAMMAR** 간접 의문문은 '의문사 + 주어 + 동사'의 어순이 되어야 하고, 접속사(and)로 연결된 병치 구문에서는 같은 구조끼리 연결되어야 하므로, and 앞과 뒤에 간접 의문문 what I need와 how much it will cost가 올바르게 쓰였다.

④ 기출포인트 **원급** '두 배 더 바쁘다'는 '배수사 + as + 원급 + as'의 형태로 나타낼 수 있으므로 twice as busy as가 올바르게 쓰였다.

⑤ 기출포인트 **도치 구문: 부사구 도치 2** 장소를 나타내는 부사구(Under the bed)가 강조되어 문장의 맨 앞에 나오면 주어와 동사가 도치되어 '동사 + 주어'의 어순이 되어야 하므로 Under the bed are some extra suitcases가 올바르게 쓰였다.

어휘 bright 밝은 twice 두 배 souvenir 기념품

07 우리말을 영어로 가장 잘 옮긴 것은?

① 예술가에게 다른 어떤 것도 긍정적인 반응만큼 가치가 있지 않다.
→ Everything is so rewarding to an artist as positive feedback.

② 벚꽃은 오직 봄에만 핀다.
→ Only in the springtime cherry blossoms come out.

③ 몇몇 주스 말고는 그 제조사는 탄산음료를 주로 제조한다.
→ More than some juices, the manufacturer mainly produces sodas.

④ 그는 세무서를 방문했을 때 그의 서류들을 제출했다.
→ He turned his papers in when he visited the tax office.

08 우리말을 영어로 옮긴 것 중 가장 어색한 것을 고르시오.

① 이 풍선은 보통의 것보다 15배 더 크다.
→ This balloon is 15 times larger than the normal one.

② 결코, 방문객들은 실험실 출입이 승인될 수 없다.
→ On no account guests should be given permission to enter the laboratory.

③ 집에 오기 전에 달걀 몇 개와 우유 1리터를 반드시 사와라.
→ Make sure to get some eggs and a liter of milk before you come home.

④ 관중의 3분의 1보다 적은 수의 사람들이 그 쇼가 진행되는 동안 앉아있었다.
→ Less than a third of the crowd was sitting during the show.

07 기출포인트 혼동하기 쉬운 어순

정답 ④

해설 '동사(turn) + 부사(in)'로 이루어진 구동사의 목적어가 명사(his papers)인 경우 '동사 + 명사 + 부사'의 어순으로 올 수 있으므로 turned his papers in이 올바르게 쓰였다.

오답분석
① 기출포인트 **원급 형태로 최상급 의미를 만드는 표현** '다른 어떤 것도 ~ 가치가 있지 않다'는 원급 형태로 최상급 의미를 만드는 'nothing ~ so + 원급 + as'(다른 어떤 -도 ~만큼 ~하지 않다)의 형태를 사용하여 나타낼 수 있으므로 Everything을 Nothing으로 고쳐야 한다.
② 기출포인트 **도치 구문: 부사구 도치 1** 제한을 나타내는 부사구(Only in the springtime)가 강조되어 문장의 맨 앞에 나오면 주어와 조동사가 도치되어 '조동사(do) + 주어 + 동사'의 어순이 되므로 cherry blossoms come out을 do cherry blossoms come out으로 고쳐야 한다.
③ 기출포인트 **비교급 관련 표현** '주스 말고는'은 비교급 관련 표현 other than(~말고)을 사용하여 나타낼 수 있으므로 More than을 Other than으로 고쳐야 한다.

어휘 rewarding 가치가 있는 positive 긍정적인 cherry blossom 벚꽃 manufacturer 제조사 mainly 주로 turn in 제출하다 tax office 세무서

08 기출포인트 도치 구문: 부사구 도치 1

정답 ②

해설 부정을 나타내는 부사구(On no account)가 강조되어 문장의 맨 앞에 나오면 주어와 조동사가 도치되어 '조동사 + 주어 + 동사'의 어순이 되므로 guests should be given을 should guests be given으로 고쳐야 한다.

오답분석
① 기출포인트 **원급** '15배 더 크다'는 '배수사 + 형용사의 비교급 + than'의 형태로 나타낼 수 있으므로 15 times larger than이 올바르게 쓰였다.
③ **Chapter 19 어순 BASIC GRAMMAR** 명령문은 주어 없이 동사원형으로 문장을 시작하므로 동사원형 Make가 올바르게 쓰였다. 참고로, 접속사(and) 앞에 명사 eggs가 왔으므로 and 뒤에도 명사 milk가 올바르게 쓰였다.
④ 기출포인트 **비교급 관련 표현** '관중의 3분의 1보다 적은'은 비교급 관련 표현 less than(~보다 더 적은)을 사용하여 나타낼 수 있으므로 Less than a third of the crowd가 올바르게 쓰였다. 참고로, 부분을 나타내는 표현(a third of)을 포함한 주어는 of 뒤 명사(the crowd)에 동사를 수 일치시켜야 하므로 단수 동사 was가 올바르게 쓰였다.

어휘 permission 승인, 허가 laboratory 실험실, 연구소

09 다음 문장 중 어법상 옳은 것은?

① No other person in my life is as reliable as my mother.

② Seldom she does speak out to disagree with others.

③ His goal was to make the article as funnily as possible.

④ There's wrong something with the budget.

10 다음 문장 중 어법상 옳은 것은?

① That is necessary to shut off electrical appliances when they are not in use.

② She left her car run while she dropped her clothes off at the dry cleaner.

③ They found it that the piece of evidence was missing frustrating.

④ It was in the latter half of the 20th century when civil rights issues began to take priority.

09 기출포인트 원급 형태로 최상급 의미를 만드는 표현

정답 ①

해설 'no other + 단수 명사 ~ as + 원급 + as'(다른 어떤 -도 ~만큼 ~하지 않다)의 형태를 사용하여 원급 형태로 최상급 의미를 만들 수 있으므로 No other person ~ is as reliable as my mother가 올바르게 쓰였다.

오답 분석
② 기출포인트 **도치 구문: 부사구 도치 1** 부정을 나타내는 부사(Seldom)가 강조되어 문장의 맨 앞에 나오면 주어와 조동사가 도치되어 '조동사(does) + 주어 + 동사'의 어순이 되므로 Seldom she does speak를 Seldom does she speak로 고쳐야 한다.
③ 기출포인트 **원급** '가능한 한 재미있게'는 'as + 형용사/부사의 원급 + as'으로 나타낼 수 있는데, 동사 make의 목적격 보어 자리에 부사(funnily)는 올 수 없으므로 funnily를 형용사 funny로 고쳐야 한다.
④ 기출포인트 **명사를 수식하는 여러 요소들의 어순** -thing으로 끝나는 명사는 형용사가 뒤에서 수식하므로 wrong something을 something wrong으로 고쳐야 한다.

해석
① 나의 삶에서 다른 어떤 사람도 나의 어머니만큼 믿을 만하지 않다.
② 그녀는 좀처럼 공개적으로 다른 사람의 의견에 반대하여 말하지 않는다.
③ 그의 목표는 그 글을 가능한 한 재미있게 만드는 것이었다.
④ 예산에 무언가 잘못된 것이 있다.

어휘 reliable 믿을 만한 speak out 공개적으로 말하다 disagree 반대하다 article 글, 기사 budget 예산

10 기출포인트 It - that 강조 구문

정답 ④

해설 '우선 사항이 되기 시작한 때는 20세기 후반이었다'는 It - that 강조 구문(-한 것은 바로 ~이다)을 사용하여 나타낼 수 있고, 강조되는 내용이 시간(in Central Park)인 경우 that 자리에 when을 쓸 수 있으므로 It was in the latter half of the 20th century when ~ priority가 올바르게 쓰였다.

오답 분석
① 기출포인트 **가짜 주어 구문** to 부정사구(to shut off electrical appliances)와 같이 긴 주어가 오면 진주어인 to 부정사구를 문장 맨 뒤로 보내고 가주어 it이 주어 자리에 대신해서 쓰이므로 That을 가주어 It으로 고쳐야 한다.
② 기출포인트 **5형식 동사** 동사 leave(left)는 '~을 -한 채로 두다'의 뜻으로 쓰일 때 목적격 보어를 취하는 동사인데, 보어 자리에는 형용사 역할을 하는 것이 와야 하므로 동사 run을 현재분사 running으로 고쳐야 한다.
③ 기출포인트 **목적어 자리** that절 목적어(that the piece ~ missing)가 목적격 보어(frustrating)와 함께 오면, 가짜 목적어 it을 써서 '가짜 목적어 it + 목적격 보어 + 진짜 목적어'의 형태가 되어야 하므로 found it that ~ frustrating을 found it frustrating that ~으로 고쳐야 한다.

해석
① 전자 제품을 사용하지 않을 때 전원을 끄는 것이 필수이다.
② 그녀는 세탁소에 옷을 맡기는 동안 차에 시동을 켜두었다.
③ 그들은 그 증거가 사라진 것이 절망스럽다고 생각했다.
④ 시민의 권리에 대한 문제가 우선 사항이 되기 시작한 때는 20세기 후반이었다.

어휘 electrical appliance 전자 제품 evidence 증거 frustrating 절망스러운 latter 후반의 civil 시민의 right 권리 priority 우선 사항

공무원 실전 문제 해설·해석

주어・동사/목적어・보어/수식어

01

해설 ② 기출포인트 **주어 자리** 동사(Create)는 주어 자리에 올 수 없고, 뒤에 목적어 a supportive environment가 왔으므로 동사 Create를 명사 역할을 하면서 목적어를 취하는 동명사 Creating으로 고쳐야 한다.

오답 분석 ① 기출포인트 **인칭대명사** 명사(confidence) 앞에서 소유의 의미를 나타내기 위해서는 소유격 대명사가 와야 하는데, 대명사가 지시하는 명사(shy children)가 3인칭 복수 명사이므로 3인칭 복수 소유격 대명사 their가 올바르게 쓰였다.

③ 기출포인트 **부사 자리** 동사를 앞에서 수식하는 것은 부사이므로, 부사 regularly가 동사 offered 앞에 올바르게 쓰였다.

④ 기출포인트 **명사절 접속사 3: 의문사** 의문형용사 what이 뒤에 나온 명사(steps)를 꾸미면서 '의문형용사 + 명사'(what steps) 형태로 명사절 내 전치사 to의 목적어 역할을 하고 있으므로, 의문형용사 what이 올바르게 쓰였다.

해석 수줍어하는 아이들이 좀 더 적극적이 되도록 돕는 것은 긍정적인 강화를 통해 그들의 자신감을 키우는 것을 포함한다. 협력적인 환경을 만드는 것은 가장 효과적인 방법 중 하나가 될 수 있다. 예를 들어, 아이들에게 정기적으로 의사결정의 기회가 제공되고 적극적인 행동 모델이 주어지면, 그들은 자기 확신을 키울 수 있을 뿐만 아니라 다른 사람들과 더 자신감 있게 상호작용하기 위해 어떤 조치를 취해야 하는지 인식할 수 있으며 스스로를 옹호할 수 있다.

어휘 shy 수줍어하는 assertive 적극적인
nurture (감정, 계획 등을 마음속으로) 키우다, 양육하다
reinforcement 강화 supportive 협력적인, 지원하는
self-assurance 자기 확신 advocate 옹호하다, 지지하다

02

해설 ③ 기출포인트 **동사 자리** 절에는 반드시 주어와 동사가 있어야 하고, 복수 주어(The jars and vases)가 쓰였으므로 '동사원형 + ing' 형태인 dating을 복수 동사 date로 고쳐야 한다.

오답 분석 ① 기출포인트 **능동태·수동태 구별** 동사 discover(발견하다) 뒤에 목적어가 없고, 주어 cave와 동사가 '발견되었다'라는 의미의 수동 관계이므로 be 동사(was)와 함께 수동태를 완성하는 과거분사 discovered가 올바르게 쓰였다.

② 기출포인트 **관계대명사** 선행사 artifacts(유물들)가 사물이고 관계절 내에서 동사(appeared)의 주어 역할을 하므로 사물을 가리키는 주격 관계대명사 that이 올바르게 쓰였다.

④ 기출포인트 **비교급 형태로 최상급 의미를 만드는 표현** '다른 어떤 발견보다 ~ 더 정확하게 확인시키다'는 비교급 관련 표현 '비교급 + than any other + 단수 명사'(다른 어떤 -보다 더 ~한)를 사용하여 나타낼 수 있으므로 more accurately confirm ~ than any other discovery가 올바르게 쓰였다.

해석 이전에는 알려지지 않았던 동굴이 최근 멕시코의 치첸 이차 유적 아래에서 발견되었다. 안에서, 연구원들은 마야 문명에서 나온 것으로 보이는 150개 이상의 유물들을 발견했다. 동굴에서 발견된 항아리들과 꽃병들은 1,000년 전까지 거슬러 올라간다. 그들의 품질과 상태 때문에, 연구원들은 이러한 것들이 최근 몇 년 동안의 다른 어떤 발견보다 이 유적지의 의식적인 중요성을 더 정확하게 확인시켜 준다고 믿는다.

어휘 previously 이전에 cave 동굴 ruins 유적 artifact 유물
civilization 문명 date back to ~까지 거슬러 올라가다
ceremonial 의식적인, 의식의

03

해설 ① 기출포인트 **목적어 자리 | 5형식 동사** 동사 make(made)는 5형식 동사로 쓰일 때 'make(made) + 목적어 + 목적격 보어(possible)' 형태를 취하며 '~을 -하게 만들다'라는 의미를 나타내는데, to 부정사구 목적어가 목적격 보어와 함께 오면 진짜 목적어(to 부정사구)를 목적격 보어 뒤로 보내고 목적어가 있던 자리에 가짜 목적어 it을 써서 '가짜 목적어 it + 목적격 보어(possible) + 진짜 목적어(to develop ~ time)'의 형태가 되어야하므로 them을 it으로 고쳐야 한다.

오답 분석 ② 기출포인트 **가짜 주어 구문** that절(that these vaccines ~ rushed)과 같이 긴 주어가 오면 진짜 주어인 that절을 맨 뒤로 보내고 가주어 it이 주어 자리에 대신해서 쓰이므로 진짜 주어 자리에 that절을 이끄는 that이 올바르게 쓰였다.

③ 기출포인트 **주어와 동사의 수 일치** 주어 자리에 복수 명사 these vaccines가 왔으므로 복수 동사 frighten이 올바르게 쓰였다. 참고로 주어와 동사 사이의 수식어 거품(which ~ diseases)은 동사의 수 결정에 영향을 주지 않는다.

④ 기출포인트 **부사 자리** 동사(test)를 앞에서 수식할 수 있는 것은 부사이므로 부사 thoroughly가 올바르게 쓰였다.

해석 비록 생물 의학 연구의 발전이 기록적인 시간 안에 백신을 개발하는 것을 가능하게 했지만, 예방 가능한 질병으로부터 수백만 명을 구할 수 있는 잠재력을 가진 이 백신들이 서둘러졌다는 것을 걱정하는 일부 사람들을 겁먹게 만드는 것도 사실이다. 따라서 그들은 제조업체들이 백신을 받는 것이 편안하다고 생각하기 전에 더 철저하게 검사해야 한다고 요구한다.

어휘 potential 잠재력 preventable 예방 가능한
frighten 겁먹게 만들다 rush 서두르다 demand 요구하다

04

해설 ① 기출포인트 **보어 자리** be 동사(be)의 주격 보어 자리에는 형용사 역할을 하는 것이 와야 하므로 부사 nearly를 형용사 near로 고쳐야 한다.

오답분석 ② 기출포인트 **미래 시제** 문맥상 '내년부터'라는 말로 미래의 상황에 대한 예상을 표현하고 있기 때문에 미래 시제 will allow가 올바르게 쓰였다.

③ 기출포인트 **타동사** 동사 prevent는 전치사 from과 함께 prevent from(~을 막다)의 형태로 쓰이므로 전치사 from이 올바르게 쓰였다.

④ 기출포인트 **to 부정사를 취하는 동사** 동사 afford는 to 부정사를 취하는 동사이므로 to 부정사 to work가 올바르게 쓰였다.

해석 관계자들은 남획이 계속된다면 국내 참치 산업에 끝이 가까울 수도 있다고 말한다. 따라서, 내년부터, 새로운 규정은 어부들이 하루에 다섯 마리의 물고기만 잡을 수 있게 할 것이다. 새로운 규칙은 또한 어부들이 75인치보다 짧은 참치를 가지고 있는 것을 막을 것이다. 비록 이 규칙들이 미래의 참치 공급을 보호할 의도이지만, 일부 어부들은 새로운 제한을 가지고 일할 여유가 없다고 말한다.

어휘 **tuna** 참치 **overfishing** 남획 **regulation** 규정 **intend** 의도하다

05

해설 ③ 기출포인트 **수식어 거품 자리** 완전한 절(He has won ~ career) 뒤에는 또 다른 절(he will be ~ film industry)이 바로 올 수 없다. 문맥상 '12개의 상을 받았고, 그는 ~'과 같이 연결되는 것이 자연스러우므로 접속사 and(그리고)를 포함해야 한다. 따라서 he를 and he로 고쳐야 한다.

오답분석 ① 기출포인트 **주어와 동사의 수 일치** 3인칭 단수 주어 he 뒤에 단수 동사 has가 올바르게 쓰였다.

② 기출포인트 **전치사 2: 기간** 문맥상 '활동 기간 동안'이라는 의미가 되어야 자연스러우므로 기간을 나타내는 전치사 during(~ 동안)이 명사 his career 앞에 올바르게 쓰였다.

④ 기출포인트 **형용사 자리** 명사(contribution)를 앞에서 수식할 수 있는 형용사 significant가 올바르게 쓰였다.

해석 그는 활동 기간 동안 12개의 상을 받았고, 영화 산업에 대한 지대한 공헌을 인정받아 올해 후반에 그에게 공로상이 수여될 것이다.

어휘 **present** 수여하다 **Lifetime Achievement Award** 공로상 **in recognition of** ~을 인정받아 **contribution** 공헌

06

해설 ② 기출포인트 **가짜 주어 구문** 가짜 주어 there 구문 'there + 동사 + 진짜 주어'에서 동사는 진짜 주어(4,000 people)에 수 일치시켜야 하므로 단수 동사 was를 복수 동사 were로 고쳐야 한다.

오답분석 ① 기출포인트 **조동사 관련 표현** 조동사 관련 표현 have(had) no choice but(~할 수밖에 없다) 뒤에는 to 부정사가 와야 하므로 had no choice but 뒤에 to 부정사 to stop이 올바르게 쓰였다.

③ 기출포인트 **전치사 자리** 전치사(from) 뒤에 명사 역할을 하는 동명사 spreading이 올바르게 쓰였다.

④ 기출포인트 **혼동하기 쉬운 자동사와 타동사** '등록된 유권자의 수가 ~ 증가하고 있다'라는 의미는 자동사 rise(증가하다)를 사용하여 나타낼 수 있고, 주어와 동사가 능동 관계이므로 능동태 has been rising이 올바르게 쓰였다.

⑤ 기출포인트 **부사절 접속사 2: 양보** 문맥상 '비가 오든 해가 비치든'이라는 의미가 되어야 자연스러우므로 양보를 나타내는 부사절 접속사 Whether(~이든 -이든)이 it rains or it shines 앞에 올바르게 쓰였다.

해석 ① 판매 부진으로 인해, 우리는 그 제품의 판매를 중단할 수밖에 없었다.
② 강당에는 4,000명 이상의 사람이 있었다.
③ 적절한 장비가 없으면, 불이 확산하는 것을 막을 수 없다.
④ 최근 선거에서 등록된 유권자의 수가 꾸준히 증가하고 있다.
⑤ 비가 오든 해가 비치든, 우편물은 여전히 제시간에 도착해야 한다.

어휘 **equipment** 장비 **spread** 확산시키다 **register** 등록하다 **election** 선거

Chapter 02 동사의 종류

01

해설 ① 기출포인트 **자동사 | 기타 전치사** 동사 rise(had risen)는 전치사 없이는 목적어를 취할 수 없는 자동사이고, '팀장으로 승진하다'에서 '~으로'는 전치사 as(~로서)를 사용하여 나타낼 수 있으므로 had risen the team leader를 had risen as the team leader로 고쳐야 한다.

오답분석 ② 기출포인트 **시제 일치** 특정 과거 시점을 나타내는 표현(in the summer of 2023)이 왔으므로 이미 끝난 과거의 일을 나타내는 과거 시제 initiated가 올바르게 쓰였다.

③ 기출포인트 **관계부사** 선행사(a project)가 장소를 나타내고, 관계사 뒤에 완전한 절(employees ~ productivity)이 왔으므로 장소를 나타내는 관계부사 where이 올바르게 쓰였다.

④ 기출포인트 **to 부정사의 역할 | 주어와 동사의 수 일치** 주어 뒤에 'be동사 + to 부정사' 형태가 와서 예정의 의미를 나타낼 수 있고, 주어 자리에 복수 명사 employees가 왔으므로 복수 동사 were을 사용하여 were to share가 올바르게 쓰였다.

해석 Olivia는 2023년 여름에 팀장으로 승진하여 부서 간 협업을 촉진하기 위한 프로젝트를 시작했는데, 그곳(프로젝트)에서 직원들은 생산성을 향상시키기 위해 아이디어와 자원을 공유할 예정이었다.

어휘 rise 승진하다, 떠오르다 initiate 시작하다, 착수시키다
foster 촉진하다 enhance 향상시키다 productivity 생산성

02

해설 ④ 기출포인트 **타동사** 동사 affect(~에 영향을 미치다)는 전치사(on) 없이 목적어를 바로 취하는 타동사이므로 affects on을 affects로 고쳐야 한다.

오답 분석 ① 기출포인트 **현재분사 vs. 과거분사** 수식 받는 명사(documentary)와 분사가 '다큐멘터리가 제작되다'라는 의미의 수동 관계이므로 과거분사 produced가 올바르게 쓰였다.

② 기출포인트 **보어 자리** leave(left)의 목적격 보어 자리에 형용사 역할을 하는 과거분사 heartbroken이 올바르게 쓰였다.

③ 기출포인트 **전치사 + 관계대명사** '전치사 + 관계대명사'에서 전치사는 선행사에 따라 결정되는데, 선행사 the extent는 전치사 to와 함께 짝을 이루어 쓰이므로 to which가 올바르게 쓰였다.

해석 BBC에 의해 제작된 자연 다큐멘터리 『블루 플래닛 II』는 플라스틱이 바다에 영향을 미치는 정도를 보여준 후 시청자들이 슬픔에 잠기게 했다.

어휘 leave ~한 상태가 되게 하다 heartbroken 슬픔에 잠긴
extent 정도

03

해설 ③ 기출포인트 **혼동하기 쉬운 자동사와 타동사** 동사 resemble(~를 닮다)은 전치사 없이 목적어(her sister)를 바로 취하는 타동사이므로 resembles her sister가 올바르게 쓰였다.

오답 분석 ① 기출포인트 **주격 관계절의 수 일치** 주격 관계절(who ~ progress) 내의 동사는 선행사(athletes)에 수 일치시켜야 하는데, 선행사 athletes가 복수 명사이므로 단수 동사 is를 복수 동사 are로 고쳐야 한다.

② 기출포인트 **비교급** 문맥상 '내 남동생의 쿠키는 상점에서 구입한 쿠키보다 낫다'는 의미가 되어야 자연스러운데, '~보다 나은'은 than 대신 to를 쓰는 비교급 표현인 'superior to'를 써서 나타낼 수 있으므로 superior than을 superior to로 고쳐야 한다.

④ 기출포인트 **가정법 과거** if절에 if가 생략된 가정법 과거 구문 were it not for(~가 아니라면)이 왔으므로 주절에도 가정법 과거를 나타내는 '주어 + would + 동사원형'의 형태를 만들기 위해 will be를 동사원형 be로 고쳐야 한다.

해석 ① 그 스마트워치는 야외에서 훈련하는 운동선수들이 그들의 진행 상황을 추적하는 것을 돕는다.
② 내 남동생의 쿠키는 상점에서 구입한 쿠키보다 낫다.
③ 그녀는 외모와 성격이 그녀의 언니와 매우 닮았다.
④ 오솔길의 표지판이 없다면, 등산객들은 길을 잃을 것이다.

어휘 aid 돕다 track 추적하다 resemble ~를 닮다 trait 성격
trail 오솔길

04

해설 ② 기출포인트 **4형식 동사** 문맥상 '남동생에게 빌려줄 것을 부탁했다'라는 의미가 되어야 자연스러우므로 '빌리다'라는 의미의 to 부정사 to borrow를 '빌려주다'라는 의미의 to 부정사 to lend로 고쳐야 한다. 참고로, lend 뒤에 '직접 목적어 + 전치사 + 간접 목적어'의 형태를 써서 to lend five dollars to me로 고칠 수도 있다.

오답 분석 ① 기출포인트 **분사구문의 형태** 분사구문의 생략된 주어(I)와 분사가 '내가 둘러싸이다'라는 의미의 수동 관계이므로 동사 surround의 과거분사형인 surrounded가 올바르게 쓰였다.

③ 기출포인트 **도치 구문: 부사구 도치 2** 장소를 나타내는 부사구(On the platform)가 강조되어 문장 맨 앞에 나오면 주어와 동사가 도치되어 '동사 + 주어'의 어순이 되므로 On the platform was a woman이 올바르게 쓰였다.

④ 기출포인트 **능동태·수동태 구별** 주어(The former Soviet Union)와 동사 comprised(구성되었다)가 '구소련이 구성되었다'라는 의미의 능동 관계이므로, 능동태 동사 comprised가 올바르게 쓰였다.

해석 ① 훌륭한 사람들에게 둘러싸여 있어서, 나는 자랑스러웠다.
② 나는 내 남동생에게 5달러를 빌려줄 것을 부탁했다.
③ 승강장에는 검은 드레스를 입은 여자가 있었다.
④ 구소련은 15개의 연방 공화국들로 구성되어 있었다.

어휘 borrow 빌리다 comprise 구성되다, 이루어지다 republic 공화국

05

해설 ① 기출포인트 **5형식 동사** 사역동사 make는 동사원형을 목적격 보어로 취하는 5형식 동사이고, 문맥상 '이미 앉아 있는 사람들이 자리를 내주다'라는 의미가 되어야 자연스러우므로 빈칸에는 give up(~을 내주다)이 들어가야 한다. 참고로 take는 '(자리를) 차지하다'라는 의미이므로 ②, ④번은 정답이 될 수 없다.

해석 나는 독일의 기차에서 바닥에 앉아 당신에게 편지를 쓰고 있다. 기차는 붐비고, 좌석은 다 찼다. 그러나, 이미 앉아 있는 사람들이 그들의 자리를 내주도록 하는 '안심 고객'이라는 특별한 등급이 있다.

어휘 crowded 붐비는 give up ~을 내주다, 넘겨주다

06

해설 ④ 기출포인트 **목적어 뒤에 as나 to be를 취하는 동사** 빈칸은 동사 refer(was referred) 뒤에 오는 것의 자리이다. 동사 refer는 '~을 -이라고 부르다'라는 의미로 쓰일 때, 'refer to + 목적어 + as + 명사'의 형태를 취하는데, 목적어(the mouse)가 주어 자리로 가서 수동태가 되면 수동태 동사(was referred to) 뒤에 'as + 명사'가 그대로 남는다. 따라서 ④ to as가 정답이다.

해석 마우스를 만들어내는 동안, Douglas는 스탠포드 연구소에서 일하고 있었다. 그 마우스는 원래 '디스플레이 시스템을 위한 X-Y 위치 표시기'로 불렸다. 컴퓨터 마우스의 뒷부분에서 나오는 코드 때문에, Douglas는 그 기기가 그에게 설치류 쥐를 상기시킨다고 말했고, 그 이름이 고착되었다.

어휘 refer to ~을 -이라고 부르다 rodent 설치류 stick 고착되다

Chapter 03 수 일치

01

해설 ③ 기출포인트 **주어와 동사의 수 일치** 주어 자리에 단수 취급하는 동명사구(Drawing portraits ~ precision)가 왔으므로 단수 동사 is가 올바르게 쓰였다.

오답분석 ① 기출포인트 **주어와 동사의 수 일치** 기간을 나타내는 명사구 주어(Four days)는 단수 취급하므로 복수 동사 are를 단수 동사 is로 고쳐야 한다.

② 기출포인트 **주어와 동사의 수 일치** 명사절 주어(What ~ today)는 단수 취급하므로 복수 동사 contradict를 단수 동사 contradicts로 고쳐야 한다.

④ 기출포인트 **가짜 주어 구문** 가짜 주어 there 구문은 'there + 동사 + 진짜 주어'의 형태를 취하는데, 이때 동사는 진짜 주어(several things)에 수 일치시켜야 하므로 단수 동사 is를 복수 동사 are로 고쳐야 한다.

해석 ① 4일은 내가 과학 과제를 마치는 데 충분한 시간이 아니다.
② 그녀가 오늘 나에게 말한 것은 그녀가 어제 너에게 말한 것과 모순된다.
③ 사실성과 정확성을 가지고 초상화를 그리는 것은 어렵다.
④ 자동차의 시동을 걸기 전에 모든 운전자가 해야 할 것이 몇 가지 있다.

어휘 contradict 모순되다 portrait 초상화 realism 사실성, 사실주의 precision 정확성

02

해설 ① 기출포인트 **수량 표현의 수 일치** 주어 자리에 단수 취급하는 수량 표현 'the number of + 명사'(the number of applicants)가 왔으므로 단수 동사 is가 올바르게 쓰였다.

오답분석 ② 기출포인트 **과거 시제** 문장에 시간 표현 two years ago(2년 전에)가 왔고 문맥상 '이메일을 받았다'라며 과거의 동작을 표현하고 있으므로 현재완료 시제 have received를 과거 시제 received로 고쳐야 한다.

③ 기출포인트 **전치사 + 관계대명사** 완전한 절(he slept last night) 앞에는 '전치사 + 관계대명사'가 와야 하고, 문맥상 '침대에서 자다'라는 의미가 되어야 자연스러우므로 관계대명사 which를 전치사 in(~에서)이 관계대명사 which 앞에 쓰인 in which로 고쳐야 한다.

④ 기출포인트 **기타 전치사** '새해 인사를 교환했다'는 전치사 숙어 표현 exchange A with B(A를 B와 교환하다)를 사용하여 나타낼 수 있으므로 exchanged New Year's greetings each other를 exchanged New Year's greetings with each other로 고쳐야 한다.

어휘 applicant 지원자 comfortable 편안한 greeting 인사

03

해설 ③ 기출포인트 **접속사로 연결된 주어의 수 일치** 접속사 and로 연결된 주어(political experts and interested members of the public)는 복수 취급하므로 단수 동사 sees를 복수 동사 see로 고쳐야 한다.

오답분석 ① 기출포인트 **전치사 + 관계대명사** 관계사 뒤에 완전한 절(policymakers assess ~ issues)이 왔으므로 '전치사 + 관계대명사' 형태가 올 수 있다. '전치사 + 관계대명사'에서 전치사는 선행사 또는 관계절의 동사에 따라 결정되는데, 문맥상 '여론 조사를 통해 다양한 문제들에 대한 대중의 감정을 평가한다'라는 의미가 되어야 자연스러우므로, 전치사 through(~을 통해)가 관계대명사 which 앞에 온 through which가 올바르게 쓰였다.

② 기출포인트 **능동태·수동태 구별** 주어 they와 동사가 '그것(여론 조사)들이 신뢰할 만하다고 여겨지다'라는 의미의 수동 관계이므로 be동사(were) 뒤에서 수동태를 완성하는 과거분사 deemed가 올바르게 쓰였다.

④ 기출포인트 **관계대명사** 선행사(the party)가 사물이고, 관계절 내에서 동사 is의 주어 역할을 하므로 사물을 가리키는 주격 관계대명사 that이 올바르게 쓰였다.

해석 여론 조사는 정책 입안자들이 그것을 통해 다양한 문제들에 대한 대중의 감정을 평가하는 경로의 역할을 한다. 과거에는, 그것들(여론 조사)은 선거 전에 정치인들이 사람들의 요구를 이해하는 것을 도왔다. 그러나, 그것들은 한때 신뢰할 만하다고 여겨졌지만, 이런 종류의 여론 조사는 최근 정밀 조사에 직면했다. 유권자들의 의도에 대한 여론 조사 결과는 종종 알려지고, 당선 가능성에 대한 통찰력을 제공한다. 그리고 정치 전문가들과 이해 관계가 있는 사회 구성원들이 이러한 결과를 볼 때, 그들은 시류에 편승하여 앞선 정당을 홍보하거나 투표하기로 결정할 수 있다.

어휘 opinion poll 여론 조사 serve as ~의 역할을 하다
policymaker 정책 입안자 assess 평가하다 sentiment 감정
diverse 다양한 deem 여기다 reliable 신뢰할 만한
scrutiny 정밀 조사 intention 의도 publicize 알리다, 공표하다
jump on the bandwagon 시류에 편승하다, 우세한 편에 붙다
promote 홍보하다

04

해설 ③ 기출포인트 **주격 관계절의 수 일치** 주격 관계절(that ~ liquid) 내의 동사는 선행사에 수를 일치시켜야 하는데, 선행사 special cells가 복수 명사이므로 단수 동사 contains를 복수 동사 contain으로 고쳐야 한다.

오답분석 ① 기출포인트 **가산 명사** '두족류 동물의 종류들'이라는 의미로 가산 명사 type이 복수형 types로 올바르게 쓰였다.

② 기출포인트 **수량 표현의 수 일치** 문맥상 '이 동물들 각각'이라는 의미로 동물 각 개체를 지칭하고 있고, 동사 자리에 단수 동사 has가 왔으므로 단수 취급하는 수량 표현 Each(각각)가 올바르게 쓰였다.

④ 기출포인트 **5형식 동사** 동사 allow는 to 부정사를 목적격 보어로 취하는 5형식 동사이므로 목적격 보어 자리에 to 부정사 to change가 올바르게 쓰였다.

해석 오징어, 문어, 그리고 갑오징어는 모두 두족류 동물의 종류이다. 이 동물들 각각은 피부 아래에 색깔이 있는 액체인 색소가 들어 있는 특별한 세포들을 가지고 있다. 두족류 동물은 이 세포들을 피부 쪽으로 또는 피부로부터 멀어지게 이동시킬 수 있다. 이것은 그것(두족류 동물)이 외관의 무늬와 색을 바꿀 수 있도록 해준다.

어휘 squid 오징어 octopus 문어 cuttlefish 갑오징어
cephalopod 두족류 동물 cell 세포

Chapter 04 시제

01

해설 ① 기출포인트 **현재 시제** 시간을 나타내는 부사절(As soon as ~ rings)에서는 미래를 나타내기 위해 미래 시제 대신 현재 시제를 사용하므로 현재 시제 rings가 올바르게 쓰였다.

오답분석 ② 기출포인트 **지시대명사** 대명사가 지시하는 명사가 단수 명사(picnic)이므로 복수 지시대명사 those를 단수 지시대명사 that으로 고쳐야 한다.

③ 기출포인트 **의문문의 어순** 의문문이 다른 문장 안에 포함된 간접 의문문은 '의문사(how much sunlight) + 주어(it) + 동사(has received)'의 어순이 되어야 하므로 has it received를 it has received로 고쳐야 한다.

④ 기출포인트 **정관사 the** 문맥상 '특권이 있는 사람들을 위한 음료였다'라는 의미가 되어야 자연스럽고, '특권이 있는 사람들'은 'the + 형용사'(~한 사람들/것들)를 사용하여 나타낼 수 있으므로 명사 privilege(특권)를 형용사 privileged(특권이 있는)로 고쳐야 한다.

해석 ① 종이 울리자마자 수업이 시작될 것이다.
② 그 회사의 최근 소풍은 작년의 그것보다 더 좋았다.
③ 행성의 성장은 그것이 얼마나 많은 햇빛을 받았는지에 의해 영향을 받는다.
④ 프랑스와 스페인에서, 초콜릿은 특권이 있는 사람들을 위해 따로 남겨둔 음료였다.

어휘 reserved 따로 남겨둔, 지정된 privilege 특권

02

해설 ④ 기출포인트 **현재진행 시제** 상태를 나타내는 동사 belong(~에 속하다)은 진행 시제로 쓸 수 없으므로 현재진행 시제 are belonging to를 현재 시제 belong to로 고쳐야 한다.

오답분석 ① 기출포인트 **현재분사 vs. 과거분사 | 주어와 동사의 수 일치** 수식받는 명사(The question)와 분사가 '문제가 논의되다'라는 의미의 수동 관계이므로 과거분사 debated가 올바르게 쓰였다. 또한, 주어 자리에 단수 명사 The question이 왔으므로 단수 동사 was가 올바르게 쓰였다. 참고로, 주어와 동사 사이의 수식어 거품(debated ~ yesterday)은 동사의 수 결정에 영향을 주지 않는다.

② 기출포인트 **현재분사 vs. 과거분사 | 현재진행 시제** 수식받는 명사(A man)와 분사가 '남자가 입다'라는 의미의 능동 관계이므로 현재분사 wearing이 올바르게 쓰였고, 문맥상 '한 남자가 서있다'라는 의미가 되어야 자연스러우므로 현재진행 시제 is standing이 올바르게 쓰였다.

③ 기출포인트 **관계대명사 | 주격 관계절의 수 일치** 선행사(the man)가 사람이고 관계절 내에서 동사(was)의 주어 역할을 하므로 사람을 가리키는 주격 관계대명사 who가 올바르게 쓰였다. 또한, 관계절의 동사는 선행사에 수 일치해야 하는데 선행사 the man이 단수 명사이므로 단수 동사 was가 올바르게 쓰였다.

⑤ 기출포인트 **전치사 자리 | 현재분사 vs. 과거분사** 전치사 뒤에는 명사 역할을 하는 것이 와야 하므로, 전치사 of 뒤에 명사 people(사람들)이 올바르게 쓰였다. 또한, 수식받는 명사(people)와 분사가 '사람들이 알다'라는 의미의 능동 관계이므로 현재분사 knowing이 올바르게 쓰였다.

해석 ① 어제 의회에서 논의된 문제는 새로운 세금에 관한 것이었다.
② 빨간 조끼를 입은 한 남자가 롤러스케이트를 신고 가만히 서있다.
③ 그들은 딸과 사귀고 있던 남자를 알고 있었다.
④ 그 목록은 그 소유자에게 속한 모든 항목을 보여준다.
⑤ 당국은 진실을 알고 있는 사람들을 두려워한다.

어휘 debate 논의하다 Parliament 의회, 국회 still 가만히 있는, 고요한 article 항목

03

해설 ① 기출포인트 **과거완료 시제 | 도치 구문: 부사구 도치 1** 문맥상 '내가 식사를 마친' 시점이 '내가 다시 배고프기 시작한' 시점보다 더 이전에 일어난 일이므로 과거완료 시제가 쓰여야 하는데, 부정을 나타내는 부사구(No sooner)가 강조되어 문장 맨 앞에 나오면 주어와 조동사가 도치되어 '조동사 + 주어 + 동사'의 어순이 되어야 한다. 따라서 No sooner I have finishing을 No sooner had I finished로 고쳐야 한다.

오답 분석 ② 기출포인트 **조동사 관련 표현 | 숙어 표현** 조동사처럼 쓰이는 표현 have to(~해야 한다) 뒤에는 동사원형이 와야 하므로 동사원형 pay가 올바르게 쓰였다. 참고로, '조만간'은 부사 역할을 하는 숙어 표현 sooner or later(조만간)로 나타낼 수 있다.

③ 기출포인트 **숙어 표현** '독서와 정신의 관계는 운동과 신체의 관계와 같다'는 A is to B what C is to D(A가 B인 것은 C가 D인 것과 관계와 같다)를 사용하여 나타낼 수 있으므로 Reading is to ~ to the body가 올바르게 쓰였다.

④ 기출포인트 **동명사 관련 표현** '결국 일하게 되었다'는 동명사 관련 표현 end up -ing(결국 -하게 되다)를 사용하여 나타낼 수 있으므로 ended up working ~이 올바르게 쓰였다.

어휘 sooner or later 조만간 medicine 의학 accounting 회계

04

해설 ② 기출포인트 **시제 일치** 현재완료 시제와 자주 함께 쓰이는 표현 'since + 과거 시간 표현'(since I started work)이 왔으므로, 현재완료 시제 have lived가 올바르게 쓰였다.

오답 분석 ① **Chapter 19 어순 BASIC GRAMMAR** 의문문이 다른 문장 안에 포함된 간접 의문문은 '의문사 + 주어 + 동사'의 어순이 되어야 하므로 where should you visit을 where you should visit으로 고쳐야 한다.

③ 기출포인트 **3형식 동사의 수동태** 감정을 나타내는 동사(excite)의 경우 주어(the novel)가 '그 소설이 재미있다'라는 의미로 감정의 원인이면 능동태를 써야 하므로 과거분사 excited를 be 동사(was)와 함께 능동태를 완성하는 현재분사 exciting으로 고쳐야 한다.

④ **Chapter 19 어순 BASIC GRAMMAR** 평서문(It's not ~ any more)이 be 동사(is)가 온 부정문이므로, 부정 부가 의문문 doesn't it을 긍정 부가 의문문 is it으로 고쳐야 한다.

해석 ① 이 가이드북은 당신이 홍콩에서 어디를 방문해야 하는지를 알려준다.
② 나는 대만에서 태어났지만, 내가 일을 시작한 이후로는 한국에서 살아왔다.
③ 그 소설은 너무 재미있어서 나는 시간 가는 줄 몰랐고 버스를 놓쳤다.
④ 서점들이 더 이상 신문을 취급하지 않는다는 것이 놀랍지는 않다, 그렇지 않은가?

어휘 lose track of time 시간 가는 줄 모르다 carry 취급하다

Chapter 05 능동태·수동태

01

해설 ④ 기출포인트 **능동태·수동태 구별 | 동사구의 수동태** 동사구 refer to 뒤에 목적어가 없고, 주어(the *Iliad* ~ Testaments)와 동사가 '『일리아드』와 『오디세이』, 코란과 구약 및 신약 성경은 불릴 수 있다'라는 의미의 수동 관계이므로 능동태 refer to as를 수동태 be referred to as로 고쳐야 한다. 참고로, '자동사 + 전치사' 형태의 동사구가 수동태가 되어 목적어(the *Iliad* ~ Testaments)가 주어가 된 경우, 목적어 뒤에 쓰인 전치사 as가 수동태 동사 뒤에 그대로 남는다.

오답 분석 ① 기출포인트 **원형 부정사를 목적격 보어로 취하는 동사** 준 사역동사 help는 to 부정사와 원형 부정사를 모두 목적어로 취할 수 있으므로 helps to explain이 올바르게 쓰였다.

② 기출포인트 **동명사와 to 부정사 둘 다 목적어로 취하는 동사** 동사

try는 동명사와 to 부정사를 모두 목적어로 취할 수 있는 동사인데, '~하려고 노력하다'는 'try + to 부정사'를 사용하여 나타낼 수 있으므로 try to make가 올바르게 쓰였다.

③ **기출포인트** **관계대명사 that** 선행사(stories)가 사물이고, 관계절 내에서 동사 can be의 주어 역할을 하므로 주격 관계대명사 that이 올바르게 쓰였다. 참고로, 선행사와 관계절 사이에 삽입절(usually whole groups of stories)이 있는 구조이다.

해석 신화는 한 문화의 종교적, 철학적, 도덕적, 그리고 정치적 가치를 담은, 그리고 어떤 경우에는 (그것들을) 설명하는 것을 돕는 이야기이다. 신들과 초자연적인 존재들의 이야기들을 통해, 신화는 자연 세계에서 발생하는 것들을 이해하려고 노력한다. 대중적인 (단어의) 용법과는 반대로, 신화는 '거짓말'을 의미하지 않는다. 가장 넓은 의미에서, 신화는 거짓된 것뿐만 아니라 사실일 수 있거나 부분적으로 사실일 수 있는 이야기들인, 통상적으로는 이야기의 전체 묶음이다. 하지만, 그것들의 정확도와는 상관없이, 신화는 종종 한 문화의 가장 뿌리 깊은 신념을 표현한다. 이러한 정의에 따르면, 『일리아드』와 『오디세이』, 코란과 구약 및 신약 성경은 모두 신화라고 불릴 수 있다.

어휘 **myth** 신화 **narrative** 이야기 **embody** 담다, 포함하다
supernatural 초자연적인 **occurrence** 발생하는 것
usage (단어의) 용법, 사용 **falsehood** 거짓말 **accuracy** 정확도
frequently 종종 **definition** 정의, 개념
refer to ~ as ~을 -이라고 부르다

02

해설 ① **기출포인트** **3형식 동사의 수동태** 감정을 나타내는 동사(surprise)의 경우 주어(I)가 '놀랐다'라는 의미로 감정을 느끼면 수동태를 써야 하므로 능동태 surprised를 수동태 was surprised로 고쳐야 한다.

오답분석 ② **기출포인트** **가짜 주어 구문** to 부정사구(to do ~ test)와 같이 긴 주어가 오면 진주어인 to 부정사구를 문장 맨 뒤로 보내고 가주어 it이 주어 자리에 대신해서 쓰이므로 It is not normal ~ to do ~ test가 올바르게 쓰였다.

③ **기출포인트** **주격 관계절의 수 일치** 주격 관계절(who ~ scores)의 동사는 선행사(a classmate)에 수 일치시켜야 하므로 단수 동사 gets가 올바르게 쓰였다.

④ **기출포인트** **명사절 접속사 3: 의문사** 주어가 없는 불완전한 절(was ~ dreaded)을 이끌면서 문장의 주어 자리에 올 수 있는 명사절 접속사 What이 올바르게 쓰였다.

해석 나는 시험을 너무 잘 봐서 놀랐다. 내가 시험을 잘 보는 것은 일반적이지 않다. 심지어 나는 일반적으로 만점을 받는 반 친구보다 더 잘했다. 원래 내가 두려워했던 날이 승리의 순간으로 바뀌었다.

어휘 **do well** 잘하다 **generally** 일반적으로 **originally** 원래
dread 두려워하다 **triumph** 승리

03

해설 ① **기출포인트** **4형식 동사의 수동태** 동사 convince는 'convince + 간접 목적어 + 직접 목적어(that절)'의 형태를 취하는 4형식 동사인데, 4형식 동사가 수동태가 되면 직접 목적어는 수동태 동사 뒤에 그대로 남아야 한다. convinced 뒤에 직접 목적어인 that절이 남아있고, 문맥상 주어(I)와 동사가 '확신했다(확신받았다)'라는 의미의 수동 관계이므로 convinced를 was convinced로 고쳐야 한다.

오답분석 ② **기출포인트** **주어 자리** that절의 주어(making ~ cake) 뒤에 주어를 수식하는 전치사구를 이끄는 전치사 from이 올바르게 쓰였다. 참고로, from scratch는 '맨 처음부터'라는 의미를 나타내는 전치사 숙어 표현이다.

③ **기출포인트** **비교급 강조 표현** 비교급을 강조하기 위해 비교급 표현(easier) 앞에 올 수 있는 부사 even이 올바르게 쓰였다.

④ **기출포인트** **병치 구문** 비교 구문 '비교급 + than'에서 비교 대상은 형태가 같아야 하는데, that절의 주어인 making pumpkin cake와 than 뒤의 making cake가 비교 대상이므로 형태가 같아야 한다. 따라서 동명사구를 이끄는 동명사 making이 올바르게 쓰였다.

해석 나는 호박 케이크를 맨 처음부터 만드는 것이 상자에 든 내용물로 케이크를 만드는 것보다 훨씬 더 쉬울 것이라고 확신했다.

어휘 **convince** 확신시키다 **from scratch** 맨 처음부터 **even** 훨씬

04

해설 ① **기출포인트** **5형식 동사의 수동태** 동사원형을 목적격 보어로 취하는 5형식 동사(see)가 수동태가 되면 목적격 보어는 to 부정사가 되어 수동태 동사 뒤에 그대로 남아야 하므로 are seen 뒤에 to 부정사 to outweigh가 올바르게 쓰였다.

오답분석 ② **기출포인트** **관계대명사** 선행사(the pollution)가 사물이고 관계절 내에서 동사 cause의 주어 역할을 하므로, 명사절 접속사 what을 주격 관계대명사 which로 고쳐야 한다.

③ **기출포인트** **주어와 동사 수 일치** that절의 주어 자리에 복수 명사 the problems가 왔으므로 단수 동사 is를 복수 동사 are로 고쳐야 한다.

④ **기출포인트** **현재분사 vs. 과거분사** 명사(renewable energy)를 수식하는 것은 형용사 역할을 하는 것이므로 분사가 와야 하는데, 수식 받는 명사 renewable energy와 분사가 '재생 가능한 에너지가 포함하다'라는 의미의 능동 관계이므로 과거분사 included를 현재분사 including으로 고쳐야 한다.

해석 환경 보호 활동가들은 화석 연료의 폐해가 그것의 이익보다 더 큰 것

으로 본다. 그들은 에너지를 제공하는 동안, 기후 변화를 일으키는 막대한 양의 오염을 배출한다. 게다가, 연구는 화석 연료의 사용이 계속 증가함에 따라 문제가 증가하고 있다는 것을 암시한다. 이를 감안하여, 환경 운동가들은 바람, 태양, 수력 발전을 포함한 깨끗하고 재생 가능한 에너지로의 전환을 추진하고 있다.

어휘 detriment 폐해, 손실 fossil fuel 화석 연료
outweigh ~보다 더 크다 conservationist 환경 보호 활동가
massive 막대한 environmentalist 환경 운동가 transition 전환

05

해설 ③ 기출포인트 **동사구의 수동태** 빈칸은 문장의 동사 자리이다. 동사 뒤에 목적어가 없고 주어(The volume)와 동사가 '음량이 낮춰지다'라는 의미의 수동 관계가 되어야 하므로 능동태 ② has turned, ④ has turned down은 정답이 될 수 없다. '타동사 + 부사' 형태의 동사구가 수동태가 되는 경우, 동사구의 부사(down)는 수동태 동사(was turned) 뒤에 그대로 남아야 하므로 ③ was turned down이 정답이다.

해석 내 남동생에 의해 TV의 음량이 낮춰졌다.

어휘 turn down (소리, 온도 등을) 낮추다

06

해설 ③ 기출포인트 **수동태로 쓸 수 없는 동사** 동사 result는 전치사 in과 함께 쓰여 '~을 초래하다'라는 의미로 쓰이는 자동사이므로 수동태로 쓸 수 없다. 따라서 수동태 has been resulted in을 능동태 has resulted in으로 고쳐야 한다.

오답 분석 ① 기출포인트 **to 부정사의 역할** 가주어 it이 길이가 긴 진짜 주어 to 부정사구(to imagine ~ forests) 대신 주어 자리에 쓰인 형태이므로, 진짜 주어 자리에 to 부정사구를 이끄는 to 부정사 to imagine이 올바르게 쓰였다.

② **숙어 표현** 문맥상 '우리의 숲들을 당연히 여겨서는 안 된다'라는 의미가 되어야 자연스러우므로 숙어 표현 take ~ for granted (~을 당연히 여기다)를 완성하는 granted가 올바르게 쓰였다.

④ 기출포인트 **분사구문의 형태** 분사 뒤에 목적어(wilderness regions)가 있고, 주절의 주어(deforestation)와 분사구문이 '삼림벌채가 영향을 미치다'라는 의미의 능동 관계이므로, 현재분사 affecting이 올바르게 쓰였다.

해석 숲의 아름다움과 풍요로움이 없는 삶을 상상하는 것은 어려울 것이다. 그러나 과학자들은 우리가 우리의 숲들을 당연히 여겨서는 안 된다고 경고한다. 몇몇 추정치에 따르면, 삼림벌채는 세계 자연 삼림의 80퍼센트에 달하는 양의 손실을 초래했다. 현재, 삼림벌채는 전 세계적인 문제이며, 태평양의 온대 강우림과 같은 야생지역들에 영향을 미치고 있다.

어휘 richness 풍요로움 take ~ for granted ~을 당연히 여기다
deforestation 삼림벌채 result in ~을 초래하다
wilderness 야생지역 temperate rainforest 온대 강우림

Chapter 06 조동사

01

해설 ④ 기출포인트 **조동사 may** 문맥상 '문제가 있을지도 모른다'라는 의미이므로 추측을 나타내는 조동사 might가 올바르게 쓰였다.

오답 분석 ① 기출포인트 **보어 자리** 주격 보어를 취하는 동사 look의 보어 자리에는 형용사 역할을 하는 것이 와야 하므로 부사 finley를 형용사 fine으로 고쳐야 한다.

② 기출포인트 **원형 부정사를 목적격 보어로 취하는 동사** 사역동사 have(had)의 목적어 it(my car)과 목적격 보어가 '내 차가 페인트칠 되다'라는 의미의 수동 관계이므로 과거분사가 와야 한다. 따라서 동사원형 paint를 과거분사 painted로 고쳐야 한다.

③ 기출포인트 **원형 부정사를 목적격 보어로 취하는 동사** 동사 get(got)의 목적어(mine)와 목적격 보어가 '내 것이 수리되다'라는 의미의 수동 관계이므로 동사원형 repair을 과거분사 repaired로 고쳐야 한다.

해석 A: 난 네가 네 차를 망가뜨린 줄 알았어. 괜찮아 보이네.
B: 그랬는데, 어제 Smith's Garage에서 페인트칠을 했어.
A: 내 것을 수리 받은 곳도 거기야. 페인트가 겨우 6개월 후에 벗겨지기 시작했어.
B: 글쎄. 지금은 좋아 보이는데, 앞으로 문제가 생길 수도 있을지도 모르겠어.
A: 응, 어떤 문제든지 주의하도록 해.

어휘 wreck 망가뜨리다 repair 수리하다 peel 벗겨지다; 껍질을 벗기다

02

해설 ⑤ 기출포인트 **조동사 do** do 동사가 앞에 나온 일반동사(use)를 대신할 때, '~역시 그렇다'라는 표현인 so를 사용하여 'so + do 동사 + 주어'로 쓸 수 있다. 이때 do 동사는 자신이 속한 절의 주어(you and I)와 수 일치해야 하므로 단수 동사 does를 복수 동사 do로 고쳐야 한다.

오답 분석 ① 기출포인트 **상관접속사** '단지 숫자에 대한 이론적인 연구가 아니라 실용적인 과학'은 상관접속사 not A but B(A가 아니라 B)로 나타낼 수 있으므로 but이 올바르게 쓰였다. 참고로, 명사구 a theoretical study of numbers와 a practical science가 같

은 구조로 대등하게 연결되어 올바르게 쓰였다.

② 기출포인트 **혼동하기 쉬운 형용사와 부사** 문맥상 '우주에서 지구의 위치와 같은 정보'라는 의미가 되어야 자연스러우므로, 전치사 as와 함께 'such + 명사 + as'(~와 같은)의 형태로 쓰이는 형용사 such가 올바르게 쓰였다.

③ 기출포인트 **상관접속사** '우리가 ~ 결정할 수 있을 뿐만 아니라 ~ 계산할 수도 있게'는 상관접속사 not only A but also B(A뿐만 아니라 B도)를 사용하여 나타낼 수 있고, but also 앞에 to 부정사구(to determine ~)가 왔으므로 but also 뒤에도 to 부정사구 to calculate ~가 올바르게 쓰였다.

④ 기출포인트 **지시대명사** 단수 명사 science 앞에 가산 단수 명사와 불가산 명사 앞에 쓰일 수 있는 지시형용사 this가 올바르게 쓰였다.

해석 수학은 단지 숫자에 대한 이론적인 연구가 아니라 실용 과학이다. 그것은 우리가 우주에서 지구의 위치와 같은 정보를 결정할 수 있을 뿐만 아니라, 일상적인 것들을 측정하는 것도 허용한다. 요리사들은 요리법을 따르기 위해 매일 이 중요한 과학을 사용하고, 우리가 우리의 몸무게나 키와 같은 것들을 측정하거나 표현할 때도 마찬가지이다.

어휘 theoretical 이론적인 practical 실용적인 permit 허용하다
calculate 측정하다 express 표현하다

03

해설 ① 기출포인트 **조동사 should의 생략** 문맥상 '많은 학자들이 ~ 제안했다'라는 의미가 되어야 자연스럽고 제안을 나타내는 동사 suggest가 주절에 나오면 종속절에 '(should +) 동사원형'의 형태가 와야 하므로 to 부정사 to use를 (should) use로 고쳐야 한다. 참고로 동사 suggest는 that절을 목적어로 취하는 3형식 동사이므로 5형식 동사와 같이 '목적어 + 목적격 보어'를 취할 수 없다.

오답분석 ② 기출포인트 **목적어 자리** 동사 enhance의 목적어 자리에 올 수 있는 것은 명사 역할을 하는 것들이므로 동명사 functioning이 목적어 자리에 올바르게 쓰였다.

③ 기출포인트 **병치 구문** 접속사(and)로 연결된 병치 구문에서는 같은 구조끼리 연결되어야 하는데 and 앞에 동사구(improve ~ process)가 왔으므로 and 뒤에도 동사구(strengthen ~ goals)를 이끄는 동사 strengthen이 올바르게 쓰였다.

④ 기출포인트 **주어와 동사의 수 일치** 주어 자리에 복수 명사(emotional experiences)가 왔으므로 복수 동사 share가 올바르게 쓰였다. 참고로, 주어와 동사 사이의 수식어 거품(elicited by ~ behaviors)은 동사의 수 결정에 영향을 주지 않는다.

해석 음악은 일상생활에 전할 수 있는 심리 요법의 효과를 가질 수 있다. 많은 학자들은 사람들에게 음악을 심리 요법의 동인으로 사용할 것을 제안했다. 음악 요법은 '개인의 심리적, 신체적, 인지적, 또는 사회적 기능을 높이기 위한 치료나 재활의 부가물로서의 음악의 사용'으로 널리 정의될 수 있다. 음악으로부터의 긍정적인 감정의 경험은 치료 과정을 개선해서 전통적인 인지적/행동적 방법과 그것들의 일상 목표로의 이전을 강화할 수도 있다. 이것은 부분적으로는 음악과 일상적인 행동에 의해 유발되는 감정의 경험이 긍정적인 감정과 자극을 담당하는 서로 중복되는 신경학적 경로를 공유하고 있기 때문일 수도 있다.

어휘 transfer 전하다, 이동하다 scholar 학자
agent 동인(사물을 발동하여 일으키게 하는 원인) define 정의하다
adjunct 부가물, 부속물 rehabilitation 재활 enhance 높이다
therapeutic 치료(상)의 strengthen 강화하다
behavioral 행동적인, 행동의 partially 부분적으로
elicit 유발하다, 끌어내다 overlap 중복되다, 겹치다
neurological 신경학적인, 신경학의 pathway 경로, 길

04

해설 ② 기출포인트 **조동사 관련 표현 | 병치 구문** 조동사 관련 숙어 would rather(차라리 ~하는 게 낫다) 다음에는 동사원형이 와야 하므로 동사원형 enter가 올바르게 쓰였다. 또한, would rather A than B에서 비교 대상은 같은 구조끼리 연결되어야 하는데, than 앞의 명사구(in a year of economic expansion)가 'in a year of + 명사'의 형태이므로 than 뒤에도 in a year of economic contraction이 올바르게 쓰였다.

오답분석 ① 기출포인트 **관계대명사** 선행사 population이 사람이고, 관계절 내에서 family income이 누구의 가족 소득인지를 나타내므로 목적격 관계대명사 which를 사람을 가리키는 소유격 관계대명사 whose로 고쳐야 한다.

③ 기출포인트 **가주어 it | to 부정사의 의미상 주어** 문맥상 '사람들은 신문을 집어 들기가 어렵다'라는 의미가 되어야 자연스러운데, that절이나 to 부정사구와 같이 긴 주어가 오면 가주어 it이 진주어인 that절이나 to 부정사구를 대신해서 주어 자리에 쓰이므로 동사원형 pick을 to 부정사 to pick으로 고쳐야 한다. 또한, 문장의 주어(It)와 to 부정사(to pick up)의 행위 주체(people)가 달라서 to 부정사의 의미상 주어 'for + 명사'를 to 부정사 앞에 써야 하므로 명사절 접속사 that을 전치사 for로 고쳐야 한다.

④ 기출포인트 **부사절 접속사 2: 양보** 문맥상 '비록 ~ 지속되고 있지만'이라는 의미가 되어야 자연스러운데, 두 개의 절을 연결할 수 있는 것은 접속사이므로 전치사 Despite를 부사절 접속사 Although로 고쳐야 한다.

해석 ① 빈곤율은 가족 소득이 절대 수준 이하로 떨어지는 인구의 비율이다.
② 당연히, 어떤 대학 졸업생이라도 경기 위축의 해보다는 경기 팽창의 해에 노동 인구에 들어가는 게 낫다.
③ 사람들은 경제에 대해 최근에 보고된 일부 통계 자료를 보지 않고

는 신문을 집어 들기가 어렵다.

④ 비록 평균소득에서 성장이 지속되고 있지만, 빈곤율은 감소하지 않고 있다.

어휘 income 소득 absolute 절대의 labor force 노동 인구 expansion 팽창, 확대 contraction 위축, 수축 statistic 통계 자료 decline 감소하다

Chapter 07 가정법

01

해설 ② 기출포인트 **가정법 과거** if절에 if가 생략된 가정법 과거 구문 Were it not for가 왔으므로, 주절에도 가정법 과거를 만드는 '주어(all living ~ earth) + would + 동사원형(be)'의 형태인 all living creatures on earth would be extinct가 올바르게 쓰였다.

오답 분석 ① 기출포인트 **타동사** 동사 contact(연락하다)는 전치사(to) 없이 목적어(me)를 바로 취하는 타동사이므로 contact to me를 contact me로 고쳐야 한다.

③ 기출포인트 **주격 관계절의 수 일치** 관계절(who ~ offices) 내의 동사는 선행사에 수 일치시켜야 하는데, 선행사 people이 복수 명사이므로 단수 동사 is를 복수 동사 are로 고쳐야 한다. 참고로, to 부정사 to continue는 동사 allow의 목적격 보어로 올바르게 쓰였다.

④ 기출포인트 **비교급** 문맥상 '그들이 그들의 실수를 설명하려 더 시도할수록, 그들의 이야기는 더 나쁘게 들렸다'라는 의미가 되어야 자연스러운데, '더 ~할수록 더 -하다'는 비교급 표현 'The + 비교급(more) + 주어(they) + 동사(attempted) ~, the + 비교급(worse) + 주어(their story) + 동사(sounded) -'의 형태로 나타낼 수 있으므로 최상급 표현 the worst를 비교급 표현 the worse로 고쳐야 한다.

해석 ① 제가 지난주에 당신에게 드린 이메일 주소로 저에게 연락해 주세요.
② 만약 물이 없다면, 모든 지구상의 생물들은 멸종될 텐데.
③ 노트북 컴퓨터는 그들의 사무실에서 떨어져 있는 사람들이 일을 계속할 수 있게 한다.
④ 그들이 그들의 실수를 설명하려 더 시도할수록, 그들의 이야기는 더 나쁘게 들렸다.

어휘 creature 생물 extinct 멸종된 attempt 시도하다 sound ~하게 들리다

02

해설 ① 기출포인트 **가정법 미래** 문맥상 '만약 그 물품이 내일까지 배달되지 않으면'이 되어야 적절한데, 가정법 미래는 'If + 주어 + should + 동사원형, 주어 + would + 동사원형'의 형태로 나타낼 수 있으므로 If the item should not be ~, they would complain ~이 올바르게 쓰였다.

오답 분석 ② 기출포인트 **비교급 형태로 최상급 의미를 만드는 표현** '다른 야구 선수보다 더욱 능숙하다'는 '비교급 + than any other + 단수 명사'(다른 어떤 -보다 더 ~한)의 형태로 최상급의 의미를 대신할 수 있으므로 복수 명사 players를 단수 명사 player로 고쳐야 한다.

③ 기출포인트 **도치 구문: 부사구 도치 1** 부정을 나타내는 부사(Hardly)가 강조되어 절의 맨 앞에 나오면 주어와 조동사 역할을 하는 have 동사가 도치되어 '부사 + 조동사 + 주어 + 동사'의 어순이 되어야 하고, 주절에 hardly가 오고 종속절에 before이 오는 경우, 주절에는 과거완료 시제를 사용하고 종속절에는 과거 시제를 사용하므로, 현재완료 시제 has ~ finished를 had ~ finished로 고쳐야 한다.

④ 기출포인트 **5형식 동사의 수동태** 동사원형을 목적격 보어로 취하는 5형식 동사(make)가 수동태가 되면 목적격 보어는 to 부정사가 되어 수동태 동사 뒤에 그대로 남아야 하므로, have been made 뒤에 동사 원형 come을 to 부정사 to come으로 고쳐야 한다.

해석 ① 만약 그 물품이 내일까지 배달되지 않으면, 그들은 그것에 대해 불평을 할 것이다.
② 그는 그의 학급의 어느 다른 야구선수보다 더욱 능숙하다.
③ 바이올리니스트가 공연을 끝내자마자 관중들은 일어나서 갈채를 보냈다.
④ 제과업자들은 밀의 소비 장려를 요구하며 파업에 나서도록 요구되어 왔다.

어휘 complain 불평하다 skillful 능숙한 audience 관중 applaud 갈채를 보내다 come out 파업에 나서다

03

해설 ① 기출포인트 **가정법 과거완료 | 가정법 도치** (A) 문맥상 '안전 면허를 요구했다면, ~ 성공이었을 것이다'라는 의미로 과거의 상황을 반대로 가정하고 있고, if절에 가정법 과거완료 'If + 주어 + had p.p.'(If the police had asked)가 왔으므로, 주절에도 가정법 과거완료 '주어 + would + have p.p.'의 형태를 만드는 would have been이 들어가야 적절하다. (B) 문맥상 '만약 그들이 ~ 카메라를 썼다면, 괜찮았을 것이다'라는 의미로 과거의 상황을 반대로 가정하고 있으므로 가정법 과거완료를 사용하여 나타낼 수 있는데, 이때 if절에 if가 생략되면 주어와 동사 자리가 바뀌고, 주어(they)와 동사(use)가 '그들이 카메라를 쓰다'라는 의

미의 능동 관계이므로 빈칸에는 Had they used가 들어가야 적절하다.

해석 만약 경찰이 그들의 새로운 비행 카메라에 대한 안전 면허를 요구했다면, 그것은 범죄와의 싸움에서 주요한 성공이었을 것이다. 불행하게도 그들은 그러지 못했고, 그 결과 그들이 촬영한 차를 훔치던 젊은 남자는 아마 풀려날 것이다. "당신이 면허를 갖고 있는 한, 이 기계들을 쓰는 데는 문제가 없습니다"라고 한 변호사는 말했다. "만약 그들이 제대로 인가된 카메라를 썼다면, 괜찮았을 것입니다."

어휘 licence[license] 면허; 인가하다

04

해설 ④ 기출포인트 **기타 가정법** 문맥상 '어제 기회가 있을 때 임금 인상을 요청했다면 좋을 텐데'라는 의미로 과거의 상황의 반대를 가정하고 있으므로 I wish 가정법 과거완료 'I wish + 주어 + had p.p.'의 형태로 나타낼 수 있다. 따라서 I wish I ask를 I wish I had asked로 고쳐야 한다.

오답 분석 ① 기출포인트 **능동태·수동태 구별** 주어(our employees)와 동사가 '직원들만 ~ 허락되었다'라는 의미의 수동 관계이므로 수동태 were allowed to가 올바르게 쓰였다.

② 기출포인트 **가짜 주어 구문** 가짜 주어 there 구문 'there + 동사 + 진짜 주어'에서 동사는 진짜 주어(the best player ~ and the coach)에 수 일치시켜야 하므로 복수 동사 go가 올바르게 쓰였다.

③ 기출포인트 **도치 구문: 부사구 도치 1** 'so + 형용사'가 강조되어 문장의 맨 앞에 오면 주어와 be 동사(was)가 도치되어 'be 동사 + 주어'의 순서로 쓸 수 있으므로, So hot was the pizza가 올바르게 쓰였다.

해석 ① 오직 직원들만 작업 현장에 가는 것이 허락되었다.
② 저기 우리 축구팀 최고의 선수와 코치가 간다.
③ 피자가 너무 뜨거워서 모든 사람들이 그것을 먹을 때 입을 데었다.
④ 나는 어제 기회가 있을 때 임금 인상을 요청했다면 좋을 텐데.

어휘 factory floor 작업 현장 burn 데다 raise 임금 인상

Chapter 08 to 부정사

01

해설 ③ 기출포인트 **to 부정사의 역할** 문맥상 '그들이 선택한 짝을 얻기 위해서'라는 의미가 되어야 자연스러우므로 부사 역할을 하는 to 부정사 'to + 동사원형' 형태로 나타내기 위해 To obtaining을 To obtain으로 고쳐야 한다.

오답 분석 ① 기출포인트 **관계대명사** 문맥상 '중국 토종의 두꺼비'라는 의미로 native to China가 바로 앞의 명사 toad를 수식하고 있으므로 주격 관계대명사 which를 사용하여 ~ toad which is native to China로 나타낼 수 있는데, 이때 '주격 관계대명사 + be 동사'(which is)가 생략되어 native to가 올바르게 쓰였다.

② 기출포인트 **to 부정사의 역할** 문맥상 '지배력을 확립하기 위해'라는 의미가 되어야 자연스러우므로, to 부정사가 목적을 나타낼 때 to 대신 쓸 수 있는 so as to(~하기 위해서)가 올바르게 쓰였다.

④ 기출포인트 **전치사 자리** go back to(~로 다시 돌아가다)에서 to는 전치사이므로 전치사 뒤에 명사 역할을 하는 동명사 looking이 올바르게 쓰였다.

해석 *Leptobrachium boringii*는 중국 토종의 특이한 두꺼비 종이다. 짝짓기 기간에, 이 종의 수컷은 그들의 윗입술을 따라 뿔을 기르는데, 그들은 지배력을 확립하기 위해 서로 싸우는 데 그것을 사용한다. 그들이 선택한 짝을 얻기 위해서, 그들은 뿔로 서로를 찌른다. 짝짓기 기간이 끝나면, 뿔은 떨어지고 두꺼비들은 다소 덜 위협적인 모습으로 돌아간다.

어휘 toad 두꺼비 native 토종의, 고유한 mating 짝짓기 stab 찌르다 intimidating 위협적인

02

해설 ④ 기출포인트 **to 부정사의 의미상 주어** 문장의 주어(It)와 to 부정사의 행위 주체(your son)가 달라서 to 부정사의 의미상 주어가 필요할 경우 'for + 명사'를 to 부정사 앞에 써야 하므로 of를 for로 고쳐야 한다. 참고로, to 부정사의 의미상 주어 'of + 명사' 형태는 성격이나 성질을 나타내는 형용사가 to 부정사 앞에 쓰일 경우 사용한다.

오답 분석 ① 기출포인트 **부사절 접속사 1: 조건** '비가 올 경우에'는 조건을 나타내는 부사절 접속사 in case(~의 경우에 대비하여)를 사용하여 나타낼 수 있으므로 in case it rains가 올바르게 쓰였다.

② 기출포인트 **동명사 관련 표현** '~할 가치가 있다'는 동명사구 관용 표현 be worth -ing(~할 가치가 있다)를 사용하여 나타낼 수 있으므로 It's worth considering이 올바르게 쓰였다.

③ 기출포인트 **타동사** 동사(has been married) 뒤에 목적어가 없고 marry(결혼하다)가 '~와 결혼한 상태이다'라는 의미로 쓰일 때는 수동태로 쓰이므로 has been married가 올바르게 쓰였다.

어휘 job offer 일자리 제의 couple 부부

03

해설 ① 기출포인트 **to 부정사를 취하는 동사** 빈칸은 동사 afford의 목적어 자리이다. 동사 afford는 to 부정사를 목적어로 취하는 동사이므로 to 부정사가 쓰인 ①, ④번이 정답 후보이다. 빈칸 뒤에 목적어(any more people)가 있고, 주어(The struggling company)와 to 부정사가 '그 회사가 고용하다'라는 의미의 능동 관계이므로 to 부정사의 능동형 ① to hire가 정답이다.

해석 고군분투하는 그 회사는 새로운 인재를 필요로 했지만 더 이상의 사람들을 채용할 여유가 없었다.

어휘 struggling 고군분투하는, 애쓰는 talent 인재, 재능 있는 사람들

04

해설 ② 기출포인트 **원형 부정사를 목적격 보어로 취하는 동사** 동사 make(made)는 원형 부정사를 목적격 보어로 취하는 사역동사이므로 to 부정사 to want를 원형 부정사 want로 고쳐야 한다.

오답분석 ① 기출포인트 **원형 부정사를 목적격 보어로 취하는 동사** 동사 smell은 원형 부정사나 현재분사를 목적격 보어로 취하는 지각동사이므로 현재분사 burning이 목적격 보어 자리에 올바르게 쓰였다.

③ 기출포인트 **관계대명사** 선행사 The food가 관계절 내에서 동사 ate의 목적어 역할을 하고 있고, 목적격 관계대명사는 생략할 수 있으므로 The food I ate이 올바르게 쓰였다.

④ 기출포인트 **명사절 접속사 2: if와 whether** 문맥상 '디저트를 원하는지'라는 의미가 되어야 자연스러운데, if가 이끄는 명사절은 '~인지'를 의미하며 문장에서 보어로도 쓰이므로 동사 ask의 목적격 보어 자리에 명사절 접속사 if가 이끄는 명사절 if I wanted dessert가 올바르게 쓰였다.

해석 나는 지난 주말에 새로운 식당을 시도했다. 그곳에 도착하자마자, 나는 무언가 타는 냄새를 맡았다. 이것은 나를 떠나고 싶게 만들었지만, 나는 남기로 결정했다. 내가 먹었던 음식은 사실 좋은 것으로 드러났다. 웨이터가 디저트를 원하는지 물어보기 위해 내 테이블로 다가왔을 때, 나는 그렇다고 말했다.

어휘 smell 냄새를 맡다 turn out ~인 것으로 드러나다

Chapter 09 동명사

01

해설 ① 기출포인트 **동명사의 역할과 의미상 주어** 비교급 구문에서 비교의 대상은 같은 품사끼리 연결되어야 하는데, than 앞에 명사 a less urgent need가 왔으므로 than 뒤에도 명사가 와야 한다. 따라서 동사 address를 명사 역할을 하는 동명사 addressing으로 고쳐야 한다.

오답분석 ② 기출포인트 **비교급 강조 표현** 문맥상 '가난한 사람들의 생활을 훨씬 더 어렵게 만들고 있다'라는 의미가 되어야 자연스러운데, 비교급(more difficult)을 강조하기 위해 비교급 표현 앞에 강조 표현 even(훨씬)이 올 수 있으므로 even more difficult가 올바르게 쓰였다.

③ 기출포인트 **비교급** 문맥상 '지원을 제공하는 것이 더 인정 깊다'라는 의미가 되어야 자연스럽고 비교급 표현은 '형용사/부사의 비교급 + than'의 형태로 나타내는데, 3음절 이상인 단어의 비교급은 'more + 형용사/부사의 원급'으로 나타낼 수 있으므로 more compassionate이 올바르게 쓰였다.

④ 기출포인트 **병치 구문** 비교급 구문에서 비교의 대상은 같은 품사끼리 연결되어야 하는데 than 앞에 to 부정사구(to provide ~ support)가 왔으므로 than 뒤에도 to 부정사구가 와야 한다. 따라서 to 부정사구를 이끄는 to punish가 올바르게 쓰였다.

해석 노숙을 불법화하는 것은 가난을 다루는 것보다 덜 시급한 필요이다. 그러나, 공공장소에서 구걸을 하거나 잠을 자는 것에 대해 벌금이 계속 부과되고 있어서 가난한 사람들의 생활을 훨씬 더 어렵게 만들고 있다. 저소득층의 형편에 대해 처벌하는 것보다 그들에게 지원을 제공하는 것이 더 인정 깊다.

어휘 criminalize 불법화하다, (사람을) 범인 취급하다
homelessness 노숙, 집 없음 urgent 시급한, 긴급한
address 다루다, 처리하다 poverty 가난 fine 벌금
issue 부과하다, 발부하다 begging 구걸
compassionate 인정 깊은, 자비로운 punish 처벌하다
circumstance 형편, 환경

02

해설 ② 기출포인트 **동명사를 목적어로 취하는 동사** 동사 suggest는 동명사를 목적어로 취하는 동사이므로 suggested 뒤에 동명사 going out이 올바르게 쓰였다.

오답분석 ① 기출포인트 **병치 구문** 접속사(or) 앞에 동명사 swimming이 왔으므로 or 뒤에도 동명사가 와야 한다. 따라서 to 부정사 to walk를 동명사 walking으로 고쳐야 한다. 참고로, 동사 like는 목적어로 to 부정사와 동명사를 모두 취할 수 있으므로, 접속사 or 앞의 동명사 swimming을 to 부정사 to swim으로 고쳐도 맞다.

③ 기출포인트 **관계대명사 that** 선행사(The dancer)를 수식하는 관계절(that I ~ her)을 이끄는 관계대명사 that 뒤에는 완전한 절(I told you about her)이 올 수 없고, 선행사가 관계절 내에서 전치사 about의 목적어 역할을 하므로 about her를 about으로 고쳐야 한다.

④ 기출포인트 **혼합 가정법** 문맥상 '지난밤에 약을 먹었다면 오늘

몸이 나았을 텐데'라는 의미이고, if절에서는 과거 상황의 반대를 표현하고 있지만, 주절에는 현재임을 나타내는 today가 있으므로 혼합 가정법 'If + 주어 + had p.p., 주어 + would + 동사원형'의 형태가 와야 한다. 따라서 if절의 과거 동사 took을 had taken으로 고치고, 주절의 would have been을 would be로 고쳐야 한다.

해석 ① 네가 수영하는 것을 좋아하든 걷는 것을 좋아하든 상관없이 그 장소는 훌륭하다.
② 그녀는 회의 이후에 저녁 식사를 하러 나가는 것을 제안했다.
③ 내가 너에게 말했던 그 무용수가 마을에 올 것이다.
④ 그녀가 지난밤에 약을 먹었다면 오늘 몸이 나았을 텐데.

어휘 suggest 제안하다 medicine 약

03

해설 ④ 기출포인트 **동명사와 to 부정사 둘 다 목적어로 취하는 동사** 동사 prefer는 동명사가 목적어일 때와 to 부정사가 목적어일 때 의미가 동일하고, 비교 구문에서 비교 대상은 같은 구조끼리 연결되어야 하므로, to staying과 to going out을 모두 to 부정사 to stay, to go out으로 고치거나 동명사 staying, going out으로 고쳐야 한다.

오답분석 ① 기출포인트 **5형식 동사 | 목적어 자리** 동사 make(made)는 5형식 동사로 쓰일 때 'make + 목적어 + 목적격 보어'(~이 -하게 만들다)의 형태로 쓰이는데, to 부정사구 목적어(to call ~ month)가 목적격 보어(a rule)와 함께 오면, 진짜 목적어를 목적격 보어 뒤로 보내고 목적어가 있던 자리에 가짜 목적어 it을 써서 나타내므로 made it a rule to call ~ month가 올바르게 쓰였다.

② 기출포인트 **정관사 the** '팔을 붙잡다'는 정관사 the와 함께 '전치사(by) + the + 신체(arm)'의 형태로 나타낼 수 있으므로 by the arm이 올바르게 쓰였다.

③ 기출포인트 **전치사 4: 이유 | 기타 전치사** 전치사 뒤에는 명사 역할을 하는 것이 와야 하므로 전치사 Owing to(~ 때문에) 뒤에 명사구 the heavy rain이 올바르게 쓰였다. 또한, '120cm 상승했다'를 나타내기 위해 '~만큼'이라는 의미를 나타내는 전치사 by가 올바르게 쓰였다.

어휘 grab 붙잡다 owing to ~으로 인해, ~때문에

04

해설 ② 기출포인트 **동명사 관련 표현** 문맥상 '조직하느라 바쁘다'라는 의미가 되어야 자연스러운데, '-하느라 바쁘다'는 동명사구 관용 표현 'be busy -ing'를 사용하여 나타낼 수 있으므로 are busy 뒤에 동명사 organizing이 올바르게 쓰였다.

오답분석 ① 기출포인트 **병치 구문** 접속사(but)로 연결된 병치 구문에서는 같은 구조끼리 연결되어야 하는데, but 앞에 과거 시제 동사 saved가 왔으므로 and 뒤에도 과거 시제 동사가 와야 한다. 따라서 현재 시제 동사 buy를 과거 시제 동사 bought로 고쳐야 한다.

③ 기출포인트 **혼동하기 쉬운 어순** so는 'so + 형용사 + a/an + 명사' 순으로 쓰이므로, a so difficult math problem을 so difficult a math problem으로 고쳐야 한다.

④ 기출포인트 **보어 자리** 동사 grow(grew)는 주격 보어를 취하는 동사인데, 보어 자리에는 명사나 형용사 역할을 하는 것이 올 수 있으므로 부사 coldly를 형용사 cold로 고쳐야 한다.

해석 ① 그들은 새 차를 사기 위해 돈을 모았지만, 결국 중고차를 샀다.
② 그들은 자선을 위한 모금 행사를 조직하느라 바쁘다.
③ 수학 문제가 너무 어려워서 그는 풀 수 없었다.
④ 저녁에 해가 지자, 해변은 추워졌다.

어휘 organize 조직하다, 구성하다 fundraiser 모금 행사 charity 자선, 기부

Chapter 10 분사

01

해설 ③ 기출포인트 **분사의 역할 | 현재분사 vs. 과거분사** 명사(Most of the art)를 수식할 수 있는 것은 형용사 역할을 하는 것이므로 분사(displaying, displayed)가 쓰인 ②, ③번이 정답 후보이다. 문맥상 수식받는 명사(Most of the art)와 분사가 '예술 작품의 대부분이 전시되다'라는 의미의 수동 관계이므로 빈칸에는 과거분사 displayed가 들어가야 한다.

해석 그 박물관에 전시된 예술 작품의 대부분은 19세기에 이탈리아에서 온 것이다.

어휘 display 전시하다, 진열하다

02

해설 ④ 기출포인트 **현재분사 vs. 과거분사** 수식 받는 명사(a family)와 분사가 '가족이 이사 오다'라는 의미의 능동 관계이므로 과거분사 moved를 현재분사 moving으로 고쳐야 한다.

오답분석 ① 기출포인트 **to 부정사의 역할** '읽기가 어렵다'는 부사 역할을 할 때 형용사를 꾸며주는 to 부정사를 사용해서 나타낼 수 있으므로 to read가 올바르게 쓰였다.

② 기출포인트 **동명사 관련 표현** '설득하려고 해 봐야 소용없다'는 It's no use -ing(-해도 소용 없다)의 형태로 나타낼 수 있으므로 It is no use trying이 올바르게 쓰였다.

③ 기출포인트 **수량 표현** every는 특정한 숫자(five)와 함께 오면

'~ 마다 한 번씩'이라는 의미로 복수 명사(years) 앞에 올 수 있으므로 every five years가 올바르게 쓰였다.

어휘 novel 소설 upstairs 위층

03

해설 ② 기출포인트 **분사구문의 의미상 주어** 주절의 주어(he)와 분사구문의 주어(Something)이 달라 분사구문의 의미상 주어가 필요한 경우 명사 주어를 분사구문 앞에 써야 하므로 분사구문의 주어 Something이 현재분사 banging 앞에 올바르게 쓰였다.

오답분석 ① **Chapter 19 어순 BASIC GRAMMAR** 동사 wonder의 목적어 자리에 간접 의문문이 쓰일 수 있는데, 간접 의문문은 '의문사 + 주어 + 동사'의 어순이 되어야 하므로 what was he를 what he was로 고쳐야 한다.

③ 기출포인트 **병치 구문** 접속사(and) 앞에 to 부정사구(to find ~ noise)가 왔으므로 and 뒤에도 to 부정사구가 와야 하는데, 병치 구문에서 두 번째 나온 to는 생략될 수 있으므로, 동명사 making을 to 부정사 to make 또는 동사원형 make로 고쳐야 한다.

④ 기출포인트 **빈도 부사** 빈도 부사 sometimes는 보통 일반동사 앞에 쓰이므로 occurs when sometimes를 sometimes occurs when으로 고쳐야 한다.

해석 AJ Delgado는 아침을 먹으면서 무슨 소리를 듣고 있는지 궁금했다. 무언가 크게 쾅쾅 소리를 내서, 그는 처음에는 누군가가 그의 지붕에 물건을 던지고 있다고 생각했다. 그는 소음의 원인을 찾고 그것을 멈추기 위해 밖으로 나갔다. 위를 올려다보니, 그는 물고기가 비 오듯 쏟아지는 것을 보았다. 전문가들은 때때로 물 위에 형성되는 약한 토네이도인 용오름이 물고기를 빨아 멀리 떨어뜨릴 때 이것이 발생한다고 말한다.

어휘 initially 처음에 waterspouts 용오름 suck 빨다

04

해설 ④ 기출포인트 **분사구문의 관용 표현** 동시에 일어나는 상황은 'with + 명사 + 분사'의 형태로 나타낼 수 있는데, 명사(the legs)와 분사가 '다리가 꼬아지다'라는 의미의 수동 관계이므로 현재분사 crossing을 과거분사 crossed로 고쳐야 한다.

오답분석 ① 기출포인트 **분사구문의 형태** 주절의 주어(she)와 동사가 '그녀가 마시다'라는 의미의 능동 관계이므로 현재분사가 와야 하고, 문맥상 '커피를 마신' 시점이 '그녀가 잠을 이룰 수 없는' 시점보다 이전에 일어난 일이므로 분사구문의 완료형 Having drunk가 올바르게 쓰였다.

② 기출포인트 **분사구문의 역할** '친절한 사람이어서'라는 의미를 만들기 위해 이유를 나타내는 부사절 역할을 하는 분사구문 Being a kind person이 올바르게 쓰였다.

③ 기출포인트 **분사구문의 의미상 주어** 주절의 주어(she)와 분사구문의 주어(All things)가 달라 분사구문의 의미상 주어가 필요한 경우 명사 주어를 분사구문 앞에 써야 하므로 분사구문의 주어 All things가 과거분사 considered 앞에 올바르게 쓰였다.

어휘 blood pressure 혈압

Chapter 11 명사와 관사

01

해설 ① 기출포인트 **명사 자리** 문장 내에서 주어 자리에 올 수 있는 것은 명사인데, 뒤에 복수 동사 are이 왔으므로 형용사 artistic을 복수 명사 artworks로 고쳐야 한다.

오답분석 ② 기출포인트 **비교급** '다른 작품들보다 뛰어나다'는 than 대신 to를 쓰는 비교 표현 superior to(~보다 뛰어난)로 나타낼 수 있으므로 superior to other works가 올바르게 쓰였다.

③ 기출포인트 **재귀대명사** 문맥상 '예술가들은 그들 스스로 ~ 더 흔하다고 생각할지도 모른다'라는 의미가 되어야 자연스러우므로, 주어 바로 뒤에 와서 주어를 강조할 수 있는 재귀대명사 themselves가 올바르게 쓰였다.

④ 기출포인트 **비교급** '더 흔하다'는 형용사 commonplace(흔한)의 비교급 형태로 나타낼 수 있으므로 more commonplace가 올바르게 쓰였다.

⑤ 기출포인트 **명사 자리** 소유격(their colleague's) 뒤에 명사(pieces)가 올바르게 쓰였다.

해석 많은 예술 작품들이 다른 작품들보다 뛰어나다고 여겨진다. 한편, 예술가들은 그들 스스로 동료의 작품보다 그들의 작품이 더 흔하다고 생각할지도 모른다.

어휘 meanwhile 한편 commonplace 흔한 colleague 동료

02

해설 ④ 기출포인트 **불가산 명사** 불가산 명사(knowledge)는 앞에 부정관사(a)를 쓰거나 복수형으로 쓰일 수 없고, 가산 복수 명사 앞에 오는 수량 형용사 many와 함께 쓰일 수 없다. 따라서 many knowledges를 불가산 명사와 함께 쓰이는 수량 형용사 much를 사용하여 much knowledge로 고쳐야 한다.

오답분석 ① 기출포인트 **가산 명사** 가산 명사(picture)는 반드시 관사와 함께 쓰이거나 복수형으로 쓰여야 하므로 복수형 pictures가 올바르게 쓰였고, 불가산 명사(scenery)는 앞에 부정관사(a)를 쓰거나 복수형으로 쓰일 수 없으므로 scenery가 올바르게 쓰였다.

② 기출포인트 **불가산 명사** 불가산 명사(evidence)는 앞에 부정관사(an)를 쓰거나 복수형으로 쓰일 수 없으므로 evidence가 올바르게 쓰였다.

③ 기출포인트 **가산 명사** 가산 명사(airline)는 관사와 함께 쓰이거나 복수형으로 쓰여야 하므로 The airline이 올바르게 쓰였다.

해석 ① 우리는 아일랜드에 갔을 때 아름다운 풍경 사진들을 찍었다.
② 천문학자들은 그 행성에서 물의 증거를 발견했다.
③ 그 항공사는 승객들을 위해 기내 오락물을 제공했다.
④ 현명한 노인은 너무 많은 지식 같은 것은 없다고 말했다.

어휘 **scenery** 풍경, 경치 **astronomer** 천문학자 **airline** 항공사 **onboard** 기내의, 선상의

03

해설 ② 기출포인트 **부정관사 a(n)** 가산 명사(student)는 단수일 때 부정관사(a)와 함께 쓰이므로 new student를 a new student로 고쳐야 한다.

오답분석 ① 기출포인트 **가짜 주어 구문** that절(that we ~ 8:30)과 같이 긴 주어가 오면 가주어 it이 진주어인 that절을 대신하여 주어 자리에 쓰일 수 있으므로 It was ~ that we ~ 8:30가 올바르게 쓰였다.

③ 기출포인트 **정관사 the** 최상급(best)은 정관사 the와 함께 'the + 최상급 + 명사'의 형태로 쓰이므로 the best produce가 올바르게 쓰였다.

④ 기출포인트 **정관사 the** 최상급(newest)은 정관사 the와 함께 'the + 최상급 + 명사'의 형태로 쓰이므로 The newest digital cameras가 올바르게 쓰였고, '일련의 디지털 효과'는 부정관사 관련 숙어 표현 a series of(일련의)를 사용하여 나타낼 수 있으므로 a series of digital effects가 올바르게 쓰였다.

해석 ① 우리가 여기서 8시 30분에 만나기로 한 것은 그녀의 결정이었다.
② 그녀는 이 학교의 새로운 학생이다.
③ 길 아래에 있는 시장은 마을에서 최고의 농산물을 가지고 있다.
④ 최신 디지털카메라는 일련의 디지털 효과를 갖추어 출시된다.

어휘 **produce** 농산물 **equip** 갖추다

04

해설 ③ 기출포인트 **정관사 the** 동명사(helping)의 목적어 자리에는 명사 역할을 하는 것이 와야 하므로, 형용사 poor를 'the + 형용사'의 형태로 쓰여 '~한 사람들'을 의미하는 the poor로 고쳐야 한다.

오답분석 ① 기출포인트 **상관접속사** '캠퍼스가 아니라 공공도서관에서'는 상관접속사 not A but B(A가 아니라 B)로 나타낼 수 있으므로 not on campus but in a public library가 올바르게 쓰였다.

② 기출포인트 **조동사 관련 표현** '아무리 신중해도 지나치지 않다'는 조동사 관련 숙어 표현 cannot ~ too(아무리 -해도 지나치지 않다)로 나타낼 수 있으므로 cannot be too cautious가 올바르게 쓰였다.

④ 기출포인트 **가짜 주어 구문** 가짜 주어 there 구문 'there + 동사 + 진짜 주어'에서 동사는 진짜 주어(a warning)에 수 일치시켜야 하므로 단수 동사 was가 올바르게 쓰였다.

해석 ① 그들은 캠퍼스가 아니라 공공도서관에서 만났다.
② 낯선 사람에게 문을 열어주는 것에 대해 아무리 조심해도 지나치지 않다.
③ 우리 자원봉사자들은 그 지역의 가난한 사람들을 돕기 위해 헌신하고 있다.
④ 오늘 아침에, 얼음이 거리를 뒤덮을 것이라는 경고가 있었다.

어휘 **cautious** 조심스러운 **stranger** 낯선 사람 **coat** 뒤덮다

Chapter 12 대명사

01

해설 ④ 기출포인트 **인칭대명사** 대명사가 지칭하는 명사가 복수 명사 greeting styles(인사 방식)이므로 단수 인칭대명사 it을 복수 인칭대명사 them으로 고쳐야 한다.

오답분석 ① 기출포인트 **동사 자리 | 능동태·수동태 구별** 동사 자리에는 태가 적절한 동사가 와야 하는데, 주어(Significant ~ styles)와 동사가 '인사 방식의 차이는 ~ 발견된다'라는 의미의 수동 관계이므로 수동태 are found가 올바르게 쓰였다.

② 기출포인트 **전치사 자리** 문맥상 '~요인들로 인해'라는 의미가 되어야 자연스럽고, 전치사의 목적어 자리에는 명사 역할을 하는 것이 와야 하는데, 뒤에 명사구(historical ~ factors)가 왔으므로 전치사 Due to가 올바르게 쓰였다.

③ 기출포인트 **부사 자리** 형용사(ingrained)를 수식할 수 있는 것은 부사이므로, 부사 deeply가 올바르게 쓰였다. 참고로, 부사가 동사 이외의 것을 수식할 때 부사는 수식받는 것 앞에 온다.

해석 인사 방식의 상당한 차이는 다양한 문화에서 발견된다. 역사적, 사회적, 그리고 기타 요인들로 인해, 사회적 집단은 아시아 문화에서 고개를 숙이거나 유럽 사회에서 볼에 키스를 하는 것과 같이 서로에게 접근하는 다양한 방식을 채택했다. 이러한 관습은 종종 문화적 가치에 깊이 뿌리내려 있다. 사람들이 서로 다른 인사 방식을 가진 다른 사람들을 마주칠 때, 예상되는 인사에 대한 문화적 인식 부족은 그들 사이에 의도하지 않은 공격이나 혼란을 초래할 수 있다.

어휘 variation 차이 greeting 인사 ingrain 뿌리내리게 하다 encounter 마주치다, 만나다 divergent 서로 다른 offense 공격

02

해설 ② 기출포인트 **지시대명사** 대명사가 지칭하는 명사(the quality)가 단수이므로 복수 대명사 those를 단수 대명사 that으로 고쳐야 한다.

오답분석 ① 기출포인트 **전치사 4: 양보** 명사(the belief) 앞에 올 수 있는 것은 전치사이고, 문맥상 '~ 믿음에도 불구하고'라는 의미가 되어야 자연스러우므로 양보를 나타내는 전치사 Despite(~에도 불구하고)가 올바르게 쓰였다.

③ 기출포인트 **분사구문의 형태** 주절의 주어(the foundations)와 분사구문이 '토대가 비교되다'라는 의미의 수동 관계이므로 과거분사 compared가 올바르게 쓰였다.

④ 기출포인트 **인칭대명사** 명사(timber framework) 앞에서 소유의 의미를 나타내기 위해서는 소유격 대명사가 와야 하고, 대명사가 지시하는 명사(the foundations)가 복수이므로 복수 소유격 대명사 their가 올바르게 쓰였다.

해석 오래된 주택의 품질이 현대 주택의 그것(품질)보다 뛰어나다는 믿음에도 불구하고, 대부분의 20세기 이전 주택의 토대는 오늘날의 것과 비교했을 때 극히 얕고, 단지 그것들의 목재 구조의 유연성이나 벽돌과 돌 사이의 석회 모르타르 덕분에 시간의 시험을 견뎌왔을 뿐이다.

어휘 foundation 토대, 기초 shallow 얕은, 피상적인 timber 목재 mortar 모르타르(시멘트와 모래를 물로 반죽한 것)

03

해설 ④ 기출포인트 **부정대명사 one | 기타 전치사** 대명사가 지칭하는 명사(my favorite bike)가 단수이므로 복수 부정대명사 ones를 단수 부정대명사 one으로 고쳐야 한다.

오답분석 ① 기출포인트 **현재분사 vs. 과거분사** 감정을 나타내는 분사가 보충 설명하는 대상이 감정을 일으키는 주체인 경우 현재분사를 쓰고, 감정을 느끼는 대상인 경우 과거분사를 쓰는데, The children이 '아이들이 신이 났다'라는 의미로 감정을 느끼는 대상이므로 과거분사 excited가 올바르게 쓰였다.

② 기출포인트 **5형식 동사** 사역동사 have(had)는 목적어와 목적격 보어가 수동 관계일 때 과거분사를 목적격 보어로 취하는 5형식 동사인데, 목적어 the Taj Mahal과 목적격 보어가 '타지마할이 지어졌다'라는 의미의 수동 관계이므로 과거분사 built가 올바르게 쓰였다.

③ 기출포인트 **분사구문의 형태** '장난감을 가지고 놀고 난 후에'라는 의미를 만들기 위해 시간을 나타내는 부사절 역할을 하는 분사구문 after playing with them이 올바르게 쓰였다. 참고로, 분사구문의 의미를 분명하게 하기 위해 부사절 접속사 after가 분사구문 앞에 쓰였다.

어휘 visit 방문

04

해설 ② 기출포인트 **부정대명사: every** 부정대명사 every 뒤에는 단수 명사가 와야 하므로 복수 명사 persons를 단수 명사 person으로 고쳐야 한다.

오답분석 ① 기출포인트 **what vs. that** to 부정사(to do)의 목적어가 없는 불완전한 절(a participatory ~ do)을 이끌며 문장의 주어 자리에 올 수 있는 명사절 접속사 What이 올바르게 쓰였다.

③ 기출포인트 **what vs. that** 목적어가 없는 불완전한 절(we now ~ government)을 이끌며 동사(had avoided)의 목적어 자리에 올 수 있는 명사절 접속사 what이 올바르게 쓰였다.

④ 기출포인트 **전치사 + 관계대명사** 문맥상 '그곳에서 ~ 영향을 미칠 수 있다'라는 의미가 되어야 자연스럽고 완전한 절(all people ~ laws) 앞에는 '전치사 + 관계대명사'가 와야 하므로 관계절의 선행사(one)와 관계절(all people ~ laws) 사이에 관계대명사 which 앞에 전치사 in(~에서)이 온 in which가 올바르게 쓰였다.

⑤ 기출포인트 **현재완료 시제** 문맥상 '가장 유명한 통치 유형 중 하나가 되었다'라는 의미가 되어야 자연스럽고 과거에 시작된 일이 현재까지 이어져 온 것을 나타내고 있으므로 현재완료 시제 has become이 올바르게 쓰였다.

해석 참여정부가 시민들이 할 수 있도록 하는 것은 법이나 대표가 모든 사람에 의해 투표되는 것처럼 변화에 직접적으로 영향을 미치는 것이다. 중세 국가들은 우리가 현재 이상적인 정부라고 생각하는 것을 피해왔는데, 그곳에서 모든 국민이 법에 영향을 미칠 수 있다. 구체적인 형태는 다르지만, 이것은 가장 유명한 통치 유형 중 하나가 되었다.

어휘 participatory 참여의 enable 할 수 있게 하다 directly 직접적으로

Chapter 13 형용사와 부사

01

해설 ① 기출포인트 **형용사 자리** 문맥상 '상승하는 공공요금'이라는 의미가 되어야 자연스럽고, 명사(cost)를 수식하는 것은 형용사 역할을 하는 것이므로 명사 cost 앞의 동사 rise(상승하다)를 형용사 역할을 하는 현재분사 rising(상승하는)으로 고쳐야 한다.

오답분석 ② 기출포인트 **전치사 자리** 전치사(of) 뒤에는 명사 역할을 하는 것

이 와야 하므로 of 뒤에 명사 역할을 하는 동명사 plagiarizing이 올바르게 쓰였다.

③ 기출포인트 **to 부정사의 역할** be동사(is)의 보어 자리에 명사 역할을 하는 to 부정사 to inform이 올바르게 쓰였다.

④ 기출포인트 **부사절 접속사 2: 기타** 문맥상 '너무 오래가는 것을 제외하고는 완벽하다고 생각했다'라는 의미가 되어야 자연스러우므로 '~을 제외하고'의 의미를 갖는 부사절 접속사 except that이 올바르게 쓰였다.

해석 ① 주민들은 시의 상승하는 공공요금에 대해 불만을 토로했다.
② 그 교수는 그가 동급생의 에세이를 표절했다고 비난했다.
③ 그 공지의 목적은 직원들에게 일정 변경을 알리려고 한 것이다.
④ 나는 그 영화가 너무 오래가는 것을 제외하고는 완벽하다고 생각했다.

어휘 accuse 비난하다 plagiarize 표절하다 last 오래가다, 지속하다

02

해설 ③ 기출포인트 **수량 표현** another는 특정한 숫자(300)와 함께 오면 '~ 더'라는 의미로 복수 명사(people) 앞에 올 수 있으므로 another 300 people이 올바르게 쓰였다.

오답분석 ① 기출포인트 **시제 일치** 현재완료 시제와 자주 함께 쓰이는 시간 표현 'over + 과거시간 표현'(over the past three weeks)이 왔으므로, 과거 시제 동사 fell을 과거분사 fallen으로 고쳐야 한다.

② 기출포인트 **능동태·수동태 구별** 주어(experts)와 동사가 '전문가들이 추측하다'라는 의미의 능동 관계이므로 수동태 동사 are suspected를 능동태 동사 suspected로 고쳐야 한다.

④ 기출포인트 **현재분사 vs. 과거분사** 완전한 절(another 300 people ~ mid-November)에 또 다른 동사(begin)가 올 수 없고, 문맥상 '11월 중순에 발생한 같은 질병에 걸렸다'라는 의미가 되어야 자연스러우므로 동사 begin을 명사(the same disease)를 수식할 수 있는 분사 beginning으로 고쳐야 한다. 참고로, 수식 받는 명사(the same disease)와 분사가 '같은 질병이 발생하다'라는 의미의 능동 관계이므로 현재분사 beginning이 쓰여야 한다.

해석 지난 3주 동안 주로 홍콩과 베트남에서 150명 이상의 사람들이 병에 걸렸다. 그리고 전문가들은 중국 광동 지방에 있는 또 다른 300명이 11월 중순에 발생한 같은 질병에 걸렸다고 추측했다.

어휘 fall ill 병에 걸리다 suspect 추측하다 province 지방

03

해설 ① 기출포인트 **부사 자리** 형용사(vital)를 앞에서 수식하는 것은 부사이므로 형용사 increasing을 부사 increasingly로 고쳐야 한다.

오답분석 ② 기출포인트 **분사구문의 형태** 주절의 주어(travelers)와 분사구문이 '여행자들이 여행을 계획하다'라는 의미의 능동 관계이므로 현재분사 Planning이 올바르게 쓰였다.

③ 기출포인트 **관계대명사** 선행사 accommodations and transportation options가 사물이고 관계절 내에서 동사 are의 주어 역할을 하므로 주격 관계대명사 that이 올바르게 쓰였다.

④ 기출포인트 **보어 자리** 동사 prove가 '~임이 드러나다'라는 뜻으로 쓰일 때 주격 보어를 취하는 동사이고 보어 자리에는 형용사나 명사 역할을 하는 것이 와야 하므로 형용사 difficult가 올바르게 쓰였다.

해석 사람들이 지구의 취약한 생태계를 보호하기 위해 지속 가능한 여행을 실천하는 것은 점점 더 필수적이다. 그 여행자들이 생산하는 오염의 양을 줄이는 방식으로 여행을 계획함에 있어 그들이 환경에 미치는 영향을 최소화할 수 있다. 더 친환경적인 숙소와 교통 수단을 선택함으로써, 여행자들은 여전히 다양한 목적지를 방문하는 동안 그들의 탄소 발자국을 크게 줄일 수 있다. 비록 이것이 단순히 이용 가능한 가장 저렴한 항공편과 호텔을 예약하는 것보다 더 어려운 것으로 드러날지 모르지만, 거의 모든 여행의 영향을 줄이는 지속 가능한 선택 사항이 있다.

어휘 sustainable 지속 가능한 fragile 취약한 vital 필수적인 accommodation 숙소 eco-friendly 친환경적인

04

해설 ③ 기출포인트 **강조 부사** 강조 부사 much는 형용사를 강조할 때 비교급을 강조하므로, much를 형용사의 원급(high-priced)을 강조하는 부사 very로 고쳐야 한다.

오답분석 ① 기출포인트 **명사절 접속사 2: whether** 문맥상 '상품을 구매할지'라는 의미가 되어야 자연스러우므로 명사절 접속사 whether가 올바르게 쓰였다.

② 기출포인트 **비교급** 문맥상 '가격이 낮을수록, 쇼핑하는 사람은 더 행복하다'라는 의미가 되어야 자연스럽고, '더 ~할수록 더 -하다'는 비교급 표현 'The + 비교급 + 주어 + 동사 ~, the + 비교급 + 주어 + 동사'의 형태로 나타낼 수 있으므로 the lower the price is, the happier the shopper is가 올바르게 쓰였다.

④ 기출포인트 **조동사 should의 생략** 종속절 동사 주절에 제안을 나타내는 동사 suggest가 오면 종속절에는 '(should +) 동사원형'이 와야 하므로, 종속절에 동사원형 purchase가 올바르게 쓰였다.

해석 소매상들은 소비자가 상품을 구매할지를 결정할 때 종종 가격이 그들이 가장 고려하는 사항이라는 것을 알고 있다. 보통, 가격이 낮을수록, 쇼핑하는 사람은 더 행복하다. 이를 활용하기 위해, 소매업체들은 판매하고자 하는 제품을 매우 비싼 선택지 옆에 배치한다. 이렇게 함으로써, 그들은 쇼핑하는 사람들이 낮은 가격의 제품들을 구매

해야 하는 것을 제안하고 있다.

어휘 retailer 소매상 take advantage of ~을 활용하다, 이용하다

05

해설 ② 기출포인트 **빈도 부사** 빈도 부사 hardly(거의 ~않다)는 부정의 의미로 부정어(never)와 함께 쓰일 수 없으므로 부정어 never를 부정문에서 강조의 의미를 나타낼 수 있는 부사 ever로 고쳐야 한다.

오답분석 ① 기출포인트 **전치사 2: 기간** 문맥상 '수년 동안'이라는 의미가 되어야 자연스러우므로 '~동안'이라는 의미를 나타내는 전치사 over가 올바르게 쓰였다.

③ 기출포인트 **수량 표현** 가산 복수 명사(policy issues)가 왔으므로 수량 표현 a number of(많은)가 올바르게 쓰였다.

④ 기출포인트 **관계대명사** 선행사 policy issues가 사물이고 관계절 내에서 동사의 목적어 역할을 하므로 목적격 관계대명사 which가 올바르게 쓰였다.

해석 1961년의 독립 이후 수년 동안의 그의 생존은 공식적인 방식으로 실제 정책 선택에 대한 논의가 거의 일어나지 않았다는 사실을 바꾸지 않았다. 사실, 니에레레가 NEC(국가행정위원회)를 통해 논의해야 했던 많은 중요한 정책 안건들은 언제나 있어왔다.

어휘 in a public manner 공식적인 방식으로

06

해설 ③ 기출포인트 **혼동하기 쉬운 형용사와 부사** 형용사(great)를 앞에서 수식하는 것은 부사이므로 형용사 such를 부사 so로 고쳐야 한다.

오답분석 ① 기출포인트 **혼동하기 쉬운 형용사와 부사** '최근에'라는 의미를 나타내기 위해 부사 lately(최근에)가 올바르게 쓰였다.

② 기출포인트 **혼동하기 쉬운 형용사와 부사** 문맥상 'Jason은 열심히 공부하고 있다'라는 의미가 되어야 자연스러우므로 부사 hard(열심히)가 올바르게 쓰였다.

④ 기출포인트 **혼동하기 쉬운 형용사와 부사** 형용사(convenient)를 앞에서 수식하는 것은 부사이므로 부사 so가 올바르게 쓰였다.

해석 ① 최근에 늦게 도착하는 직원들의 수가 줄어들었다.
② Jason은 중간고사 시험을 위해 열심히 공부하고 있다.
③ 그 공연은 정말로 훌륭해서 긍정적인 평가들만 받았다.
④ 내 삶은 이러한 기기들로 인해서 매우 편리해졌다.

어휘 decline 줄어들다, 감소하다 convenient 편리한

Chapter 14 전치사

01

해설 ② 기출포인트 **전치사 자리 | 병치 구문** 전치사(of)는 명사 역할을 하는 것 앞에 와야 하고, 접속사 and로 연결된 병치 구문에서는 같은 품사끼리 연결되어야 한다. and 앞과 뒤에 명사 security, love가 나열되고 있으므로 and 앞의 형용사 warm을 명사 warmth로 고쳐야 한다.

오답분석 ① 기출포인트 **수량 표현** 복수 취급하는 수량 표현 both 뒤에는 복수 명사가 와야 하므로 복수 명사 sides가 올바르게 쓰였다.

③ 기출포인트 **수량 표현의 수 일치** 주어 자리에 단수 취급하는 수량 표현 'the number of + 명사'(The number of car accidents)가 왔으므로 단수 동사 is가 올바르게 쓰였다.

④ 기출포인트 **가정법 도치** if절에서 if가 생략되어 동사 Had가 주어(I) 앞으로 온 가정법 과거완료 구문 Had I realized ~가 왔으므로, 주절에도 가정법 과거완료를 만드는 '주어 + would + have p.p.'의 형태가 와야 한다. 따라서 I would have stopped가 올바르게 쓰였다.

해석 ① 당신은 그 종이의 양면에 글을 쓸 수 있다.
② 나의 집은 나에게 든든함, 따뜻함, 그리고 사랑의 느낌을 준다.
③ 자동차 사고의 수가 증가하고 있다.
④ 당신이 무엇을 할 생각인지 내가 알았더라면, 나는 당신을 말렸을 것이다.

어휘 security 든든함, 안정 on the rise 증가하는
intend ~하려고 생각하다, 의도하다

02

해설 ② 기출포인트 **전치사 1: 시간과 장소 in** 문맥상 '불과 2년 후에'라는 의미가 되어야 자연스럽고, 시간을 나타내는 명사(two years) 앞에 올 수 있는 전치사는 in(~ 후에)이므로 전치사 on을 in으로 고쳐야 한다.

오답분석 ① 기출포인트 **상관접속사** 'Dan도 그의 부인도 ~ 기대하지 않았다'는 상관접속사 neither A nor B(A도 B도 아닌)로 나타낼 수 있으므로 nor가 올바르게 쓰였다.

③ 기출포인트 **과거 시제** '금전적으로 ~ 횡재를 했다'라는 이미 끝난 과거의 사실을 표현하고 있으므로 과거 시제 동사 got이 올바르게 쓰였다.

④ 기출포인트 **전치사 자리** 전치사(from)는 명사 역할을 하는 것 앞에 와야 하므로 전치사 from이 동명사구 investing in a stock 앞에 올바르게 쓰였다.

해석 Dan도 그의 부인도 곧 집을 살 수 있을 것이라고 기대하지 않았다. 그러나 불과 2년 후에, 그들은 상당히 오른 주식에 투자한 것으로부터 금전적으로 뜻밖의 횡재를 했다.

어휘 windfall 뜻밖의 횡재 stock 주식 significantly 상당히

03

해설 ① 기출포인트 **전치사 2: 기간** 숫자를 포함한 시간 표현(four hours) 앞에 와서 '얼마나 오래 지속되는가'를 나타내는 전치사 for(~동안)가 올바르게 쓰였다.

오답분석 ② 기출포인트 **능동태·수동태 구별** 주어(The whole world)와 동사가 '전 세계가 ~ 경제위기를 겪고 있다'라는 의미의 능동 관계이므로 수동태 동사 is endured를 능동태 동사 is enduring으로 고쳐야 한다.

③ 기출포인트 **원급 관련 표현** '나를 쳐다본 적조차 없다'는 never so much as(~조차도 하지 않다)를 사용하여 나타낼 수 있으므로 never such much as를 never so much as로 고쳐야 한다.

④ 기출포인트 **부사 자리** 형용사를 앞에서 수식할 수 있는 것은 부사이므로 형용사 unusual을 부사 unusually로 고쳐야 한다.

해석 ① 그녀는 4시간 동안 공항에 갇혀 있었다.
② 전 세계가 장기간의 경제위기를 겪고 있다.
③ 내가 방에 들어갔을 때 그는 나를 쳐다본 적조차 없다.
④ 반에서 새로운 학생은 대단히 똑똑하다.

어휘 endure 겪다 prolonged 장기간의 intelligent 똑똑한

04

해설 ③ 기출포인트 **전치사 3: 위치** 문맥상 '현실적인 제약을 고려하는 것 외에도'라는 의미가 되어야 자연스러운데, '~외에'는 전치사 besides로 나타낼 수 있으므로 '~ 옆에'라는 의미의 전치사 beside를 besides로 고쳐야 한다.

오답분석 ① 기출포인트 **전치사 2: 기간** 전치사 During은 명사 역할을 하는 것 앞에 와서 기간을 나타내므로 During the planning phase가 올바르게 쓰였다.

② 기출포인트 **기타 전치사** 형용사 consistent는 전치사 with와 함께 consistent with(~과 일치하는)의 형태로 자주 쓰이므로 consistent with가 올바르게 쓰였다.

④ 기출포인트 **수량 표현** a number of(많은)는 가산 명사 앞에 쓰이는 수량 표현이므로 가산 명사 practical constraints 앞에 a number of가 올바르게 쓰였다.

해석 계획 단계에서 그녀는 여러 가지 현실적인 제약을 고려하는 것 외에도 자신의 가치관과 일치하는 결정을 내렸다.

어휘 phase 단계 consistent with ~과 일치하는 constraint 제약

05

해설 ① 기출포인트 **전치사 4: ~에 관하여** 문맥상 '기술을 개발하는 것에 관하여'라는 의미가 되어야 자연스러운데, '~에 관하여'는 전치사 regarding을 사용하여 나타낼 수 있으므로 regarding이 올바르게 쓰였다.

오답분석 ② 기출포인트 **현재분사 vs. 과거분사** 수식받는 명사(competencies)와 분사가 '역량이 가치 있게 생각되다'라는 의미의 수동 관계이므로 현재분사 valuing을 과거분사 valued로 고쳐야 한다.

③ 기출포인트 **주격 관계절의 수 일치** 주격 관계절(who ~ abilities) 내의 동사는 선행사(Students)에 수 일치시켜야 하므로 단수 동사 develops를 복수 동사 develop으로 고쳐야 한다.

④ 기출포인트 **현재분사 vs. 과거분사** 수식받는 명사(All of these capabilities)와 분사가 '이 모든 역량들이 자기 주도적 학습을 통해 길러지다'라는 의미의 수동 관계이므로 현재분사 cultivating을 과거분사 cultivated로 고쳐야 한다.

⑤ 기출포인트 **to 부정사를 취하는 동사** 문맥상 '학생들이 전문적인 과제를 처리할 수 있도록 준비시킨다'라는 의미가 되어야 자연스럽고, 동사 prepare는 '~가 -하게 준비시킨다'라는 뜻으로 쓰일 때 to 부정사를 목적격 보어로 취하는 동사이므로 handling을 to 부정사를 완성하는 원형 부정사 handle로 고쳐야 한다.

해석 숙제는 방과 후 생활을 위한 기술을 개발하는 것에 관하여 결정적인 역할을 한다. 과제를 완성하는 과정에서, 학생들은 실제적인 지식을 습득할 수 있다. 이와 더불어, 숙제는 학생들에게 시간 관리와 자기 수양과 같은 가치 있는 역량이 스며들게 한다. 스스로 숙제를 하는 학생들은 회복 탄력성과 문제 해결 능력도 기른다. 자기 주도적 학습을 통해 길러진 이 모든 역량들은 학생들이 진로를 시작할 때 전문적인 과제를 처리할 수 있도록 준비시킨다.

어휘 instill 스며들게 하다, 서서히 주입시키다 competency 역량 resilience 회복 탄력성 cultivate 기르다, 익히다

06

해설 ① 기출포인트 **기타 전치사** '재봉틀의 발견을 ~ 꿈의 결과로 보았다'는 전치사 숙어 표현 attribute A to B(A를 B의 결과로 보다)의 형태로 나타낼 수 있으므로 B 자리에 온 명사(a dream) 앞의 전치사 for를 to로 고쳐야 한다.

오답분석 ② 기출포인트 **전치사 + 관계대명사** 완전한 절(he ~ cannibals) 앞에는 '전치사 + 관계대명사' 형태가 와야 하고, 문맥상 '꿈에서 식인종들에게 붙잡혔다'라는 의미가 되어야 자연스러우므로 전치사 in(~에서)이 관계대명사 which 앞에 온 in which가 올바르게 쓰였다.

③ 기출포인트 **what vs. that** 완전한 절(there were ~ spears)

을 이끌며 동사(noticed)의 목적어 자리에 올 수 있는 명사절 접속사 that이 올바르게 쓰였다.

④ 기출포인트 **to 부정사를 취하는 동사** 동사 need는 to 부정사를 목적어로 취하는 동사이므로 to solve가 올바르게 쓰였다.

해석 발명가 엘리어스 하우는 재봉틀의 발견을 그가 식인종들에게 붙잡혔던 꿈의 결과로 보았다. 그는 그들이 그의 주위에서 춤을 출 때 창끝에 구멍이 있다는 것을 알아차렸고, 그는 이것이 그의 문제를 해결하기 위해 그가 필요했던 디자인 특징이라는 것을 깨달았다.

어휘 sewing machine 재봉틀 capture 붙잡다, 포획하다
cannibal 식인종 tip 끝 spear 창

Chapter 15 등위 접속사와 상관 접속사

01

해설 ② 기출포인트 **등위접속사** 같은 구조를 취하는 두 개의 구(attempted ~ method, had ~ results)를 대등하게 연결해 주는 등위접속사 and가 올바르게 쓰였다.

오답분석 ① 기출포인트 **보어 자리** 주격 보어를 취하는 동사 become(became)의 주격 보어 자리에는 형용사 역할을 하는 것이 와야 하므로 부사 unpredictably를 형용사 unpredictable로 고쳐야 한다.

③ 기출포인트 **동명사 관련 표현** '도착하자마자'는 upon -ing(-하자마자)의 형태로 나타낼 수 있으므로 Upon arrived를 Upon arriving으로 고쳐야 한다.

④ 기출포인트 **혼동하기 쉬운 어순** enough는 형용사(comfortable) 뒤에 오므로 enough comfortable을 comfortable enough로 고쳐야 한다.

해석 ① 나의 다정한 딸이 갑자기 변덕스럽게 변했다.
② 그녀는 새로운 방법을 시도했고, 말할 것도 없이 다양한 결과를 얻었다.
③ 도착하자마자, 그는 새로운 환경을 충분히 이용했다.
④ 그는 그가 하고 싶은 일에 대해 나에게 말할 수 있을 만큼 편안함을 느꼈다.

어휘 sweet-natured 다정한 unpredictable 변덕스러운, 예측할 수 없는

02

해설 ④ 기출포인트 **상관접속사** '~은 가장 강한 생물도, 가장 지적인 생물도 아니고, ~한 생물이다'는 not A nor B but C(A도 아니고, B도 아니고, C이다)로 나타낼 수 있으므로 or를 but으로 고쳐야 한다.

오답분석 ① 기출포인트 **동명사와 to 부정사 둘 다 목적어로 취하는 동사** 동사 remember는 '~한 것을 기억하다'라는 과거의 의미를 나타낼 때 동명사를 목적어로 취하므로 동사 remember의 목적어 자리에 동명사 meeting이 올바르게 쓰였다.

② 기출포인트 **타동사** 동사 take((~만큼의 시간/노력 등이) 걸리다)는 전치사 없이 목적어를 취하는 타동사이므로 took me 40 years가 올바르게 쓰였다.

③ 기출포인트 **부사절 접속사 1: 시간** '걸어오고 있을 때'는 시간을 나타내는 부사절 접속사 as(~할 때)를 사용하여 나타낼 수 있으므로 as가 올바르게 쓰였다. 참고로, '학교에서 집으로 걸어오고 있었다'라는 특정 과거 시점에서 진행되고 있었던 일을 표현하기 위해 과거진행 시제 was walking이 올바르게 쓰였다.

어휘 species 생물, 종 responsive to ~에 반응하는 survive 생존하다

Chapter 16 명사절

01

해설 ① 기출포인트 **명사절 자리와 쓰임** 명사절(that plants ~ grow)이 동사(believe)의 목적어 자리에 왔고, 복수 주어(plants)가 쓰였으므로 복수 동사 require가 올바르게 쓰였다.

오답분석 ② 기출포인트 **동사 자리** 주어(many benefits of the soil) 뒤에는 동사가 와야 하므로 '동사 + ing' 형태의 being을 동사 are로 고쳐야 한다.

③ 기출포인트 **현재완료 시제** '수성 기반 시스템을 설계했다'는 현재완료 시제 'have + p.p.'형태로 나타낼 수 있으므로 have design을 have designed로 고쳐야 한다.

④ 기출포인트 **명사절 접속사 3: 의문사** 문맥상 '토양으로부터 필요한 것'이라는 의미가 되어야 자연스럽고, 뒤에 불완전한 절(they need ~ soil)이 왔으므로 명사절 접속사 which를 명사절 접속사 what으로 고쳐야 한다.

해석 대부분의 사람들은 식물이 필요한 영양분을 함유하고 있기 때문에 자라기 위해 흙을 필요로 한다고 믿는다. 하지만, 토양의 많은 이점들은 수경 재배를 통해 제공될 수 있다. 이 방법을 사용하는 농부들은 보통 흙이 제공하는 영양분을 식물에게 제공하는 수성 기반 시스템을 설계했다. 수경 농업은 식물이 미래의 우주 정착지처럼 토양으로부터 필요한 것을 얻을 수 없는 환경에 큰 잠재력을 가지고 있다.

어휘 nutrient 영양분, 영양소 hydroponics 수경 재배 method 방법
potential 잠재력 settlement 정착지

02

해설 ① 기출포인트 **명사절 접속사 1: that** 완전한 절(early ~ dangerous)을 이끌며 동사 recognized의 목적어 자리에 올 수 있는 명사절 접속사 that이 올바르게 쓰였다.

오답분석 ② 기출포인트 **to 부정사를 취하는 동사** 동사 want는 '~하기를 원하다'라는 뜻으로 쓰일 때 목적어로 to 부정사를 취하는 동사인데, 문맥상 '그가 더 안전한 모델을 디자인하고 싶어 했다'는 의미가 되어야 자연스러우므로 동명사 designing을 to 부정사를 완성하는 원형 부정사 design으로 고쳐야 한다.

③ 기출포인트 **기타 전치사** 문맥상 '그가 안전 브레이크를 엘리베이터에 추가했다'는 의미가 되어야 자연스러운데, 'A를 B에 더하다'는 전치사 숙어 표현 add A to B로 나타낼 수 있으므로 전치사 with를 to로 고쳐야 한다.

④ 기출포인트 **전치사 + 관계대명사** 관계사 뒤에 완전한 절(upper floors ~ easily)이 왔으므로 '전치사 + 관계대명사' 형태가 올 수 있다. '전치사 + 관계대명사'에서 전치사는 선행사(high-rise buildings)에 따라 결정되는데, 문맥상 '고층 건물에서 위층에 안전하고 쉽게 닿을 수 있다'는 의미가 되어야 자연스러우므로 전치사 of(~의)를 in(~에서)으로 고쳐야 한다.

해석 Elisha Otis는 초기 엘리베이터가 위험하다는 것을 인식했다. 그래서, 그는 더 안전한 모델을 디자인하고 싶어했다. 이것을 하기 위해, 그는 안전 브레이크를 엘리베이터에 추가했다. 그의 새로운 시스템은 위층에 안전하고 쉽게 닿을 수 있는 고층 건물의 건설을 가능하게 했다.

어휘 construction 건설 high-rise 고층의

03

해설 ④ 기출포인트 **명사절 접속사 2: whether** '네가 여기에 오나 내가 거기에 가나'는 명사절 접속사 whether(~인지 아닌지)를 사용하여 나타낼 수 있으므로 명사절 접속사 that을 명사절 접속사 whether로 고쳐야 한다.

오답분석 ① 기출포인트 **부사절 접속사 2: 기타** '더 잘 이해할 수 있게'는 부사절 접속사 so that ~ can(~하도록)을 사용하여 나타낼 수 있으므로 so that you can이 올바르게 쓰였다.

② 기출포인트 **부사절 접속사 1: 조건** '제가 사무실에 없을지도 모르니까'는 부사절 접속사 in case(~의 경우에 대비하여)를 사용하여 나타낼 수 있으므로 In case가 올바르게 쓰였다. 참고로, 조건을 나타내는 부사절에서는 미래를 나타내기 위해 미래 시제 대신 현재 시제(am)를 사용한다.

③ 기출포인트 **분사구문 관용 표현** '선거에 대해서 말하자면'은 분사구문의 관용적 표현인 speaking of(~에 대해 말하자면)를 사용하여 나타낼 수 있으므로 Speaking of the election이 올바르게 쓰였다.

어휘 chart 도표 election 선거 vote 투표하다

04

해설 ② 기출포인트 **명사절 접속사 3: 의문사** 명사절 접속사 who가 이끄는 명사절 내에서 주어 역할을 하므로 뒤에 주어가 없는 불완전한 절(broke ~ table)이 와야 한다. 따라서 who the person을 who로 고쳐야 한다.

오답분석 ① 기출포인트 **비교급 형태로 최상급 의미를 만드는 표현** '지금 공부하는 것보다 더 열심히 공부해 본 적이 없다'는 비교급 형태로 최상급 의미를 만드는 표현 'have + never + p.p. + 비교급'으로 나타낼 수 있으므로 has never studied harder than ~이 올바르게 쓰였다.

③ 기출포인트 **to 부정사의 의미상 주어** 문장의 주어(It)와 to 부정사의 행위 주체(the police officer)가 달라 to 부정사의 의미상 주어가 필요한 경우 'for + 목적격 대명사'를 to 부정사 앞에 써야 하므로 for the police officer가 to determine 앞에 올바르게 쓰였다.

④ 기출포인트 **조동사 관련 표현** '먹는 편이 더 낫겠다'는 조동사 관련 숙어 might as well(~하는 편이 더 낫겠다)을 사용하여 나타낼 수 있으므로 might as well have가 올바르게 쓰였다.

어휘 uncertain 확실하지 않은, 불분명한 vase 꽃병

05

해설 ② 기출포인트 **명사절 접속사 4: 복합관계대명사** 복합관계대명사를 쓸지 의문사를 쓸지는 문맥에 따라 결정되는데, 문맥상 '그들이 다루고 있는 어느 과목에 대해서든'이라는 의미가 되어야 자연스러우므로 의문사 which를 명사 subject를 수식하는 복합관계형용사 whichever로 고쳐야 한다.

오답분석 ① 기출포인트 **관계대명사 that** 선행사 the study methods가 사물이고 관계절 내에서 동사 are의 주어 역할을 하므로 관계대명사 that이 올바르게 쓰였다.

③ 기출포인트 **주격 관계절의 수 일치** 주격 관계절(follow this advice)의 동사는 선행사(Students)에 수 일치시켜야 하는데, 선행사가 복수 명사이므로 복수 동사 follow가 올바르게 쓰였다.

④ 기출포인트 **주어와 동사의 수 일치** 동명사구 주어(tailoring their approach)는 단수 취급하므로 단수 동사 allows가 올바르게 쓰였다. 참고로 주어와 동사 사이의 수식어 거품(to ~ demands)은 동사의 수 결정에 영향을 주지 않는다.

해석 학생들이 특정 과목에 가장 적합한 학습 방법을 선택하는 것은 매우 중요하다. 그들은 그들이 다루고 있는 어느 과목에 대해서든 학습 목표와 요구사항을 확인해야 한다. 이 조언을 따르는 학생들은 그들의

이해력이 상당히 향상된다는 것을 발견할 것이다. 또한, 그 과목의 요구에 그들의 접근 방식을 맞추는 것은 학생들이 그들의 학습 경험을 최적화할 수 있도록 한다.

어휘 suitable 적합한 requirement 요구사항
tackle (문제 등을) 다루다 comprehension 이해력
tailor (용도·목적에) 맞추다 optimize 최적화하다, 최대한 좋게 만들다

06

해설 ② 기출포인트 what vs. that 주어가 없는 불완전한 절(leads you ~ decisions)을 이끌면서 be 동사(is)의 보어 자리에 올 수 있는 것은 명사절 접속사 what이므로, 완전한 절을 이끄는 명사절 접속사 that을 불완전한 절을 이끄는 명사절 접속사 what으로 고쳐야 한다.

오답분석 ① 기출포인트 관계대명사 that 동사 think의 목적어 자리에는 명사 역할을 하는 것이 와야 하므로 명사절(that just eating ~ healthy)이 올바르게 쓰였다. 참고로, that 절의 동사 keep의 목적격 보어 자리에 형용사 healthy가 올바르게 쓰였다.

③ 기출포인트 타동사 동사 prevent는 '~가 ~하는 것을 막다'의 의미로 쓰일 때 'prevent + 목적어 + from'의 형태를 취하고, 전치사(from) 뒤에는 명사 역할을 하는 것이 와야 하므로 동명사 engaging을 써서 prevent him from engaging이 올바르게 쓰였다.

④ 기출포인트 5형식 동사 동사 tell(told)은 '~에게 -하도록 이야기하다'라는 의미를 나타낼 때 to 부정사를 목적격 보어로 취하는 5형식 동사로 쓰이므로 to 부정사 to stop이 올바르게 쓰였고, 동사 stop은 '~하는 것을 멈추다'라는 의미일 때 동명사를 목적어로 취하므로 동명사 eating이 올바르게 쓰였다.

해석 ① 당신은 단지 많은 채소를 먹는 것이 당신을 완벽히 건강하게 유지시킬 것이라고 생각할지도 모른다.
② 학문적 지식이 항상 당신이 올바른 결정을 내리도록 이끄는 것은 아니다.
③ 다치는 것에 대한 두려움이 그가 무모한 행동에 관여하는 것을 막지는 않았다.
④ Julie의 의사는 그녀에게 너무 많은 가공식품을 먹는 것을 멈추라고 말했다.

어휘 engage in ~에 관여하다 reckless 무모한, 신중하지 못한
processed food 가공식품

Chapter 17 부사절

01

해설 ① 기출포인트 부사절 자리와 쓰임 절(I woke up)과 절(I realized ~ clock)을 연결하는 접속사 자리에 부사절 접속사 After(~한 후에)가 올바르게 쓰였다. 참고로, '알람 시계를 맞추는 것을 잊은' 시점이 '깨달은' 특정 과거 시점보다 이전에 일어난 것이 자연스러우므로, 과거완료 시제 had forgotten이 올바르게 쓰였다.

오답분석 ② 기출포인트 부사절 접속사 1: 시간 전치사(prior to)는 완전한 절(the draft is ready)을 이끌 수 없으므로 전치사 prior to(~ 전에)를 절을 이끌 수 있는 접속사 before(~하기 전에)로 고쳐야 한다.

③ Chapter 17 부사절 BASIC GRAMMAR 부사절(whereas ~ pop songs)은 '부사절 접속사 + 주어 + 동사'의 형태가 되어야 하므로 whereas doesn't like를 whereas she doesn't like로 고쳐야 한다.

④ 기출포인트 부사절 자리와 쓰임 부사절(Wherever ~ you) 내의 동사 자리에 준동사(to take)는 올 수 없으므로 to 부정사 to take를 동사 takes로 고쳐야 한다.

해석 ① 일어난 후에, 나는 내가 알람 시계를 맞추는 것을 잊었음을 깨달았다.
② 초안이 준비되기 전에 최소한 일주일이 더 걸릴 것이다.
③ 그녀는 고전 음악을 즐기는 반면에, 팝송은 좋아하지 않는다.
④ 너의 경력이 너를 어디로 이끌든지 상관없이, 나는 네가 즐기는 일을 하게 될 거라고 확신한다.

어휘 realize 깨닫다 at least 최소한 draft 초안 whereas 반면에

02

해설 ③ 기출포인트 부사절 접속사 1: 시간 문맥상 '몽상을 하는 동안 정류장을 지나쳤다'라는 의미가 되어야 자연스러운데, '~하는 동안'은 부사절 접속사 while(~하는 동안)로 나타낼 수 있으므로 while I was daydreaming이 올바르게 쓰였다.

오답분석 ① 기출포인트 분사구문의 관용 표현 동시에 일어나는 상황은 'with + 명사 + 분사'의 형태로 나타낼 수 있는데, 명사(her eyes)와 분사가 '그녀의 눈이 감기다'라는 의미의 수동 관계이므로 동사원형 close를 과거분사 closed로 고쳐야 한다.

② 기출포인트 기타 전치사 문맥상 '그 요리사가 유명했다'는 의미가 되어야 자연스러운데 '~으로 유명한'은 전치사 숙어 표현 renowned for로 나타낼 수 있으므로 전치사 to를 for로 고쳐야 한다.

④ 기출포인트 5형식 동사 사역동사 have는 목적어와 목적격 보어

가 수동 관계일 때 과거분사를 목적격 보어로 취하는 5형식 동사인데, 목적어(the apartment)와 목적격 보어가 '아파트가 페인트칠 되다'라는 의미의 수동 관계이므로 현재분사 painting을 과거분사 painted로 고쳐야 한다.

해석 ① 그녀는 눈을 감은 상태로 똑바로 걸을 수 있다.
② 그 요리사는 전통적인 레시피의 최신 버전으로 유명했다.
③ 나는 버스에서 공상을 하는 동안 정류장을 지나쳤다.
④ 우리는 이사하기 전에 집주인에게 아파트에 페인트칠을 해달라고 요청했다.

어휘 renowned for ~으로 유명한 daydream 몽상하다
landlord 집주인

03

해설 ④ 기출포인트 **부사절 접속사 2: 양보** 문맥상 '달이 계속해서 움직이는데도 불구하고'라는 의미가 되어야 자연스러운데, 두 개의 절을 연결할 수 있는 것은 접속사이므로 전치사 despite를 부사절 접속사 although로 고쳐야 한다.

오답분석 ① 기출포인트 **정관사 the** 유일한 것을 나타내는 명사 앞에는 정관사 the가 와야 하므로 the moon(달)이 올바르게 쓰였다.

② 기출포인트 **현재분사 vs. 과거분사** 수식받는 명사(people)와 분사가 '사람들이 보다'라는 의미의 능동 관계이므로 현재분사 viewing이 올바르게 쓰였다.

③ 기출포인트 **현재분사 vs. 과거분사 | 자동사** 수식받는 명사(motion)와 분사가 '운동이 지구의 것(운동)과 동시에 발생되다'라는 의미의 수동 관계이므로 과거분사 synchronized가 올바르게 쓰였다. 또한, 동사 synchronize는 전치사 없이는 목적어(Earth's)를 취할 수 없는 자동사이며 '~과 동시에 발생하다'라는 의미를 나타낼 때 전치사 with와 함께 쓰이므로 synchronized 뒤에 with가 올바르게 쓰였다.

해석 달은 지속적으로 움직이지만, 그것을 바라보는 사람들에게는 움직이지 않는 것처럼 보이는데, 이는 그것이 지구의 것(운동)과 동시에 발생되는 운동을 하기 때문이다. 본질적으로, 달이 계속해서 움직이는데도 불구하고, 맨눈으로는 달의 자전이 보이지 않는다.

어휘 constantly 지속적으로 stationary 움직이지 않는, 정지한
synchronize with ~과 동시에 발생하다 rotation 자전
invisible 보이지 않는 the naked eye 맨눈, 육안

04

해설 ② 기출포인트 **부사절 접속사 3: 복합관계부사** 복합관계부사 however(아무리 ~일지라도)는 형용사를 수식하며, 주로 'however + 형용사 + 주어 + 동사'의 형태로 쓰므로 However weary you may be가 올바르게 쓰였다.

오답분석 ① 기출포인트 **분사구문의 형태** 주절의 주어(she)와 분사구문이 '그녀가 일하다'라는 의미의 능동 관계이므로 과거분사 worked를 현재분사 working으로 고쳐야 한다.

③ 기출포인트 **주어와 동사의 수 일치** 주어 자리에 단수 취급하는 수량 표현 'One of + 복수 명사'(One of the exciting games)가 왔으므로 복수 동사 were를 단수 동사 was로 고쳐야 한다.

④ 기출포인트 **관계대명사** 선행사(the main entrance)가 사물이고 관계절 내에서 전치사 for의 목적어 역할을 하므로 목적격 관계대명사 which나 that이 올 수 있는데, 전치사(for) 뒤에 관계대명사 that은 올 수 없으므로 that을 which로 고쳐야 한다. 참고로, 이 문장을 It - that 강조 구문으로 나타낼 경우, 전치사 for를 관계절의 동사(was looking) 뒤로 보내어 It was the main entrance that she was looking for의 형태로 쓴다.

해석 ① 병원에서 일하는 동안, 그녀는 처음으로 에어쇼를 보았다.
② 네가 아무리 지치더라도, 너는 그 프로젝트를 해야만 한다.
③ 내가 본 흥미로운 경기들 중의 하나는 2010년 월드컵 결승전이었다.
④ 이것은 그녀가 찾고 있던 정문이었다.

어휘 weary 지친 look for 찾다

Chapter 18 관계절

01

해설 ③ 기출포인트 **관계절 자리와 쓰임** 명사(the case)를 꾸미기 위해 형용사 역할을 하는 관계절(that ~ public)을 이끄는 관계대명사 that이 올바르게 쓰였다.

오답분석 ① 기출포인트 **도치 구문: 기타 도치** 분사 보어(Damaged)가 강조되어 문장의 맨 앞에 나오면 주어와 동사가 도치되어 '동사 + 주어'의 어순이 되어야 하고, 주어 자리에 복수 명사 the windows and roof가 왔으므로 단수 동사 was를 복수 동사 were로 고쳐야 한다.

② 기출포인트 **to 부정사 관련 표현** 문맥상 '열대 식물을 기를 수 있을 만큼 충분히 따뜻하게'라는 의미가 되어야 자연스러운데, '~하기에 충분히 -하다'는 to 부정사 관용 표현인 enough to를 사용하여 나타낼 수 있으므로 growing을 to grow로 고쳐야 한다.

④ 기출포인트 **능동태·수동태 구별** 주어 The solar panels와 동사가 '태양 전지판이 에너지 요금을 절감해 왔다'라는 의미의 능동 관계이므로 수동태 have been reduced를 능동태 have reduced로 고쳐야 한다.

해석 ① 폭풍으로 인해 집의 창문과 지붕이 손상되었다.
② 온실은 겨울 동안 열대 식물을 기를 수 있을 만큼 충분히 따뜻하

게 유지된다.

③ 용의자는 이전에 대중에게 드러나지 않았던 사건에 관한 몇 가지 사실을 알고 있었다.

④ 태양 전지판은 설치된 이후 주택 소유자의 에너지 요금을 절감해 왔다.

어휘 suspect 용의자 reveal 드러내다 install 설치하다

02

해설 ② 기출포인트 **관계대명사** 선행사(questions)가 사물이고, 관계절 내에서 주어 역할을 하므로 주격 관계대명사 that이 올바르게 쓰였다.

오답분석 ① 기출포인트 **원형 부정사를 목적격 보어로 취하는 동사** 사역동사 have는 목적어(their opinions)와 목적격 보어가 수동 관계일 때 목적격 보어로 과거분사를 취하므로 현재분사 questioning을 과거분사 questioned로 고쳐야 한다.

③ 기출포인트 **동명사를 목적어로 취하는 동사** 동사 practice는 동명사를 목적어로 취하는 동사이므로 to 부정사 to embrace를 동명사 embracing으로 고쳐야 한다.

④ 기출포인트 **혼동하기 쉬운 어순** '동사(put) + 부사(off)'로 이루어진 구동사의 경우, 목적어가 대명사(me)이면 '동사 + 대명사 + 부사'의 어순이 되어야 하므로 put off me를 put me off로 고쳐야 한다.

해석 대부분의 사람들은 자신의 의견에 대해 이의를 제기 받는 것을 싫어한다. 그들은 그것이 자신의 진실성을 의심한다고 느낀다. 하지만, 나는 그러한 질문이 성찰에 대한 중요한 기회를 제공한다고 생각한다. 나를 의심하는 질문을 받아들임으로써, 나는 자신의 생각을 더 깊이 성찰하고 다듬을 수 있다. 다른 관점에 위협을 느끼기보다는, 다른 사람들의 관점을 배울 수 있는 기회를 받아들이는 연습을 한다. 그렇게 하면 내 지식이 향상되므로, 나는 질문이 나를 좌절시키지 않도록 한다.

어휘 integrity 진실성 inquiry 질문 introspection 성찰
reflect 성찰하다 refine 다듬다 embrace 받아들이다, 수용하다
perspective 관점 put off 좌절시키다, 기세를 꺾다

03

해설 ② 기출포인트 **관계대명사 that** 관계대명사 that은 콤마(,) 뒤에서 계속적 용법으로 쓰일 수 없으므로 관계대명사 that을 관계대명사 which로 고쳐야 한다.

오답분석 ① 기출포인트 **조동사 do** do 동사는 앞에 나온 일반동사가 포함된 어구(strengthen and change)가 반복되는 경우 이를 대신할 수 있으므로 our nervous systems do 가 올바르게 쓰였다.

③ 기출포인트 **명사절 접속사 1: that** 동사 suggest는 목적어를 취하는 타동사이므로 완전한 절(strength training ~ imagined)을 이끌며 목적어 자리에 올 수 있는 명사절 접속사 that이 올바르게 쓰였다.

④ 기출포인트 **병치 구문** 접속사(and) 앞에 명사절 접속사 that절(that strength ~ imagined)이 왔으므로 and 뒤에도 명사절 접속사 that절이 와야 한다. 따라서 that our conception ~ narrow가 올바르게 쓰였다.

⑤ 기출포인트 **명사절 접속사 3: 의문사** 주어가 없는 불완전한 절(constitutes strength)을 이끌면서 전치사 of의 목적어 자리에 올 수 있는 명사절 접속사 what이 올바르게 쓰였다.

해석 우리가 역기를 들어올리기 시작할 때, 우리의 근육은 처음에는 강화되거나 변하지 않지만, 우리의 신경계는 저항 훈련의 세포 효과에 대한 동물 대상의 흥미로운 새로운 연구에 따르면 그렇게 한다. 다수의 외팔 턱걸이와 동등한 것을 수행하는 원숭이들을 포함한 이 연구는 힘 훈련이 우리 대부분이 상상했던 것보다 생리적으로 더 복잡하며 힘을 구성하는 것에 대한 우리의 개념이 너무 좁을 수 있다는 것을 암시한다.

어휘 nervous system 신경계 cellular 세포 resistance 저항
equivalent 동등한 multiple 다수의 physiologically 생리적으로
conception 개념 constitute ~을 구성하다 narrow 좁은

04

해설 ④ 기출포인트 **전치사 + 관계대명사** 관계사 뒤에 완전한 절(there is ~ evidence)이 왔으므로 '전치사 + 관계대명사'가 와야 한다. '전치사 + 관계대명사'에서 전치사는 선행사 또는 관계절의 동사에 따라 결정되는데, 선행사 two disputed claims가 사물이며 문맥상 '두 가지 주장을 위한'이라는 의미가 되어야 자연스러우므로 '~을 위해'라는 의미의 전치사 for가 관계대명사 앞에 와야 한다. 따라서 which를 for which로 고쳐야 한다.

오답분석 ① 기출포인트 **전치사 자리 | 전치사 4: of** 전치사(on) 뒤에는 명사 역할을 하는 것이 와야 하므로 전치사 on 뒤에 명사 the edge가 올바르게 쓰였다. 또한, 문맥상 'Bardsey의 가장자리에 위치한'이라는 의미가 되어야 하는데 A of B(the edge of Bardsey)의 구문에서는 A가 B의 부분이나 소속을 나타낼 수 있으므로 전치사 of를 사용한 the edge of Bardsey가 올바르게 쓰였다.

② 기출포인트 **상관접속사** 문맥상 '가장 오래된 펍이자 가장 오래 살아남은 사업체'라는 의미가 되어야 자연스러운데, 'A이자 B(A와 B 둘 다)'는 상관접속사 both A and B를 사용하여 나타낼 수 있으므로 짝을 이루는 the oldest pub과 oldest surviving business 사이에 접속사 and가 올바르게 쓰였다.

③ 기출포인트 **현재분사 vs. 과거분사** 수식받는 명사(two claims)와 분사가 '두 가지 주장이 논란이 되다'라는 의미의 수동 관계이므로 과거분사 disputed가 올바르게 쓰였다.

해석 Bardsey의 가장자리에 위치한 Bingley Arms는 영국에서 가장 오래된 펍이자 가장 오래 살아남은 사업체로 광고되는데, 이 두 가지 논란이 되는 주장을 위한 확실한 증거가 거의 없다.

어휘 located on ~에 위치한 advertise 광고하다
dispute 논란을 벌이다, 분쟁하다

05

해설 ① 기출포인트 **관계부사** 선행사 television competitions가 장소를 나타내고, 관계사 뒤에 완전한 절(they raise ~ charities)이 왔으므로 관계부사 where이 올바르게 쓰였다.

오답 분석 ② 기출포인트 **주어와 동사의 수 일치** 주어 자리에 복수 명사 These programs가 왔으므로 단수 동사 allows를 복수 동사 allow로 고쳐야 한다. 참고로, 주어와 동사 사이의 수식어 거품(such ~ *Jeopardy*)은 동사의 수 결정에 영향을 주지 않는다.

③ 기출포인트 **동명사 자리** commit 뒤에 쓰인 to는 to 부정사가 아니라 전치사인데, 전치사(to)의 목적어 자리에는 명사 역할을 하는 것이 와야 하므로 동사 support를 동명사 supporting으로 고쳐야 한다.

④ 기출포인트 **현재 시제** '100만 달러가 ~ 최대 기부금으로 남아 있다'는 일반적인 사실을 나타내고 있으므로 과거 시제 동사 remained를 현재 시제 동사 remains로 고쳐야 한다.

해석 유명 인사들은 자선단체에 대한 인식을 높이는 텔레비전 대회에서 종종 경쟁한다. 'Celebrity Jeopardy'와 같은 이러한 프로그램들은 자선 단체들도 돈을 벌 수 있도록 한다. 어떤 명분을 지원하기 위해 헌신하는 유명 인사들은 자선 단체들에게 횡재를 할 수 있다. 예를 들어, 'Celebrity Jeopardy'에서의 2010년 국제 골수종 재단을 위한 배우 마이클 맥킨의 100만 달러가 이 자선 단체의 사상 최대 기부금으로 남아 있다.

어휘 celebrity 유명 인사 competition 경쟁 awareness 인식
windfall 횡재

06

해설 ④ 기출포인트 **관계부사와 관계대명사 비교** 선행사(the point)가 장소를 나타내고 관계사 뒤에 완전한 절(they can ~ them)이 왔으므로 관계대명사 which를 장소를 나타내는 선행사와 함께 쓰이는 관계부사 where로 고쳐야 한다.

오답 분석 ① 기출포인트 **주어와 동사의 수 일치** 주어 자리에 단수 명사(The whole issue)가 왔으므로 단수 동사 begs가 올바르게 쓰였다. 참고로, 주어와 동사 사이에 온 수식어 거품(about ~ worlds)은 동사의 수 결정에 영향을 주지 않는다.

② 기출포인트 **보어 자리** 동사 make는 목적격 보어를 갖는 동사인데, 보어 자리에는 명사나 형용사 역할을 하는 것이 와야 하므로 형용사 alive(살아 있는)가 올바르게 쓰였다.

③ 기출포인트 **자동사** 동사 respond는 전치사(to) 없이는 목적어를 취할 수 없는 자동사이므로 목적어(their environment)앞에 전치사 to(~에)가 올바르게 쓰였다.

⑤ 기출포인트 **주어와 동사의 수 일치** 주어 자리에 단수 명사(the energy)가 왔으므로 단수 동사 comes가 올바르게 쓰였다. 참고로, 주어와 동사 사이에 온 수식어 거품(we ~ life)은 동사의 수 결정에 영향을 주지 않는다.

해석 다른 세계의 생명체에 대한 모든 문제는 다음과 같은 질문을 던진다. 생명이란 무엇이며, 우리는 그것을 어떻게 인식할 것인가? 확실히, 생명체는 세포들(또는 한 개의 세포)로 이루어져 있으며 그들을 살아있게 하는 세 가지 중요한 과정을 공유한다. 그들은 에너지를 섭취하고, 폐(廢) 에너지를 방출하며, 번식을 통해 그들의 유전자를 물려준다. 하지만 그들은 또한 그들의 환경에 반응한다. 그들은 항상성, 즉 내부 균형을 유지한다. 그들은 진화하고 적응한다. 어떤 생명체들은 심지어 그들이 걸을 수 있고 그들을 둘러싸고 있는 우주에 대해 생각할 수 있는 지점까지 진화했다. 우리는 말 그대로 우주의 산물이다. 우리 몸에 있는 대부분의 원자와 분자는 별의 동력에서 만들어졌고, 우리가 받아서 생명을 가능하게 하는 에너지는 우리의 별인 태양으로부터 온다.

어휘 recognize 인식하다 cell 세포 critical 중요한 ingest 섭취하다
excrete 방출하다 reproduction 번식 maintain 유지하다
homeostasis 항상성 internal 내부의 evolve 진화하다
adapt 적응하다 surround 둘러싸다 literally 말 그대로
atom 원자 molecule 분자 enable 가능하게 하다

Chapter 19 어순

01

해설 ④ 기출포인트 **명사를 수식하는 여러 요소들의 어순** 여러 품사가 함께 명사(ideas)를 수식하는 경우 '소유격(their) + 형용사(unique) + 명사(ideas)'의 어순이 되어야 하므로 unique their를 their unique로 고쳐야 한다.

오답 분석 ① 기출포인트 **동명사와 to 부정사를 둘 다 목적어로 취하는 동사** 동사 prefer는 동명사와 to 부정사 둘 다 목적어로 취하는 동사이므로, prefer 뒤에 동명사 supporting이 올바르게 쓰였다.

② 기출포인트 **관계대명사** 선행사(politicians)가 사람이고 관계절 내에서 campaigns가 누구의 캠페인인지를 나타내므로 사람을 가리키는 소유격 관계대명사 whose가 올바르게 쓰였다.

③ 기출포인트 **혼동하기 쉬운 어순** '동사(push) + 부사(forward)'로 이루어진 구동사는 목적어가 대명사(it)이면 '동사 + 대명사 +

부사'의 어순으로 쓰이므로 push it forward가 올바르게 쓰였다.

⑤ 기출포인트 **5형식 동사** 동사 force는 to 부정사를 목적격 보어로 취하는 5형식 동사이므로 to discuss가 목적격 보어 자리에 올바르게 쓰였다.

해석 사람들은 자신들이 생각하는 캠페인이 사회에 긍정적인 영향을 미칠 것이고, 따라서 궁극적으로 그것을 추진하는 정치인들을 지지하는 것을 선호한다. 그러나, 자신들의 독특한 생각을 공적에 전달하는 것은 후보자들이 상대방의 견해와 행동으로 그 문제를 논의하도록 강요하는데, 이것은 부정적으로 다가올 수 있으며, 그에 따라 잠재적인 유권자들을 흥미를 잃게 할 수 있다.

어휘 ultimately 궁극적으로
push forward 추진하다, 단호하게 밀고 나가다 candidate 후보자
potential 잠재적인

02

해설 ⑤ 기출포인트 **혼동하기 쉬운 어순** '그렇게 매력적인 영화'는 'such + a(n) + 형용사 + 명사'로 나타낼 수 있으므로 such a movie appealing을 such an appealing movie로 고쳐야 한다.

오답 분석 ① 기출포인트 **도치 구문: 기타 도치** 분사 보어(Attached)가 강조되어 문장 맨 앞에 나오면 주어와 동사가 도치되어 '동사 + 주어'의 어순이 되어야 하므로 Attached is the current schedule이 올바르게 쓰였다.

② 기출포인트 **가정법 도치** if절에 if가 생략되어 동사(Had)가 주어(you) 앞으로 온 가정법 과거완료 Had you not acted so quickly가 올바르게 쓰였고, 주절에도 가정법 과거완료 '주어 + would not + have p.p.'의 형태가 올바르게 쓰였다.

③ 기출포인트 **도치 구문: 부사구 도치 1** 부정을 나타내는 부사(Hardly)가 강조되어 문장 맨 앞에 나오면 주어와 조동사 역할을 하는 have 동사가 도치되어 '조동사 + 주어 + 동사'의 어순이 되므로 Hardly ever have the symptoms developed로 올바르게 쓰였다.

④ 기출포인트 **to 부정사의 역할** 문맥상 '더 열심히 노력할 동기'라는 의미가 되어야 자연스러우므로, 명사(motivation) 뒤에 명사를 수식하는 형용사 역할을 하는 to 부정사 to try가 올바르게 쓰였다. 참고로, 주어 자리에 명사 역할을 하는 동명사(Being)가 올바르게 쓰였다.

해석 ① 첨부된 것은 회의를 위한 현재의 행사 일정입니다.
② 네가 그렇게 빨리 행동하지 않았었더라면, 우리는 그런 거래를 하지 못했을 것이다.
③ 이전에는 증상이 이렇게 빠르게 진행된 적이 거의 없었다.
④ 내가 성공하지 못할 것이라는 말을 듣게 된 것이 내가 더 열심히 노력할 동기를 주었다.
⑤ 영화관을 방문한 모든 시간 동안, 그렇게 매력적인 영화는 본 적이 없다.

어휘 current 현재의 deal 거래 rapidly 빠르게 motivation 동기
appealing 매력적인

Chapter 20 비교 구문

01

해설 ③ 기출포인트 **원급** '열기가 허락하는 만큼 힘차게'는 'as + 형용사/부사의 원급 + as'의 형태로 나타낼 수 있는데, 동사 walked on을 수식할 수 있는 것은 부사이므로 부사 briskly가 올바르게 쓰였다.

오답 분석 ① 기출포인트 **부사 자리** 동사(responded)를 수식할 수 있는 것은 부사이므로 형용사 indignant를 부사 indignantly로 고쳐야 한다.

② 기출포인트 **접속사로 연결된 주어의 수 일치** 주격 관계절(who ~ it)의 동사는 선행사(ambassadors)에 수 일치시켜야 하므로 단수 동사 reacts를 복수 동사 react로 고쳐야 한다.

④ 기출포인트 **전치사 3: 위치** 문맥상 '그것들(두 후보들의 공약) 사이의 차이점'이라는 의미가 되어야 하므로 '셋 이상의' 그룹 '사이'를 의미하는 전치사 among을 '둘 사이'를 의미하는 전치사 between으로 고쳐야 한다.

해석 ① 그녀는 그녀의 마지막 질문에 그가 얼마나 분노하여 대답했는지에 의해 눈에 띄게 기분이 상했다.
② 분명히, 이 사태는 그것에 대해 호의적이지 않게 대응하는 대사들에게 알려져 있다.
③ 나는 마을로 이어진 길에 도착할 때까지 열기가 허락하는 만큼 힘차게 계속 걸었다.
④ 비록 두 후보들의 공약에는 몇 가지 유사점이 있지만, 그것들 사이의 차이점은 아주 크다.

어휘 noticeably 눈에 띄게, 현저하게, 두드러지게 upset 기분이 상한, 화난
indignant 분노한, 화가 난 state of affairs 사태, 상황
ambassador 대사, 사절 unfavorably 호의적이지 않게
briskly 힘차게 lead to ~로 이어지다 platform 공약, 연단
candidate 후보

02

해설 ② 기출포인트 비교급 빈칸은 'the + 비교급 + 주어 + 동사 ~, the + 비교급 + 주어 + 동사 -'(더 ~할수록, 더 -하다)의 형태가 사용된 비교급의 자리이므로, 빈칸에는 형용사 nervous의 비교급 ② more nervous가 와야 한다.

해석 그녀가 발표할 차례를 더 오래 기다릴수록, 그녀는 더 긴장이 되었다.

어휘 turn 차례 presentation 발표 nervous 긴장되는

03

해설 ⑤ 기출포인트 최상급 '최상급 + 명사(diagnosis)' 앞에는 the가 와야 하므로 Quickest를 The quickest로 고쳐야 한다.

오답분석 ① 기출포인트 부정대명사: other 문맥상 '(병을 가지고 있는 사람들 중 분명한 증상을 가지고 있는 사람을 제외하고) 남은 사람들 중 몇몇'이라는 의미가 되어야 자연스러우므로 '이미 언급한 것 이외의 것들 중 몇몇'이라는 의미의 부정대명사 others가 올바르게 쓰였다.

② 기출포인트 관계대명사 선행사(people)가 사람이고 관계절 내에서 동사 live의 주어 역할을 하므로 사람을 가리키는 주격 관계대명사 who가 올바르게 쓰였다.

③ 기출포인트 비교급 문맥상 '그 병이 진단되지 않은 채로 오래 갈수록, 그것은 더 나빠질 수 있다'라는 의미가 되어야 자연스럽고, '더 ~할수록 더 -하다'는 비교급 표현 'the + 비교급(longer) + 주어(the disease) + 동사(goes undiagnosed), the + 비교급(worse) + 주어(it) + 동사(can be)'의 형태를 사용하여 나타낼 수 있으므로, 비교급 worse가 올바르게 쓰였다.

④ 기출포인트 현재분사 vs. 과거분사 수식받는 명사(regular screenings)와 분사가 '정기적인 검사가 계획되다'라는 의미의 수동 관계이므로 과거분사 scheduled가 올바르게 쓰였다.

해석 어떤 사람들은 분명한 증상을 가지고 있고 어떤 사람들은 그렇지 않기 때문에, 자신이 그 병을 가지고 있다는 것을 모른 채 제2형 당뇨병을 가지고 몇 년을 사는 사람들이 있다. 불행하게도, 그 병이 진단되지 않은 채로 오래 갈수록, 그것은 더 나빠질 수 있다. 치료되지 않은 채로 놔두면, 그 병은 심각한 합병증을 일으킬 수 있다. 그 결과, 의사들은 그 병에 걸리기 쉬운 경향을 가진 환자들에게 그 병을 위해 계획된 정기적인 검진을 받을 것을 추천한다. 가장 빠른 진단은 그 병이 더 효과적으로 치료되도록 할 것이다.

어휘 obvious 분명한 symptom 증상 diabetes 당뇨병
complication 합병증, 문제
predisposition (병에 걸리기 쉬운) 경향 screening 검진

04

해설 ④ 기출포인트 원급 형태로 최상급 의미를 만드는 표현 '마닐라만큼 인구가 조밀한 도시는 없다'는 원급 형태로 최상급 의미를 만드는 표현 'no other + 단수 명사 ~ as + 원급 + as'(다른 어떤 -도 ~만큼 더 ~하지 않다)의 형태를 사용하여 나타내므로, 복수명사 cities를 단수 명사 city로 고쳐야 한다.

오답분석 ① 기출포인트 원급 '가능한 한 빨리'는 원급 'as + 형용사의 원급 + as' 형태를 사용하여 나타낼 수 있으므로 as soon as possible이 올바르게 쓰였다.

② 기출포인트 전치사 자리 전치사(at) 뒤에는 명사 역할을 하는 것이 와야 하므로 동명사 weightlifting이 올바르게 쓰였다.

③ 기출포인트 주어와 동사의 수 일치 문장의 주어(People)가 복수명사이므로 복수 동사 are이 올바르게 쓰였다. 참고로, 주어와 동사 사이의 수식어 거품(who ~ disease)은 동사의 수 결정에 영향을 주지 않는다.

어휘 competition 대회 diagnose 진단하다 briefly 잠시
densely 조밀하게 populate 인구를 형성하다

05

해설 ① 기출포인트 비교급 관련 표현 '하물며 글쓰기에도 관심이 없다'는 비교급 관련 표현 'still less'(하물며 ~아닌)를 사용하여 나타낼 수 있으므로 still more를 still less로 고쳐야 한다.

오답분석 ② 기출포인트 분사구문의 형태 주절의 주어(the order)와 분사구문이 '주문품이 확인되다'라는 의미의 수동 관계이므로 과거분사 confirmed가 올바르게 쓰였다. 참고로, '일단 확인되면'이라는 의미를 나타내기 위해 조건을 나타내는 부사절 접속사 once(일단 ~하면)가 올바르게 쓰였다.

③ 기출포인트 부사절 접속사 1: 조건 '여객선이 정시에 출발하는 경우에'라는 의미를 나타내기 위해 조건을 나타내는 부사절 접속사 Provided that(오직 ~하는 경우에)이 올바르게 쓰였다.

④ 기출포인트 원급 원급 표현 as ~ as 사이의 수량 형용사는 뒤의 명사에 따라 선택하는데, 뒤에 불가산 명사 news가 왔으므로 불가산 명사와 함께 쓰이는 수량 형용사 much가 올바르게 쓰였다.

해석 ① 그들은 시를 읽는 것에 관심이 없고, 하물며 글쓰기에도 관심이 없다.
② 일단 확인되면, 주문품이 배송을 위해 당신의 주소로 발송될 것이다.
③ 여객선이 정시에 출발하는 경우에, 우리는 아침까지 항구에 도착해야 한다.
④ 외신 기자들은 수도에 머무는 짧은 기간 동안 가능한 한 많은 뉴스를 취재하기를 희망한다.

어휘 poetry 시 confirm 확인하다, 확정하다 delivery 배송

ferry 여객선, 페리 harbor 항구 journalist 기자
cover 취재하다, 보도하다 capital 수도

06

해설 ③ 기출포인트 **비교급 강조 표현** 비교급(cheaper)을 강조하는 표현으로 부사 very는 올 수 없으므로 부사 very를 비교급 표현 앞에 올 수 있는 강조 표현 much/even/still/far/a lot 중 하나로 고쳐야 한다.

오답분석 ① 기출포인트 **기타 전치사** '수리가 불가능할 정도로 부서져 있다'는 전치사 숙어 표현 beyond repair(수리가 불가능한)을 사용하여 나타낼 수 있으므로 beyond repair가 올바르게 쓰였다.

② 기출포인트 **능동태·수동태 구별** 문장의 주어(I)와 동사 assure(확신시키다)가 '나는 ~ 확신했다'라는 의미로 수동 관계이므로 수동태 was assured가 올바르게 쓰였다.

④ 기출포인트 **병치 구문** 비교급 구문에서 than 앞에 동명사구(fixing ~ cheaper)가 왔으므로 than 뒤에도 동명사구 taking ~ else가 올바르게 쓰였다.

해석 첫 번째 차를 구매한 직후, 나는 그 차가 수리가 불가능할 정도로 부서져 있다는 것을 발견했다. 지식 있는 친구들과 상의한 후, 나는 그것을 스스로 고칠 수 있다고 확신했다. 가장 중요하게, 스스로 고치는 것이 그것을 다른 사람에게 가져가는 것보다 훨씬 더 저렴할 것이라는 것이 분명했다. 그래서 나는 엔진을 만드는 법을 배우기 시작했다.

어휘 purchase 구매하다 repair 수리; 수리하다 consult 상의하다
assure 확신하다 build 만들다; 짓다

Chapter 21 병치·도치·강조 구문

01

해설 ① 기출포인트 **병치 구문** 접속사(or) 앞에 관계절(that lead ~ to problems)이 왔으므로, or 뒤에도 관계절이 와야 한다. 따라서 that generate가 정답이다.

해석 창의력은 문제에 대해 독창적이고, 실용적이며, 의미가 있는 해결책을 이끌어내거나 예술적 표현에 대한 새로운 생각이나 형태를 만들어 내는 방식으로 생각하는 것이다.

어휘 creativity 창의력 original 독창적인, 최초의 practical 실용적인

02

해설 ③ 기출포인트 **도치 구문: 부사구 도치 1** 부정을 나타내는 부사(Rarely)가 강조되어 문장 맨 앞에 나오면 주어와 조동사가 도치되어 '조동사 + 주어 + 동사'의 어순이 되어야 하므로 Rarely a business does를 Rarely does a business로 고쳐야 한다.

오답분석 ① 기출포인트 **사역동사** have(had)의 목적어(our new house)와 목적격 보어가 '우리의 새 집이 다시 페인트칠 되게 하다'라는 의미의 수동 관계이므로 과거분사 repainted가 올바르게 쓰였다.

② 기출포인트 **조동사 should의 생략** 주절에 제안을 나타내는 동사 proposed가 오면 종속절에는 '(should +) 동사원형'이 와야 하므로, 종속절에 동사원형 be가 올바르게 쓰였다.

④ 기출포인트 **5형식 동사의 수동태 | to 부정사의 형태** to 부정사를 목적격 보어로 취하는 5형식 동사(require)가 수동태가 되면, to 부정사는 수동태 동사(is required) 뒤에 그대로 남아야 하고, to 부정사(to be checked in) 뒤에 목적어가 없고 to 부정사가 가리키는 명사(Luggage)와 to 부정사가 '수하물이 부쳐지다'라는 의미의 수동 관계이므로 is required 뒤에 to 부정사의 수동형 to be checked in이 올바르게 쓰였다.

해석 ① 우리는 이사 오기 전에 우리의 새 집에 다시 페인트칠을 했다.
② 관계자들은 새로운 경기장의 이름을 도시의 설립자의 이름을 따서 지을 것을 제안했다.
③ 1300년 된 일본의 온천 호텔만큼 사업을 지속하는 경우는 드물다.
④ 수하물은 출발 시간 최소 3시간 전에 부쳐져야 한다.

어휘 founder 설립자, 창립자 hot spring 온천 luggage 수하물
check in (비행기 등을 탈 때) ~을 부치다 departure 출발

03

해설 ① 기출포인트 **도치 구문 : 부사구 도치 2** 시간의 부사구(At certain times)가 강조되어 문장의 맨 앞에 나올 때는 주어와 동사가 도치되지 않으므로, may this door be left를 this door may be left로 고쳐야 한다.

오답분석 ② 기출포인트 **도치 구문: 기타 도치** 양보를 나타내는 부사절 내의 보어(Eloquent)가 문장의 맨 앞에 오면, '보어 + 부사절 접속사 + 주어 + 동사'의 어순이 되어야 하므로, Eloquent though she was가 올바르게 쓰였다.

③ 기출포인트 **도치 구문: 부사구 도치 1** 'so + 부사'가 강조되어 문장의 맨 앞에 나오면 조동사 역할을 하는 do 동사와 주어가 도치되어 '조동사 + 주어 + 동사'의 어순이 되므로 So vigorously did he protest가 올바르게 쓰였다.

④ 기출포인트 **도치 구문: 기타 도치** 접속사 as(~처럼) 바로 뒤의 절이 '주어 + 조동사'로 이루어져 있을 때 주어와 조동사 역할을 하는 do 동사가 도치될 수 있으므로 as do the river and the lake가 올바르게 쓰였다.

⑤ 기출포인트 **도치 구문: 부사구 도치 1** 제한을 나타내는 부사구(Only in this way)가 강조되어 문장 맨 앞에 오면 주어와 조동사 역할을 하는 be 동사가 도치되어 '조동사 + 주어 + 동사'의 어순이 되므로 Only in this way is it이 올바르게 쓰였다. 참고로, 진주어인 to 부정사구(to explain their actions) 대신 가주어 it이 주어 자리에 쓰였다.

해석 ① 이 문은 특정한 시간에 잠겨 있지 않은 채로 있을지도 모른다.
② 그녀가 말을 잘하기는 했지만, 그를 설득할 수는 없었다.
③ 그가 너무나 격렬하게 항의해서 그들은 그의 사건을 재고했다.
④ 바다에는 조류가 있고, 강과 호수도 마찬가지이다.
⑤ 그들의 행동은 이 방법으로밖에 설명할 수 없다.

어휘 unlocked 잠겨 있지 않은 eloquent 말을 잘하는, 유창한 persuade 설득하다 vigorously 격렬하게 protest 항의하다 reconsider 재고하다, 다시 생각하다 current 조류, 흐름

04

해설 ② 기출포인트 **도치 구문 : 기타 도치** '~ 역시 그렇다'라는 표현인 neither 뒤에는 주어와 조동사가 도치되어 '조동사(have) + 주어(I)'의 어순이 되어야 하므로 neither I have를 neither have I로 고쳐야 한다.

오답 분석 ① 기출포인트 **명사절 접속사 3: 의문사 | 주어와 동사의 수 일치** 목적어가 없는 불완전한 절(the teacher ~ lesson)을 이끌며 문장의 주어 자리에 올 수 있는 명사절 접속사 What이 올바르게 쓰였고, 명사절 주어는 단수 취급하므로 단수 동사 was가 올바르게 쓰였다.

③ 기출포인트 **능동태·수동태 구별 | 기타 전치사** 주어 The soccer match와 동사가 '축구 경기가 취소되다'라는 의미의 수동 관계이므로 수동태 was cancelled가 올바르게 쓰였고, '악천후로 인해'는 '~때문에'라는 의미의 전치사 due to를 사용하여 나타낼 수 있으므로 due to bad weather가 올바르게 쓰였다.

④ 기출포인트 **현재완료진행 시제** 현재완료 시제와 자주 함께 쓰이는 시간 표현 'since + 과거 시간 표현'(since he woke up)이 왔고, '잠에서 깨어난 이후부터 계속 장난감을 가지고 놀고 있다'라는 과거에서 시작된 일이 현재까지 계속되는 것을 표현하고 있으므로 현재완료진행 시제 has been playing이 올바르게 쓰였다.

어휘 confusing 혼란스러운 grocery 식료품

05

해설 ④ 기출포인트 **강조 구문** 일반 동사 앞에 do 동사를 써서 일반동사의 의미를 강조할 수 있는데, 이때 do 동사는 자신이 속한 절의 주어(analysts)와 수·시제가 일치해야 하고, 문맥상 '분석가들이 우려했다'라는 과거의 의미가 되어야 자연스러우므로 과거 동사 did가 올바르게 쓰였다.

오답 분석 ① 기출포인트 **능동태·수동태 구별** that절의 주어(several milestones)와 동사가 '몇 가지 중요한 단계에 도달되어졌다'라는 의미의 수동 관계이므로, 능동태 reached를 수동태 were reached로 고쳐야 한다.

② 기출포인트 **주어와 동사의 수 일치** 복수 명사 records 뒤에는 복수 동사가 와야 하므로 단수 동사 shows를 복수 동사 show로 고쳐야 한다.

③ 기출포인트 **부사 자리** 문장 전체(never before ~ mail)를 수식할 수 있는 것은 부사이므로 명사 Addition을 부사 Additionally 또는 In addition으로 고쳐야 한다. 참고로, 부사가 문장 전체를 수식할 때 부사는 문장 앞에 온다.

해석 정치학자들은 2020년 대선에서 몇 가지 중요한 단계에 도달되어졌다고 말한다. 기록에서 알 수 있듯이, 기록적인 1억 6천만 표가 투표되었는데, 이 투표율은 67퍼센트에 달했고, 한 세기 동안 이 수치는 달성되지 않았다. 게다가, 이렇게 많은 미국인들이 우편으로 투표한 적은 한 번도 없었다. 분석가들은 코로나 19가 선거에 영향을 미칠 것이라고 우려했지만, 이제 그들은 그것이 참여를 증가시켰다고 생각한다.

어휘 milestone 중요한 단계 record-breaking 기록적인

06

해설 ④ 기출포인트 **It - that 강조 구문** 빈칸 뒤에 완전한 절(I knew ~ thing)이 왔으므로 뒤에 불완전한 절이 오는 관계대명사 ① who와 ② whom은 정답이 될 수 없고, 빈칸 뒤에 대명사(I)가 왔으므로 소유격 관계대명사 ③ whose도 정답이 될 수 없다. '내가 옳은 일을 했다는 것을 안 것은 ~ 지지를 받았을 때였다'는 It - that 강조 구문(-한 것은 바로 ~이다)을 써서 나타낼 수 있으므로, 빈칸에는 It - that 구문을 완성하는 that이 와야 한다. 따라서 ④ that이 정답이다.

해석 내가 옳은 일을 했다는 것을 안 것은 내가 민주당원들뿐만 아니라 공화당원들로부터 정치적으로 전면적인 지지를 받았을 때였다.

어휘 across the board 전면적인 Republican 공화당원 Democrat 민주당원

gosi.Hackers.com

다른 사람의 말을 듣기보다
자신의 마음의 소리를 들으라고 말해주고 싶다.
정말로 절실하게 공무원이 되기를 원하는가?
그리고 시작했다면 합격할 때까지 계획대로 움직이라.
그러다 보면 분명히 합격할 수 있다고 말해주고 싶다.

- 지방직 9급 합격자 고*정

Final Test

01 우리말을 영어로 잘못 옮긴 것은?

① 나는 그렇게 아름다운 음악을 들어본 적이 없다.
→ Never have I heard such beautiful music.

② 나의 할아버지는 그렇게 거대한 물고기를 잡아본 적이 없었다.
→ My grandfather has never caught such a gigantic fish.

③ 그녀는 무례한 행동을 한 것에 대해 친구들에게 사과한 것을 후회하지 않았다.
→ She didn't regret to apologize to her friends for her rude behavior.

④ 내가 복권에 당첨된다면, 멋진 차를 한 대 살 것이다.
→ If I were to win the lottery, I would buy a nice car.

02 밑줄 친 부분 중 어법상 옳지 않은 것은?

The minute I took a bite of the ice cream, I felt as though ① I am a little kid again. The taste was ② one that was familiar from my youth, but I couldn't figure out what it ③ consisted of. I considered ④ asking the chef about the ingredients of the sweet treat.

03 밑줄 친 부분 중 문법적으로 옳지 않은 것은?

FBI negotiators ① were called in this afternoon to help police with a hostage situation at a local residence. ② Refusing to talk, authorities had no choice but ③ to seize the house. Luckily, police officers were successful in taking down the suspect and ④ no one was injured.

01 기출포인트 동명사와 to 부정사 둘 다 목적어로 취하는 동사

정답 ③

해설 동사 regret은 '~한 것을 후회하다'라는 의미를 나타낼 때 동명사를 목적어로 취하므로 to 부정사 to apologize를 동명사 apologizing으로 고쳐야 한다.

오답분석
① 기출포인트 **도치 구문: 부사구 도치 1** 부정을 나타내는 부사(Never)가 강조되어 문장 맨 앞에 오면 주어와 조동사가 도치되어 '조동사(have) + 주어 + 동사'의 어순이 되므로 Never have I heard가 올바르게 쓰였다.
② 기출포인트 **혼동하기 쉬운 어순** such는 'such + a + 형용사 + 명사'의 어순이 되어야 하므로 such a gigantic fish가 올바르게 쓰였다.
④ 기출포인트 **가정법 미래** if절에 가정법 미래 'if + 주어(I) + were to + 동사원형' 형태가 왔으므로, 주절에도 가정법 미래를 만드는 '주어 + would + 동사원형'의 형태인 I would buy ~가 올바르게 쓰였다.

어휘 gigantic 거대한 apologize 사과하다 rude 무례한 behavior 행동 lottery 복권

02 기출포인트 기타 가정법

정답 ①

해설 문맥상 '마치 다시 어린 아이가 된 것처럼'이라는 의미가 되어야 자연스러우므로, '마치 ~인 것처럼'이라는 의미로 as though 가정법 과거 '주어 + 동사 + as though + 주어 + 과거 동사'의 형태를 사용하여 나타내기 위해 현재 동사 am을 과거 동사 were로 고쳐야 한다.

오답분석
② 기출포인트 **부정대명사: one** 앞에서 언급된 명사(The taste)가 단수이므로 같은 종류이지만 다른 대상을 가리키는 단수 부정대명사 one이 올바르게 쓰였고, one이 관계절 내에서 동사 was의 주어 역할을 하므로 사물을 가리키는 주격 관계대명사 that이 올바르게 쓰였다.
③ 기출포인트 **자동사** 동사 consist는 전치사 of와 함께 consist of(~으로 이루어지다)의 형태로 쓰이므로 consisted of가 올바르게 쓰였다.
④ 기출포인트 **동명사를 목적어로 취하는 동사** 동사 consider(생각하다)는 동명사를 목적어로 취하는 동사이므로 동명사 asking이 올바르게 쓰였다.

해석 내가 아이스크림 한 입을 먹은 순간, 나는 마치 다시 어린 아이가 된 것처럼 느꼈다. 그 맛은 내가 어렸을 때 친숙했던 맛이었지만, 나는 그것이 무엇으로 이루어져 있는지 알 수 없었다. 나는 요리사에게 그 달콤한 것의 재료에 대해 물어볼까 생각했다.

어휘 take a bite 한 입 먹다 consist of ~으로 이루어지다 ingredient 재료 sweet treat (과자·사탕 등의) 달콤한 것

03 기출포인트 분사구문의 의미상 주어

정답 ②

해설 문맥상 주절의 주어(authorities)가 아니라 용의자가 대화하기를 거부한 것이므로 분사구문의 주어(The suspect)가 분사구문 앞에 와서 Refusing to talk를 The suspect refusing to talk로 고쳐야 한다.

오답분석
① 기출포인트 **동사구의 수동태** 동사구 뒤에 목적어가 없고, 문맥상 주어(FBI negotiators)와 동사구가 'FBI 협상가들이 호출되었다'라는 의미의 수동 관계이므로 수동태 were called in이 올바르게 쓰였다.
③ 기출포인트 **조동사 관련 표현** 조동사 관련 표현 have no choice but(~할 수밖에 없다) 뒤에는 to 부정사가 와야 하므로 to seize가 올바르게 쓰였다.
④ 기출포인트 **능동태·수동태 구별** 주어(no one)와 동사가 '아무도 부상을 입지 않다'라는 의미의 수동 관계이므로 수동태 was injured가 올바르게 쓰였고, 형용사 no는 '어떤 ~도 -아니다'라는 의미로 명사(one) 앞에 쓰이므로 no one(아무도)이 올바르게 쓰였다.

해석 FBI 협상가들은 지역 주택에서의 인질 사건에 대해 경찰을 돕기 위해 오늘 오후에 호출되었다. 용의자가 대화하기를 거부했기 때문에, 경찰 당국은 그 건물을 장악할 수밖에 없었다. 다행히도, 경찰관들은 용의자를 끌어내는 데 성공하였고 아무도 부상을 입지 않았다.

어휘 negotiator 협상가 hostage 인질 residence 주택 authority 당국 seize 장악하다, 점령하다 take down 끌어내다 suspect 용의자 injure 부상을 입히다

04 어법상 옳지 않은 것은?

① The luggage is in the trunk.

② If you changed the date of the meeting, I could attend it.

③ Whether the minimum drinking age will be raised or not is undecided.

④ Exposure to natural light makes people feeling relaxed.

05 어법상 밑줄 친 곳에 들어갈 말로 가장 적절한 것끼리 짝지어진 것은?

> A common mistake that many people in human resources make is hiring an applicant ___(A)___ they feel fills the technical requirements of a position without considering other aspects of the potential employee. One must never forget that additional qualities such as attitude, personality, and even ethics will affect the way an employee works. You can learn more about smart hiring practices by purchasing my book ___(B)___ I go into greater detail on this subject and much more.

	(A)	(B)
①	what	for which
②	who	by which
③	which	to which
④	who	in which

06 다음 우리말을 영어로 가장 잘 옮긴 것을 고르시오.

> CEO가 그의 연설을 마치자마자 하객들이 기립하여 박수를 쳤다.

① No sooner did the CEO finish his speech than the guests stood to applaud.

② No sooner the CEO did finish his speech when the guests standing to applaud.

③ No sooner did the CEO finished his speech when the guests stand applauding.

④ No sooner the CEO was finished his speech than the guests stood applauded.

04 기출포인트 원형 부정사를 목적격 보어로 취하는 동사

정답 ④

해설 사역동사 make는 목적격 보어로 원형 부정사를 취하므로 목적어(people) 뒤의 동명사 feeling을 원형 부정사 feel로 고쳐야 한다.

오답 분석 ① 기출포인트 **불가산 명사** luggage는 불가산 명사로 단수 취급하므로 단수 동사 is가 올바르게 쓰였다.

② 기출포인트 **가정법 과거** if절에 가정법 과거 'if + 주어(you) + 과거 동사(changed)' 형태가 왔으므로 주절에도 가정법 과거 '주어+ could + 동사원형' 형태를 만드는 I could attend it이 올바르게 쓰였다.

③ 기출포인트 **명사절 접속사 2: whether** 명사절 주어(Whether ~ or not)는 단수 취급하므로 단수 동사 is가 올바르게 쓰였다. 참고로, 문장의 주어(Whether ~ or not)와 동사가 '~ 여부는 결정되지 않았다'라는 의미의 수동 관계이므로 수동태 is undecided가 올바르게 쓰였고, 명사절의 주어(the minimum drink age)와 동사도 '최저 음주 연령이 상향되다'라는 의미의 수동 관계이므로 수동태 will be raised가 올바르게 쓰였다.

해석 ① 짐은 트렁크에 있다.
② 만약 당신이 회의 일정을 변경한다면, 제가 참석할 수 있을 거예요.
③ 최저 음주 연령이 상향될지 아닐지 여부는 아직 결정되지 않았다.
④ 자연광을 쐬는 것은 사람이 편안함을 느끼게 해준다.

어휘 attend 참석하다 undecided 아직 결정되지 않은 exposure (햇볕 등을) 쐼, 맞음 natural light 자연광

05 기출포인트 관계절 자리와 쓰임 & 전치사 + 관계대명사

정답 ④

해설 (A) 빈칸에는 명사 an applicant(지원자)를 수식하는 관계절을 이끄는 것의 자리이므로 명사절 접속사 what은 올 수 없다. 선행사(an applicant)가 사람이고, 관계절 내에서 동사 fills의 주어 역할을 하므로 사람을 가리키는 주격 관계대명사 who를 써야 한다. 참고로, 관계대명사 바로 뒤에 삽입된 어구 they feel은 관계대명사의 격 선택에 영향을 미치지 않는다.

(B) 빈칸은 명사 my book을 수식하는 관계절을 이끄는 것의 자리이다. '전치사 + 관계대명사'에서 전치사는 선행사(my book) 또는 관계절의 동사에 따라 결정되는데, 문맥상 '책에서'라는 의미가 되어야 자연스러우므로 전치사 in(~에서)이 관계대명사 which 앞에 온 in which를 써야 한다.
따라서 (A) who - (B) in which의 순서로 쓰인 ④번이 정답이다.

해석 인사부서에 있는 많은 사람들이 하는 흔한 실수는 잠재적 직원의 다른 측면들을 고려하지 않은 채 그들이 생각하기에 직책의 전문적인 요건들을 충족시키는 지원자를 채용하는 것이다. 태도, 성격, 심지어 도덕성과 같은 부가적인 자질들이 직원이 일하는 방식에 영향을 미칠 것이라는 점을 절대 잊지 말아야 한다. 당신은 이 주제와 더 많은 것들에 대해 훨씬 상세히 설명하는 내 책을 구매함으로써 현명한 채용 방식에 대하여 더 배울 수 있다.

어휘 human resources 인사부서 applicant 지원자 requirement 요건 aspect 측면 attitude 태도 ethics 도덕(성)
go into detail 상세히 설명하다

06 기출포인트 비교급 관련 표현

정답 ①

해설 제시된 문장의 '마치자마자 ~ 박수를 쳤다'는 비교급 관련 표현 no sooner ~ than -(~하자마자 -하다)을 사용하여 나타낼 수 있는데, 부정을 나타내는 부사구(No sooner)가 강조되어 문장의 맨 앞에 나오면 주어와 조동사가 도치되어 '조동사(did) + 주어 + 동사'의 어순이 되어야 하므로 No sooner did the CEO finish ~ than ~으로 나타낸 ①번이 정답이다.

어휘 applaud 박수를 치다, 환호하다

07 다음 글의 밑줄 친 부분 중 어법상 옳지 않은 것은?

Thanks to the normalization of mobile phones, the way we communicate through text has changed over time, and ① so have the way we make and answer calls. The protocol ② applied to texting depends on the sender and the recipient, using formal composition for strangers or professional relationship and almost no etiquette for those who are close. In fact, ③ it is common for friends and family members to text images with no accompanying message. Phone calls, on the other hand, are now considered somewhat impolite, with people ④ making them only in urgent or formal situations.

08 우리말을 영어로 가장 잘 옮긴 것은?

① 그는 어젯밤에 늦게까지 일해서, 지금 자고 있음이 틀림없다.
→ He worked late last night, so he must have been sleeping now.

② 우리는 그녀가 한 주간 준비해왔던 연설을 몹시 듣고 싶다.
→ We are eager to hear the speech she's been preparing for a week.

③ 그녀는 잠을 자기에 너무 이르다고 생각해서 책을 읽었다.
→ She thought it was too early to go to sleep, so she reading a book.

④ 간호사는 그에게 진료 기록에 관한 양식을 작성하게 했다.
→ The nurse made him to fill out forms about his health history.

07 기출포인트 도치 구문: 기타 도치

정답 ①

해설 '~역시 그렇다'라는 표현인 so 뒤에는 주어와 조동사가 도치되어 '조동사 + 주어'의 어순이 되어야 하는데, 이때 조동사 역할을 하는 have 동사는 주어(the way)와 수 일치시켜야 하므로 복수 동사 have를 단수 동사 has로 고쳐야 한다.

오답분석 ② **기출포인트** **현재분사 vs. 과거분사** 문장에 이미 동사(depends on)가 있으므로, 밑줄 친 부분은 명사 The protocol을 수식하는 분사 자리이다. 수식 받는 명사(The protocol)과 분사가 '프로토콜은 적용된다'라는 의미의 수동 관계이므로 과거분사 applied가 올바르게 쓰였다.

③ **기출포인트** **가짜 주어 구문** to 부정사구(to text ~ message)와 같이 긴 주어가 오면 진주어인 to 부정사구를 문장 맨 뒤로 보내고 가주어 it이 대신 주어 자리에 대신해서 쓰이므로 가주어 it이 올바르게 쓰였다.

④ **기출포인트** **분사구문 관용 표현** 이유를 나타낼 때 'with + 명사 + 분사' 구문으로 나타낼 수 있는데, 명사(people)와 분사가 '사람들이 전화를 걸다'라는 의미의 능동 관계이므로 현재분사 making이 올바르게 쓰였다.

해석 휴대전화의 표준화 덕분에, 우리가 문자를 통해 의사 소통하는 방식은 시간이 흐름에 따라 변화해왔고, 전화를 걸고 받는 방식 또한 변해왔다. 문자에 적용되는 프로토콜은 발신자와 수신자에게 달려 있는데, 낯선 사람들에게나 직업적인 관계에는 형식적인 구성 요소를 이용하고 가까운 사람들에게는 거의 에티켓이 없다. 사실, 친구나 가족 구성원들이 메시지를 수반하지 않는 이미지를 문자로 보내는 것은 흔한 일이다. 반면에, 사람들이 긴급하거나 공식적인 상황에서만 전화를 걸기 때문에, 그것들(전화를 거는 행위들)은 이제는 다소 무례하다고 여겨진다.

어휘 normalization 표준화 apply 적용하다 recipient 수신자 formal 형식적인, 공식적인 composition 구성 요소 accompany 수반하다, 동반하다 impolite 무례한 urgent 긴급한

08 기출포인트 to 부정사 관련 표현

정답 ②

해설 형용사 eager는 to 부정사를 취해 be eager to(몹시 ~하고 싶다)로 쓰이는 형용사이므로 We are eager to hear가 올바르게 쓰였다.

오답분석 ① **기출포인트** **조동사 must** '지금 자고 있음이 틀림없다'는 현재 상황에 대한 확신을 나타내고 있으므로 과거에 대한 강한 확신을 나타내는 must have been을 현재에 대한 강한 확신을 나타내는 must be로 고쳐야 한다.

③ **기출포인트** **과거 시제** 접속사(so)로 연결된 절의 동사 자리에 준동사(reading)의 형태는 올 수 없고, '책을 읽었다'라는 과거의 동작을 나타내므로 reading을 과거 동사 read로 고쳐야 한다.

④ **기출포인트** **원형 부정사를 목적격 보어로 취하는 동사** 사역동사 make(made)는 목적격 보어로 원형 부정사를 취하므로 목적어(him) 뒤의 to 부정사 to fill을 원형 부정사 fill로 고쳐야 한다.

어휘 be eager to 몹시 ~하고 싶다 speech 연설 prepare 준비하다 fill out ~을 작성하다

09 밑줄 친 부분 중 어법상 옳지 않은 것은?

On December 11, 1946, the United Nations International Children's Emergency Fund (UNICEF) was formed. It ① was created to provide aid to children ② living in places devastated by World War II. The organization relies largely on private donations and ③ contributing government funding. There are 184 member nations, and the group ④ has field offices in more than 190 countries and territories.

10 밑줄 친 부분이 어법상 옳은 것은?

① The bulk of her essay are about different ways people experience satisfaction.
② She would rebel her parents when she wasn't able to get her way.
③ Take the time to prepare a nice dinner, he was disappointed when his guests called to cancel.
④ The critics found the film interesting, although it did not impress in any particular way.

09 기출포인트 **현재분사 vs. 과거분사** 정답 ③

해설 수식 받는 명사(government funding)와 분사가 '기부된 정부 자금'이라는 의미의 수동 관계이므로 현재분사 contributing을 과거분사 contributed로 고쳐야 한다.

오답 분석
① 기출포인트 **능동태·수동태 구별** 동사 뒤에 목적어가 없고, 문맥상 주어와 동사가 '이것은 만들어졌다'라는 의미의 수동 관계이므로 수동태 was created가 올바르게 쓰였다.
② 기출포인트 **현재분사 vs. 과거분사** 수식 받는 명사(children)와 분사가 '아이들이 살고 있다'라는 의미의 능동 관계이므로 현재분사 living이 올바르게 쓰였다.
④ 기출포인트 **주어와 동사의 수 일치** 주어 자리에 단수 명사 the group이 왔고, 문맥상 '그 집단은 190개 이상의 국가와 지역에 지사가 있다'라는 의미이므로 단수 동사 has가 정답이다. 참고로 the group(집단)이 주어에 위치하여 집단의 여러 구성원들을 의미할 때는 복수 동사가 온다.

해석 1946년 12월 11일에, 유엔 국제 아동 기금(유니세프)이 결성되었다. 이것은 제2차 세계대전으로 인해 황폐해진 곳에 살고 있는 아이들에게 도움을 제공하기 위해 만들어졌다. 그 기관은 개인 기부와 기부된 정부 자금에 주로 의존한다. 184개의 회원국들이 있으며, 그 집단은 190개 이상의 국가와 지역에 지사가 있다.

어휘 form 결성하다, 만들다 aid 도움, 원조 devastate 황폐화시키다 rely on ~에 의존하다 largely 주로 donation 기부
contribute 기부하다, 기여하다 funding 자금, 재정 지원 territory 지역

10 기출포인트 **보어 자리** 정답 ④

해설 동사 find(found)는 5형식 동사로 쓰일 때 'find + 목적어(the film) + 목적격 보어'의 형태를 취하는데, 보어 자리에는 명사나 형용사 역할을 하는 것이 와야 하므로 형용사 interesting이 올바르게 쓰였다.

오답 분석
① 기출포인트 **부분 표현의 수 일치** 부분을 나타내는 표현(The bulk of)을 포함한 주어는 of 뒤 명사(her essay)에 동사를 수 일치시켜야 하므로 복수 동사 are을 단수 동사 is로 고쳐야 한다.
② 기출포인트 **자동사** 동사 rebel은 전치사 없이는 목적어(her parents)를 취할 수 없는 자동사이고 전치사 against(~에 반항하여)와 함께 rebel against(~에 반항하다)라는 의미로 쓰이므로 rebel her parents를 rebel against her parents로 고쳐야 한다.
③ 기출포인트 **분사구문의 형태** 동사(Take)는 부사절을 이끌 수 없으므로 부사절 역할을 할 수 있는 분사구문 형태가 되어야 하는데, 주절의 주어(he)와 동사가 '그가 시간을 들이다'라는 의미의 능동 관계이므로 현재분사가 와야 하고, 문맥상 '저녁 식사를 준비한' 시점이 '그가 실망한' 시점보다 이전에 일어난 일이므로 동사 Take를 분사구문의 완료형 Having taken으로 고쳐야 한다.

해석
① 그녀의 에세이 대부분은 사람들이 만족감을 경험하는 여러 가지 방법들에 관한 것이다.
② 그녀는 제멋대로 할 수 없다면 부모님에게 반항할 것이다.
③ 멋진 저녁 식사를 준비하기 위해 시간을 들였기 때문에, 그의 손님들이 약속을 취소하기 위해 전화했을 때 실망했다.
④ 어떤 특별한 방식으로 깊은 인상을 주지는 않았지만, 비평가들은 그 영화가 흥미롭다고 생각했다.

어휘 the bulk of ~의 대부분 satisfaction 만족감 rebel 반항하다 get one's way 제멋대로 하다 cancel 취소하다 critic 비평가
impress 깊은 인상을 주다 particular 특별한

MEMO

MEMO

MEMO

해커스공무원

영어

기본서 1권 | 문법

개정 11판 3쇄 발행 2024년 12월 9일
개정 11판 1쇄 발행 2024년 5월 3일

지은이	해커스 공무원시험연구소
펴낸곳	해커스패스
펴낸이	해커스공무원 출판팀
주소	서울특별시 강남구 강남대로 428 해커스공무원
고객센터	1588-4055
교재 관련 문의	gosi@hackerspass.com 해커스공무원 사이트(gosi.Hackers.com) 교재 Q&A 게시판 카카오톡 플러스 친구 [해커스공무원 노량진캠퍼스]
학원 강의 및 동영상강의	gosi.Hackers.com
ISBN	1권: 979-11-6999-542-9 (14740) 세트: 979-11-6999-541-2 (14740)
Serial Number	11-03-01